KB153574

사례중심

웹기반학습 설계개발론

Web-Based Learning:

Design, Implementation, and Evaluation

Gayle V. Davidson-Shivers · Karen L. Rasmussen 지음

김동식 · 조일현 · 권숙진 · 손소영 옮김

아카데미프레스

Web-Based Learning: Design, Implementation, and Evaluation

Authorized translation from the English language edition, entitled Web-Based Learning: Design, Implementation, and Evaluation, 1st Edition, 0130814253 by DAVIDSON-SHIVERS, GAYLE V.; RASMUSSEN, KAREN L., published by Pearson Education, Inc, publishing as Prentice Hall, Copyright © 2006

KOREAN language edition published by PEARSON EDUCATION KOREA LTD., & ACADEMY PRESS PUBLISHING CO., Copyright © 2008

Printed in Korea

ISBN 978-89-91517-50-9

역자 서문

이 책은 남 알라바마 대의 Gayle V. Davidson-Shivers 교수와 서 플로리다 대 Karen L. Rasmussen 교수가 2006년에 출판한 『Web-Based Learning: Design, Implementation, and Evaluation』을 번역한 것이다. 그들의 서문에서도 밝히고 있듯이, 이 책은 ADDIE 모형과 같은 전형적인 교수설계 원리를 활용하여 웹기반 학습 프로그램을 설계하는 방법을 제시하고 있다.

역자들이 이 책의 번역을 생각하게 된 동기는 이렇다. 학교교육, 기업교육 분야에서 'e-러닝', '사이버교육', 'U-러닝', 'M-러닝' 등 다양한 명칭을 가지고 새로운 교육적 도전을 하고 있지만, 그 프로그램들을 찬찬히 살펴보면, 적당히 새로운 컴퓨터 기술적 속성(affordance)을 가지고 와서 학습내용을 담아내는 방식에 익숙해있는 것 같다. 그 프로그램의 교육적 효과와 효율성을 지향하기 위한 교수설계 모형에 기반한 프로그램 개발에는 비교적 관심이 적은 것으로 보였다. 이런 관점에서 이 책은 아주 적합한 지침서가 될 것이다. 이 분야를 공부하거나 교육현장에서 온라인 학습 프로그램 설계, 개발에 종사하는 분들에게 필요한 기법을 제시해줄 것이다.

이 책은 기본적으로 교수설계 혹은 웹기반 학습에 관한 이론적인 책이 아니다. 그러면서도 교수설계나 웹기반 학습에 관한 이론들 중에서 가장 핵심적인 원리를 가지고 와서 웹기반 학습을 실제로 어떻게 설계하고 개발할 것인가에 대한 지침을 제시하려고 노력하고 있다. 수많은 관련 이론, 원리를 설명하려고 하지 않고, 기본적인 원리들만 가지고 구체적으로 어떻게 설계하는 것이 보다 효과적이고 효율적인 학습에 기여할 수 있을 것인가에 중점을 두고 있다고 하겠다. 이를 위하여 많은 지면을 할애하여 구체적인 예를 제시하였고, 독자에게는 배운 대로 실제로 어떻게 설계를 할 것인가를 연습해볼 수 있는 기회를 제공하려 하였다.

이런 점들 때문에 웹기반 학습에 관심이 많은 연구자들이나 학교나 기업의 현장 전문가들에게 유익한 설계의 지침이 될 것으로 생각한다.

몇 권의 책을 번역하면서 다시는 번역하는 일을 하지 않으리라 다짐했었다. 경험이 있는 분들은 알겠지만 번역은 생각만큼 단순한 일이 아니다. 일차적으로 용어의 통일을 기하기도 어렵고, 우리의 문화와 다른 미국의 문화에서 볼 수 있는 예들은 예들을 통하여 이해를 돕기는커녕 오히려 방해하거나 혼동을 초래하기도 하기 때문이다. 뿐만 아니라 여러 역자들 간의 표현 방식의 차이를 조율하기가 어렵기도 했다. 이런 어려움 때문에 틀림없이 어딘가에는 어색한 표현이나 부적절한 번역이 있을 수 있다. 이는 완전히 역자들의 부족함에 기인하는 것이라서 이 책을 읽으신 분들께서 지적해 주시면 다음 판에서 보완하도록 할 것이다. 모쪼록 역자들이 생각하는 것처럼 필요하신 분들에게 많은 도움이 되기를 바랄 뿐이다.

2008년 2월, 역자를 대표하여
김동식 씀

저자 서문

인터넷과 웹은 우리가 정보를 얻고 공유하는 방식을 바꾸어 놓았다. 웹의 급속한 팽창과 접속이 전통적인 교수전달체제의 강력한 대체 방식이 되고 있다. 웹기반 학습(WBI: Web-Based Instruction)을 효과적으로 설계하고 활용하는 방법을 이해함으로써 교수설계자나 교육 전문가들은 교육을 위한 웹에 힘을 실어줄 수 있을 것이다.

이 책은 다양한 교육 및 훈련 상황을 위한 온라인 학습 프로그램 개발에 대하여 종합적으로 다루려고 한다. WBI 설계 및 운영(전달)을 위한 실제적인 방법을 제시하기 위하여 이 분야의 연구, 이론은 물론 실제적인 문제를 논의하고자 한다. 교육전문가들로 하여금 WBI 설계 및 운영을 위한 개념적 프레임워크를 제공하고, 이를 바탕으로 한 웹기반 교수설계(WBID: Web-Based Instructional Design) 모형을 활용하여 학습 프로그램을 설계하고 개발하도록 하는 것이 이 책의 목표이다.

이 책의 주요 방법론

약 5년 전, WBI 설계에 가장 효과적이고 효율적이라고 믿을 수 있는 것을 개념화하기 시작하였다. 그 방법은 웹기반 환경에 존재하고 있는 우리들의 교수설계에 대한 경험, 수업에 대한 철학, 실제 등을 반영하는 것이다. 수많은 토론과 논쟁을 통하여 이 책에 대한 계획을 찾아내서 실천에 옮겼다. 기본적으로 교수설계(ID) 방법론과 철학의 범위를 벗어나지 않으면서도 ADDIE 모형이나 전통적 ID 모형에서 볼 수 있는 주된 단계를 수정하였다.

웹 환경이 상당한 정도로 안정화되고 있고 학습관리시스템(LMS)이 일반화되어 가면서 WBID 모형도 진화되기 시작했다. 우리가 WBID 모형을 논의할 때에 ID의 주요 원리들을 웹기반 학습 환경으로 확장했다. 이 책의 초점은 설계의 단계와는 무관하게 그 단계의 절차에 대한 설계자의 준비와 실천에 있음을 강조하고자 한다. 이 책에서, 교수설계 원리들을 연구, 이론, 실제에 기초하여 보려고 하였고, 이 원리들의 핵심을 이해시키기 위하여 많은 예를 제시했고, 왜 그 방법이 바람직한지에 대한 증거를 제시하고자 했다.

어떤 독자를 염두에 두었는가?

이 책의 일차적인 독자는 웹기반 학습 환경을 개발하는 과목을 가르치거나 배우는 교육공학과 교수나 학생들이다. 또 다른 독자는 온라인 학습을 개발, 활용하기 위하여 웹을 사용하는 교육전문가들이다. 초중등학교 교사나 대학의 교수들에게도 자신들의 온라인 수업을 개발하는 데 유용한 자료가 될 것이다.

박물관, 의학 교육종사자, 기업 혹은 정부 기관 등에서 평생교육 혹은 기업교육에 종사하는 교육담당자 혹은 설계자에게도 이 책은 필요한 정보를 제공해줄 수 있을 것이다. 온라인 교육에 관심 있는 사람들에게 유용하게 활용되기를 바란다.

개요

이 책은 총 10장으로 구성되어 있으며, 다시 3부로 나누어진다. 첫 두 장에서는 WBI 환경에 대한 개요와 배경을 다룬다. 나머지 여덟 장은 WBID의 단계별로 논의하고 있다. 그 외에 용어설명, 참고문헌, 부록, 찾아보기로 이루어져 있고, 본문에 포함되지 않은 정보는 '자매 사이트(http://www.prehall.com/davidson-shivers)에서 찾아볼 수 있다.

1부(1~2장): 웹기반 학습, 웹기반 학습공동체, 웹기반 교수설계에 대한 개요

1장에서는 웹기반 환경과 웹기반 학습공동체에 대하여 간략하게 살펴본다. 그리고 WBI를 정의하고 WBID 모형과 원격 교육의 기초 분야를 살펴본다. 동시에 독자들이 WBI를 선택할 때 고려해야 하는 강약점과 WBI 설계 및 운영에서 독자들의 역할과 책임, 도전이 무엇인지를 논의해본다.

2장에서는 WBID 모형을 위한 여타의 이론적 기초(학습 이론, 일반 체제 이론, 커뮤니케이션 이론, 교수 설계 모형)를 소개함으로써 웹기반 설계에 이 이론들이 서로 어떻게 관련되어 있는가를 제시하려고 하였다. WBID 모형을 개괄적으로 조망하였고, 마지막 부분에는 *GardenScapes*라는 설계에 대한 상세한 설명을 덧붙였다. *GardenScapes* 사례는 이 책에서 일관되게 사용되는 중심 사례로서, 후속 장들에서도 활용될 것이다. 이 중심 사례 외에 각 장의 마지막에 네 가지의 사례를 추가하였다.

2부(3~8장): 웹기반 학습공동체 구축을 위한 웹기반 교수설계 모형

3장에서는 분석 단계의 두 부분, 즉 문제 분석과 교수 구성요소 분석에 대해 다루고 있다. 문제 분석이란 수행상의 문제와 그 해결안의 성격을 규명해내는 작업이다. 우리는 문제 분석 작업을 수행하는 절차에 대해, 또 WBI가 문제 해결을 위한 최적의 대안인지를 검토하는 방법에 대해 설명하였다. 이어 교수 상황 내에서 발견되는 네 가지 분석 요인 중 세 가지, 즉 교수 목표, 맥락, 그리고 학습자를 분석하는 방법에 대해 다루었다.

4장에서는 3장에서 언급한 네 가지 교수 구성요소 중 남은 한 가지인 학습 내용 분석에 관해 논의함으로써, 3장에서 시작했던 WBI 설계의 분석 단계에 대한 설명을 마무리하게 된다. 학습 내용에 대한 학습과제지도(LTM: Learning Task Map)를 개발하는 방법을 상술하고, 이 LTM에 나타난 세부 항목들과 관련지어 과제-목표-평가 항목 청사진(TOAB: Task-Objective-Assessment Item Blueprint) 기법을 소개하였다. 4 장은 교수 목표 진술문 작성법을 마저 다룬 뒤, 교수 구성요소 분석 결과에 기초하여 WBI의 설계 및 운영에 주는 시사점을 음미하는 것으로 마무리된다.

평가는 WBI의 성공을 가늠해 보는 중요한 잣대가 되기 때문에, 분석을 다룬 장 다음에 곧바로 평가 기획 단계에 대하여 설명하였다. 5장에서는 형성평가의 자세한 기획 절차, 총괄평가의 예비적 기획 절차, 형성평가 결과를 정리하여 보고하는 절차에 대하여 살펴보게 될 것이다. 형성평가에 관한 평가 관련 내용은 동시적 설계 단계(6~8장)에서 제시하였고, 총괄평가는 3부에서 다룬[여기에서 평가(evaluation)는 WBI 그 자체의 효과성을 결정하는 것을 말하고, 査定(assessment)은 WBI에서 학습자들이 학습 목표를 얼마나 잘 성취했는가를 결정하는 것을 말한다].

WBID 모형이 전통적 교수설계 모형과 다른 점은 2장에서 보았던 동시적 설계 단계에서 찾아볼 수 있다. 다음 세 장에서 이 동시적 설계 단계에 포함된 절차들을 살펴볼 것이다. 6장은 형성평가와 설계, 형성평가와 개발이 서로 유기적으로 실행되는 것에 대하여 설명하고 있다. 4장에서 설명한 TOAB 도구를 통해서 목표와 사정의 문제를 다시 생각해보게 될 것이다. 이 장은 목표 군집화와 관련된 설명으로 마무리된다.

7장에서는 WBI에서의 교수 및 동기 전략의 설계에 대하여 살펴본다. 교수 전략의 주요 범주들을 결정하기 위한 도구인 WBI 전략 워크시트를 소개하고 Keller의 ARCS 모형, Wlodkowski와 Ginsberg의 동기 프레임워크 같은 두 가지 동기설계 이론을 통하여 동기 전략 기법을 살펴볼 것이다. 마지막으로 미디어 선정을 포함한 WBI 설계에서 고려해야 할 요소에 대하여 볼 것이다.

8장에서는 웹의 인터페이스, 메시지와 시각적 설계를 다룬다. 플로차트와 스토리보드를 통해서 WBI 프로토타입 예시를 제시한다. 웹페이지와 웹사이트를 개발하게 되면서, WBI 설계 기획안에서 개발 단계로 넘어가게 된다. 그리고 우리는 여기에서 발생하는 기술 문제에 대해서 논의할 것이다. 연속되는 WBI 프로토타입 개발과 형성평가 과정의 시범 운영 과정에 대한 논의를 하며 이 장을 맺는다.

3부(9~10장): 웹기반 학습의 운영과 평가

WBID 모형에서 특징적인 부분은 운영 단계에 있다. 9장, 운영 단계에서는 크게 두 가지 측면이 강조되는데, 이는 학습 촉진과 관리이다. 학습 촉진은 운영을 시작할 때 초기 학습활동을 사전에 기획하는 것부터 학습 환경 내에 학습공동체 구축을 지원하는 등의 온라인 교수-학습 활동과 관련되어 있다. 관리는 관리 인프라 운영과 시스템 유지보수와 관련되어 있다.

10장은 총괄평가 및 연구를 기획하고 실행하는 구체적인 방법을 제공하고, 총괄평가 보고서를 작성하는 데 필요한 정보를 논의하며 마무리된다.

이 책의 특징

이 책은 여러분의 WBID 모형에 대한 이해와 적용을 위하여 선행조직자로 시작하고, 학습 내용을 적당한 교수 단위로 묶고, 관련 사례를 제공하였다. 또한 심화 학습을 위하여 토론 과제와 추가 사례, 보충 학습을 위하여 부록과 자매 사이트를 제공하였다.

선행조직자

모든 장은 개요 형태의 선행조직자로 시작해서, 학습 목표, 토론의 순서로 진행된다. 또한 3장에서 10장에 걸쳐 그래픽 조직자를 제시하였다.

학습 내용

각 장은 적당한 크기의 교수 단위로 학습 내용을 구성하고 있다. 이어서 '생각해보기' 활동을 통하여 해당 내용을 적용해볼 수 있는 기회가 학습자에게 제공된다. '생각해보기' 활동은 교수자의 안내에 따라 코스 기간 동안 학습자가 자신이 선택한 WBI 프로젝트를 진행한다는 것을 가정하고 설계되었다. 예를 들면, 1장에서 WBI가 우리에게 필요한지를 WBI의 강약점을 통하여 살펴본 뒤, '생각해보기' 활동에서 여러분들이 수행할 적절한 WBI 프로젝트를 어떻게 선정해야 하는지에 관한 가이드라인을 제공하였다. 물론 교수자는 이러한 가이드라인을 상세화할 수 있다. 교수자는 '생각해보기' 활동을 안내하기 위한 목적뿐만 아니라 학습자들에게 내줄 과제로도 활용할 수 있다.

3장부터 10장에 걸쳐 *GardenScapes* 사례는 WBI 설계를 더 상세하게 설명하기 위하여 학습 내용과 생각해보기 사이에 제공된다. 학습자들에게 학습한 내용을 연습해보고, 토론해보게 한 후 '마무리하기' 부분에서 각 장의 내용을 간략하게 다시 정리해준다.

GardenScapes 사례

이 책의 큰 특징 중 하나는 2장에서 처음 소개되는 *GardenScapes*이다. 이 사례를 통해 각 장에서 소개되는 원리와 절차에 대한 이해를 돕고자 하였다. 이 책 전체에서 논의되는 이 사례는 전문대학 내 성인학습자를 대상으로 하는 프로그램으로, 정원을 가꾸는 기능 개발을 위한 WBI 개발과정을 상세히 설명한다. 이 사례에 등장하는 교수자는 교수설계에 대한 지식이 없기 때문에 WBI의 설계 및 운영를 담당하는 설계팀 소속의 교수설계 인턴들과 함께 일하게 된다.

우리는 다음과 같은 이유로 전통적인 ID 모형에서 제시하는 사례를 사용하지 않았다. 첫째, ID를 공부하는 대부분의 학생들은 자신의 ID 프로젝트를 진행하는데 있어서 기존의 ID 모형에서 제공하는 사례를 선택하려고 할 것이다. 만약 우리가 특정한 전통적인 ID 모형이 적용된 사례를 선택한다면, 불필요하게 특정 모형을 강조하게 되므로 기존의 사례를 선택하지 않았다. 둘째, 우리는 독자들이 GardenScapes 사례에서 제공하는 정원 가꾸는 내용을 흥미로워하고, 이에 대한 사전지식을 어느 정도 갖추고 있을 것이라고 판단하였다. 셋째, WBI 프로젝트에 참여한 ID에 대한 지식이 없는 다른 전문가들도 GardenScapes 사례를 통해 이 책을 충분히 활용할 수 있도록 의도하였다. 마지막으로, GardenScapes 사례를 통해 이 책에서 제시한 WBID 모형에 대하여 토론을 유도하는 데 있었다. 즉 새로운 상황에 WBID 모형을 적용하면서 이 모형이 실제 어느 상황에서 사용할 수 있고 혹은 어느 상황에서 사용할 수 없는 지를 깨달을 수 있도록 하였다. 즉 이를 통해 WBID 모형에 대해서 좀 더 창의적으로 고민할 수 있는 중요한 기회를 제공하고자 하였다.

토론 과제

모든 장의 끝에 나오는 토론 과제 질문들은 각 장에서 제시된 개념과 절차와 관련되어 있다. 학습자는 이 질문을 통하여 학습한 내용을 단순히 재생하기보다 WBI 설계 및 운영과 관련된 트렌드와 이슈를 좀 더 탐구할 수 있다. 뿐만 아니라 WBI 설계 과정에 대한 전반적인 이해를 돕는 공부 지침으로 활용할 수 있다. 교수자는 이 질문을 토론 주제나 수업 과제로 활용할 수 있다.

사례 연구

2장부터 10장에 걸쳐 제공되는 사례 연구는 초중고등학교, 기업, 군대, 대학에서의 WBI 사례를 제공하고 있다. 다양한 사례를 통해 교수자와 학습자들은 WBI 설계 과정을 이해할 수 있다. 즉 각 사례들의 교수 목표, 학습자, 맥락, 학습 내용에 따라 WBI가 설계되는 과정을 살펴볼 수 있도록 하였다. 각 사례에 대한 교수자와 학습자들의 심층적 논의를 유도하고, 각자의 상황에 맞추어 이를 고민해볼 수 있도록 구체적으로 WBI가 어떻게 개발되었는지는 다루지 않았다.

부록

부록은 학습자들이 자신의 WBI 프로젝트를 마무리하기까지 필요한 자료를 소개하고 있다. 부록 A '데이터 수집 방법 및 도구'는 분석과 평가를 수행하는 데 사용하는 다양한 방법과 도구를 다루고 있다. 부록 B 'WBI 설계 시 추가 고려사항'은 WBI를 설계하고 운영하는 데 필요한 자료를 다루고 있다. 각 장에서 적절한 정보의 위치에 아이콘과 설명을 통해 부록 A와 B를 소개하였다.

추가정보는 부록 A[또는 B]를 참고하자.

자매 사이트

교재에서 지면 관계상 제공하지 못한 내용은 자매 사이트에 제공하였다. 예를 들면, *GardenScapes* 사례에서 활용한 완성된 설계 문서를 제공한다. 우리는 학습 내용 및 각 장에서 소개된 예 혹은 사례 연구를 개발하는 데 필요한 학습자원 혹은 이에 관련된 웹 학습자원과 링크시켰다. 우리는 다음 아이콘과 설명을 통해 자매 사이트를 소개하였다.

GardenScapes '설계 문서' 에 관해서는 자매 사이트 (www.prenhall.com/davidson-shivers)를 참고하자.

차례

제1부 웹기반 학습, 웹기반 학습공동체, 웹기반 교수설계에 대한 개요

제1장 웹기반 학습, 웹기반 학습 환경, 웹기반 학습공동체

제2부 웹기반 학습공동체 구축을 위한 웹기반 교수설계 모형

제3장 분석: 교수 목표, 교수 맥락, 학습자

제4장 분석: 학습 내용

제5장 평가 기획: 형성 및 총괄평가 기획

제6장 동시적 설계: 사전 기획

제7장 동시적 설계: 교수 및 동기 전략 기획

제8장 동시적 설계: 설계와 개발의 동시화

제3부
웹기반 학습의 운영과 평가

제9장 운영: 학습공동체 구축

제10장 총괄평가 및 연구

부록

부록 A 데이터 수집 방법 및 도구

부록 B WBI 설계 시 추가 고려사항

제 1 부

웹기반 학습, 웹기반 학습 공동체, 웹기반 교수설계에 대한 개요

제 1 장

웹기반 학습, 웹기반 학습 환경, 웹기반 학습공동체

웹기반 학습(Web-Based Instruction)[1]은 유치원, 초 · 중 · 고등학교, 기업체, 군대 등의 기관에서 학습자들에게 교육과 훈련의 기회를 제공하고 있다. 웹기반 학습 환경은 인간, 기술, 교육, 조직의 지원 구조로 구성되어 있다. 웹기반 학습 환경에서 학습공동체인 웹기반 학습공동체의 유형은 다음과 같다. 한 극단에서의 웹기반 학습 환경은 교수자 혹은 다른 학습자와 전혀 상호작용을 하지 않고도 학습이 가능한 개인 학습이 있을 수 있고, 학습자와 교수자가 강한 공동체 의식을 갖고 적극적인 상호작용과 참여가 요구되는 학습 환경과 같은 대조적인 유형이 있다.

이 장은 인터넷과 웹의 사용 현황부터 시작한다. 원격 교육에 대하여 간단히 알아보고, WBI의 강점과 약점을 살펴본 뒤, WBI와 원격 교육을 정의할 것이다. 온라인 교육의 유형, WBI에서 사용되는 현재와 미래, 그리고 통합 기술에 대하여 논의할 것이다. 웹기반 학습 환경, 학습공동체에 대한 프레임워크에 대하여 논의하고, 이해당사자들의 역할, 책임, 도전에 대하여 살펴보고자 한다.

---

1) 역자주: 이하에서는 WBI로만 표현하기로 한다. 유사한 개념으로는 온라인 학습, 웹기반 학습(Web-based learning), 이러닝 등으로 다양하게 사용되고 있지만, 근본적으로는 웹을 통하여 제공되고 있는 학습 콘텐츠를 지칭하고 있다.

학습 목표

이 장의 구체적인 학습 목표는 다음과 같다.

- WBI를 정의할 수 있다.
- 원격 교육을 정의할 수 있다.
- 원격 교육이 WBI의 기초가 됨을 설명할 수 있다.
- WBI의 강점과 약점을 토론할 수 있다.
- 온라인 교육의 유형을 정의할 수 있다.
- WBI에서 사용하는 기술적 도구들을 설명할 수 있다.
- 웹기반 환경과 학습공동체를 설명할 수 있다.
- WBI와 관련된 이해당사자들의 역할, 책임, 도전을 설명할 수 있다.

시작하기

인터넷과 웹상에는 엄청난 양의 정보를 제공하는 수많은 웹사이트들이 있다. 10억 인구가 인터넷을 사용하고 있으며, 이 인터넷의 세계 시장 규모는 3천억 달러로 추정되고 있다. 2006년, 미국 가정의 60%가 광대역망으로 인터넷에 접속하고 있으며, 이 광대역망의 사용이 가장 빠르게 증가하는 집단은 50세 이상의 연령집단이다(Nix, 2003). 성인이 평생 온라인상에서 소비하는 시간은 2년이며(Dempsey, 2002), 그 중 대부분은 이메일을 통하여 통신하고, 뉴스, 스포츠, 날씨, 오락과 같은 정보를 보는 데 사용한다고 한다.

이러한 유형의 정보는 사용자의 편리한 접근을 위하여 포탈(portal)의 형태로 제공되고 있다. 'Whatis?com' (2005) 사이트에 따르면, **포탈**(*게이트웨이*라고도 함)은 사용자의 브라우저에서 '시작페이지' 를 설정하거나 '즐겨찾기' 로 추가하여 방문하는 특화된 웹사이트이다. 포탈은 일반적 포탈과 특화된 포탈로 나누어지는데, 일반적 포탈은 검색, 뉴스, 날씨 정보, 이메일, 주식, 전화와 지도 정보, 동호회와 같은 서비스를 제공한다. 그림 1.1의 예는 날씨와 관련된 링크 정보이다.

어린이나 어른을 위하여 특화된 포탈도 있다. 그림 1.2는 'Commonwealth of Virginia' 에서 개발한 사이트이다. 부모의 지도나 어른의 감독하에 허락될 때에만 해당 사이트를 사용하도록 권하고 있다.

또한 **인터넷**과 **월드 와이드 웹**은 상품이나 서비스를 파는 사업자와 개인 사용자들에 의하여 상업적으로 사용되기도 한다. 미국 상무부(2003)에 따르면, 2001년 1/4분

▶ 그림 1.1 포탈의 예: 'Coast Weather Research Center'.
(http://www.southalabama.edu/cwrc/stfbill.html). 이 회사의 허가하에 인쇄됨.

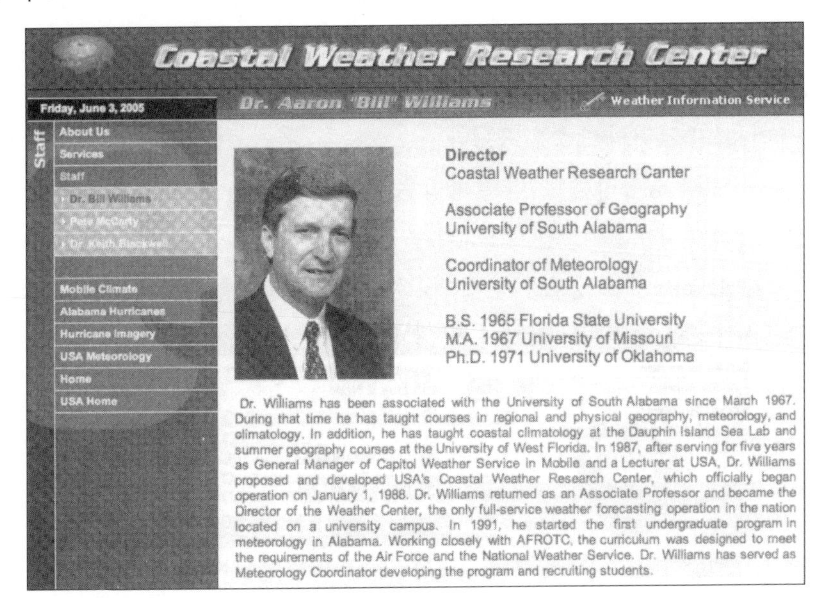

▶ 그림 1.2 포탈의 예: 'Commonwealth of Virginia Kids'.
(http://www.kidscommonwealth.virginia.gov/home). 이 회사의 허가하에 인쇄됨.

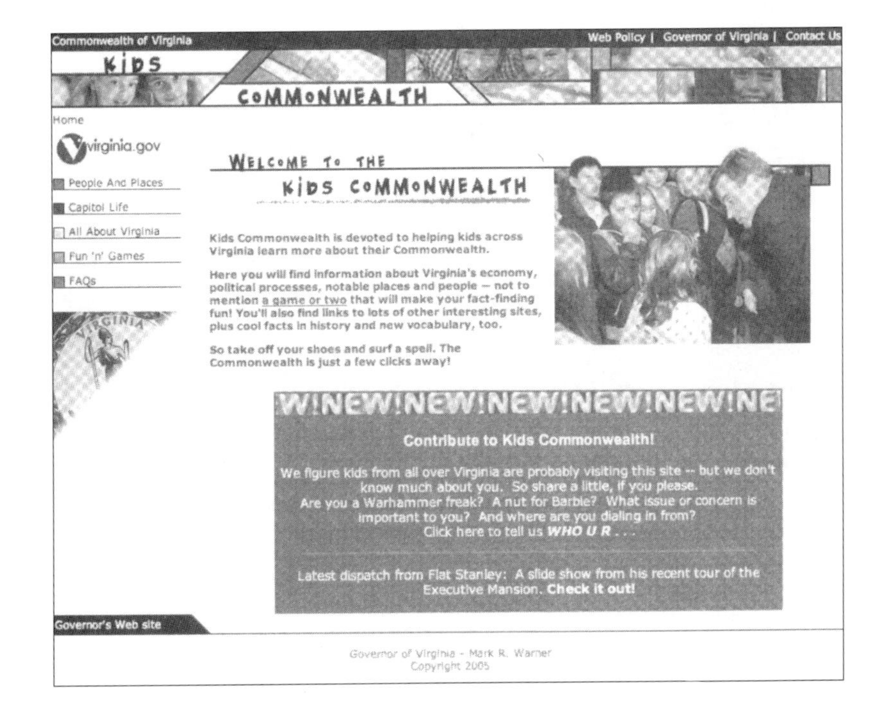

기 전자 상거래가 전체 상거래의 1.5%를 차지하고 있으며, 2000년 1/4분기보다 25% 성장하였다고 한다. 예를 들면, 'eBay' (그림 1.3)는 2003년 기준으로 14억 개 이상의 상품을 가지고 있었으며, 이로부터 342억 달러의 매출을 올렸다(eBay Inc., 2005). 2003년 2/4분기에 아마존닷컴(Amazon.com)은 전년도 4/4분기 재무실적보다 20%가 증가한 9천4백만 달러의 매출을 올렸다

회사가 정보를 공유하는 또 다른 방법 중 하나는 포탈 구조로 그 회사의 웹사이트를 구성하는 것이다. 그 예로는 'Creativity' 포탈 사이트가 있다(그림 1.4). 이러한 포탈 사이트는 상품과 무료 정보를 함께 제공한다. 또한 많은 웹사이트들이 물품과 다른 이해 집단과의 커뮤니케이션을 할 수 있는 방식을 취하기도 한다.

이 아이콘은 해당 주제에 대한 정보를 추가적으로 제공하는 자매 사이트를 가리킨다. 그림에서 제공한 사이트와 포탈의 다른 사이트를 보려면 웹사이트(http://www.prenhall.com/davidson-shivers)를 참고하자.

▶ 그림 1.3 포탈의 예: 'eBay'
(http://www.ebay.com). 이 회사의 허가하에 인쇄됨.

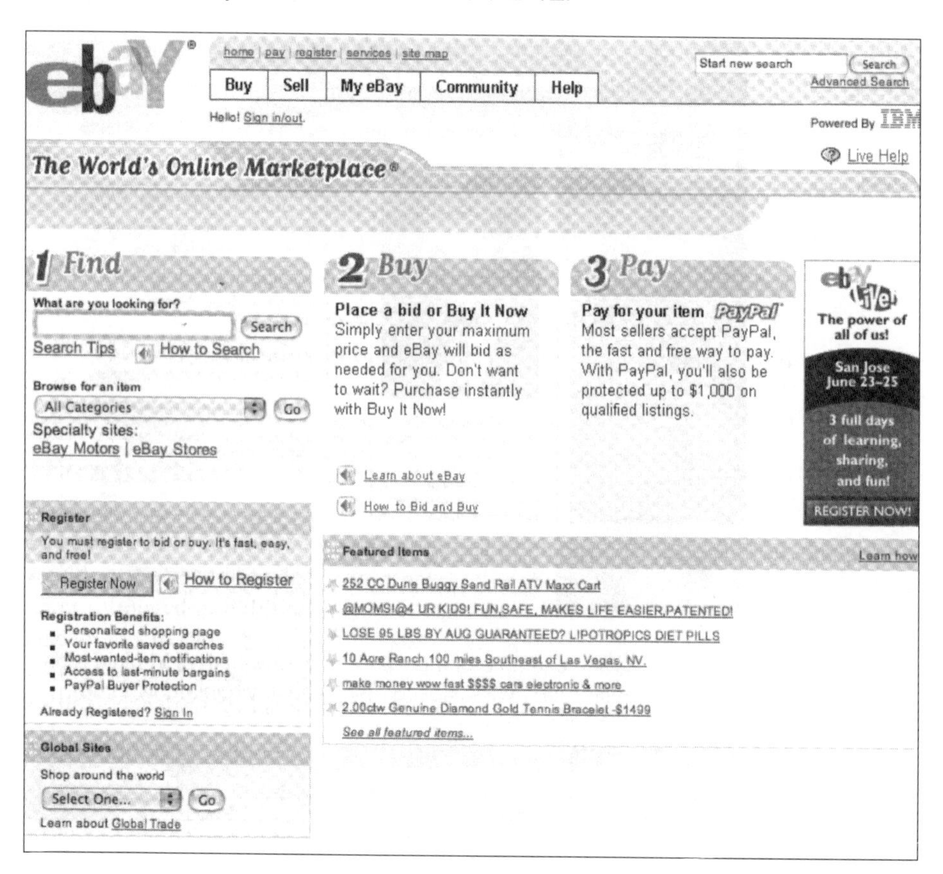

▶ 그림 1.4 포탈의 예: 'Creativity Portal'
(http://www.creativity-portal.com), 이 회사의 허가하에 인쇄됨.

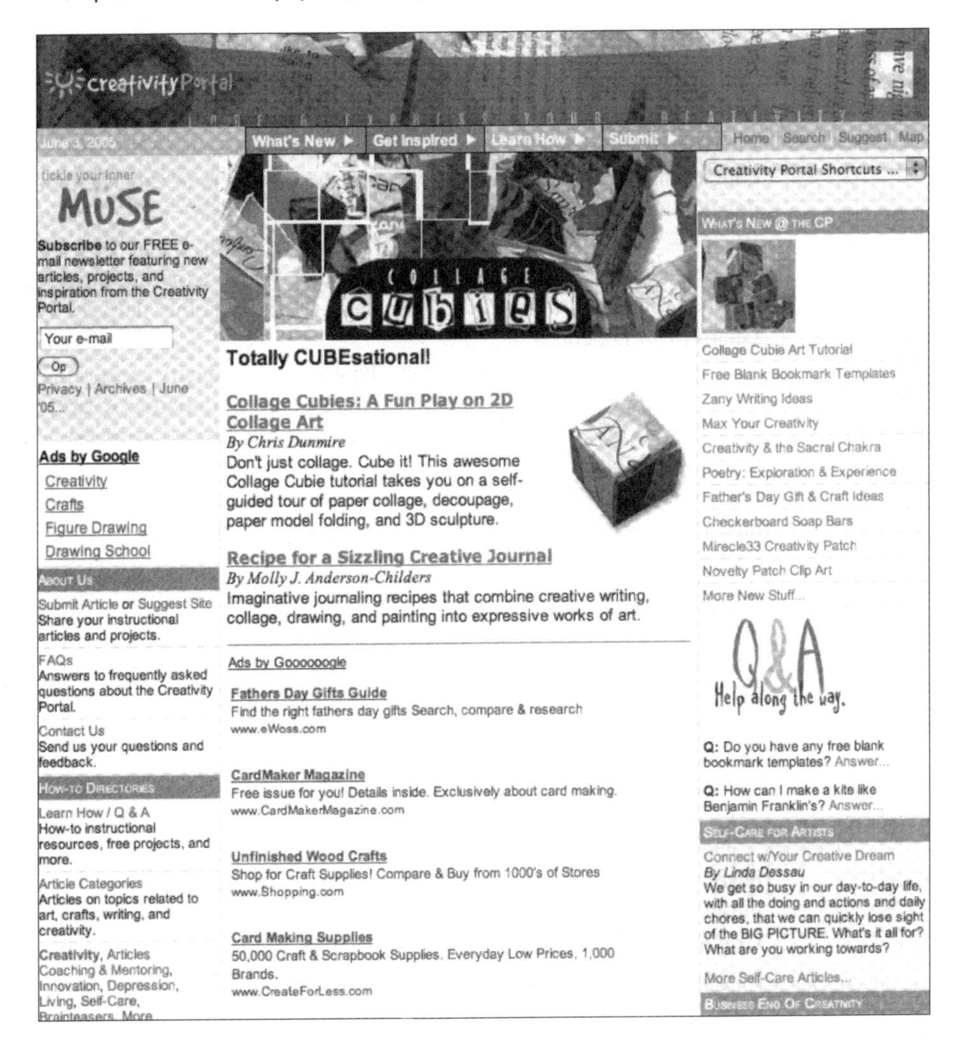

웹기반 교육 및 훈련

1990년 이래로 군대, 기업, 교육기관에서 교육과 훈련을 목적으로 한 웹 사용이 꾸준히 증가하고 있다. 세계 각지에 흩어져 있는 미군들을 위하여 웹기반 훈련을 제공하는데 노력을 집중하고 있다(Andrews, Moses, & Duke, 2002; Barrington & Kimani, 2003; OTT/HPC Spider, 2003). 미 해군은 'NKO(Navy Knowledge Online)' 라는 포탈 사이트를 구축하였다. 이 포탈은 해군병사와 장교들에게 개인적인 성장과 발전은 물론 이들의 군 경력을 개발하기 위한 코스와 참고자료를 제공하고 있다(Flynn, 2003; Harvard Business School, 2003). 'eArmyU' 와 해군학교와 같은 군기관도 장병들에게 웹(U.S. Army, 2003; U.S. Navy, 2003)과 다른 미디어(U.S. Coast Guard Institute, 2003)를 이용한 원격 교육을 통하여 전문성을 신장하는 기회를 제공하고 있다.

시장의 세계화 추세에 따라, 기업은 특정 문화와 민족에 맞는 훈련을 하기 위하여 웹으로의 전환을 촉진하고 있다(Parks, 2001; Richey & Morrison, 2002). Schank (2002)에 따르면 기업이 교수-학습 상황에 웹을 사용하기를 열망하고 있는데, 이는 웹이 높은 성과를 이끌어내는 견인차로 사용될 수 있기 때문이라고 주장한다. 예를 들면, 'A.G. Edwards' 회사는 새로 고용한 재정 컨설턴트들을 대상으로 전통적으로 교육장에서 세미나를 하기보다 WBI에 그들을 참여시킴으로써 훈련시키고 있다. 웹에 의한 훈련을 통하여 신입사원은 고객과 업무를 하는 동안에도 업무 수행에 필요한 기초적인 내용에 대하여 훈련받을 수 있기 때문이다. 이러한 유형의 웹 훈련은 신입사원들에게 경쟁적인 업무 현장에서 매력적인 자극이 될 수 있다.

고등 교육에서도 웹 사용의 증가는 예외가 아니다(Davidson-Shivers, 2002). Dempsey(2002)는 웹기반 코스의 수가 불과 몇 년 전 만해도 몇 백 개였던 것이, 2000년에는 약 18,000개로 증가하였다고 한다. 미 교육부는 중등과정 이후의 웹기반 학습을 위한 시장이 2001년에는 12억 달러였고, 2003년까지 114억 달러로 증가할 것으로 예상하였다(Dempsey, 2002).

학생 수가 줄어드는 상황에서 세계적으로 대학들은 가상 대학을 만들어서, 이 대학에 많은 신입생들을 유치하기 위한 프로그램을 개발하고 있다(Barker, 1999; Davidson-Shivers, 2002; University of Illinois, n.d.). 그러나 Bourdeau와 Bates(1997)는 이러한 웹기반 프로그램이 원격에 있는 신입생들을 그 대학으로 옮겨오게 하기보다는 지역에 있으면서 공부할 수 있는 참여자들을 유치할 것이라고 주장하였다.

생각해보기

우리는 웹을 어떤 목적으로 사용하고 있는가? 웹 사용 시간을 추정해보자. 온라인 활동이 우리의 개인적인, 전문적인 활동에 어떠한 영향을 미치는지를 생각해보고, 다음의 차트에 표시해보자.

생각해보기 활동을 인쇄할 수 있는 자매 사이트
(http://www.prenhall.com/davidson-shivers)를 참고하자.

웹 사용 목적	해당 활동에 표시	소요 시간
이메일		
다음과 같은 정보수집		
뉴스/사건		
스포츠		
날씨		
오락, 음악 등		
재무, 주식 등		
여행		
가정과 정원		
취미		
기타		
매매		
집		
차, 배 등		
골동품과 수집품		
가구		
옷		
기타		
전문성 개발		
교육 또는 훈련		
구직		
구인		
웹 워크숍		
기관		
기타		
업무와 관련된 활동		
교수		
연구		
도서관 서비스		
넷 컨퍼런싱		
기타		
기타		

WBI 정의

이러닝(e-learning: electronic learning)과 *온라인 학습*은 *WBI*와 동의어이다. 이러닝이라는 용어는 기업 교육과 관련된 문헌(Schank, 2002; Stockley, 2003; Wagner, 2001) 또는 국제 교육 및 훈련 정보(Joint Information Systems Committee [JISC], 2003)를 보면 일반적으로 구분 없이 사용되고 있다.

그러나 이들을 명확하게 구분하려는 시각도 있다. **이러닝**은 컴퓨터기반 훈련(CBT), WBI, CD 등과 같이 교육을 위하여 전기 장치와 과정을 사용하는 것을 말한다. 반면 WBI는 인터넷, 인트라넷, 웹만을 사용한 교육이다(JISC; Stockley; Department for Education and Skills, 2002). 미국에서는 WBI와 온라인 학습(교육)의 개념은 "인터넷과 웹으로 연결된 학습자와 교수자[2])가 원격에 있다"는 상황을 의미하기도 한다(Center for Technology in Education at Johns Hopkins University [CTE], 2003). 이 책에서는 *WBI와 온라인 학습*(교육)을 동의어로 보고자 한다. 국제 협약에 의하면, 이러닝은 웹, CD, 또는 DVD로 배포될 수 있는 WBI, 컴퓨터기반 훈련, 기타 멀티미디어를 포함한 전자 장치를 포괄한다.

원격 교육과 WBI는 가끔 동일하게 취급되기도 한다(CTE, 2003; Stockley, 2003). Simonson, Smaldino, Albright와 Zvacek(2000)는 *원격 교육*을 "학습 집단이 지리적으로 떨어져 있고, 상호작용적 텔레커뮤니케이션 미디어를 학습 집단 내에 있는 학습자, 학습 자원, 교수자들을 연결하는 데 사용하는 기관에서 하는 형식 교육"(p. 7)으로 정의하고 있다. 대조적으로 CTE는 원격 교육을 "학생들이 학교 직원과 멀리 떨어진 상태에서 등록을 하는 아주 단순한 교수 형태"이며, WBI는 원격 교육의 한 형태라고 정의하였다. CTE와 Simonson 등은 WBI를 원격 교육의 일종으로 보고 있다. CTE의 정의가 일반적인 반면, Simonson 등의 정의는 서로 다른 지리적 위치라는 점에서 텔레커뮤니케이션과 원격을 강조하였다.

원격 환경을 설명할 때 지리적 위치뿐만 아니라 시간도 함께 고려된다. 이 두 요소를 고려한다면, **원격 교육**을 교수자(instructor)[2])와 학습자가 시간 또는 장소가 분리되는 곳에서 일어나는 교육으로 정의할 수 있다(Davidson-Shivers & Rasmussen, 1999). 그림 1.5는 원격 교육과 비원격 교육을 시간과 공간이라는 요소를 사용하여 구분하였다.

---

2) 역자주: 'Instructor'는 교사, 강사, 교육담당자, 교수자, 교수, 조교 등을 망라하는 사람들을 지칭하고 있다. 이런 다양한 역할을 통칭하는 의미로 이 책에서는 '교수자'라고 표현한다.

▶ 그림 1.5 시간 또는 공간의 차이 또는 시공간의 차이가 있는 상태에서 교육이 행해지는 것이 원격 교육이다.

시간 \ 공간	같음	다름
같음	비원격 교육	원격 교육
다름	원격 교육	원격 교육

원격 교육을 가장 명확하게 드러내는 상황은 시간과 공간이 둘 다 다를 때이다. 그 예로 교수자와 학생이 다른 지역에 거주하고, 이들은 각자 편한 시간에 이메일을 통하여 상호작용하는 WBI이 있다. 또 다른 유형으로 다른 지역에서 동시에 상호작용이 일어나는 원격 교육이 있다. 그 예로 지리적으로 떨어져 있는 교수자와 학생이 **실시간**으로 상호작용하기 위하여 채팅 프로그램을 사용하는 웹기반 수업이 있다. 원격 교육의 마지막 유형으로 교수자와 학생이 동시에 온라인 상태가 아닌 **비실시간**으로 교육이 일어나는 것이 있다.

원격 교육과 분산 교육의 구별

원격 교육은 **분산 교육**으로 흔히 혼용되기도 한다(Bowman, 1999; Hawkins, 1999; Oblinger, Barone, & Hawkins, 2001; Teaching and Learning in an Information Environment [TLITE], 2004). 최근 이를 정의하려는 시도가 있었으나 표준화된 정의가 나오지 못했다. 예를 들어, 캘리포니아 주립대의 분산 학습 센터(Center for Distributed Learning)(2004)는 "분산 교육은 전통 교실에서의 시공간 제한을 뛰어넘는 학습 기회를 제공하기 위하여 컴퓨터와 커뮤니케이션 기술을 사용하는 것을 의미한다"고 하였다. 'TLITE' 도 비슷한 맥락에서 분산 교육의 개념을 언급하였다. 이러한 정의에서 서로 다른 시공간에서 상호작용하는 참여자들에 강조점을 둔다면, 분산 교육과 원격 교육은 상호 교환하여 사용할 수 있다. 그러나 기술 사용에 강조점을 둔다면, 두 개념의 구분이 모호해진다.

그러나 Oblinger 등(2001)은 분산 교육이 원격 교육과 온라인 학습보다 더 광범위한 상위 개념이라고 하였다. 원격 교육과 분산 교육 간에는 사용한 기술과 참여자들(교수자와 학습자)의 상호작용성이 그 공통분모이다. 그러나 Oblinger 등은 "원격 교육은 시공간에 의하여 교수자와 학생이 분리된 상태에서 일어나는 것을 말하는 반면 분산 교육은 캠퍼스 안(전통 교육) 또는 밖(원격 교육)에서 일어난다" (p. 1)라고 원격 교육과 분산 교육을 구분하고자 하였다. 비슷한 맥락에서, Bowman(1999)은 분산 교육 모형은 전통적 수업과 원격 수업을 혼합하고자 할 때 사용되기도 하고 순전히 가상 교실에서만 사용될 수도 있다고 제안하였다.

*원격*과 *분산*이 서로 다른 것인지에 대한 논의는 이 책의 범위를 벗어나는 문제이다. 분산 교육과 원격 교육 중 어느 것이 더 상위의 개념인지도 마찬가지이다. 그러나 이 용어들에 대한 표준화된 정의가 없기 때문에 여기에서는 관련된 문헌 고찰을 통하여 조작적 정의를 하고자 한다. 이 책에서는 원격 교육을 상위 개념으로 사용하면서, WBI의 기반 영역 중 하나로 볼 것이다.

원격 교육

최근 원격 교육의 확장은 인터넷의 급속한 성장과 WBI의 사용 증가에 기인한다. 혁신이 빠르게 이루어지면 이제까지 해오던 것을 모두 폐기해야 하는 것처럼 느끼기 쉽다(Pittman & Moore, Bunker, 2003에서 재인용). 그러나 효과적인 WBI를 개발하기 위하여 교수설계의 역사적 기원을 정확히 이해할 필요가 있다(Richey, 1986; Smith & Ragan, 2005). Bunker도 "전 세계의 원격 교육의 역사를 살펴보는 것은 현재를 이해하고, 미래를 예측하도록 해준다" (p. 63)라고 하였다.

원격 교육 전달 시스템

원격 교육의 역사를 개관하는 방법 중의 하나는 원격 교육에 사용된 전달 시스템을 살펴보는 것이다. **전달 시스템**(또는 *전달 미디어*)은 학습자와 상호작용하는 수단이다(그림 1.6). Peters(2003)는 원격 교육이 어떻게 전달되는지를 나타내기 위하여 *운반 미디어(carrier media)*라는 용어를 사용한다.

우편통신과정. 원격 교육의 초기 형태 중 하나인 우편에 의한 수업은 1800년대 이래로 우편 서비스와 철도를 이용하여 수업 내용을 전달하였다(Cyrs, 1997; Dede, 1990; Willis, 1994). 초창기의 인쇄 기반 형태는 텍스트와 삽화 같은 것들이었다. 오늘날 수업 패키지는 인쇄 자료뿐만 아니라 오디오, 비디오(DVD, CD, CBT)를 포함한다(Peters, 2003; Pittman, 2003; Verduin, 1991). 또한 최근에는 온라인 게시판과 이메일과 같은 전자 기술이 그 자리를 대신하고 있다(Correspondence Course and Schools, 2003). "우편통신 학교(Correspondence schools)"를 검색하면, Phoenix대, Kaplan, Walden, Jacksonville대, St. Leo대, 미국 컴퓨터 정보 과학대와 같은 기관이 검색된다.

▶ 그림 1.6 원격 교육 시스템의 유형

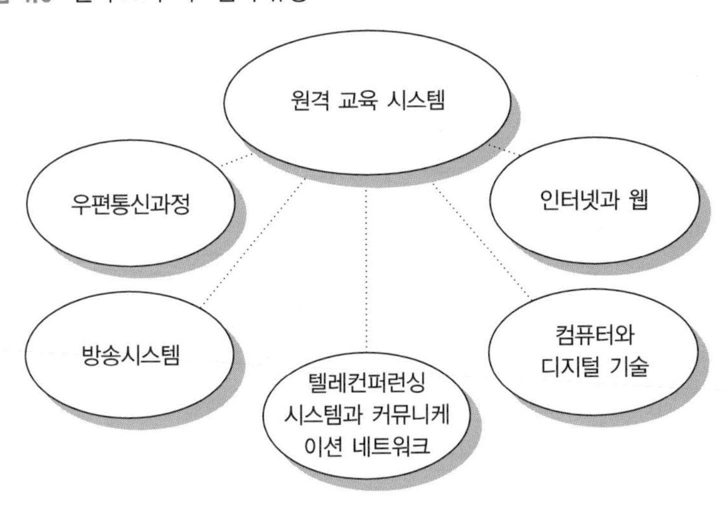

방송시스템. 원격 교육에서 방송 시스템은 1920년대에 라디오의 사용으로 시작되었고, 1930년대에 텔레비전으로 이어졌다. 초기에 학습자는 라디오를 통하여 수업 내용을 청취하고, 우편을 통하여 과제를 제출하도록 하였다. 1952년, 미국연방통신위원회(Federal Communications Commission)의 결정에 의하여 수백 개의 교육용 TV 채널이 만들어졌다. 1960년대 위성의 발달로 TV 교육 방송 프로그램 개발과 활용이 촉진되었다(Reiser, 2002; Simonson et al., 2000). 텔레비전의 출현으로 공중파를 통하여 교육 내용을 전달하기 위하여 비디오와 오디오가 통합되었다. 그러나 보충 자료와 과제는 우편으로 배송되었다.

미국에서 텔레비전 교육방송이 교육 미디어로서의 라디오를 사라지게 하였지만 라디오는 여전히 전 세계적으로 통신과 교육용으로 사용되고 있다. 다양한 원격 교육 프로그램들이 방송 시스템을 통하여 운영되고 있다. 예를 들면, 'Discovery' 채널, 'History' 채널과 같이 'Cable in the Classroom'에 가입되어 있는 망들은 교사와 학생들에게 광범위한 자료를 제공하면서 한 달에 수백시간 동안 비상업적 프로그램을 방영하고 있다(Cable in the Classroom[CIC], 2002)

텔레컨퍼런싱 시스템과 커뮤니케이션 네트워크. 텔레컨퍼런싱 시스템은 전화 대 전화부터 둘 혹은 그 이상의 컴퓨터 간의 데스크톱 비디오 컨퍼런싱, 압축된 영상을 사용하여 더 복합적인 상호작용 환경을 포함한다(Darbyshire, 2000; Hill & Chidambaram, 2000). 텔레컨퍼런싱 시스템은 학습자들이 동시적으로 학습하도록 한다. 대학, 기업, 군대에서는 출장비 및 인건비를 절감하기 위하여 텔레컨퍼런싱 시스템을 사용하고 있다. 대학에서는 네트워크를 통하여 분교들끼리 수업이나 모임을 주고받을 수 있도록 해준다. 기업체들은 텔레커뮤니케이션 망을 통하여 국내 지사와 해외 지사들을 연결할 수 있다. 텔레컨퍼런싱은 유치원부터 고등학교까지 사용하고 있다. 뉴질랜드에서는 200개의 학교들이 교육과정을 공유하고 학교 간 상호작용을 촉진하기 위하여 텔레커뮤니케이션 네트워크를 통하여 연결되어 있다(Ministry of Education, 2003).

컴퓨터와 디지털 기술. 1940년대부터 컴퓨터가 나타나기 시작했음에도 불구하고, 교육자들은 1980년대가 되어서야 사용하기 시작하였다(Davidson, 1992; Reiser, 2002). Reiser는 미국에서 1990년 중반이 될 때까지 컴퓨터는 학교에 널리 보급되지 않았을 뿐더러 대학에서도 원격 교육의 주요한 부분을 차지하지도 못했다고 하였다. 그러나 기업과 군대에서는 훈련을 위하여 컴퓨터가 광범위하게 사용되었다. 즉, 훈련을 위하여 CD와 디스크로 제작한 후 우편 서비스로 배포하였다.

컴퓨터 매개 통신(Communication-Mediated Communication, CMC)과 디지털 기술의 발달과 함께 원격 교육에 주요한 변화가 일어났다(Reiser, 2002; Simonson et al., 2000). 컴퓨터 네트워크의 발달이 원격 교육에서 교수자와 학생들의 동시적 상호작용을 가능하게 한 것이다.

컴퓨터 네트워크에는 **근거리 통신망(Local Area Networks, LAN)**과 **광역 통신망(Wide Area Network, WAN)**이 있다. LAN은 단일 지역 내에서 상호 연결된 컴퓨터 또는 기기들 간에 통신이 가능하도록 하는 통신망인 반면 WAN은 컴퓨터와 소규모 네트워크들이 지리적으로 규모가 큰 지역 즉, 도시, 국가 또는 전 세계로 연결되도록 하는 통신망이다(Smaldino, Russell, Heinich, & Molenda, 2005; Ryder & Hughes, 1998). 예를 들면, 플로리다 주는 LAN을 통하여 학교들을 연결하기 위하여 'FIRN (Florida Information Resource Network)'을 사용하였다(FIRN, 2003). 초·중등학교, 대학들은 교육 자료를 얻고, 서로 커뮤니케이션 하기 위하여 'FIRN'에 접속하였다. 이런 기술의 발달이 원격 교육에서 인터넷과 웹을 사용하도록 촉진한다.

인터넷과 웹. 1990년 초기부터 인터넷과 웹은 원격 교육에서 주요한 미디어였다. 1969년, 미 국방부는 연구 목적으로 네 개의 기관(UCLA, Stanford 대의 SRI, UCSB, Utah 대)을 인터넷으로 연결하였다. 그 당시 인터넷을 사용하기 위해서는 운영체제인 UNIX를 알아야 했다(Ryder & Hughes, 1998). 이후, 인터넷은 군부대와 다른 대학을 연결하는 데 사용되었다. 인터넷은 1980년대 초기에 미네소타 대학에서 개발한 *Gopher*라는 시스템으로 퍼지게 되었다. *Gopher*는 텍스트 기반 메뉴 방식의 인터넷

정보검색 서비스이다.

오늘날 웹은 인터넷과 다른 것으로 생각되지 않으나, 실제로는 인터넷의 하위 구성 요소이다. 인터넷은 문자 정보를 전달하는 반면 웹은 문자, 화상, 음성과 같은 다양한 표현 방법을 가능하게 한다(Crumlish, 1998; Smaldino et al., 2005). 웹은 이것을 사용하는 사람들이 정보를 검색하고, 통신하고, 소프트웨어를 사용할 수 있도록 한다. 그러나 이러한 웹의 특성은 검색엔진, 포탈, 브라우저의 도움 없이는 드러나지 않는다.

검색엔진, 포탈, 웹브라우저. 초창기에, *Gopher Archie Veronica*와 같은 텍스트 기반 검색엔진을 사용하여 인터넷에서 정보를 찾는 것은 매우 어려운 일이었다. 이러한 초창기 검색엔진을 사용하는 사람들은 이메일과 문서 전송을 통한 커뮤니케이션을 위하여 *BITNET*(Because It' s Time NET*work*)에 접속하였다(Simonson et al., 2000).

검색엔진은 사용자가 URL 주소를 가진 데이터베이스에 접속하여, 웹과 인터넷에 있는 정보를 찾을 수 있도록 도와주는 소프트웨어 프로그램이다. 이 데이터베이스는 "웹을 탐색하고, 검색 목록을 만들고, 이를 메인 데이터베이스에 참조(reference)로 돌려주는 컴퓨터 프로그램(웹크롤러, 스파이더 또는 로봇이라고 불리는)에 의하여 컴파일된다"라고 Crumlish(1998)는 설명한다(pp. 92-93). 그러고 나서, 검색엔진은 텍스트와 그래픽 형태로 결과 페이지를 보여준다.

앞서 강조했듯이, 포탈은 사용자의 접근을 용이하게 해주기 위하여 정보를 구조화한 특화된 웹사이트이다. 포탈은 검색엔진처럼 서로 다른 웹 서비스들에 접근할 수 있는 기능을 지원하지만, 확장된 검색 능력과 같은 다른 서비스도 제공하도록 설계되었다(Smaldino et al., 2005).

검색엔진이나 포탈을 사용하기 위하여, 사용자는 웹에 접속해야 한다. 우선 **브라우저**가 사용자의 컴퓨터에 설치되어 있어야 하며, 컴퓨터가 인터넷 접속이 가능해야 한다. 현재 가장 유명한 브라우저는 Microsoft사의 *Internet Explorer*, Netscape사의 *Navigator*(Crumlish, 1998), 그리고 Apple사의 *Safari*가 있다. 그 외 *Amaya, Internet in a Box, Emissary, Lynx, OmniWeb, Firefox, Mosaic, Mozilla, NeoPlanet, Opera, I-View, I-Comm, UdiWWW, SlipKnot*이 있다(Jupitermedia Corp., 2003; Opera Software, 2003; Ryder & Hughes, 1998; Zillman, 2003).

브라우저, 검색엔진, 포탈은 자원과 서비스에 접근을 용이하게 하고 웹을 일상생활에 통합하도록 해준다. 이들 없이 원격 교육에서 전달 미디어로서의 웹을 고려하기 힘들었을 것이다.

전달 시스템의 또 다른 예를 보려면 자매 사이트
(http://www.prenhall.com/davidson-shivers)를 참고하자.

원격 교육에서 웹의 발전

원격 교육 미디어로서 웹 사용이 엄청나게 증가한 것은 가정, 학교, 직장, 공공 도서관에서 해당 기술을 사용할 수 있게 되었기 때문이다. 웹에 대한 관심의 증가는 컴퓨터의 사용 수준에 상관없이 누구라도 웹기반 학습 환경에 쉽게 접근할 수 있게 한 기술 발전의 영향이기도 하다(Wagner, 2001). 상호작용 가용성(affordance)이 있는 기술, 저렴한 비용으로 네트워크에 연결, 사용이 용이한 소프트웨어는 대부분의 미국인이 웹과 인터넷에 접근할 수 있도록 하였다. 이들을 잠재적인 온라인 학습자들로 볼 수 있다. Wagner는 업무 성과 증진을 위한 학습 객체와 지식 경영 도입의 증가로, WBI는 직원들에게 전통적인 교육장에서 일어나는 교육보다 더 개별화된 학습을 제공한다고 하였다.

기술과 정보의 대변혁은 21세기를 살아가는 노동자들이 세계 경제의 구성원이 되도록 지속적인 자기 개발과 학습을 하도록 요구하고 있다(Secretary' s Commission on Achieving Necessary Skills[SCANS], 1999). 초 · 중등학교, 전문대학, 4년제 대학과 같은 형식 교육을 하는 기관은 개인이 취업할 수 있도록 준비해주지만 취업 후 개인이 자신의 능력을 유지하도록 하는 데 필요한 모든 지식을 제공해주지는 않는다. 사람은 평생 동안 자신의 직업을 세 번 정도 바꾼다고 한다(American Association of Retired Persons[AARP], 2002; Robinson, 2000). WBI는 이러한 변화의 가능성을 가진 개인이 지속적으로 교육을 받을 수 있도록 융통성을 제공한다. 이러한 관점에서 졸업은 끝이 아니라 오히려 평생 학습의 시작인 것이다.

생각해보기

WBI와 원격 교육을 어떻게 정의하였는가? 우리가 내린 정의에 어떤 요소들이 영향을 주었는가? WBI를 대신할 수 있는 다른 용어가 있는가?

온라인 교육보다 원격 교육에 참여해본 적이 있는가? 그렇다면, 그 상황과 사용된 미디어 유형에 대하여 설명해보자. 원격 교육의 다양한 미디어 유형 중에서 여러분이 선호하는 하나를 선택해보고 그 이유를 설명해보자.

웹은 짧은 기간 동안 급격하게 성장하였다. 웹의 성장에 대하여 이 책에서 보았던 것 외에 또 다른 설명이 있을 수 있는가? 만일 그렇다면, 그것은 무엇인가? 웹의 급격한 성장이 여러분이 웹을 사용하는 데 어떻게 영향을 미쳤는가?

WBI의 강점과 약점

WBI는 모든 사람, 내용 영역 또는 상황에 적합하지 않을 수 있다. WBI의 강점과 약점을 면밀히 살펴보는 것은 WBI가 효과적인 방법인지를 판단하는 데 도움이 될 것이다.

WBI 강점

Hawkridge(2002)와 Schank(2002)는 웹은 다른 미디어보다 빠르고 저렴하게 훈련시킬 수 있다는 신념 때문에 교수 미디어로서 매력적이라고 하였다. Schank는 "웹 페이지에 훈련 내용을 채워놓아서가 아니라 한번 만들어놓고 계속 사용할 수 있어서 비용

표 1.1 WBI의 강점과 약점

강점	약점
기관 또는 조직: • 대규모의 학습자에게 전달이 가능 • 비용 효율성(한 번 만들어진 WBI는 계속 사용할 수 있음) • 효과성 • 웹용으로 현재 교육 내용을 재목적화함	기관 또는 조직: • 초기 비용 – 개발 – 인프라 • 유지보수 비용 • 학습자 지원시스템 • 교수자 지원시스템
교수자: • 편의성 • 융통성 • 서로 다른 장소, 문화에 있는 학생과의 관계가 발전함	교수자: • 과다한 학습자의 수 • 기술 전문성 부족 • WBI에 필요한 교수 전략 부족 • 지적 재산권 상실 • 가르치는 데 시간이 많이 소요됨
학습자: • 편의성 • 융통성 • 교수자와 일대일 상호작용 • 접근용이성(언제, 어디서나) • 지식, 기능, 능력을 지속적으로 개발함 • 다양한 피드백을 제공받음	학습자: • 고립감 • 기술적 장애 – 문제 – 빈약한 자원 – 문맹 • 컴퓨터 불안 • 주제와 과제를 혼동

출처: 표 안의 데이터는 Alagumalai, Toh, & Wong (2000), Berge, Collins, & Fitzsimmons (2001), Brooks(1997), Collins & Berge(1996), Davidson-Shivers(2002), Hawkridge(2002), Khan(1997), Kubin(2002), Reddick & King(1996), Schank(2002), University of Illinois(n.d)을 참고하였다.

이 절감된다"(p. xv)고 하였다. Schank는 웹기반 학습의 또 다른 특징으로 갱신의 용이성을 지적하였다. 패키지화된 코스는 내용을 변경할 수 없기 때문에 면대면이든 온라인이든 대부분의 상황에 적절하지 않다. 왜냐하면 대부분의 코스는 최신의 내용으로 갱신할 필요가 있기 때문이다.

대학교나 초·중등학교에서 웹을 사용하도록 하는 것은 오프라인 교육의 비용 증가에 원인이 있다. Hawkidge(2002)는 "3,500여 개의 미국 대학이 1,400만 명의 학생들을 교육시키는 데 드는 비용이 1,750억 달러"(p. 270)이며, 점점 증가하고 있다고 하였다. 그는 "초등이나 중등 수준의 학생 한 명당 드는 비용이 저렴하더라도 고등 교육에서 드는 비용은 증가한다"(p. 270)고 강조하였다. 웹은 교육기관으로 하여금 질, 비용 효과, 기관 자원의 효율적 활용에 집중하게 한다. 교수자에게는 교육하는 데 있어서 융통성과 편의성을, 학교와 전 세계에 있는 학생들과 함께 할 수 있다는 가능성을 제공한다. 학습자들에게는 교육을 받는 데 있어서 융통성, 편의성, 접근 용이성을 제공할 수 있다.

자신의 전문성을 확장하려는 사람들을 교육하기 위한 목적으로 웹을 사용할 수 있다. WBI는 학습과 지속적인 능력 개발을 위한 효과적인 수단이며(Hall, Watkins, & Ercal, 2000), 이러한 사람들이 일상생활을 하면서 교육을 받을 수 있도록 융통성을 제공한다.

WBI 약점

수백 개의 WBI가 있으나 모두 다 성공적이거나 바람직하다고 보이지 않는다. 이에 대한 근거는 다음과 같다. 첫째, 온라인 교육은 오프라인 교육보다 비용 효과적이라고 선호하고 있지만 반드시 그렇지 않다. 일리노이 대 보고서에 따르면 "잘 개발된, 교수자가 없는 온라인 코스에 수백 또는 수천 명의 학생들이 등록할 것이라는 시나리오는 현실로 나타나지 않았다"고 한다. 기관은 WBI를 개발하고, 전달하기 위한 기반을 만들기 위하여 선비용을 투자해야 한다. 뿐만 아니라 웹기반 코스를 유지 및 갱신하는 데 비용이 든다. 예를 들면, 'WGU(Western Governors University)' 은 온라인 과정을 운영하기 위하여 많은 시간과 비용을 투자하였으며, 온라인 과정을 운영할 때 제한된 수의 학생들만 접속하도록 하였다(Nobles, 1999, University of Illinois에서 재인용).

둘째, 관리자는 온라인으로 가르치는 교수자들을 동기화하는 수단을 찾지 못했다. Nobles(1999)에 따르면, UCLA 교수진들에게 의무적으로 인문과학과 자연과학에 해당하는 모든 수업에 웹사이트를 개설하도록 하였으나, 개설 과목이 30%에 미치지 못하였다고 하였다. 나아가 그는 900여 명의 워싱턴 대학 교수진들이 디지털화되는 것을 반대하였다고 보고하였다. 몇 명의 교수들은 디지털화를 기꺼이 받아들이려 했으나 대부분의 대학 환경 내의 유인책이 교육 프로그램 또는 혁신적인 교수 방법을 개발하는 것에 대하여 교수들에게 보상을 주지 못했다(Davidson-Shivers, 2002). 훈련과 지적 재산권에 대한 문제가 제기되고 있는데, 그 문제가 해결되면서 웹의 사용이 증가할 것이다.

셋째, 교수자는 교육 프로그램 개발은 차치하고서라도 온라인으로 가르치는 데 필요한 (교수적 또는 기술적) 능력을 가지고 있지 않을 수 있다(Davidson-Shivers, 2002). 일리노이 대는 새로운 교수법들을 교수들에게 많이 소개하였음에도 불구하고 이들에게 효과적이고 질 좋은 경험을 보장하지 않았다고 보고한다. 기관은 교수들과 학습자를 위한 지원 시스템으로 활용되는 자원으로서 역할을 다해야 한다. 그런데 이것은 이미 초과된 재정과 자원에 또 다시 부담을 주는 것이다.

넷째, 교수자의 입장에서의 약점들 중 하나로 온라인으로 수업해야 하는 업무 부담과 관련된 문제가 있다. Kubin(2002)은 온라인 코스는 면대면에 비하여 두세 배의 시간이 소요된다고 하였다. 일리노이 대는 성공적 온라인 코스의 지표는 학습자와 교수의 비율이 낮은 것인데, WBI는 대단위 집단의 학습자들에게 교육 프로그램을 제공하는 데 저렴하지 않은 방법이라고 한다.

다섯째, 교수자의 입장에서의 약점들 중 하나로 지적 재산권과 관련된 문제가 있다. 지적 재산권에 대한 지침이 명시되어 있지 않은 어떤 교수의 온라인 자료에 대한 지적 재산권에 관한 문제로서, 그 문제는 아직 분명하게 해결되어 있지 못하다. 일리노이 대학에 따르면,

> 온라인 교육의 고품질을 보장하기 위하여 노련한 교수의 심층적인 참여가 필요하다. 코스 주도권에 대한 이슈는 이러한 원리와 직접적으로 관련되어 있다. 온라인 교육 자료의 질이 높은 것은 교수진이 수업 자료에 대한 주도권을 쥐고 있을 때 보장될 수 있다. 교육 자료에 대한 저작권은 대학이 어느 정도 공유하는 것이 합법적일 수 있다.

마지막으로, 학습자는 WBI를 전통적인 수업을 대체하는 것으로 보면 안 된다. 학습자는 교수자와 동료들과 떨어져 있기 때문에 혼자라고 느낄 수 있다(Sriwongkol, 2002). 이러한 고립감은 좌절을 불러오고, 궁극적으로 교육으로부터 멀어지게 만들 수 있다(Brooks, 1997; Sherry, 1996; White & Weight, 2000). 학습자는 컴퓨터와 다른 기술적 능력의 부족부터 자신의 컴퓨터나 LMS(Learning Management System)의 기술적 문제에 이르는 웹 기술을 사용할 때 발생하는 어려움을 경험할 수 있다.

생각해보기

WBI의 강점과 약점이 무엇이라고 생각하는가? 다양한 관점(기관, 교수자, 학습자)에 따라 강점과 약점이 어떻게 달라지는가? 다양한 관점들이 상충하지는 않는가? 이러한 상충이 어떻게 해결될 수 있는가?

여러분이 교수설계 프로젝트를 위하여 전달 미디어로 웹을 사용할 때 강점과 약점에 대하여 생각해보자.

WBI 프로젝트로 추진할 주제에 대하여 브레인스토밍을 시작해보자. 여러분이 흥미를 가지고 있고, 어느 정도 전문성을 가진 내용으로 시작하자. 다음의 기준은 여러분이 적절한 주제를 선택하는 데 도움이 될 것이다.

- *WBI로 해결될 수 있는 문제인지 확인해보자.*
  본 코스의 목적을 위하여, 교수와 학습이 문제를 해결하는 데 가장 적절한 해결책이라는 것을 가정한다. 여러분의 프로젝트는 WBI를 통하여 해결될 수 있는 문제이어야 한다.
- *WBI의 목적을 알아보자.*
  교수 목표가 평범하면 안 된다. 유의미하고, 실용적이어야 한다. Gagné (1985)의 교수 목표 분류를 기준으로 한다면 목표가 개념, 규칙, 문제 해결 수준으로 설정되어야 한다. Bloom의 분류로 한다면, 교수 목표는 이해 수준이거나 그 이상이어야 한다(Gagné의 언어정보와 Bloom의 알기 수준의 목표는 코스의 최종 목표로 설정하기에는 너무 낮다).(이 주제에 대한 토론은 3장을 참고하자)
- *우리가 전문성을 가지고 흥미를 느끼는 내용을 선택하자.*
  우리를 내용전문가(SME)라고 생각하고 주제를 선정하자. 여러분에게 낯선 내용을 학습한 후 WBI를 설계하고 평가할 수 있는 시간이 넉넉하지 않다. 한 학기 동안 이 주제와 함께 작업을 하기 때문에 흥미롭고 우리와 관련성이 있는 주제를 선택해야 한다.
- *참여자들에게 가능한 주제를 선택하자.*
  코스 후반부에 여러분은 개발한 WBI를 운영하고, 평가할 대상 학습자 집단이 필요할 것이다. 시범 운영할 때 이들은 필요한 선수 지식과 능력을 가지고 있어야 한다.

  며칠 또는 몇 주 동안 WBI가 개발되지만(연령 수준, 주제 등에 따라 다르지만) 시범 운영 또는 평가에는 두 시간 정도가 소요된다. WBI 프로젝트를 운영하고 평가할 때 학습자 특성을 고려하자.

- *우리가 갖고 있는 기술로 개발 및 운영이 가능한 주제를 선택하자.*
  시범 운영을 할 때 여러분의 WBI 프로젝트를 개발하고 운영하는 데 필요한 기술과 접근 능력을 여러분과 여러분의 대상 학습자들이 가지고 있는지 확인한다.

WBI 설계와 프로젝트 체크리스트 및 기타 정보는 자매 사이트 (http://www.prenhall.com/davidson-shivers)를 참고하자.

웹기반 학습 환경과 학습공동체

WBI는 웹기반 학습 환경과 웹기반 학습공동체를 구성하는 하위 시스템이다. 따라서 WBI가 성공하려면 웹기반 학습 환경과 웹기반 학습공동체가 무엇인지를 정의해야 한다. 웹기반 학습 환경은 몇 개의 요소로부터 입력을 받아들이는 열린 체제이다.

웹기반 학습 환경

학습 환경은 전체 시스템 내에서 서로 상호작용하고(Banathy, 1987), 개개의 요구를 충족하는 데 초점이 맞추어진 상호 연계되고 통합된 구성요소들로 이루어져 있다. 학습 환경은 상위 시스템의 일부분인 하위 시스템을 포함한다(그림 1.7). 웹기반 학습 환경에서 대부분의 시스템은 관리 인프라와 기술 인프라의 조합으로 이루어져 있다.

관리 인프라는 조직을 위하여 일하고 있는 사람을 말한다. 조직에 속한 구성원(컨설턴트)과 학습공동체의 참여자들(교수자, 학습자, 교육 지원팀)은 관리 인프라에 속하지 않는다. 관리 인프라에 소속된 직원은 관리자, 회계와 부기 지원, 자료실 지원 등과 같은 조직의 일상적인 기능을 담당하는 사람들이다(Dean, 1999; Greer, 1999).

기술 인프라는 기술 지원팀, 작업 그룹(웹마스터, 네트워크 기술 지원 등), WBI와 웹기반 환경을 지원하는 소프트웨어, 하드웨어, 서버, LMS 등을 포함한다. 이 인프라에 학습공동체의 참여자들(교수자, 학습자, 교육 지원팀)과 **교수설계자**들이 접근한다. 교수설계자는 WBI와 웹기반 학습 환경을 만드는 데 있어서 중심인물이다. 예를 들면, 교육 지원팀(교수설계자, 멘토, WBI를 설계하거나 운영하는 데 참여한 사람들)은 사이트를 유지 · 보수하기 위하여 서버와 서버파일에 접근할 수 있다. 보안상, 교수자와 학습자는 WBI에 접근 권한으로 읽기 권한만 부여되기 때문에 WBI 환경을 수정할 수 없다.

▶ 그림 1.7 웹기반 학습 환경과 공동체

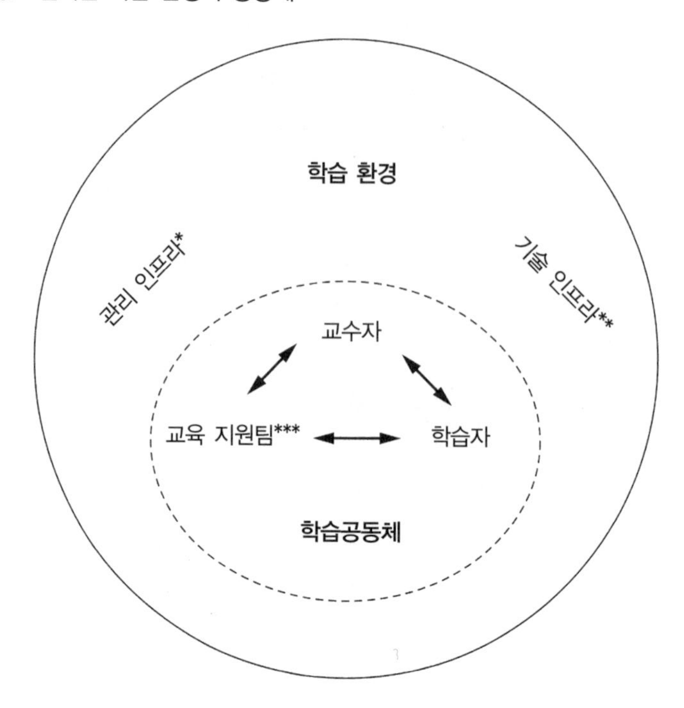

설계자가 관리 또는 기술 인프라에 어느 정도로 직·간접적 접근을 할 수 있는지는 설계자가 조직 구성원인지 여부와 설계자의 기술과 능력에 따라 다르다. 예를 들면, WBI뿐만 아니라 웹사이트를 구축하는 개별 설계자들은 웹사이트가 운영되고 있는 서버에 직접 접근할 수 있다. 그러나 기술 지원팀과 함께 작업을 하는 설계자는 서버 또는 웹 환경의 또 다른 측면에 직접 접근하지 못한다. 대신 이들은 다른 사람들에게 웹사이트에 필요한 것과 관리 요구를 지시한다. 그러나 직접 접근하지 않더라도 설계자는 웹기반 환경과 공동체에 영향을 줄 수 있다.

웹기반 학습 환경의 대부분을 구성하고 있는 것은 **학습공동체**이다. 학습공동체는 교수자, 학습자, 교육 지원팀과 교육 프로그램으로 이루어져 있다.

학습공동체

Shapiro와 Levine(1999)에 따르면, 학습공동체의 개념은 새로운 것이 아니며, 어떻게 정의하느냐에 대하여 논쟁이 계속되고 있는 오래된 교육 모형 중의 하나이다. 학습공동체의 초기 모형은 대학과 같은 장소에 기반하고 있다(Palloff & Pratt, 1999). 그러나 Palloff와 Pratt은 교육과 훈련이 학교라는 울타리를 벗어나 확장되었기 때문에 이러한 정의는 더 이상 사실이 아니라고 한다. 현재, 이러한 멤버십은 학교뿐만 아니라 기업, 군대, 또는 평생 학습 환경에서 찾아 볼 수 있기 때문이다.

Seufert, Lechner, Stanoevska(2002)는 공통의 언어를 사용하는 집단과 비슷한 관심을 가진 가치 체제로 학습공동체를 규정지었다. 유사하게, Palloff와 Pratt(1999)은 학습공동체는 "다른 집단과 구별되는 이익을 추구하기 위하여 집단이 형성한 공통부분과 공동의 관심을 추구하는 사람들"(p. 21)이라는 점에서 공동체만의 소속감과 멤버십을 기반으로 하고 결국 멤버십은 집단의 규범을 지키는 것에 의하여 유지된다고 하였다. Merriam과 Caffarella(1999)는 학습공동체는 자신의 구성원에게 각 개별 구성원들의 잠재력을 개발하는 데 필요한 도구와 과정을 제공한다고 하였다.

웹기반 학습공동체

Seufert 등은 학습공동체 개념을 웹기반 환경으로 확장하면서, 온라인 경험의 차별되는 특징 중 하나로 전자 미디어를 포함시켰다. 이들은 공동체를 "교육적 접근에서 공통의 언어, 세계, 가치, 그리고 획득한 지식을 공유하는 사람들이 조화를 이룬 앙상블이며, 이들은 학습 과정에서 전자미디어를 통하여 커뮤니케이션과 협동으로 공동의 학습 목표를 추구한다"(p. 47)고 하였다.

웹기반 학습공동체는 교수자와 학습자가 목표를 성취하기 위하여 협력하고, 다양한 경험에 참여할 수 있는 사회적 구조를 제공한다(MacKnight, 2001; Palloff & Pratt, 1999). 학습자는 학습공동체에 서로 다른 관심과 경험을 가지고 참여하게 된다. 서로 다른 관심과 경험을 이용하는 것은 학습자들에게 자신의 요구를 반영하고, 교수자와 동료와 상호작용하면서 서로 다른 경로를 추구할 수 있는 기회를 제공할 수 있다. 이런 WBI는 학습을 촉진하는 데 공동의 책임을 요구하게 된다(Driscoll, 2004).

이와 유사하게, Palloff와 Pratt(1999)은 웹기반 학습공동체는 교수자와 학습자 간의 관계를 발전시키는 것에 기초하고 있으나, 이 관계는 교수자의 역할에 따라 굉장히 달라진다고 하였다. 교수자와 학습자는 공동체를 구축하는 데 공동의 책임을 가지고 있을지라도 교수자의 주된 책임은 학습자가 공동체 구성원이 되도록 격려하고, 피드백을 제공하고, 상호작용을 안내하고, 촉진하는 것이다.

요점은, **웹기반 학습공동체**는 공동의 목표, 관심, 경험을 공유하는 개인들이 웹을 기반으로 한 집단이다. 집단 내 일어나는 커뮤니케이션과 **상호작용**을 통하여 모든 구성원들은 개념을 통합하고, 심층 학습을 하고, 자신의 잠재력을 개발할 수 있는 기회를 제공받으며, 관계 형성을 위한 책임감이 공유된다. 공동체는 학습자와 교수자 간의 상호작용이 최소한으로 일어나는 공동체부터 매우 협력적인 공동체까지 다양할 수 있다. 공동체 내에서 교수자와 학습자가 상호작용하는 것은 교육 지원팀이 지원하는데, 이 팀은 공동체를 정의하고, 지원하고, 유지하는 일을 한다. 웹기반 학습공동체의 범위와 기능을 정의하는 것은 WBI의 프레임워크를 만드는 데 중요한 일이다.

웹기반 학습공동체의 연속선

WBI에서 주로 일어나는 상호작용 유형은 학습자-학습 내용, 학습자-학습자, 학습자-교수자이다. 학습자-학습 내용 상호작용은 학습자가 WBI에서 제공하는 정보와 활동에 접속할 때 일어난다(Davidson-Shiver & Rasmussen, 1999; Moore, 1989; Sherry, 1996). 학습자-학습자 상호작용은 학습자들이 소집단 또는 전체 학급에서 서로 상호작용할 때 일어난다. 이러한 상호작용은 학습자들 간의 우호 관계를 촉진한다. 학습자-교수자 상호작용은 학습자는 교수자와 직접 커뮤니케이션을 하는 경우이나, WBI에서 때때로 멘토, 조교, 또는 다른 사람들이 교수자 대신 학습자와 상호작용을 한다. 이러한 유형의 상호작용은 개인 또는 집단 차원에서 이메일, 과제에 대한 피드백, 공지사항을 통하여 일어난다. Northrup(2002)은 네 번째 상호작용 유형으로 학습자-LMS 상호작용을 제안하였다. LMS는 학습자의 진도, 성적, 과제 제출을 기록하고, 교수자의 교수 업무를 자동화해 준다.

가장 효과적인 공동체가 생성되려면 공동체 내에서 일어나는 상호작용의 수준이 정의되어야 된다. 상호작용 수준의 차이는 웹기반 학습공동체의 연속선으로 나타난다. 연속선의 한 극단에서는 개인 학습자가 독립적으로 자신의 속도로 학습하고, 학습 내용과 상호작용하며, 동료 학습자, 교수자, 기타(멘토, 기술 지원팀 등)와의 직접적인 상호작용은 극히 드물다. 반면 연속선의 다른 극단에서는 학습자가 동료 학습자, 교수자와 서로 활발하게 상호작용하며, 공동체 의식을 형성한다(그림 1.8).

연속선의 중앙은 집단 구성원의 상호작용과 협력을 포함한 활동과 개인 학습자들의 활동을 결합한 웹기반 학습공동체이다. 상호작용적 활동과 개별적인 활동의 양의 변화는 공동체 상호작용 수준을 연속선의 어느 한 쪽으로 향하게 한다. 예를 들면, 학습자 활동이 집단 참여, 협력, 공동체를 형성하는 쪽으로 일어나면 그 공동체는 연속선 중에서 매우 상호작용적인 쪽에 가까워진다. 만약 학습자의 활동이 어느 정도 동료들과의 상호작용을 필요로 하지만 대부분 개별적인 활동이라면 공동체는 연속선 중에서 개별적인 쪽에 가까워진다. 연속선의 양 끝은 "좋음" 또는 "나쁨"이라는 관점보

▶ 그림 1.8 웹기반 학습공동체 연속선

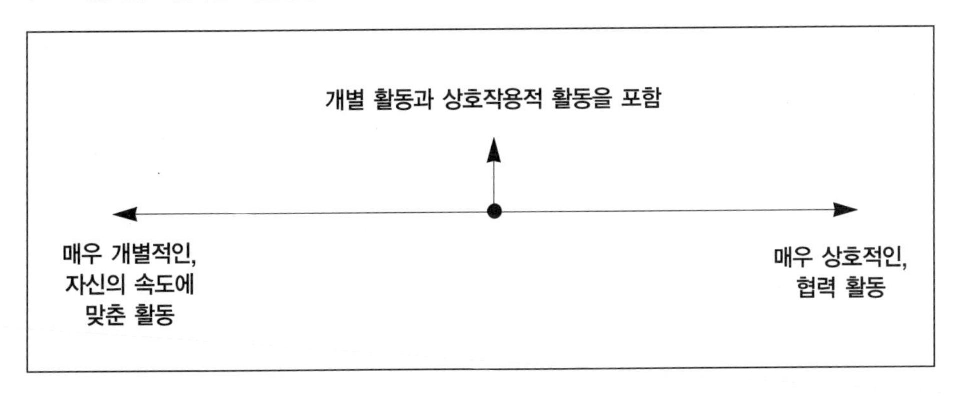

다 WBI 목적에 가장 부합하는 것이 무엇인가에 의하여 정해지는 교수 요소로 보아야 한다.

놀랍게도 현재 온라인 학습의 대부분은 개별 학습을 위한 WBI이다. Clark와 Mayer(2003)에 따르면, WBI의 77%는 개별 학습의 형태라고 한다. 개별 학습 형태의 대부분의 WBI에서 학습자는 교수자, 동료 학습자와 최소한의 상호작용을 하고, 주로 학습 내용과 상호작용한다.

교수를 위하여 웹을 사용하는 특징 중 하나는 학습자들 간 상호작용의 가능성이다. Gabelnick, MacGregor, Matthews와 Smith(Shapiro & Levine, 1999에서 재인용)은 학습공동체는 학습 내용의 심층적 이해와 통합을 위한 기회를 제공할 뿐만 아니라 교수자와 동료 학습자에게 상호작용의 기회도 제공한다고 하였다. 그런데 Gunawardena, Plass와 Salisbury(2001)에 따르면 공동체 형성은 학습에 적극적으로 참여하기 위해 안정적 조건에 있어야 하는 초보 학습자에게 특히 더 중요하다. 즉, 공동체 형성은 모든 학습자들 또는 모든 유형의 WBI에 필요한 것은 아니다.

학습공동체의 대두

대학에서 학습공동체의 활용은 강력히 요구되어 왔다. 이는 학습자, 학부모, 회사들로부터 대학 교육의 변화에 대한 요구가 있었기 때문이기도 하며, 대학원과 대학 프로그램에서 신세대 학습자들의 가상 프로그램과 가상 캠퍼스의 요구와 웹기반 기술의 이용가능성과 접근성이 높아졌기 때문이기도 하다.

생각해보기

웹기반 학습공동체와 웹기반 학습 환경은 어떻게 관련되어 있는가? 학습공동체 유형의 연속선에 근거하여 학습자의 상호작용 수준이 상, 중, 하 수준에 적합한 상황을 설명해보자. 그 상황이 우리가 선택한 학습공동체 유형에 어떻게 적합한가?

우리의 학습 환경과 우리가 계획한 WBI 프로젝트를 위한 공동체에 대한 생각을 가다듬어보기로 하자. 우리는 어떤 종류의 관리 인프라와 기술 인프라에 접근할 것인가? 우리의 웹기반 학습 환경 요소를 고려해보자. 우리의 WBI 프로젝트는 학습공동체 연속선의 어디에 있다고 생각하는가? 그 이유는 무엇인가?

웹기반 학습 환경에 관해 더 자세한 정보를 보려면 자매 사이트 (http://www.prenhall.com/davidson-shivers)를 참고하자.

온라인 학습의 유형

온라인 학습에는 WBI, WEI, WSI의 유형이 있다. 온라인에서 제공되는 교수의 양과 제공이 어떻게 조직화되는지에 따라 그 유형이 달라진다(Davidson-Shivers, 1998). 표 1.2는 온라인 교육 유형의 예를 보여준다.

WBI(Web-Based Instruction)

WBI는 교육이 전적으로 온라인으로 진행되는 원격 교육의 형태이다. WBI에서 학습자와 교수자는 면대면 상호작용이나 만남을 갖지 않는다. 모든 교육 내용과 과제는 웹을 통하여 전달될 수 있다.

WEI(Web-Enhanced Instruction)

WEI에서는 어떤 수업은 면대면으로, 어떤 수업은 웹에서 행해져야 한다. WEI가 WBI와 주요하게 다른 점은 어떤 수업에서 학습자와 교수자가 실제로 만나야 하고, 또 어떤 수업은 그렇지 않다는 것이다. 어떤 대학 또는 학교에서는 WEI과 WBI를 온라인과 오프라인의 비율로 구분하기도 한다. 예를 들면, South Alabama 대에서 WEI는 웹을 통하여 전달되는 전체 수업의 50% 미만이어야 한다. WBI(Web-Blended Instruction)는 WEI와 온라인 교육의 세 번째 유형인 WSI와 혼용되어 쓰이기도 한다(Stockley, 2003).

표 1.2 온라인 학습의 유형

유형	정의	예
WBI	교수, 커뮤니케이션, 과제 모두 웹을 통하여 전달된다.(그러나 학생 평가는 다른 장소에서 일어날 수 있다)	학습 심리학 수업은 WebCT를 통하여 전달된다. 모든 강의, 숙제, 토론은 인터넷과 웹을 통하여 진행된다. 학생들은 온라인을 통하여 동료와 협력학습을 하기도 하고, 개별적으로도 학습하기 때문에 오프라인 캠퍼스에 갈 필요가 없다. 교수자는 학습자와 이메일, 과제함, 문서 공유, 게시판, 채팅을 통하여 상호작용을 한다. 학습에 필요한 모든 자료들은 온라인 도서관의 예약 도서 찾기와 같은 온라인 서비스를 통하여 제공될 수 있다.
WEI	어떤 수업은 온라인으로만 진행되고, 어떤 수업은 면대면으로만 진행된다.	온라인 학습 환경으로 설계된 수업은 온라인과 오프라인 토론을 통하여 전달된다. 수업 초기에는 주로 오프라인에서, 후기에는 웹상에서 학생들은 협력 학습과 개별 학습을 한다.
WSI	수업은 전통적인 면대면으로 진행되며, 웹을 통하여 과제와 활동이 제공된다.	4학년을 가르치는 교사는 루이지애나 구입지(購入地)와 오리건 산길에 관한 온라인과제를 학생들에게 내주었다. 교실에서 수업이 진행되며, 여기에서 교과서 읽기, 다양한 주제에 대하여 토론하기, 기타 활동과 토론이 있을 수 있다. 역사적 인물이나 사건을 조사하는 특정 과제를 수행하기 위하여 웹을 필요한경우가 있다. 교사는 학생들에게 도움을 제공하기 위하여 질문을 하고, 학생들은 이를 온라인으로 알아보기 위하여 컴퓨터 랩에 갈 수 있다. 이러한 활동이 완료되면, 교실 내에서 각자가 찾은 결과물을 공유하는 시간을 갖는다.

출처: 표 안의 데이터는 Davidson-Shivers(1998)를 참고하였다.

WSI(Web-Supported Instruction)

WSI에서는 학습자가 정기적으로 면대면 수업에 출석하지만 교실 활동을 지원하는 웹 과제와 활동을 부여받는다. 이 과제는 토론, 협력 프로젝트, 이메일을 통한 동료 간의 커뮤니케이션과 같은 집단 활동 같은 것이다. 다른 유형의 과제로는 웹 자료 찾기, 온라인 도서관 검색, 과제를 교수자에게 이메일로 보내기와 같은 개별 프로젝트 혹은 활동이 있다.

생각해보기

WBI, WEI, WSI에 참여해본 적이 있는가? 그렇다면 어떤 것을 선호하는가? 그 이유는 무엇인가? 그렇지 않다면, 차이점을 생각해보고, 각 유형을 우리가 어떻게 보고 있는지 생각해보자.

WBI 유형에 관해 더 자세한 정보를 보려면 자매 사이트
(http://www.prenhall.com/davidson-shivers)를 참고하자.

WBI의 현재와 미래의 기술, 통합 기술

WBI는 그 속성상 기술에 매우 의존적이다. 기술을 조작할 수 있는 설계자는 기술 혁신의 장점을 완전하게 활용할 수 있다.

현재와 미래의 기술

현재와 미래의 기술들은 설계자들이 혁신적인 WBI를 개발할 수 있도록 한다. *미래*라는 말은 도구가 시장에 새롭게 나왔거나 교육용으로 용도가 변경되었을 때 사용된다. 대부분의 기술 도구들은 진화하기 때문에 대부분은 새로운 것으로 대체될 것이며, 나머지들은 새로운 혁신으로 인하여 소멸된다. 예로 유선 컴퓨터 네트워크는 무선 컴퓨터 네트워크로 대체되고 있는 것이다. 대부분의 기술들은 속도 증가, 용량, 사용성이라는 점에서 새로운 버전 또는 혁신으로 향상된다. 동시에 혁신으로 물리적 크기가 작아지는 데 예를 들면, 랩톱 컴퓨터의 새로운 버전은 전력이 증가되고 물리적 크기가 점점 작아지고 있다. 표 1.3은 기술과 이를 이용할 경우 WBI에서 가능한 활동을 나타낸다.

통합 기술

기술의 또 다른 진보는 기술들의 통합으로 볼 수 있다. 20세기 후반 멀티미디어의 폭발적 증가는 애니메이션, 오디오, 비디오, 텍스트의 통합으로 이어졌다. 기술이 발전할수록 멀티미디어는 보다 강력해질 것이다. 방송과 텔레컨퍼런싱 시스템은 현재 초점을 확장하고 교육과 훈련에 접근성을 제공하기 위하여 웹과 통합되고 있다. 새로운 세기에 새로운 도구는 웹 설계와 개발을 향상시킨다.

학습 관리 시스템

학습 관리 시스템(LMS: Learning Management System)은 온라인 학습 경험을 계획, 설계, 개발, 운영, 관리를 지원하는 기술로 대두되었다(Brennan, Funke, & Anderson, 2001). 이것의 기능은 WBI 전달을 위한 조직화된 환경을 제공하고

표 1.3 WBI에서 활용되는 최신 기술들

기술	정의	WBI에서 가능한 활동
핸드폰	무선 통신 기기는 문자, 음성, 이미지를 통합할 수 있고, 인터넷에 접속할 수 있다. 인스턴트 메시징도 일어날 수 있다.	커뮤니케이션
대화방 인터넷 실시간 대화 인스턴트 메시징 시스템	집단 내 개인들 간의 실시간, 문자 기반의 대화	집단 토론 Q&A
데스크톱 비디오 컨퍼런싱	비디오와 오디오 상호작용	소집단 토론 교수자와 참여자의 프레젠테이션
리스트서브	게시판에 등록된 메시지를 중앙 집중 방식으로 리스트서브에 등록한 사람에게 이메일을 통하여 보낼 수 있도록 한다.	토론 그룹 코스 강의 교수자-학습자 커뮤니케이션
뉴스 그룹/ 유즈넷	게시판과 유사한, 전 세계적으로 분산된 토론 그룹	토론 그룹 논쟁 코스 강의
MUD, MOO MUSH	컴퓨터 통신상에서 여러 사용자가 함께 사용하는 텍스트 기반의 시뮬레이션 게임이나 프로그램	역할극을 위한 시나리오 게임 그룹프로젝트
PDA	정보를 공유하기 위하여 데스크톱 컴퓨터에 연결할 수 있는 손에 쥘 만한 크기의 컴퓨터	현장 실험을 위하여 컴퓨터로부터 자료를 다운받음 학습 경험에 대한 스케줄 작성 이메일을 통하여 동료와 교수자와 커뮤니케이션하기
플러그인	상업용 프로그램에 새로운 특징을 추가한 소프트웨어	음악과 오디오 비디오 움직이는 프레젠테이션
웹 게시판	웹을 통하여 접근하는 토론 그룹 또는 포럼	토론 그룹 교수자 주도의 자료 제시 학습자 상호작용
웹캠	웹페이지에서 가장 최근의 이미지를 요청할 수 있도록 한 컴퓨터에 연결된 비디오 카메라	수천 개의 사이트 중 하나 또는 일대일 사이트 비디오 이미징으로부터 실시간 이미지 보기

출처: 표 안의 데이터는 Aggarwal(2000), Khan(1997), Reddick & King(1996), Whatis.com(2001), Zillman(2003)을 참고하였다.

(Metagroup, 2003; Wagner, 2001), WBI 설계와 개발을 구조화할 수 있다. LMS는 학습 일정을 계획하고, 학습자를 등록하고, 그들의 진도와 성과를 기록하는 소프트웨어이다(Brennan et al.; R.H. Hall, 2001; B.Hall, 2002). 또한 LMS는 의사결정자들이 온라인 학습과 관련된 자료를 검토할 수 있도록 해준다. 예를 들면, *Angel, Blackboard, Desire2Learn, ecollege, TopClass, WebCT*와 같은 LMS가 대학에서 사용되고 있다. 이런 LMS는 비슷한 특징을 가지고 있으나, 다른 구조를 가지고 있다. 즉 모든 LMS는 설계, 학습자 등록, 회계 등이 가능한 도구와 시스템을 가지고 있다. 모든 LMS는 다양한 방법으로 결정되는 사용료—사용자 수(기관이든 개인이든), 사용량, 포함된 도구와 시스템 유형—와 관련되어 있다. 'Nicenet.org' 에서 사용하는 LMS는 비영리 목적(Nicenet, 2003)인데, 이러한 유형의 LMS는 제한된 수준에서 개인에게 무료이다. 이 무료 도구들은 상용 LMS처럼 포괄적이고, 복잡하지 않지만 비슷한 특징을 가지고 있다.

어떤 LMS의 기능은 WBI에서 교수 전략을 증진시키는 데 사용된다. 이 기능들은 일반적으로 채팅방, 토론게시판, 포럼, 이메일 주소가 있는 학생목록, 과제함, 그리고 평가(퀴즈와 등급매기기) 도구를 포함한다(Brennan et al., 2001). LMS는 설계자들이 개별적으로 소프트웨어 지원 시스템을 만들 필요 없이 학습 환경과 학습공동체를 지원하는 도구들을 사용할 수 있게 한다. LMS는 상호작용, 입학, 등록, 평가와 같은 과정을 자동화해 준다(B. Hall, 2002; Haugen, 2003).

LMS에 접근 권한이 있는 설계자는 WBI의 적합한 기능을 신중하게 선택하기 위하여 WBI의 특징을 분석해야 한다. 예를 들면, 만일 학습자가 동료와 상호작용하는 기능을 고려한다면, WBI에는 이메일, 대화방, 토론방이 활성화되어야 한다. 과제를 내주려면, 과제함을 사용할 수 있어야 한다. 학습자 평가를 위하여 WBI에 포함된 기능으로는 퀴즈 또는 검사 기능이 있다.

WBI에 LMS의 모든 기능을 적용할 필요가 없다. 따라서 설계자는 불필요한 경우 기능을 비활성화할 수 있다. 어떤 LMS는 사용과 상관없이 기능을 제공하는데, 이는 사용자들에게 혼동을 준다. 왜냐하면 모든 기능에 접근하려 하기 때문이다. 이런 경우에 설계자는 LMS가 WBI와 함께 사용되는 데 있어서 실제로 적합한 도구인지 고려해야 한다.

LCMS는 내용 개발과 관리에 초점을 두고 있는 소프트웨어이다. LMS와 LCMS는 이름은 비슷하지만 다른 강점과 기능을 가지고 있다(Brennan et al., 2001). 즉 LMS는 학습 환경을 조직하고, LCMS는 내용을 관리하고 기록한다.

생각해보기

우리가 참여하고 있는 또는 관찰한 WBI가 있다면, 사용하고 있는 기술 도구는 무엇인가? 그것들은 효과적으로 사용되고 있는가? 어떻게 교수 학습 경험을 증진시키고 있는가?

우리의 WBI 프로젝트에서 사용할 수 있는 기술 도구의 유형을 생각해보자. 우리가 선택한 도구를 설명해보고, 그 도구가 왜 교수자와 학습자의 요구를 충족시키는지 설명해보자.

LMS에 대해 더 자세한 정보를 보려면 자매 사이트 (http://www.prenhall.com/davidson-shivers)를 참고하자.

이해당사자들의 역할과 책임, 도전

WBI에 참여한 모든 사람들은 학습자가 학습 목표를 성취하도록 촉진하기 위하여 함께 노력하는데, 이들을 이해당사자라고 한다. **이해당사자**란 프로젝트에 필요한 자원을 승인하고, 지원하고, 투자하고, 제공하는 고객 또는 관리자인데, 일반적으로 일차 의사결정자이다(Dean, 1999; Greer, 1999). 그러나 WBI를 개발하는 것은 또 다른 의사결정자들을 포함하는 복잡한 과정일 수 있다. 유일한 이해당사자로 고객(관리자)을 내세우는 것은 WBI 상황에 딱 들어맞지 않는다. Dean(1999)과 Greer(1999)는 의사결정자는 교육의 대상(학습자, 직원 등)보다 WBI 프로젝트에 적극적으로 참여하는 또는 조직의 관점에서 볼 때 WBI 프로젝트에 영향을 받는 개인이나 집단이라고 하였다. 이들은 다음과 같은 사람들을 이해당사자라고 하였다.

- 고객(소유자, 고객, 프로젝트 스폰서 등)
- 피고용인(직원, 교육생, 학생 등)
- 주주, 이사회, 자문위원회 등
- 제조업자, 배급업자, 판매인 등
- 전문가(설계자, 평가자 등)와 기타 전문가(내용전문가, 웹마스터, 컴퓨터 기술자, 그래픽과 미디어 전문가 등)
- 프로젝트 관리자
- 정부 및 인가 기관과 공공기관

교육 평가 표준 공동 위원회(Joint Committee on Standards for Educational

Evaluation)(1994)는 이해당사자 집단을 *일차 이해당사자*—직접적인 의사결정권을 가진 사람—와 *이차 이해당사자*—간접적 또는 제한된 의사결정권을 가진 사람 또는 의사결정에 영향을 받는 사람—로 구분하였다. WBI를 개발하거나 전달하는 데 어느 정도 역할과 책임이 있는 모든 사람을 이해당사자라고 할 수 있다.

WBI 이해당사자들의 역할과 책임은 세 영역(관리, 기술, 학습공동체)으로 나누어진다. 관리 영역에는 관리자, 회계사, 부기 계원, 사서뿐만 아니라 고객, 주주, 제조업자, 인가 기관도 포함된다. 또 다른 관리 이해당사자는 시스템 또는 웹 학습 환경의 기능에 대한 지원을 제공한다. 기술 영역에서는 웹마스터, 네트워크 담당자, 기술자와 같은 기술 인프라와 관련된 사람들이 포함된다. 학습공동체는 교수자, 학습자, 멘토와 같은 교육 지원팀 등을 포함한다. 각 이해당사자들은 WBI, 웹기반 환경, 이것과 관련된 학습공동체를 만들고, 촉진하고, 참여하는 데 있어서 책임의 정도가 다양하다. 이 사람들은 도전에 직면할 수 있다.

모든 WBI 프로젝트가 각 유형의 이해당사자를 포함하지 않는다. 어떤 경우에는 전체 웹 환경이 너무 작아서, 세 영역의 이해당사자의 다양한 역할과 책임을 한두 명이 맡을 수 있다. 예를 들면, 한 명의 설계자/교수자가 WBI와 WBI 웹사이트 전체를 설계하고 개발하는 데 다양한 역할과 책임을 다할 수 있다. 또 다른 예로, 팀으로 운영되는 경우, 교수설계자가 WBI와 WBI 웹사이트에 대한 의사결정을 한 다음에 다른 팀원에게 필요한 활동이나 할당된 과제를 수행하도록 위임한다.

이해당사자들의 역할과 책임을 검토함으로써 이들이 WBI 설계와 전달에 참여하는 것이 적합한지 여부를 결정할 수 있다.

관리와 관련된 이해당사자

관리와 관련된 이해당사자는 (1) 관리자, (2) 관리 지원팀 또는 직원으로 나누어 볼 수 있다.

관리자 역할. 시스템 관점에서 관리자는 전체 웹기반 학습 환경에 해당하고, 이를 지원하는 이슈에 초점을 둔다. 조직에서 위치(중간관리자, 부사장, 회장, 기술 이사, 감독관, 의장, 학장 등)에 따라 이들은 프로젝트의 우선순위를 설정하고, 프로젝트를 승인하고, 교육 프로그램을 개발하고 전달하는 데 필요한 자원을 지원하고, 할당하는 주요 의사결정자가 될 수 있다(Dean, 1999; Greer, 1999). 조직의 규모와 구조, WBI 요구 사항에 따라 관리와 관련된 이해당사자들은 WBI 설계자와 매번 상호작용을 하거나 의사결정을 하기 위하여 설계자에게 의존하거나 진행 사항을 주기적으로 보고

받기만 한다.

관리자 책임. 우선순위를 정하고, 프로젝트를 승인하는 것 외에 관리자의 주요 책임은 WBI를 설계하고 전달하는 사람들에게 인력, 장비, 자료와 같은 자원을 할당하는 것이다(Greer, 1999). 관리자는 프로젝트 매니저, 설계자, 교수자 등과 같이 작업 팀에 있는 사람들이 자원 활용에 대한 의사결정권의 적절한 수준을 가지도록 보장한다. 예를 들면, 관리 이해당사자는 온라인 환경에 맞는 효과적인 교수 기술을 WBI 교수자에게 지원하기 위하여 자원을 제공한다(Palloff & Pratt, 1999; Salmon, 2000). 조직에 따라 관리 이해당사자는 조직 전체에 걸쳐 WBI를 보급하는 권한을 가지고, WBI 운영과 평가와 관련된 이슈를 해결해야 한다.

관리자 도전. 관리자는 교육 도구로 WBI를 사용하는 것에 대한 적절한 결론을 내리는 데 필요한 전문성과 자원이 부족하다. 즉 관리자는 WBI와 웹 환경을 교육 도구로서 선택하는 데 필요한 정확하고 시의적절한 정보에 대하여 다른 사람에게 의존한다. 관리자의 또 다른 어려운 점은 WBI 프로젝트 비용을 고위 관리자들이나 이사회에게 정당화하는 것이다(Berge et al., 2001; Hannum, 2001; Kinshuk & Patel, 2001).

관리 지원팀 역할. 관리 지원팀 또는 직원은 관리 이해당사자 집단에 속한다. 이들은 조직의 과정과 시스템 접근을 촉진하는 다음과 같은 활동을 한다. 첫째, 관리 지원팀은 학생들이 코스에 등록하고, 비용을 지불하는 것을 지원한다. 둘째, 사무실에 성적을 게시하거나 시험 감독하는 것과 같은 평가기능을 지원한다. 마지막으로 교수자와 학습자에게 오프라인 자료(CD, 워크북, 평가 등)를 배포하고, 교수자와 멘토 고용에 포함되는 문서업무를 처리해야 한다.

관리 지원팀 책임. 관리 직원은 WBI 등록비를 사정하는 것과 관련된 기록을 유지하고, 회계 과정을 처리한다. 또한 이들은 WBI 설계와 관련된 비용을 처리한다(교수자, 멘토, 내용전문가, 계약자 등에게 비용 지불). 이와 같이 관리직원은 WBI와 관련된 일들이 조직의 정책과 절차의 요구 사항에 부합하는지를 확인하는 책임을 지고 있다.

관리 지원팀 도전. 관리 직원은 기록을 정확하게, 적시에 갱신해야 한다. 등록, 비용 사정, 학생 기록과 관련된 문제가 발생했을 때 이를 해결하는 데 시간이 가장 중요하다. 교수자와 학습자가 증가할수록 관리 지원팀의 활동 규모가 커질 수 있어야 한다.

기술과 관련된 이해당사자

여기에 속한 이해당사자는 기술 지원팀 또는 직원이다. 웹마스터, 네트워크 전문가, 컴퓨터 프로그래머가 이 분류에 속한다. 이들의 역할은 일반적으로 MIS(경영정보시스템), 컴퓨터 서비스 센터 등과 같은 조직 부서에 포함된다. WBI 프로젝트에서 WBI의 기술적 지원은 조직 내에서 주요한 역할을 하지 않고, 단지 WBI 의사결정에 간접적으로 참여하기 때문에 이 기술 전문가들은 이차 이해당사자로 여겨진다.

기술 지원팀 역할. 기술 지원팀에게 이미 내려진 결정을 실행하고, 기술 문제를 해결하는 데 있어서 WBI 참여자들과 함께 작업하도록 하는 요청이 종종 들어온다. 팀의 역할은 WBI에서 사용된 기술도구들로 설계자들을 도와주는 것이다. 기술 지원팀은 설계자, 교수자, 학습자가 네트워크 서버와 데스크톱 컴퓨터부터 LMS에 사용되는 소프트웨어에 이르는 하드웨어와 소프트웨어의 문제들을 해결하는 일을 한다. 이들은 또한 웹페이지 또는 멀티미디어 제품을 개발하도록 요청받는다. 웹마스터들은 기술 지원팀원 중 한 명이며, 이들은 교육용 웹사이트를 학습자들이 접근할 수 있도록 네트워크에 옮기기 위하여 설계자와 함께 작업을 한다.

기술팀은 설계자, 교수자, 학습자를 위한 헬프데스크 시스템을 운영한다. 이들은 LMS 또는 서버와 네트워크 인프라를 포함하는 다른 기술로 작업을 한다(Darbyshire, 2000; de Boer & Collis, 2001). 팀은 WBI 운영을 하면서 이해당사자들과 함께 지속적으로 작업을 한다. 또한 이들은 WBI 평가 기간에도 도움을 제공해야 한다.

기술 지원팀 책임. 기술 지원팀의 책임은 이들이 지원하는 대상(설계자, 교수자, 학습자)에 따라 다양하다. 이들은 교수자와 학습자의 기술적 문제의 원인을 찾고, 기술 자원의 질을 높이고, 기술 시스템을 보완하도록 요청받는다. 이러한 책임은 언제 어떤 서비스를 필요로 하는가에 따라 달라진다.

기술 지원팀 도전. 기술 지원팀이 부딪히는 첫 번째 도전은 적시에 효율적인 방법으로 문제의 원인을 찾는 것이다. 지원팀에서 경험하는 압박은 문제가 발생할 때 증가하는데, 주로 WBI가 시작되는 경우에 그러하다. 기술자는 WBI의 참여자들의 잠재적인 요구사항을 처리하고, 힘든 업무를 수행하는 중에도 전문가적인 자세를 유지하며, 침착하게 접근해야 한다. 이들은 기술적 어려움을 겪고 있을 때, 교수자, 학생들과의 관계를 형성하기 위하여 커뮤니케이션 채널을 열어놓고 있어야 한다.

두 번째 도전은 소프트웨어와 하드웨어에 전문성을 가지고, 기술적 문제를 해결하기 위하여 기술 지원팀원이 가진 지식과 기술을 지속적으로 향상시켜야 한다는 것이다. 세 번째 도전은 새로운 버전의 하드웨어와 소프트웨어로 언제 업그레이드할 것인지 결정하는 것이다. 이 도전은 업그레이드 비용과 WBI 참여자들에게 최소한의 손해를 주는 것이 언제인지를 결정하는 것이다.

전반적으로 기술 지원팀원들은 다른 WBI 이해당사자들과 커뮤니케이션을 할 수 있어야 한다. 이슈와 상관없이, 기술 지원팀원들은 문제를 확인하고, 해결책을 고안할 수 있어야 한다. 즉 이들은 문제 상황 전반에 걸쳐 해결책에 대하여 설계자, 교수자 또는 학습자들과 대화를 할 수 있어야 한다.

학습공동체와 관련된 이해당사자

학습공동체 이해당사자들은 WBI가 설계되고, 운영될 때 WBI 기능에 적극적으로 참여하거나 이를 지원하는 사람들이다. 이러한 이해당사자들은 교수자, 학습자, 멘토들이다. 교수설계자 또한 학습공동체의 일부분이다. 다음에서는 교수설계자의 역할, 책임, 도전에 대하여 논의할 것이다. 이 이해당사자들은 학습공동체의 기초 또는 WBI 학습공동체 자체를 형성하기 위하여 함께 노력해야 한다.

교수자 역할. *온라인 훈련가, 촉진자, 중재자*와 같은 명칭은 **교수자**라는 용어와 병용된다. 온라인 교수자는 학습자에게 있어서 주요한 컨택 포인트이며, WBI 운영에 있어서 우선적 책임을 가진 사람이다.

교수자는 WBI 개발에 책임이 있지만, 가장 중요한 역할은 촉진자이다(Fisher, 2000). 본래, 교수자는 웹기반 학습공동체를 형성하고 분위기를 만드는 데 책임이 있다. 교수자는 조언자, 수행평가자, 피드백 제공자의 역할을 가정한다. 이들은 기술 문제도 해결하기도 한다(Hannum, 2001; Kinshuk & Patel, 2001; Spector & de la Teja, 2001).

교수자 책임. WBI에서 교수자의 일차적 책임은 교수-학습을 이끌어가는 것이다. 효과적 교수를 위하여 교수자는 학습자가 이해할 수 있도록 교수 목적, 코스 지침과 요구사항 등을 설명해야 한다. 효과적으로 가르치는 교수자는 감정 이입, 교수 전략(또는 방법)의 우수성, 내용전문성, 학습이 일어나도록 교수 사태를 구조화하는 능력을 가지고 있다.

잘 가르치는 것은 그 어떠한 교수 전달 형태보다 중요하며, 면대면 교육 환경에서 잘 가르치는 교수자는 그들의 특성을 온라인 상황에 그대로 적용하거나 상황에 맞게 바꿀 수 있다. 교수자가 온라인 교수 상황에 그들의 특성을 맞추기 위해서는 지원이 필요하며(Palloff & Pratt, 1999; Salomon, 2000), 이에 대한 지원은 관리와 관련된 이해당사자들이 제공해야 한다. 그러나 Spector와 de la Teja(2001)은 온라인상에서 가르치는 것은 면대면 교실에서 교수자에게 필요한 능력에 추가적인 능력을 요구한다고 한다. 이 능력은 온라인 토론을 할 때 필요한 교수자의 기술 요구사항과 관련되어 있다.

온라인 교수자는 학습자에게 필요한 기술 요구사항을 설명해주어야 한다. 온라인상에서 교수자는 학습자들에게 접근할 수 있어야 하고, 적절한 커뮤니케이션 채널과 온라인 근무 시간을 만들어야 한다(Berge et al., 2000). 교수자는 학습자들과 커뮤니케이션하고, 이들을 지원하는데, 이러한 상호작용은 대부분 구두가 아닌 텍스트 기반(이메일, 게시판 등)이다(Berge et al., 2000; Fisher, 2000; Hannum, 2001; Romiszowski & Chang, 2001).

교수자 도전. 교수자와 학습자 간의 상호작용 측면에서 WBI는 교실 수업과는 다른데(Palloff & Pratt, 1999), 가장 큰 차이점 중 하나는 상호작용의 즉시성이다. 하루 종일 교수자에게 연락하는 학습자는 즉시적인 응답을 기대하고, 이러한 기대는 온라인 교수자에게는 도전일 것이다. 이러한 기대는 전통적인 교실 환경과 큰 차이가 있다. 왜냐하면 교실환경에서는 학습자는 일반적으로 수업이 끝난 후 또는 예정된 근무 시간 동안 교수자와 이야기 할 수 있기 때문이다.

학습자들로부터 온 다량의 이메일, 게시판의 글도 교수자에게 도전이 된다. Romiszowski와 Chang(2001)은 교수자는 전통적인 면대면 수업에 비하여 온라인 수업에서 두 배의 시간을 소요한다고 하였다. 대규모의 등록자수, 또는 매우 협력적인 공동체를 가진 WBI에서 교수자는 많은 시간을 보낸다. 교수자의 시간에 영향을 미치는 또 다른 요인으로는 내용의 복잡성, 교수 활동의 형태와 양, 교수자 지원(멘토, 헬프 데스크 등)의 이용가능성이 있다.

온라인 교수자의 또 다른 도전은 WBI에 필요한 보편적이면서 변화무쌍한 기술을 따라가는 것이다. 소프트웨어의 신규 버전이나 업그레이드는 WBI와 이것과 관련된 웹사이트들을 수정하도록 한다. 수정한 후 웹 리소스들과 URL이 제대로 기능하는지 확인해야 한다. WBI 업데이트와 관련된 또 다른 변경은 내용을 개별화하는 것과 교수 전략을 수정하는 것이다.

WBI를 이러한 변화에 맞추는 것은 초보 수준의 온라인 교수자들에게는 어려운 일이다(Berge et al., 2001; Brooks, 1997). 이러한 변화는 WBI 생명주기 동안 계속되기 때문에 온라인 교수자들은 교수 전략을 실행하는 데 있어서 기술과 관련된 능력과 기초적인 경험이 필요하다(Hannum, 2001).

학습자 역할. 학습자는 교수자에 이어 학습공동체의 두 번째 이해당사자이다. 이들은 피교육자로서 WBI에 참여한다. 일반적으로 온라인 학습에 참여하는 사람은 원격에서 교육받는 데 편의성, 융통성, 접근성을 요구한다(Davidson-Shivers, Muilenberg, & Tanner, 2001; Northrup, 2002). 이들은 전통적인 교육 환경에서 벗어난 온라인 환경에 있는 전통적인 학습자, 훈련 참여자, 평생학습자일 수 있다.

웹기반 학습공동체에서 학습자의 역할은 교수 사태에 참여하고, 과제를 마치고, 교수자와 동료 학습자와의 커뮤니케이션을 하는 것이다. 또한 WBI 목표를 설정하는 것을 돕고, 자신의 사전 지식과 경험을 공유하고, 공동체 의식을 형성한다(Driscoll, 2004; MacKnight, 2001; Palloff & Pratt, 1999). 또한, 학습자들은 WBI 내에서 활동에 참여하고, 상호작용함으로 공동체 의식을 생성하는 것에 기여해야 한다.

학습자 책임. 온라인 학습에서 학습자는 컴퓨터, 웹, 소프트웨어에 대한 지식을 가지고 있어야 한다. 그러나 더 중요한 것은 효과적인 온라인 학습자가 되기 위해서는 "주도권을 갖고, 필요한 자원을 찾아내는" 자율적인 학습자가 되어야 한다(Peal & Wilson, 2001, p. 152). WBI에서 학습자는 자발성, 시간 관리, 조직하기와 같은 학습 기술을 가지고 있어야 한다(Berge et al., 2000; Carr-Chellman, 2001; Northrup, 2002; Peal & Wilson).

학습자 도전. 학습자가 겪는 새로운 경험은 도전이 될 수 있다. 첫 번째 도전은 고립감과 불안감이다(Hannum, 2001). 이것들은 학습자가 WBI에서 새로운 것을 접할 때 느끼는 것인데, 학습자의 동기에 부정적인 영향을 준다(Berge et al., 2000).

두 번째 도전은 메타인지와 관련되어 있다. 특히 처음 WBI로 학습하는 학습자의 경우, 정보 과부하가 발생하고 자신의 경험을 평가해야 하는데, 이때 메타인지 능력이 필요하다. 자기 주도적인 학습자가 되고(Berge et al., 2000; Kinshuk & Patel, 2001), 메타인지 능력(모니터링, 의사결정, 자기 평가, 질문 전략 등)을 갖추는 것은 이러한 도전을 줄여줄 수 있다.

교육 지원팀 역할. 학습공동체의 세 번째 이해당사자는 교육 지원팀이다. 이 팀은 학습공동체를 지원하는 직원들로 구성되어 있다. 이들은 교수자, 학습자와 함께 일한다. 가장 일반적인 교육 지원팀원은 **멘토**인데, 이들은 온라인 교수자를 지원한다(David-Shivers & Rasmussen, 1998, 1999; Rasmussen, 2002; Salmon, 2000). 때론 **튜터**로 불리기도 하는데, 교수자와 학습자의 요구에 따라 다양한 역할을 수행한다. 학습자가 겪는 기술적 어려움과 학습 내용에 대한 질문 해결하기, 토론 이끌기, 학습 진도 추적하기, 그리고 코치나 격려자로 활동하기도 한다.

교육 지원팀 책임. 교육 지원팀은 학습공동체를 형성하고, WBI 경험이 성공하도록 교수자와 학습자를 지원한다. 교육 지원팀의 책임은 우선적으로 WBI에서 교수자와 학습자의 요구에 달려있으나, 일반적으로 기술적 문제 해결하기, 학습자와 연락하기, 학습 진도 추적하기 등이 있다.

교육 지원팀 도전. 교육 지원팀의 도전은 교수자와 학습자를 지원하는 업무 부담의 균형을 유지하는 것이다. 또한 교육 지원팀은 전문가로서의 범위 내에서 행동하고, 준비한 것 또는 권한을 갖고 있는 것에 대하여 책임감을 가져야 한다.

교수설계와 관련된 이해당사자

교수설계자는 모든 이해당사자(관리, 기술, 학습공동체)에 속하지만, 주로 학습공동체에 관련이 있으며, 학습공동체 내에서도 교육 지원팀 소속으로 간주된다. 교수설계자의 주된 역할은 (1) WBI 설계팀에 속해 있는 교수설계자와 (2) 팀에 속하지 않은 1인 WBI 설계자/교수자가 있다.

교수설계자 역할. 교수설계자는 조직의 구조와 책임 소재에 따라 WBI 프로젝트에서 주된 의사결정자가 되기도 한다. 교수설계자는 설계팀을 관리하고, WBI의 설계 및 전달을 감독하는 WBI의 주요 설계자 또는 프로젝트 관리자이다. 또한 교수설계자는 때때로 교수개발자로 알려져 있기도 하는데, 웹사이트를 개발하는 데 참여하기도 한다.

일반적으로 교수설계자는 WBI 프로젝트에서 다양한 역할을 수행한다. 프로젝트 설계자, 분석가, 평가자, 또는 프로젝트 관리자로 불리기도 한다(Greer, 1999). 교수설계자는 프로젝트에 참여한 다른 사람들이 적절한 의사결정을 하거나 WBI가 완성되는 데 필요한 정보를 제공하고, 관리와 관련된 이해당사자들에게 진행사항을 보고하는 주요한 커뮤니케이터(communicator)이기도 하다. 교수설계자는 개발자의 역할을 수행하기도 하는데, 다른 팀원과 협조하여, 설계안에 가깝게 WBI의 개발을 책임져야 한다.

교수설계자 책임. 교수설계자는 WBI를 훈련책으로서 관리와 관련된 이해당사자에게 추천하기 위하여 상황과 문제를 분석한다. 이들은 WBI의 설계와 개발 과정을 모니터링하고, 직접 개발하기도 한다. 총체적으로 교수설계자의 일차 책임은 교수자와 학습자의 요구를 충족시키는 데 있다(Carr-Chellman, 2001; Hedberg, Brown, Larkin, & Agostinho, 2001). 설계자는 WBI 프로젝트를 진행하기 위하여 다른 팀원들, 이해당사자들과 함께 커뮤니케이션해야 한다.

교수설계자는 교수 자료를 만들기 위하여 소프트웨어를 사용한다. 이들은 설계안을 따라 웹페이지와 멀티미디어 자료를 만들며, 학습공동체를 구성하기 위하여 LMS를 사용한다.

교수설계자 도전. 효과적인 WBI를 개발하는 것 자체가 교수설계자에게는 도전적인 과제이다. WBI에 대한 품질 기준, 교수설계자의 기대, 다른 이해당사자들의 기대에 맞추면서, 한정된 자원, 자금, 시간의 균형을 이루는 것은 공통의 문제이다. WBI에 복잡한 내용과 교수 전략이 포함되어 있거나 교수설계 절차의 전체를 이해하지 못하는 초보 수준의 팀원들로 설계팀이 구성된 경우, 설계에 들어가는 노력이 더 많아진다(Carr-Chellman, 2001; Hannum, 2001; Milheim & Bannan-Ritland, 2000; Romiszowski & Chang, 2001).

교수설계자는 초보이거나 수동적으로 프로젝트에 참여하는 또는 비현실적인 요구를 하는 이해당사자와 함께 일하는 경우 보다 강한 도전을 받는다. 숙련된 커뮤니케이터로서 교수설계자는 이러한 도전을 어느 정도 경감시킬 수 있다. Shrock과 Geis(1999)는 "다른 이해당사자들을 놀래켜 얻을 수 있는 것은 아무것도 없다"(p. 204)고 하였는데, 이는 커뮤니케이션을 통하여 이해당사자와 설계자 간에 WBI 설계 정보를 공유하는 것이 중요함을 나타낸다. WBI 설계 정보가 적절한 방법으로 공유되는 것은 중요하다. 교수설계자의 또 다른 도전으로는 소프트웨어와 관련된 지식과 기술을 지속적으로 갱신해야 한다는 것이 있다.

1인 WBI 설계자/교수자 역할. 여러 명의 개인 또는 팀이 역할을 수행할 수 있으나, 종종 WBI를 자신의 힘으로 만드는 경우, 한 명의 설계자/교수자가 WBI 프로젝트에 필요한 모든 역할을 수행하는 상황이 있을 수 있다. Horton(2000)은 몇몇 교수자들은 혼자 힘으로도 모든 역할을 수행할 수 있지만, 대부분의 교수자들은 도움을 필요로 한다고 한다. 웹기반 설계를 시작하기 전에 어느 정도의 도움이 필요한지 평가해야 한다고 강조하였다.

1인 WBI 설계자/교수자 책임. 1인 설계자의 역할을 맡은 교수자는 관리, 기술, 교육 지원팀의 업무를 수행한다. 교수자는 다양한 역할과 책임을 수행하기 위하여 LMS(예: *Angel, Blackboard, Desire2Learn, eCollege, TopClass, WebCT*)를 사용한다. 다양한 역할 때문에 교수자는 온라인 학습 환경에서 학습자가 될 수 있다.

1인 WBI 설계자/교수자 도전. Rasmussen, Northrup, Lombardo(2002)는 LMS를 사

용하더라도 온라인 학습에서 교수자 또는 설계자가 스스로 지원팀의 역할을 하기를 기대하는 것은 비현실적이라고 하였다. 교수자가 자신의 내용 전문 영역에서 시대에 뒤처지지 않고 변화를 따라가는 것은 어려울 뿐만 아니라 기술적인 혁신을 뒤쫓아 감과 동시에 기술적인 문제를 해결해주는 사람이 되기를 요구하는 것은 무리이기 때문이다. 이러한 요구는 교수자/설계자가 새로운 코스를 설계할 때 또는 기존의 오프라인 수업을 온라인 수업으로 처음 만들 때 과중해진다.

1인 교수설계자/교수자는 예상되는 도전을 상쇄하기 위하여 공식적 또는 비공식적인 지원 시스템을 개발해야 한다. 지원 시스템에의 참여 정도는 조직의 자원에 따라 WBI 설계와 개발에 걸쳐 다양하다. 참여 정도가 높은 지원팀원은 WBI 설계를 지원하고, WBI 성공에 중요한 WBI 이해당사자들에게 지원 서비스를 제공해야 한다.

생각해보기

우리는 WBI 프로젝트에서 어떤 역할과 책임을 맡고 있는가? WBI 프로젝트에서 우리는 1인 설계자/교수자인가 아니면 설계팀과 함께 작업을 하는가? 역할, 책임, 도전이라는 단어를 사용하여 우리가 직면한 프로젝트 상황을 설명해보자. 이 책에서 살펴본 이해당사자들 외에 WBI 프로젝트에 참여할 수 있는 다른 이해당사자들이 누가 있나? 이해당사자들을 밝혀내고, 이들의 역할과 책임을 설명해보자.

이해당사자에 관해 더 자세한 정보를 보려면 자매 사이트 (http://www.prenhall.com/davidson-shivers)를 참고하자.

마무리하기

1990년 초 이후 웹(인터넷)은 엄청나게 발달하였다. 덩달아 초·중등학교, 기업, 군대, 고등 교육기관에서 원격 교육과 훈련을 위한 웹의 사용도 빠르게 증가하였다. 원격 교육은 다양한 전달 시스템를 가지고 있는데, 최근의 전달 시스템 중 하나가 웹이다. 온라인 교육의 세 가지 유형(WBI, WEI, WSI)은 교수자와 조직이 자신의 교수-학습 환경에 웹을 통합하는 방법을 제공한다. WBI를 사용하는 것은 기관, 교수자, 학습자 측면에서 강점과 약점이 있다. 이러한 강점과 약점은 교수설계자들에게 WBI가 문제를 해결하는 효과적인 방법인지를 알려준다. 현재, 미래, 통합 기술에 대한 심층적 탐구 또한 특정 상황에 WBI가 효과적인지를 보여준다. WBI 이해당사자들의 책임, 역할, 그리고 이들이 직면하는 도전을 이해하는 것은 교육 해결책으로 WBI를 선택하는 데 도움이 될 것이다.

토론 과제

1. 인터넷과 웹은 다양한 목적으로 사용되고 있다. 웹의 미래를 예측해본다면, 이러한 발달의 다음 단계는 무엇이라고 생각하는가?
2. 원격 교육의 전달 시스템 유형에 대하여 토론해보자. 이 모든 유형이 여전히 필요한가? 우리의 생각을 정당화해보자.
3. 자신의 용어로 WBI를 정의해보자. WBI 개념을 설명하는 데 사용되는 다른 용어로는 무엇이 있는가? 어떤 용어를 선호하는가? 그 이유는 무엇인가?
4. 우리의 조직에서 사용 가능한 WBI 기술은 무엇인가? 이 기술들을 사용하는 데 제한이 있는가? 여러분의 프로젝트에 이 기술들을 어떻게 사용할 것인가?
5. WBI 설계, 개발, 운영에 사용되는 기술의 다음 세대는 무엇일 것이라고 생각하는가? 이러한 기술 혁신은 WBI의 질에 어떻게 영향을 줄 것인가?
6. 매우 상호작용적인 웹기반 학습공동체가 가진 강점과 약점은 무엇인가? 독립적인 온라인 학습자가 가지는 강점과 약점은 무엇인가? 어떤 것을 선호하는가? 그 이유는 무엇인가?
7. 1인 교수자와 WBI를 개발하는 설계팀을 가진 교수자가 부딪히는 도전이 어떻게 다른가? LMS의 사용이 이러한 도전에 어떠한 영향을 미치는가?
8. 웹기반 학습 환경에서 교수자가 1인일 때 가지는 강점과 약점은 무엇인가? 설계팀을 가진 교수자가 가지는 강점과 약점은 무엇인가? 어떤 것을 선호하고, 그 이유는 무엇인지를 설명해보자.

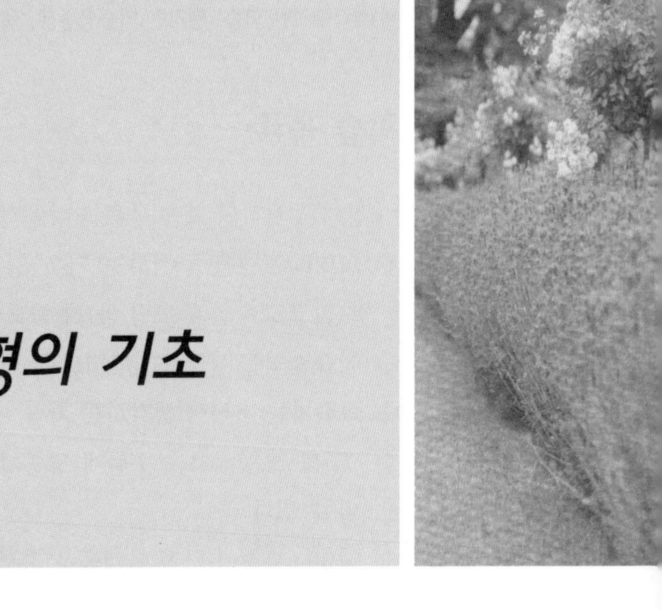

제 2 장

웹기반 교수설계 모형의 기초

웹기반 교수설계(이하 WBID) 모형을 구성하는 기초 영역 중 앞으로 다루고자 하는 네 가지는 학습 이론, 체제 이론, 커뮤니케이션 이론, 그리고 교수설계 모형 등이다. 이 학습 패러다임이 제시하는 학습 원리들은, WBID 모형이 채택하고 있는 통합적 · 복합이론적인 접근 방식에 그 이론적 기초를 제공해 준다. 체제 이론은 대부분의 교수설계 모형의 근간을 이루고 있는 체제적 및 체계적 절차성을 규명한다. 커뮤니케이션 이론은 메시지 및 시각 디자인과 관련된 보편적인 원리를 다룬다. 또한 전통적 및 비전통적 교수설계 모형들은 WBID 모형의 기본 요소를 구성해주며 동시에 WBI를 설계하고 개발하기 위한 기초가 된다.

2장은 이들 네 가지 기반 영역에 대한 간략한 설명으로부터 시작하여, 이 네 영역 간의 상호 연관성을 강조하는 WBID 모형의 개괄적 소개로 이어진다. 사례로서는 *GardenScapes*를 활용하고 있는데, 본서 전반에 걸쳐 다른 장에서도 사용되는 이 프로그램 개발 사례는 '실제 적용 사례 연구' 라는 제목의 절에서 소개된다. 2장부터는 '사례 연구' 라는 새로운 섹션이 포함된다. 이 섹션은 앞으로 이어질 장에서 발전시켜 나갈 네 개의 서로 다른 사례들로 구성되어 있다.

학습 목표

이 장의 구체적인 학습 목표는 다음과 같다.

- WBID 모형을 구성하는 기초 영역들(학습 이론, 체제 이론, 커뮤니케이션 이론, 그리고 교수설계 모형 등)의 중요성을 설명할 수 있다.
- 학습 현상을 설명하는 방법으로서 통합적, 복합이론적 접근법에 대해 진술할 수 있다.
- 학습자는 자신이 생각하는 학습 이론에 대해 설명할 수 있다.
- WBID 모형에서 교수설계 모형이 공통적으로 갖고 있는 보편적인 단계를 식별해 낼 수 있다.
- WBID 모형의 구성 단계들을 순서대로 말할 수 있다.
- WBID 모형의 각 단계들의 목적에 대해 설명할 수 있다.

시작하기

학습이 제대로 이루어지려면 학습자의 적극적인 관여는 필수 사항이다. 꼼꼼한 기획과 교수설계에 의해서 적극적인 참여를 통한 학습이 이루어질 수 있다. 이러한 교수 기획 및 설계 활동은 WBI 설계 상황에서도 마찬가지로 중요하다. Smith와 Ragan (2005)에 따르면, 교수설계 모형을 효과적으로 활용하기 위해, 또 효과적인 학습 자료를 개발하기 위해 교수설계자에게는 탄탄한 이론적 기반이 필요하다. 따라서 1장에서 다루었던 원격교육 이론 외에, 학습 이론, 체제 이론, 그리고 커뮤니케이션 이론 및 교수설계 모형 등 이론적 기반을 다지는 것은 WBI 설계자에게 필수이다(그림 2.1).

학습 이론 개관

교수설계자가 어떤 학습 이론적 관점(그림 2.2)을 취하느냐에 따라 수업이 개발되고 운영되는 방식은 달라지기 마련이다. 학습을 설명하는 이론적 기초로서 중요한 세 가지로는 행동주의, 인지주의, 구성주의를 들 수 있다(그림 2.3). 이 이론들은 학습이라는 현상에 대한 인과적 설명을 제공하는 기능 이외에, 교수설계를 위해 어떤 원리들을 활용할 것인지에 대한 처방을 내려준다.

행동주의 학습 이론

행동주의적 관점에 따르자면 학습은 드러난 행동으로 간주되며, 외현화된 행동에 대한 관찰가능한 측정 도구를 통해 학습 현상을 연구할 수 있다고 본다. 따라서 일반적으로

▶ 그림 2.1 WBID 모형의 기반 이론 영역

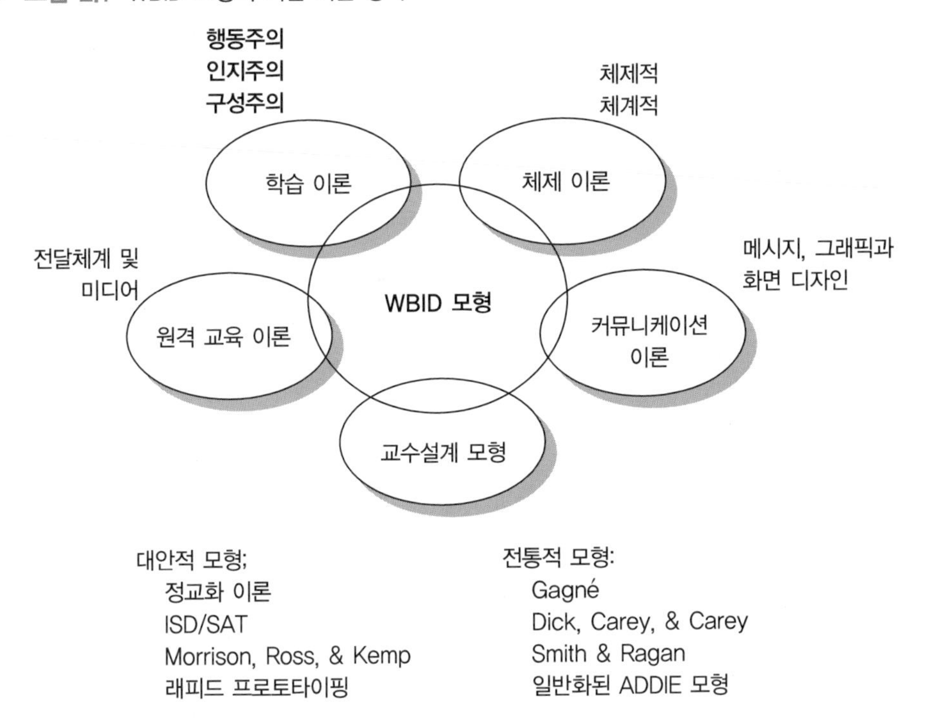

▶ 그림 2.2 WBID 모형과 학습 이론

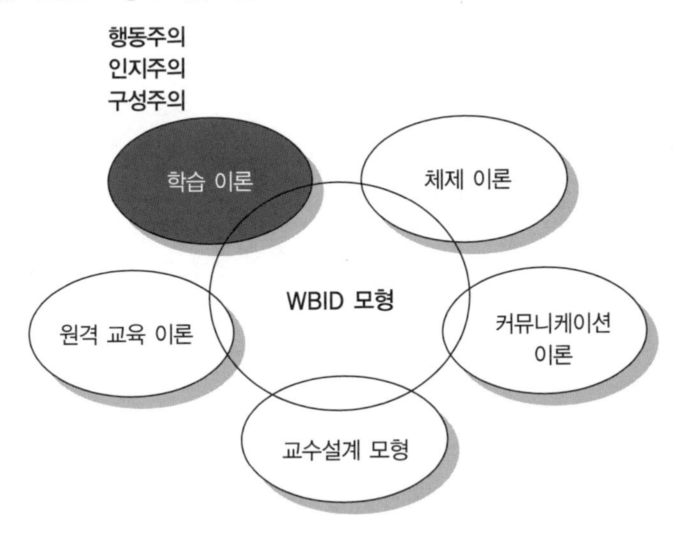

▶ 그림 2.3 학습 이론별 주요 원리

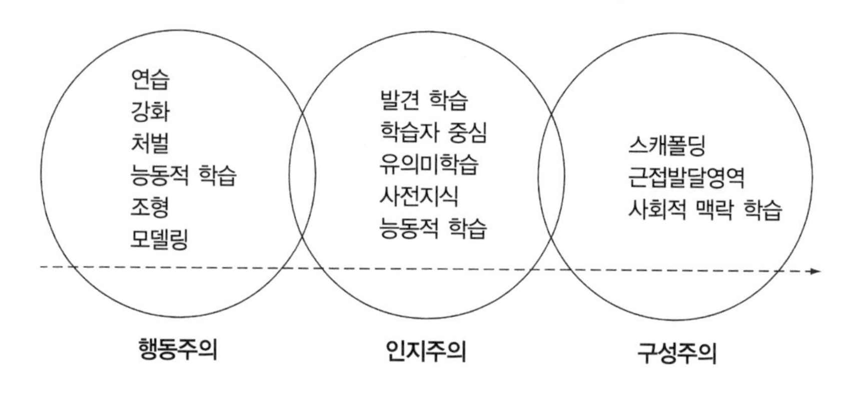

'마음' (종종 *블랙박스*로 표현되는)은 행동주의자들이 관심을 갖는 연구 대상이 되기 어렵다. 마음이 존재한다는 사실 자체를 부정하지는 않지만, 그 내적 작동 방식에 대한 직접적인 관찰이 불가능하기 때문이다. 행동주의 학습심리학은 19세기에 태동하여 1950년대와 60년대를 걸쳐 그 전성기를 구가하였다(Lefrancois, 2000). 초기 행동주의자들은 동물을 대상으로 주로 실험하였고, 후기 행동주의자들은 사람에 대한 연구로 관심을 옮겨갔지만, 관찰가능한 행동에 대한 강조는 조금도 달라지지 않았다(Driscoll, 2004; Lefrancois, 2000; Ormrod, 2004).

행동주의 이론에 있어 두 가지 주류는 고전적 조건화와 조작적 조건화이다. *고전적 조건화* 이론에서 주요 관심은 자극(외적 조건)과 반응(자극의 결과로 나타난 외현화된 행동) 간의 관계, 즉 자극이 어떻게 반응상의 변화를 일으키는지에 집중되었다. Ormrod(2004)에 따르면, 이 관계는 S-R(자극-반응) 심리학과 직결된다. James, Wundt, Watson, Guthrie와 우리에게 잘 알려져 있는 Pavlov 등은 고전적 조건화와 관련된 초기 행동주의를 대표하는 학자들이다. 종종 학습 이론으로는 한물 간 역사적 유물로 간주되는 경우도 있지만, 고전적 조건화 이론은 오늘날에도 여전히 그 적절성을 과시한다(Lefrancois, 2000; Ormrod, 2004). 예를 들어 미군 각급 부대에서 실시되는 군사훈련 방식은 고전적 조건화 이론이 적용되고 있는 대표적인 경우라 할 수 있다. 훈련 교관이 신병들에게 "집합"이라고 소리치면(자극), 이 신병들은 즉각 열을 맞추어 모인 후 교관을 주목하는 행동을 취한다(반응). 이러한 조건화가 이루어짐으로써 명령이 떨어지자마자 즉각적이고 비자발적이며 몸에 배인 반응이 자동으로 나타나게 된다. 가까운 예를 들어 보자. 언젠가 저자들의 친구 중 한 명이 미 해군 기지에서 실시된 사관생도 졸업식에 참석하게 되었다. 소령이 입장하고 "일어섯!" 이라는 구령이 떨어지자, 그의 자동 반응 장치가 가동되면서 자신도 모르는 사이에 거의 차렷 자세를 취할 지경에까지 이르렀다고 한다. 그가 해군을 제대한 지가 벌써 20년이 지났음에도 불구하고 말이다.

행동주의 이론이 발전하게 되면서 관심은 점차 자극에서 반응 행동으로 옮겨지게 되었다. 반응 행동의 결과에 대해 연구했던 행동주의자로는 Thorndike, Hull과 Skinner를 들 수 있다(Lefrancois, 2000; Ormrod, 2004). 이들 중에서 특히 Skinner는 급진적 행동주의자로서, 조작적 조건화 이론으로 잘 알려져 있다. 그는 반응의 종류에는 두 가지, 즉 "자극에 의해 유발된 반응은 대응적 반응(respondent)이며, 유기체가 자발적으로 촉발한 반응은 조작적 반응(operant)이다" (Lefrancois, p. 96)라고 주장하였다.

*조작적 조건화*의 핵심 원리 중 하나는 자극이 아닌 반응의 결과를 강조한다는 점이다. 여기서 반응은 **강화(reinforcement)**와 처벌의 의미로 해석된다. 정적 강화물은 바람직한 행동들이 유지되거나, 보다 빈번하게 나타나도록 하기 위해 활용되는데, 이때 강화물이란 바람직한 반응이 나타났을 때 제시되는, 즐거운 기분을 만들어낸다고 여겨지는 것을 말한다. 학생에게 주어지는 칭찬은 강화물의 한 예이다. 한편 부적 강화물은 바람직한 행동이 일어난 후 제거되는, 불쾌한 것으로 여겨지는 것들을 말한다. 그 대표적인 예로는 자동차 안전벨트를 채운 후에야 사라지는 시끄러운 경고음을 들 수 있다.

바람직하지 않은 행동의 빈도를 줄이거나 아예 없애기 위해서는 두 가지 종류의 처벌이 활용될 수 있다. 처벌 유형 I은 바람직하지 않은 행동을 막기 위해, 그 행동이 나타날 때마다 어떤 혐오스런 것을 제시하는 것이다. 예를 들어, 어린아이의 버릇없는 행동을 없애기 위해 부모는 그에게 꾸중을 하곤 한다. 처벌 유형 II는 바람직하지 않은 행동을 멈추도록 하기 위해 뭔가 좋은 것을 박탈하는 것을 말한다. 예를 들자면 청소년들이 비행을 계속하면 그들에게 주어지던 혜택을 없애버리는 것이다. 이 두 형태의 처벌은 바람직하지 않은 행동이 나타난 이후에 가해진다. 결과적으로 학습자에게 있어 처벌은 어떤 반응이 낳은 결과로서 간주된다.

행동주의 이론으로부터 얻을 수 있는 여러 원리들은 WBI 설계에도 적용될 수 있다. 연습(practice), 강화(reinforcement), 능동적 학습(active learning), 조형(shaping), 그리고 모델링(modeling) 등이다. 행동주의적 연구 결과들은 반복 연습을 통해 학습이 증진된다는 사실을 보여주고 있다. 예를 들어, 수업 전 과정을 통해 학습 내용이 제시된 후에는 늘 연습 문제를 풀도록 하는 수업 전략이나 활동이 포함될 경우, 학습자들은 연습 기회를 많이 제공받게 되어, 결과적으로 목표했던 학습이 강화될 수 있다.

강화는 행동주의적 연구 테마가 제시하는 중요한 응용 전략이다. 행동주의자들에 따르면 학습자들에게 정적 · 부적 강화물을 제공하게 되면, 학습자들은 학습, 즉 바람직한 행동을 보다 자주 보이게 될 것이다. 정적 강화물은 학습자들에게 뭔가 유쾌한 것으로 느껴져야 하며, 부적 강화물은 불쾌한 것으로 여겨지는 어떤 것이어야만 한다. 예를 들어, 과제를 제 시간에 내도록 독려하기 위해, 더 나아가 가능하다면 학생의 불안감도 해소해주기 위해, WBI 담당교사가 과제 제출 후 즉시 잘 받았다는 답장메일을 그 학생에게 보내는 경우가 있다(정적 강화물). 반면, 쓸데없는 내용을 담은 메일에 대해서는 응답하지 않음으로써(부적 강화물) WBI 담당 교사는 학급 전체로 하여금 충실한 메일을 보낼 수 있도록 유도해 갈 수 있다. 이메일을 활용하여 제공할 수 있는 정적 강화물의 구체적인 사례 중 일부를 그림 2.4에 제시하였다. 강화물이란 교사가 제공하는 어떤 사물이나 행위의 본래적 속성이 아니라 학습자가 주관적으로 느끼는 것이므로 WBI 설계자들은 참여 학습자들의 관심, 열망, 배경 등등을 면밀하게 검토함으로써 잠재적인 강화물들이 무엇인지를 밝혀둘 필요가 있다.

한편 바람직하지 않은 행동은 처벌에 의해 약화되거나 소거될 수 있다. 안전상의 이유로, 또는 즉각적인 반응이 필요할 경우 처벌을 가할 수 있는데, 이럴 경우 처벌 유형 1이 사용되어야 한다. 예컨대, *스팸 메일*을 자꾸 보낸다거나[Whatis?com, 2005] 토론 상황에서 다른 사람을 *인신공격*[Whatis?com, 2005]하는 등 온라인상에서 부적절한 행동을 계속한다면, 교사는 그 문제 학습자를 집단에 참여하지 못하게 함으로써 처

▶ **그림 2.4** 이메일을 활용한 긍정적 강화 사례

이메일을 활용한 정적 강화물 사례

"'평가결과' 란을 클릭하시면 귀하의 성적표에 첨부된 피드백 내용을 확인할 수 있습니다. 담당교수의 코멘트와 부여 점수를 참고하시기 바랍니다." **(자세한 설명이 함께 제공되는 성적 처리 결과 제시 사례)**

"성적은 73점에서 100점 사이에 분포하고 있습니다." **(성적 처리 결과 제시 사례)**

"여러분 중 일부는 모형들을 상호 비교하면서 그 특징들의 범주를 규명하지 않고 있습니다. 이 특징들을 명명하지 않은 사람들은 행렬 형태의 표 양식을 활용, 다시 제출해서 검토를 받을 수 있도록 하시기 바랍니다." **(교정적 피드백 제공 사례)**

"제출 보고서 파일 내에 각자의 성명을 기입해주세요. 제출한 파일을 인쇄한 하드카피본으로 평가하므로 이름이 없으면 성적 처리가 지연될 수 있습니다." **(적절한 수업 행동 자극을 주기 위한 주의 환기 사례)**

벌할 수 있다. 그러나 처벌을 빈번하게 또는 부적절하게 사용할 경우 부작용이 나타날 수 있음을 잊어서는 안 된다. 처벌을 남용하게 되면 학습자들은 학습 회피 행동을 보일 수 있다(처벌이 두려워 공부 자체를 기피하는 등). 어쩔 수 없이 수업에 참여할 수밖에 없는 상황이라면 무슨 수를 써서라도 핑계거리를 만들어 학습을 기피하려 할 것이다. 예를 들면, 초 · 중등학교 교사나 코치들은 과제를 더 내주는 것(읽기나 쓰기 숙제를 더 하라고 한다거나, 동급생들보다 수영 연습을 더 하고 귀가하라는 식 등)을 일종의 처벌로 사용하는 경우가 있는데 이것은 바람직하지 않다. 학생들로 하여금 독서 활동이 주는 순수한 기쁨을 앗아갈 수도 있고, 수영 등 스포츠 활동 참여 기회에 직면할 때마다 이를 회피하게 만드는 결과를 초래할 수 있기 때문이다. 따라서 특정 형태의 처벌이 WBI 상황에서 확실한 성공을 보장하리라는 것을 장담할 수 없기 때문에, 가급적 정적 강화물을 활용함으로써 처벌이 가져올 부정적 결과를 회피하는 것이 일반적으로 바람직하다.

WBI에 적절하게 적용할 수 있는 행동주의 수업 원리 세 번째는 자극에 대해 반응할 때 학습자들이 능동적으로 임해야만 학습이 제대로 이루어진다는 점이다. WBI에서 교사는 학습자로 하여금 채팅이나 주제별 토론에 참여하도록 요구함으로써 학습자들이 주어진 주제에 대한 관점을 어떻게 형성시켜 가는지를 관찰할 수 있다. 또 그들이 학습 내용을 제대로 해석하고 있는가의 여부도 확인할 수 있는 기회를 얻을 수도 있다. 이때 이러한 능동적 참여를 유도하고자 한다면, WBI 설계자나 교사는 이러한 토론이 학습자가 공부하는 데 필수적인 것인지를 확인하고, 또한 토론 주제가 지엽말단적이지 않고 적절한 것인지를 세심하게 살펴야만 한다. 문서공유(WBI 참여자들이 검토할 과제로 게시판에 정보를 올려 함께 작성하는 활동)를 통해 적극적인 참여를 요청하는 사례가 그림 2.5에 제시되어 있다.

수업에서 사용되는 조형과 모델링의 원리 또한 행동주의 학습 이론으로부터 나온 것이다. *모델링*은 숙련자가 바람직한 목표 행동 또는 반응 행동을 시연해 줌으로써 초심자들이 새로운 반응 행동을 학습하기 위해 흉내를 내 볼 수 있는 기회를 준다. *조형*은 학습자들이 바람직한 목표 행동에 가깝도록 점차 진보를 보일 때마다 개인들의 반응 행동에 대해 즉각적인 강화를 제공함으로써 이루어진다. 선배 학습자들의 우수 사례를 제공하는 것도 일종의 모델링 전략이 된다. 제출한 초안에 대해 제공된 피드백 내용을 기반으로 수정안을 다시 제출하게 하는 방법도 WBI 상황에서 활용해 볼 만한 조형 전략의 한 사례라고 할 수 있다. 이런 피드백 활동은 결정적으로 중요하지만, 제대로 하기 위해서는 많은 시간과 노력이 수반된다. 음성을 문자로 변환해주는 소프트웨어나 변경사항 추적 프로그램 등을 활용한다 하더라도 세밀한 강화 전략을 실행한

➤ 그림 2.5 주제별 토론 시 적극적 참여 유도를 위한 지시문 사례

주제별 토론 지시문

평가용 질문에 대한 아이디어 공유를 위해 학습자 토론 공간을 활용하세요.

과제 #1: 찾아낸 시나리오에 따라 평가 목적을 수립하고 이를 토론 게시판에 올리세요.

과제 #2: 브레인스토밍 방식을 통해 시나리오와 그 목적에 대해 평가하기 위한 네 가지 질문을 찾아봅시다. '평가 계획표(Evaluation Planning Matrix)' 양식에 이 네 가지 질문을 적습니다. 각각의 질문에 대하여 '평가' 하기 바랍니다. 이때 평가 기준은 Fitzpatrick, Sanders, 그리고 Worthen(2004)이 제안한 평가용 질문 항목들 중에서 골라 사용합니다. 시나리오, 목적, 그리고 평가용 질문을 그룹 내에서 공유합니다.

이 질문들 중에 모형에 관한 질문이 있는가? 모형에 관한 정보를 공유하고자 하는가? '모형에 관한 토론 링크' 사이트를 방문하고, '모형 비교표(Model Comparison Matrix)' 작성 시 참조하세요.

다는 것은 교사에게 여전히 큰 부담으로 남기 때문이다.

요컨대 WBI는 행동주의 학습 이론으로부터 반복연습, 강화, 그리고 적극적인 반응자로 만드는 전략 등을 적용하는 등 중요한 시사점을 얻을 수 있다. WBI에 사용되고 있으며, WBID 모형에도 내포되어 있는 행동주의적 관점의 원리들로는 연습문제, 피드백, 조형, 그리고 모델링을 들 수 있다. 이들 수업 전략은 모두 WBI의 개인적 국면에서 적절한 설계 요소들을 고안해내는 데 도움을 준다.

행동주의 학습 이론 관련 사이트 링크를 찾으려면 자매 사이트 (http://www.prenhall.com/davidson-shivers)를 참고하자.

인지주의 학습 이론

인지주의 학습 이론은 학습자의 마음속에서 일어나는 정보 처리 활동에 주목한다(Ormrod, 2004). 정보 처리란 학습자가 지식, 기능과 능력을 적용하는 과정에서 이루어지는 정신적 조작활동(mental operations)을 지칭한다(Gagné, Briggs, & Wager, 1992). 이러한 이론적 태도의 결과, 인지주의 이론을 기반으로 하는 연구는 주로 실험

용 동물이 아닌, 사람의 정신 작용을 직접 관찰하는 방식으로 이루어진다(Lefrancois, 2000; Ormrod, 2004; Richey, 1986).

그러나 뇌신경심리학(neuropsychology)의 눈부신 발전에도 불구하고 사람이 수행하는 정신적 조작활동을 관찰한다는 것은, 불가능하지는 않을지 몰라도 여전히 쉬운 일이 아니다. 이러한 이유로 인해 교육 연구자들은 행동이나 반응으로 나타난 결과물을 측정하거나 관찰함으로써 개인이 정보를 어떻게 처리하는지를 유추하여 짐작하는 경우가 많았다. 예를 들어, 학습자가 제출한 답안지를 분석하는 활동을 생각해보자. 행동주의자들은 목표 학습행동이 이루어졌는지를 알기 위해 수학 공식을 계산하여 적어낸 답이 맞는지의 여부를 관찰하지만, 인지주의자들은 학습자가 공부하면서 어떤 정보 처리 과정을 거쳤는지를 알아내기 위한 탐구 자료로 활용한다. 인지주의자들은 학습자가 정답을 맞혔는가의 여부도 중요하게 여기지만, 그 답(정답이든 오답이든)에 어떻게 이르게 되었는가의 과정을 설명하거나 직접 수행해보이는가에 더 큰 관심을 두기 때문이다.

인지주의 학습 이론은 1970년 후반 이후부터 오늘날에 이르기까지 교수와 학습 활동에 큰 영향력을 행사하고 있다(Saettler, 1990). 실질적인 인지주의적 연구는 Wertheimer, Koffka, Kohler 등 게슈탈트 이론가들의 저작 활동으로부터 그 시초를 찾을 수 있다(Sprinthall, Sprinthall, & Oja, 1994). 이 이론가들은 지각, 학습 등을 중시했으며, 학습자가 특정한 방식으로 정보를 조직화하도록 지향화되어 있다는 학습 원리를 강조하였다.

대표적인 인지주의 이론가로는 Piaget와 Bruner를 들 수 있다(Mayer, 2003; Ormrod, 2004). 아동 발달에 관한 Piaget의 이론은 1960년대 미국에서 큰 반향을 일으켰으며 오늘날에도 여전히 받아들여지고 있다. Piaget에 따르면, 사람은 능동적 정보 처리자이다. 행동주의 학습 이론가들이 사람을 능동적 반응자로 보는 관점과 대비되는 바이다. 즉, 사람은 어떤 자극에 대해 단순히 반응하는 수동적 유기체가 아니다. 학습자는 학습의 과정에 능동적, 자발적으로 참여할 뿐 아니라, 학습을 위해서라면 자신이 이미 갖고 있는 관점, 지식, 기능, 경험 등을 활용하여 학습이 보다 효과적으로 이루어지도록 자기주도적으로 노력한다는 점에 대해 인지주의 이론가들은 확신을 갖고 있다. WBI 맥락에서 보면 학습자들은 학습 내용에 주의를 기울이기 이전에 선수지식과 기능을 활성화함으로써, 현재 공부하는 수업 내용을 깊이 성찰할 수 있는 기회를 갖게 된다고 해석하는 것이 인지주의적 관점인 것이다.

외부 자극과 내부 정보 처리 활동의 통합은 사람들이 학습하는 데 도움을 준다. 여기에서 더 나아가 Piaget에 따르면, 사람은 성장하는 과정에서 네 단계의 인지 발달 과정을 겪게 된다(Driscoll, 2004; Ormrod, 2004; Sprinthall et al., 1994). 이 네 단계는 감각운동기, 전조작기, 구체적 조작기, 형식적 조작기를 말한다. 그러나 이후 연구에 의하면 Piaget의 각 단계별 특징들이 항상 나타나는 것은 아니라는 주장이 제기되기도 하였다. "유아나 어린이들은 Piaget가 감각운동기나 전조작기의 특징이라고 제시하고 있는 수준에 비해 인지적으로 더 정교한 행동을 하고 있는 것처럼 보인다"는 주장도 제기된다(Ormrod, p. 167). Ormrod에 의하면, Piaget는 Tolman과 여타 게슈탈트 심리학자들과 마찬가지로 개인의 지식의 변화는 주로 그 구조와 조직 측면에서 일어난다고 주장한다. 학습의 과정에서 개인은 이미 존재하는 지식에 새로운 지식을 동화시켜 나간다는 Piaget의 아이디어는 그야말로 획기적인 연구 성과였으며, 오늘날에도 여전히 유효하다. WBI 설계자들에게 주는 시사점으로는 구체적 조작기의 학습자들에게는 그래픽을 많이 사용해야 하고 그보다 발달적으로 성숙한 학습자들에게는 문자적 설명을 활용하는 것이 좋다는 것을 들 수 있다.

Bruner의 인지적 발달 이론은 1950년대 말에 최초로 제안되어 1960년대와 1970년대를 거치면서 폭넓게 적용되기 시작했다. 교수-학습 분야에 끼친 Bruner의 중요한 기여 중 하나는 발견 학습의 개념이었다(Driscoll, 2004; Lefrancois, 2000; Mayer, 2003; Ormrod, 2004). Bruner는 수업에 있어 강의법이 늘 최선의 방식이라는 생각에 반론을 제기하였다. 대신 그는 발견 교수-학습법 등 실제적 학습(hands-on learning) 방식이야말로 학습을 도와주는 최선의 해결책임을 주장하였다. 학생들로 하여금 학습 대상물을 직접 조작함으로써 적극적으로 학습을 체험하도록 해주는 발견 학습은 중요한 인지주의 원리이며, WBI 환경에서는 학습자들로 하여금 자신의 학습 경로를 스스로 찾아가게 허용하는 수업 방식을 통해 응용될 수 있다. 또 학습자들에게 질문을 던져주고 그 답을 찾아 탐구하도록 허용하는 방식을 통해서도 교사는 발견 학습 전략을 적용할 수 있다.

인지주의의 또 다른 핵심 원리인 학습자 중심 수업은, 개성을 가진 주체로서, 또 효과적인 수업을 개발하기 위한 주도자로서 학습자의 역할을 강조한다. 인지주의 학습 이론에 있어 실제적인 학습, 학습자 중심성의 위상을 높인 학자는 Mayer였다. 그는 주장하기를 "중요한 것은 어떤 수업적 자극이 학습자에게 처치되었는가가 아니라, 학습자가 자신의 개인적 경험에 기초하여 그 수업을 어떻게 해석하는가에 달려있다"고 하였다(2003, p. 5). 학습자 중심이라는 개념에 따르자면, 학생들이란 집단의 평균적 속성으로는 파악될 수 없는, 개성을 가진 개별자들이다. 따라서 수업이 달성해야 할 주요 과업은 이 개별자들 각자가 성공적인 학습자로 변화 · 성장하는 과정을 도와

주는 것이어야 한다. 마찬가지로 WBI은 실제적이며 동시에 학습자 중심적으로 운영되어야 한다. 예컨대 WBI에서 시뮬레이션 학습법은 학습자에게 도전적 과제를 부여하고 학습 활동에 적극적으로 관여하도록 만들어 줄 수 있다.

학습자 중심성과 관련지어 보면, 학습자는 누구나 각자의 관점, 경험, 그리고 선수 지식을 갖고 있으며, 이들은 학습의 과정에서 영향을 미치게 된다는 결론에 이르게 된다. 인지주의자들에 따르면 학습 성취를 위해서 수업은 반드시 학습자 개인에게 유의미할 뿐 아니라 실질적인 것이기도 해야 한다. WBI을 설계할 때 학습자들의 선수 지식과 수업 간에 의미 있는 연결이 이루어지도록 고려함으로써, 학습자가 수업 내용으로부터 자신의 경험과 관점 간의 공유가 가능하도록 유도하여야 한다.

학습의 과정은 학습자에게 의미를 줄 수 있어야 하며, 그들의 선수 지식을 고려해야 하고, 수업의 중심에 학습자가 서도록 하는 등 인지주의의 주요 원리들은 성공적인 WBI을 위하여 다양한 시사점들을 제공해준다. 학습자로 하여금 수업에서 의미와 관련성을 발견하도록 하기 위해 교수설계자는 WBI를 학습자의 흥미와 관심, 선수 지식 등에 기반한 수업 활동으로 만들어야 한다. 예를 들면, 교수설계자는 잠재적 학습 집단의 배경과 관심사와 관련되어 있는 사례를 활용하는 것이 좋다. 개인적으로 의미를 발견할 수 있고 적절한 내용이라는 판단이 서게 된다면, 비록 원격 학습자로서의 심리적 고립감을 느끼는 경우에도 WBI 학습자들은 포기하지 않고 열심히 공부하게 될 것이다. 학습자 중심성 원리를 수업에 담아내기 위해 교수설계자과 교사들은 학생들을 집단으로서가 아니라 개성을 가진 개인으로 바라보며, 나아가 학습자의 성공을 북돋을 수 있는 분위기를 심어주기 위해 노력해야만 한다. 교사는 학생의 이메일이나 질문, 과제 제출물에 대해 개별적이고 전문적인 대응을 해줌으로써 학습자 중심성을 실현해낼 수 있다.

인지주의 학습 이론 관련 사이트 링크를 찾으려면 자매 사이트 (http://www.prenhall.com/davidson-shivers)를 참고하자.

구성주의 학습 이론

구성주의의 주장에 따르면 학습자는 자신의 경험에 기반하여 의미를 만들어내고, 그 의미를 사회적으로 절충하는 과정을 통해 학습하게 된다. 이러한 구성주의적 관점에 비추어보면 학습자들은 스스로의 지식과 기능을 키워가기 위해 동료와 상호작용하면서 서로의 학습 결과 달성에 함께 기여하게 된다(Duffy & Jonassen, 1992). 따라서 학습자가 스스로 학습 목표를 설정하는 데 참여하는 것은 당연한 것으로 여겨진다.

구성주의는 1990년대에 들어서부터 떠오르기 시작한 비교적 새로운 학습 이론이지만, 여전히 논란의 여지를 갖고 있다. 이 이론은 어떤 사람들에게는 지식의 속성에 대한 철학적 설명 태도나 교수-학습 활동에의 접근 방식 측면에서 극단적인 형태의 인지주의로 여겨지기도 한다(Scheurman, 2000). 반면, 다른 이들은 교수 목적을 위한 탐구 활동의 새로운 지평을 열어주는, 인지주의와는 전혀 새로운 형태의 학습 이론이라고 논박하기도 한다(Airasian & Walsh, 2000; Brooks & Brooks, 1999; Duffy & Jonassen, 1992). 자기규제적 학습(self-regulated learning), 능동적 학습, 스키마 이론(schema theory) 등 몇 가지 인지주의 학습 원리들은 구성주의적 학습 이론에서도 마찬가지로 찾아볼 수 있다. Piaget나 Bruner와 같은 인지적 이론가들은 구성주의의 기초를 닦은 이론가로 여겨진다. 학습 환경에서의 사회적 활동을 조장하는 WBI 활동들로는 개인과 집단 내에서의 상호작용, 전문가-멘토(mentor)-교사와의 공동 작업 등이 포함될 수 있다. 동료 학습자와의 상호작용은 학습공동체를 구축하는 데 도움을 주는 사회적 접촉을 증가시킨다.

Vygotsky가 제안하였던바, 사회적으로 구성되는 지식 및 상호작용에 관한 이론은 구성주의의 또 다른 이론적 정초로 간주된다. Vygotsky는 주로 1920년대에서 30년대에 걸쳐 연구를 수행하였다. 1934년 생애를 마친 이후 수세기 동안 조국 소비에트로부터 배척되었던 Vygotsky는, 그의 저작들이 영어로 번역되기 시작했던 1960년대 이전에는 서구 학계에서는 거의 알려지지 않았었다(Driscoll, 2004; Ormrod, 2004). Vygotsky의 두 가지 핵심 주장으로는 첫째, "복합적인 정신 과정은 아동이 발달하는 과정에서 거치게 되는 사회적 행동으로 싹을 틔우기 시작하고 점차 이 과정이 내면화하게 되어, 결국 이들 외부 요소들로부터 독립된 자신만의 정신 과정으로 발달하게 된다"(Ormrod, p. 169)는 것과, 둘째, "복합적인 과제를 수행하는 과정에서 아동들은 발달 정도가 높고 수행 능력이 뛰어난 사람의 도움을 통해 인지적 이득을 얻게 된다"(Ormrod, p.170)는 것이다. 수행 능력이 뛰어난 사람은 스캐폴딩(scaffolding)과 근접발달영역(ZPD: Zone of Proximal Development)을 통해 초보 학습자들이 과제를 잘 수행해낼 수 있도록 구조화된 조언을 제공하는 방식으로 그들의 발달 과정을 도울 수 있다(Driscoll, 2004; Ormrod, 2004).

Driscoll에 따르면 구성주의와 인지주의를 구분하는 한 가지 방법은 인지 이론과 정보처리 이론에 접근하는 방식의 차이에 주목하는 것이다(Driscoll, 2004). Driscoll은 구성주의는 학습 활동과 환경에 적응하고 관리하는 데 그 초점이 놓여 있음을 강조한다. 학습자가 외부 정보원으로부터 획득한 정보를 그대로 받아들이기보다는 그 정보로부터 자신의 지식을 내부적으로 구성해나갈 때 이러한 구성주의적 학습 프로세스가 가동되기 시작한다. Ormrod(2004)에 따르면 "상당수의 이론가들이 자신들의 관점을 정보 처리적 이론이라기보다는 구성주의적이라고 말하는 경향이 있다" (p. 180)고 한다. 구성주의를 인지주의와 구분해주는 또 한 가지 특징은 인지주의가 개인으로서의 학습자에 초점을 맞추는 반면, 구성주의는 사회적 배경이나 맥락 속에서 상황화된 학습자에게 주목한다는 점이다(Bigge & Shermis, 2000; Santrock, 2001).

구성주의 원리는 WBI에서 여러 가지 형태로 활용될 수 있다. 학습자들로 하여금 수업 활동 중 하나로서 학습 목표를 스스로 찾아보도록 하는 활동은 그 한 가지 예가 된다. 구성주의에 따르면 학습자들은 동료와 관계를 구축하는 과정에서, 또는 전문가(교수자나 멘토)와 공동 작업을 하면서 새로운 학습 경험을 창조하는 과정에서, 자신의 학습 환경을 조성하기 위해 주도적으로 참여하고자 한다. 예를 들자면, 그림 2.5에 제시된 과제 1은 수업 오리엔테이션을 위한 목적으로 집단 내 공유 활동을 유도할 수 있다. 즉, 학습자들은 하나의 학습 시나리오에 대해 공동 합의에 이르고, 나아가 수업 목표를 공유하게 되는 것이다.

구성주의적 활동은 실제의 직무 과제 또는 일상 경험을 반영한 실제적인 과제들로 이루어질 수 있다. 예를 들어, 웹퀘스트(WebQuest)[3] 수업에서 교사는 학습자들이 협력적으로 완수할 수 있는 활동을 제시한다(Dodge, 1997). 웹퀘스트는 이슈나 문제들을 제기하고 팀 구성원의 역할과 활동 방식에 대한 프레임워크를 제공함으로써 학습자들이 문제를 해결할 수 있도록 돕는다(그림 2.6 참조). 문제의 해결책에 이르는 경로는 팀 구성원들의 해석 방향에 맡겨둔다. Dodge는 웹퀘스트 구축을 위한 다섯 가지 요소를 제시하고 있다. 상호 소개, 과제 제시, 과제 수행 프로세스, 평가, 그리고 결론 도출 등이다. 웹퀘스트나 이와 유사한 웹 검색엔진들은, 이러한 교수학습활동을 효과적으로 설계하고 운영하는지에 따라 구성주의적 학습 환경을 진작시키는 데 큰 도움을 줄 수 있다.

구성주의 학습 이론 관련 사이트 링크를 찾으려면 자매 사이트 (http://www.prenhall.com/davidson-shivers)를 참고하자.

'학습'의 근원적 정의

학습에 대한 이러한 관점들을 활용하여 '학습'을 정의할 수 있다. 일반적으로 *학습*은 발달, 피로, 배고픔 등 생리적 현상이 아닌, 경험에 의해 일어난 행동상의 영구적인 변

---

3) 역자주: WebQuest란 학습 자원의 대부분 또는 전부를 학습자들이 웹상에서 스스로 찾도록 하는 일종의 탐구기반 수업 방식을 말함.

▶ 그림 2.6 QuickScience(http://qickscience.uwf.edu)에서 찾은 웹퀘스트 사례 화면

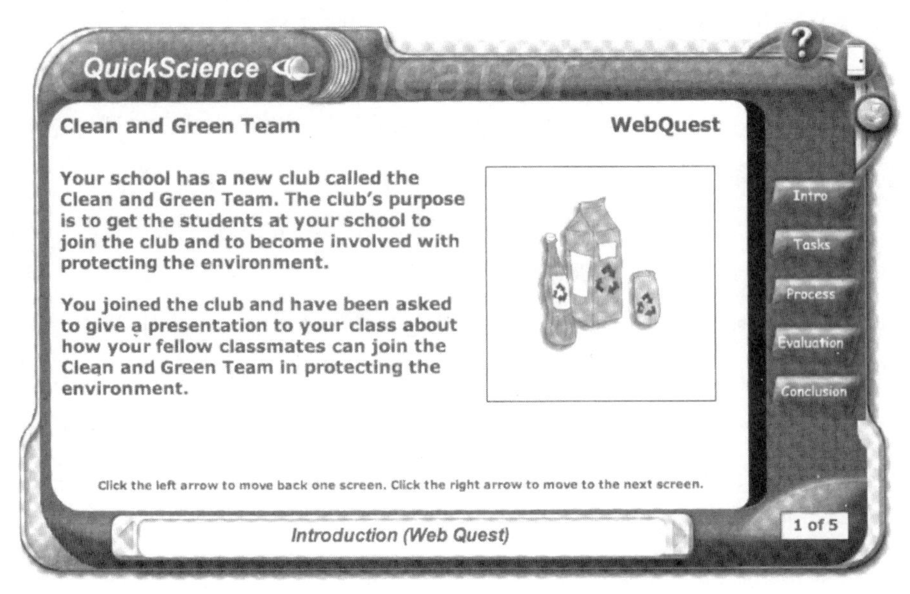

화로 정의된다(Lefrancois, 2000). Mayer(2003)는 단순히 생리적인 변화는 학습이 아니며, 학습은 또한 장기적 유지가 가능한 변화이어야 한다는 점을 시사하였다. 즉 몇 시간 만에 사라져버리는 변화는 학습이라고 볼 수 없다는 것이다. 따라서 수업 이후에 즉시 치러지는 사후검사 결과는 학습이 아니라 단기기억만을 측정한 것에 불과할 수 있다(Mayer, 2003).

Ormrod(2004)는 행동주의 및 인지주의 관점 양자를 공히 인정하면서, 각각의 관점하에서 학습에 대한 정의를 내릴 수 있다고 보았다. 즉, 학습이란 행동주의 관점에 따라 행동상의 영구적인 변화로 정의할 수 있고, 인지주의 관점에 따라 정신적 연합체(인지적 과정)상에서의 영구적인 변화로 정의할 수는 있지만, 이 두 가지 관점을 기회주의적으로 통합할 수는 없다고 주장한다. Ormrod와 Lefrancois의 입장과는 달리, Mayer(2003)는 학습을 인지적 및 행동적 변화의 결합이라고 본다. 그는 학습을 "경험에 의해 야기된 학습자의 지식상에서의 영구적인 변화"로 보면서, 이러한 "*학습*은 행동상의 변화로 관찰되는 인지적 변화를 수반한다"(p. 5)고 하였다. 한편, 구성주의적 접근 방식에 따르자면, 학습이란 학습자가 처한 환경의 의미를 이해하기 위해, 학습자가 구성의 과정을 통해 스스로 획득한 지식 및 동료 구성원과 공유한 경험의 총화로 정의된다(Driscoll, 2004; Duffy & Jonassen, 1992).

Mayer(2003)와 Ormrod(2004)의 예외적 경우를 뺀 대부분의 학습에 대한 정의들은 특정한 하나의 학습 이론과 관점에 기반을 두고 있으며, 따라서 학습의 정의를 위해 여러 학습 이론들을 섞어 사용하지 않는 편이다. 즉, 대부분의 학습에 관한 정의는 특정한 학습 이론과 직결되어 있으며, 따라서 여타 학습 이론에 대해서는 배타적이다. 그러나 이 책에서는 학습을 정의할 때 여러 관점이 섞여 있는 복합이론적(multitheoretical) 관점을 취하고자 한다.

학습에 관한 통합적, 복합이론적 관점

일반적으로 심리학자나 교육학자들은 스스로의 관점을 어떤 한 가지 이론 또는 이론가에 의존하는 경향을 보인다. 자신을 프로이드주의자(Freudian), 융주의자(Jungian) 등으로 부르는 것 등이 그 예이다. 상당수의 교육학자들은 오늘날에도 여전히 이런 입장을 취하고 있다. 미국교육연구학회에서는 듀이(John Dewey) 연구회, 푸코(Foucault)와 교육, 구성주의 연구 모임 등 어떤 한 가지 이론가 또는 이론적 패러다임을 중심으로 전문적인 관심 분야 연구회가 운영되어 왔다(American Educational Research Association, 2005). 반면 일부 학자들은 다양한 이론적 기반들로부터 제안된 원리들을 통합하고자 노력한다. 여러 학습 이론들을 통합한다는 말은 각각의 이론으로부터 제안된 원리들을 기회주의적으로 섞어서 쓴다거나 그 구분을 모호하게 만듦으로써 이들 원리들의 정체성을 흐리게 한다는 의미는 아니다. 오히려 이론들 간의 차이가 명시적으로 지적되고 유지되면서, 동시에 이론적 일관성이 유지될 수 있도록 하는 접근 방식이다.

학습 현상을 바라보는 통합적, 복합이론적 접근은 규명된 학습 목표, 학습 대상, 내용, 맥락 등 주제에 따라 특정 학습 이론을 유연하게 수용하고, 그로부터 적절한 설명 논리를 도출하여 활용하는 경우이다. 이 접근법은 행동주의, 인지주의, 구성주의 학습 이론으로부터 필요한 요소들을 찾아내어 통합한다. 이는 학습을 개인의 인지 과정, 스킬, 그리고 행동 등 다양한 국면상의 항구적 변화로 정의한다는 것을 시사한다. Ertmer와 Newby(1993)는 의도된 학습 목표 또는 결과물의 유형과 수준을 기준으로 행동주의, 인지주의, 구성주의 학습 이론 중 어떤 것을 활용할 것인지를 제안한 바 있다. 예를 들자면 언어 정보 또는 기본적인 지식은 행동주의 원리를, 응용 형태의 학습 목표는 인지주의를, 문제 해결은 구성주의 원리를 활용한다는 것이다. 이 접근방법은 이 세 이론적 기반 간의 차이점을 도출하는 간단한 방법을 제공하고는 있지만, 이 이론들이 본래 갖고 있던, 학습 현상을 설명하고 진술하고 예언하는 이론적 능력을 약화시킨다는 제약점을 갖고 있다. 이 책에서 제안하는 복합이론적 관점은 이 엄밀한 이론들로 하여금 다양한 상황하에서 교수와 학습의 과정을 제대로 설명하고 처방할 수 있

▶ 그림 2.7 학습에 관한 통합적, 복합이론적 접근

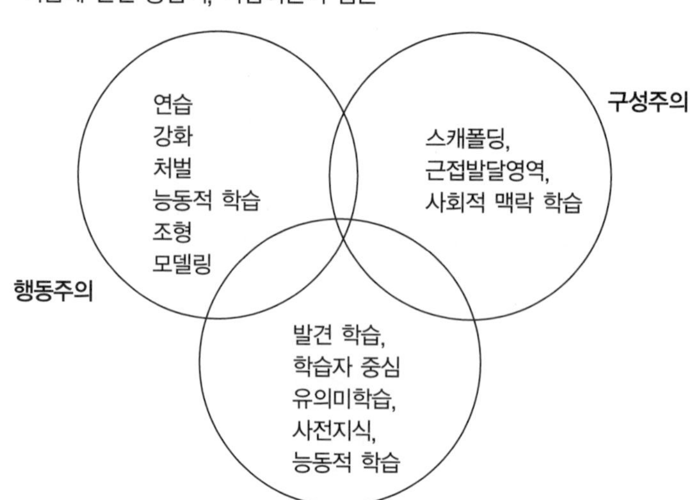

도록 허용한다. 그림 2.7은 학습에 관한 통합적이면서 복합이론적인 접근 방식을 표현하고 있다.

통합적, 복합이론적 접근법은 이 세 가지 학습 이론과, 각 이론들에 상응하는 원리들을 절충하면서 동시에 실용주의적 방식으로 결합하여 적절한 학습 환경 개발을 위해 활용한다. 예를 들어, 학습 과제가 연습과 반복을 필요로 한다면 이는 행동주의로부터 도출된 원리를 결합하는 것이 최선일 것이다. 모델링과 조형 기법은, 학습자 개인의 과제 수행에 있어 작은 단계별로 나누어 점진적으로 학습 목표에 접근해 가는 방식으로 적용된다면 복잡한 과제 수행에도 유용하게 활용될 수 있을 것이다. 그 과정에서 학습자에게 피드백을 준다거나 긍정적 강화를 한다면 조형 과정 중의 각각의 작은 단계들을 강화할 수 있을 것이다.

전통적인 튜토리얼(tutorial)은 자극(교수 정보)과 반응(연습 과정에서의 적극적 반응) 간의 연합 관계를 적용한 수업 방식이라고 볼 수 있다. 예컨대, 다양한 종류의 포유류에 대한 학습 내용은 자극이라고 할 수 있다. 이어 어떤 동물을 그림이나 설명으로 표현한 후 그 동물의 이름을 찾아내도록 하는 연습문제 풀이, 즉 반응이 뒤따른다. 이어 학습자의 반응 행동을 바람직한 목표 행동에 보다 가깝게 조형하기 위해 교정적 피드백이 제공된다. 이렇듯 학습 자료와 연습 활동, 그리고 피드백 제공이 순환되는 작업은 전체 수업이 종료될 때까지 반복적으로 지속된다.

행동주의 개념을 활용한 또 다른 사례는 반복 연습(drill & practice)이다. 예를 들면, 학습자들은 구구단을 사용할 줄 알지만, 그 정확성과 속도 면에서 개선된 반응 행동을 얻기 위해 다양한 형태의 속도 증가 훈련을 시킬 수 있다. 또 시간을 재면서 타자 연습을 반복 훈련시킴으로써 키보드 사용 능력을 개선시켜 주는 것도 훈련과 반복 연습의 사례라고 할 것이다.

반면, 수업에 있어서 인지주의 접근 방식은 학습자들이 지식을 발달시키고 정교화하는 과정에서 내용에 대한 이해, 정의적 모니터링, 심상법, 스키마 구성, 그리고 초인지 전략을 사용할 수 있도록 가르쳐야 한다는 시사점을 제공한다. 선택, 습득, 구성, 그리고 통합 등 약호화 과정을 거치면서 학습자는 부정확한 지식을 정확한 지식으로 대체할 수 있으며, 그 결과 학습이 보다 정교화된다(Weinstein & Mayer, 1986). 예를 들면, 조류라는 개념을 정교화하는 과정에서 학습자들은 '날 수 있음' 이라는 조류의 대표적인 속성을 공유하지 않음에도 펭귄과 타조를 같은 범주 안에 포섭할 수 있게 된다. 정교화 작업이 더 심화되면 조류는 다양한 일반적 분류기준(맹금류와 물새류 등)으로 범주를 확장시키고 속(屬)과 유(類) 개념별로 구분하는 등으로 발전하게 된다.

인지주의 또는 행동주의 등 어떤 접근 방법을 활용할 것인가는 연령, 선수 경험 등 개별 학습자들의 특성, 학습 내용의 맥락과 복잡도 등을 고려하여 결정하게 된다.

학습 이론들을 통합하는 전략의 또 다른 사례로는 알파벳 외우기, 스페인어 말하기, 화학 원소 기호 구분하기 등 수업에 행동주의 원리를 적용하는 것을 들 수 있다. 이들 각각의 경우, 자극(알파벳 글자, 스페인어 단어의 실제 발음, 또는 화학 원소 이름 등)은 학습자들이 그 자극에 반응하고 난 후, 눈앞에 직접 보여주거나, 모형으로 설명하거나, 또는 어떤 기호의 형태로 보여 줄 수 있다. 이어 교사는 적절한 긍정적 강화물(작은 상품, 미소, 칭찬 등)과 함께 학습자의 반응의 정오(正誤)에 대한 피드백을 제공할 수 있다.

인지주의 학습 원리는 개념화나 규칙 적용 등과 관련된 수업에 활용된다. 학습자들은 도식을 분류하고 어떤 구체적인 사례들을 그 분류 범주에 넣을 것인지를 결정할 수 있다. 인지주의적 접근법은 학습자들로 하여금 스키마 이론을 활용하게 함으로써 개념을 발달시키고, 그 개념들 간의 공통적인 특성을 규명한 후 기존의 지식 체계와 통합시키는 학습자 활동에 도움을 줄 수 있다. 이러한 지식 통합의 과정은 개념 또는 규칙이 분절화되거나 정보 단위로 고립된 상태에서, 보다 완전하고 종합적인 형태로 통합되고 조직화될 때 일어난다. 이러한 통합은 그렇게 해서 학습된 규칙의 필요조건이 된다(Driscoll, 2004; Merrill, Tennyson, & Posey, 1992; Ormrod, 2004).

대수 공식을 계산한다든지, 적절한 안전 수칙을 시연해 보인다든지, 미국 정부를 구성하는 삼부(三府)의 기능과 부처 간의 상호 관련성에 대해 설명한다든지 하는 경우가 그 예가 된다. 인지주의 학습 원리를 적절하게 활용함으로써 새로운 학습 내용을 기존 지식, 스킬, 또는 경험과 연계시켜 유의미 학습이 일어날 수 있는 가능성이 높아질 수 있다. 학습자들은 자동화(automaticity)가 이루어지면, 학습이 원활하게 이루어지도록 기억을 저장하고 인출하며 연습하는 등 정교화 전략을 활용할 수 있다.

어떤 수업의 목적이 문제기반 학습을 실행하는 것이라면, 구성주의적 또는 인지주의적 원리를 적용하는 것이 바람직하다. (그러나 행동주의자들은 행동주의 학습 이론으로도 효과적인 문제해결을 위한 처방이 가능하다고 주장할 것이다.) 이 두 학습 이론 중 어느 유형을 채택할 것인가는 수업의 초점이 학습 집단 내의 개인 또는 그룹 전체에 맞추어져 있는가에 따라, 지식의 구조는 어떠한가에 따라 달라진다. 문제해결 상황과 관련된 인지주의 원리는, 특정한 상황에서 이루어진 학습 경험을 다른 새로운 상황이나 문제로 전이시키기 위해서는 선수 지식을 인출시킨 후 맥락 속에서 학습할 수 있는 환경을 제공하라는 처방을 제시한다. 또 문제 자체뿐 아니라 그 배경 정보를 충분히 학습할 것과, 논리추론적 접근보다는 개인의 경험과 직관에 의존하는 휴리스틱스[4] 접근을 활용할 것을 권고한다. 문제해결 상황에서 구성주의 원리를 적용한 사례로는 학습 정보와의 연계성을 확보해주고, 다양한 해결책을 수용하고 권장하는 다양한 관점이 존재하는 사회적 환경 속에서 학습할 기회를 제공하는 것 등을 들 수 있다. 일단 학습 집단이 다양한 해결책을 찾아내면, 구성원들은 그 중 최선의 대안을 결정하기 위해 상호 절충을 벌이게 될 것이다.

통합적이며, 복합이론적인 접근법에 따르면, 학습 내용뿐 아니라 특정한 맥락, 목표, 그리고 학습자 특성별로 적합한 학습 원리를 선별적으로 활용할 수 있게 된다. WBI을 개발할 때 이 학습 이론들로부터 도출된 다양한 원리들을 완벽하게 통합하기 위해서, 교수설계자는 이 책에서 제시한 개략적인 수준의 이해를 넘어 각 이론들의 심층을 파악하고 있어야만 한다. 그러나 철학적 논의 수준에서 제시된 이 서론적 내용만으로도 통합적 접근의 가능성을 탐색하는 작업을 시작하기에 충분한 도움이 될 것이다.

통합적, 복합이론적 관점에서 학습의 정의

이 통합적 접근에 의거하면, 학습이란 '지식 또는 기능 기반의 정보 및 환경과의 능동적이고 유의미한 관여에 의해, 또는 타인과의 유목적적인 상호작용에 의해 비롯된 개

4) 역자주: 휴리스틱스(Heuristics): 자신의 경험을 바탕으로 보다 나은 해답을 찾아나가는 행태를 연구하는 학문. 논리추론적 또는 합리적 접근법에 비해 경험적, 발현적(emerging) 접근을 지향함.

인의 인지 과정, 기능, 그리고 행동상의 항구적인 변화' 로 정의된다. 그림 2.7에는 학습 이론의 개요와 이 이론들과 관련된 공통된 전략이 제시되어 있다.

생각해보기

독자 여러분에게 자신만의 학습 이론이 있다면 그것은 어떤 것인가? 당신이 정의한 '학습' 의 개념은 무엇인가? 당신은 기존 여러 이론들 중 어떤 이론(또는 이론들)을 받아들이는가? 특정한 하나의 또는 여러 학습 이론을 받아들인다는 것은 개인의 선택의 문제일 뿐이다. 학습에 대한 당신의 이러한 관점은 WBI의 설계 및 개발, 운영에 어떤 영향을 미칠 것인가? 학습을 정의하고 당신의 개인적 학습 이론에 대해 설명해보자. 그리고 이러한 당신의 학습 이론이 적용된 사례들을 제시해보자.

체제 이론 개관

WBI 설계 및 개발과 관련된 또 하나의 기초는 체제 이론이다(그림 2.8). 그 내부 구조의 특성으로 인해 '모형' 이라는 개념 자체로서 이미 교수설계 분야의 체제적 성격을 잘 드러낸다. 일반 체제 이론에 따르면, 하나의 모형을 구성하는 하위 요소들은 서로 긴밀하게 연관되어 완전하고 논리적인 방식으로 최종 산출물을 만들어내는 데 함께 기여한다.

체제에는 크게 두 가지의 유형이 있다. **개방 체제(open system)**와 **폐쇄 체제(closed system)**이다. 폐쇄 체제는 자기의존적이며, 환경을 포함한 외부 요소를 배제하는 요소들 각각과, 그 요소들 간의 상호작용 구조를 지칭한다. 반대로 개방 체제에서 체제 외부 환경은 그 체제 내부를 구성하는 하위 요소들과 함께, 그 체제의 제반 프로세스, 입출력에 영향을 미친다. 즉, 피드백은 외부 환경으로부터 받아들여져 그 체제를 개선하거나 악화하는 방식으로 작용한다. 따라서 개방 체제는 피드백을 통해 진화하면서 외부 입출력 환경에 적응해간다.

대부분의 교육-훈련 체제는 환경에 개방되어 있다. 교육 체제에 있어 '체제 내' 요인은 행정가, 교수요원, 지원담당자, 학습자, 건물과 기타 시설, 나아가 조직의 정책 및 업무 방침 등 제반 요소들로 구성된다. '체제 외' , 즉 외부 요인 또는 환경 요인으로는 입법기관과 납세자(공립학교나 대학인 경우), 학부모, 학위수여 기관 등이 있다.

기업 교육 체제에 있어서 내부 요인으로는 다양한 층위의 인력 구조, 시설, 정책 등이 있고, 외부 요인으로는 시장, 국가 및 세계 경제, 국제적인 사건 등이 포함된다. 기업 교육 프로그램 개발은 훈련 체제의 내부 및 외부 요인들의 영향을 받기 마련이므

▶ 그림 2.8 WBID 모형 내에서의 체제 이론

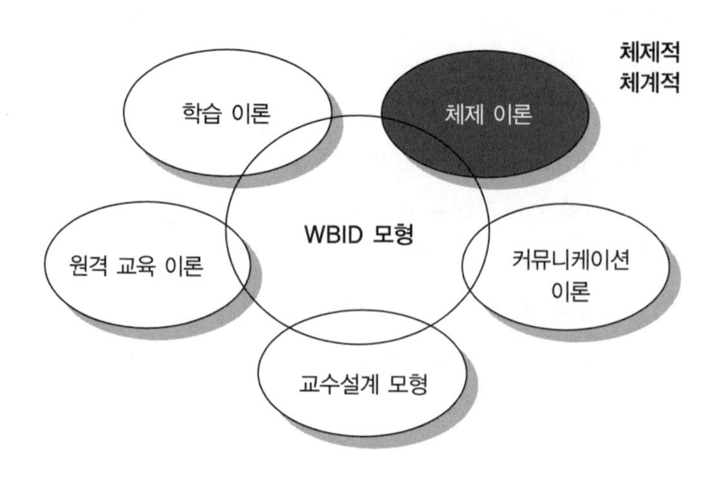

로 개방 체제로 간주된다.

수업을 기획-설계-개발하는 과정에서 체제적 접근 방식을 취하게 되면, 다양한 입력물, 프로세스, 산출물 등 여러 변수들을 놓치지 않고 파악해낼 수 있다. 또 체제적 수업 개발을 통해 우리는 효과적인 수업을 설계하고 개발하는 데 도움을 주는 논리적인 계획을 수립할 수 있다. 따라서 교수설계 모형을 활용한다는 말은 교수설계의 과정 그 자체 속에 체제적 관점을 담아낸다는 것을 의미한다.

체계적 대 체제적

교수설계 분야에서 심심찮게 회자되는 두 용어가 있는데 바로 '**체계적(systematic)**'과 '**체제적(systemic)**' 이라는 형용사이다. '체계적' 이라는 단어는 수업에서 기존 수업 방식을 개선하는 일종의 혁신으로서 수업을 개발하는 데 적용하는 조직화된 접근 방식을 말한다(Reigeluth & Garfinkle, 1994). 한편, '체제적' 이라는 의미는 산출물, 정책, 절차 등 혁신이 조직 전반에 전파되고 침투되게 하는 이념과 관련된다. 달리 말하면, 체제적이라 함은 혁신의 영향력 정도와 조직 전체에 걸쳐 경험되는 방식을 지칭한다.

여기에서 체계적인 접근법이 적용되었다는 말은 교수설계가 선형적이라거나 기계적인 절차, 즉 한 단계가 완료되지 못하면 다음 단계로 넘어갈 수 없음을 뜻하는 것은 아니다. 한편, 체제적이라는 말은 방법론적이고, 정돈되어 있으며, 논리적이라는 뜻이다. 여러 교수설계 모형들 중 교수설계자로 하여금 각 설계 단계별로 사전에 결정되고 명세화된 방식으로 일을 진행하도록 조직화되어 있는 경우란 거의 없다. 비록 모형을 표현하는 도표가 선형적 경로를 암시하는 것처럼 보일지라도 자세히 들여다보면

각 단계로 회귀하는 피드백 경로를 갖고 있는데 이는 실제 교수설계 모형의 적용은 복잡한 절차를 갖고 있음을 암시한다(Gustafson & Branch, 2003). 예를 들어 교수설계자는 수업 내용에 앞서 학습자 특성을 먼저 분석하거나, 아니면 이 두 가지를 동시에 실시할 수도 있다.

교수설계 과정의 특성으로 인해 모형의 적용 절차는 순환성을 띠게 된다. 교수설계의 이 순환적 측면은 형성평가가 설계-개발 절차의 전단부와 연결되어 있기 때문에 나타난다. 초기부터 시작되는 이러한 검토를 통해 교수설계자는 필요에 따라 수업을 변화시킬 수 있다. 예컨대 WBI 수업 운영 이전의 설계 및 개발 단계에서 수업 프로토타입의 개발, 그림 자료의 삽입 등 다양한 반복 작업을 거치게 되는 것이다. 이러한 반복 작업은 형성평가 결과에 따라 이루어진다.

체제 이론이 WBID 모형에 끼친 가장 큰 영향은 ID 절차가 시작에서 완성에 이르기까지 다양한 경로를 통해 반복적-회귀적으로, 즉 체계적으로 이루어질 수 있도록 해주었다는 데 있다. 한편 WBI가 조직과 결합되어 그 미션과 목표 달성 전반에 영향을 미칠 때에는 체제적 영향이 일어났다고 말할 수 있다.

일반 체제 이론 관련 사이트 링크를 찾으려면 자매 사이트 (http://www.prenhall.com/davidson-shivers)를 참고하자.

커뮤니케이션 이론의 개관

학문 영역으로서 커뮤니케이션학, 심리학, 교육학은 서로 긴밀히 연결되어 있다. 개인이 사물을 지각하고, 주의를 집중하며, 수업 내용을 기억하는 절차에 대해 이들 학문은 공통의 관심을 갖고 있기 때문이다(Fleming, 1987; Grabowski, 1995; Lohr, 2003; Seels & Richey, 1994). 이러한 관점에서 보면 커뮤니케이션 이론은 WBI 설계에 있어 기반 학문 영역이라고 할 수 있다(그림 2.9). Richey(1986)에 따르면 "커뮤니케이션 이론은 정보를 전달하는 과정, 정보의 형태와 구조, 정보의 기능과 효과 등을 설명해준다" (p. 43)고 한다.

커뮤니케이션 과정은 학습자와 학습자, 학습자와 교수자 간에 메시지가 창조-분배-공유되며, 궁극적으로 수업 자체에 영향을 미친다고 본다. 기초적인 커뮤니케이션 모형에 따르면, 발신자는 메시지를 창조한 후 이를 전달 체제를 통해 수신자에게 보낸다. 이 메시지를 받게 되면 수신자는 이를 처리하고 해석한 후 다시 발신자에게 피드백의 형태로 재송신한다. 이 메시지는 여러 가지 이유로 불명료할 수 있다. 이는 전통

그림 2.9 WBID 모형 내에서의 커뮤니케이션 이론

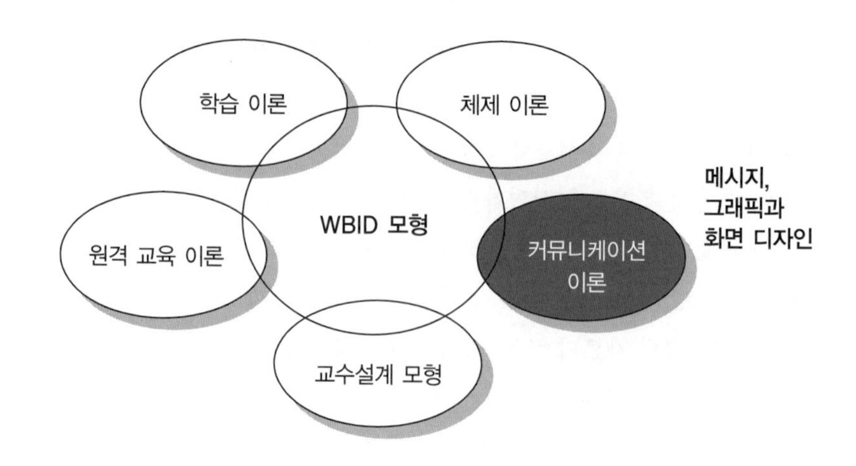

그림 2.10 수신자와 발신자로 구성된 간단한 커뮤니케이션 이론

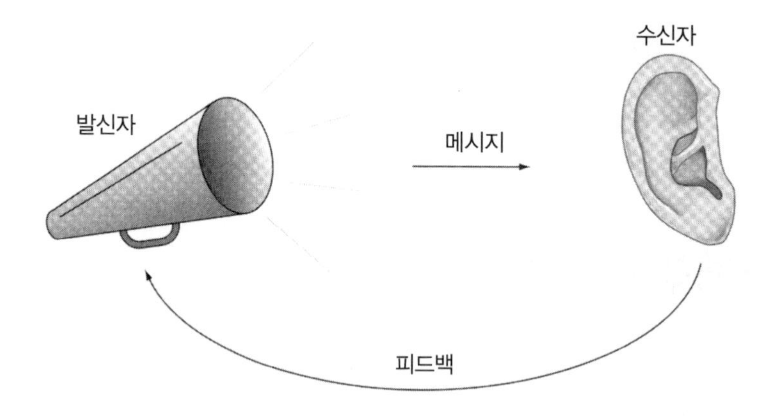

적 커뮤니케이션 이론에서 말하는 소위 잡음(noise)으로 인해 일어난다(Grabowski, 1995; Loht, 2003; Ormrod, 2004). 그림 2.10은 이 간단한 형태의 커뮤니케이션 모형을 도식화하여 보여주고 있다.

웹기반 환경에서의 **잡음(noise)**은 오류가 섞인 메시지 구성에서부터 화면 디자인 품질 문제, 학습 관리 시스템의 불안정성(예를 들면 장비 오작동이나 인터넷 접속 불량 등으로 인한 기술적 문제들) 등 다양한 문제들로 인해 발생할 수 있다. 잡음은 학습자들이 내용, 교수자, 동료와 상호작용하는 데 장애로 작용한다.

커뮤니케이션 이론 중에서 WBI 설계에 적용할 수 있는 주요 원리는 메시지 설계에 관한 것이다. Grabowski(1995)는 다음과 같이 말한 바 있다.

메시지 설계는 수업 개발 절차상 하나의 단계로서, 이때 교수설계를 위한 청사진을 더 세밀하게 명세화하는 작업이 이루어진다. 집을 짓기 위한 건축용 청사진이 마감재 색감, 가구, 소품 위치 등을 담고 있지 않듯이 수업용 청사진 또한 메시지가 취하게 될 '형태(form)' 에 대해서는 자세하게 다루지 않는 경우도 있다. (p. 225)

메시지 설계는 글자와 그래픽, 그리고 이들의 화면상 위치 등 시각적 특성들을 고려 대상으로 삼는다. 교수자는 웹기반 환경에서 적절한 메시지 설계를 통해 매력적이면서도 웹페이지의 미디어 특성에도 맞는 화면 배치를 할 수 있게 된다. 이 외에도 커뮤니케이션 이론이 제안하는 원리들은 버튼, 아이콘, 또는 하이퍼링크의 사용이라든지, 문자와 미디어(오디오, 비디오, 멀티미디어 등) 배치 등에서 가이드를 제시해준다. 메시지 설계 방침과 관련된 일련의 아이디어들은 학습자 간의 대화나 정보 교환 활동을 지원할 수 있는 설계 방안에 대해서도 조언해준다.

커뮤니케이션 이론 관련 사이트 링크를 찾으려면 자매 사이트 (http://www.prenhall.com/davidson-shivers)를 참고하자.

생각해보기

체제 이론과 커뮤니케이션 이론은 WBI 설계 및 운영과 관련하여 어떤 상호 연관성을 갖고 있는가? 체제 이론과 커뮤니케이션 이론 중 어떤 개념들이 WBI를 설계할 때에 활용될 수 있는가? 체제 이론과 커뮤니케이션 이론의 개념들이 WBI 설계를 위해 학습 이론을 활용하는 데 어떤 영향을 미치고 있는가?

교수설계 모형

WBID 모형의 기반 이론 중 마지막으로 다루고자 하는 것은 교수설계(ID) 모형이다(그림 2.11). Andrews와 Goodson(1980)은 기본적인 교수설계 모형 40여 개를 분석하여 그 특징들을 요약 정리한 바 있다. 비교적 최근에 개발된 이 40여 개의 모형들 중 자주 사용되는 것들은 몇 개에 불과하다.

전통적 교수설계 모형

대부분의 ID 모형들은 ADDIE 모형으로 대표된다. ADDIE 모형은 분석(Analysis), 설계(Design), 개발(Development), 운영(Implementation), 평가(Evaluation)의 다섯 단계로 구성된다. 가장 자주 사용되는 ID 모형으로는 Gagné의 '학습의 조건(conditions of learning) 이론' 과 연결되어 있다. 예를 들면 Gagné, Briggs, Wager(1992)의 모형, Dick, Carey, 그리고 Carey(2005) 모형, Smith와 Ragan 모형(2005) 등이 그 대표적인 경우이다. 이 모형들은 조건 기반 모형(condition-based model)(Ragan & Smith, 2004) 또는 제품 개발 모형(product-development model)(Gustafson & Branch, 2003) 계열로 알려져 있으며, 미시적인 수준에서 교수설계와 개발 방법을 처방적으로 제시하고 있다. **미시 수준 설계(micro-level-design)**는 수업 전달방식(프린트 교재, 멀티미디어 등)을 활용하여 차시, 단원, 그리고 과정 수준에서 수업을 기획하고 개발하는 데 초점을 둔다. 자주 활용되는 교수설계 교과서들에는 자기주도적, 독립적 학습 설계에 관해서도 다루고 있다. 하지만 그 내용은 강사주도 교실형 수업 방식에서 사용할 수업 자료 제작에도 응용할 수 있다.

이 전통적 모형들은 몇 가지 공통된 핵심 요소들을 갖고 있다. 학습자 요구 분석, 수업 목표 규명, 평가 도구 개발, 수업 전략과 미디어 기획, 그리고 파일럿 테스트 수행(형성평가) 등이 이 공통 핵심 요소에 속한다(Andrews & Goodson, 1980; Richey, 1986; Seels & Glasgow, 1990, 1998). 총괄평가는 최초의 본격적인 수업 운영 이후에 실시하는 것이 일반적이다. 그러나 ID 모형을 가르칠 때에 이들 최종적인 단계들, 즉 운영과 총괄평가 등은 시간과 목표 학습자 집단의 확보 등 실제적인 어려움으로 인해 충분히 다루어지지 못하고 있는 것이 현실이다. 그러다 보니 수업 운영을 위한 면밀

▶ 그림 2.11 WBID 모형 내에서의 교수설계 모형

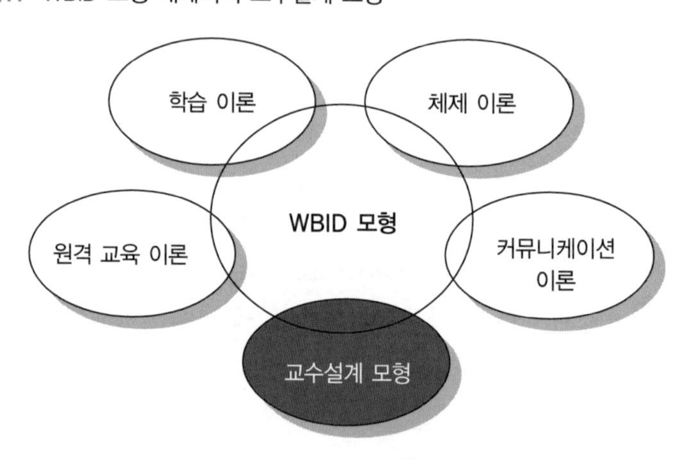

한 계획이나 총괄평가의 실행 등에 대한 교수설계자들의 사전 경험이 부족한 경우가 많다. 전문적인 교수설계 상황에서도 이 두 가지 단계는 교수설계자가 아닌 다른 이들에 의해 대부분 수행되며, 따라서 교수설계자들의 관심에서 소외되기도 한다.

대안적 교수설계 모형과 그 프로세스

전통적 교수설계 모형과 아울러 소위 *대안적 모형*들이 제안되고 있다, 정교화 이론은 거시적인 수준에서 수업 개발을 하는 데 도움을 준다(Reigeluth, 1987, 1999). **거시 수준 설계(macro-level-design)**는 단위 차시나 과정보다는 전체적인 훈련 및 교육 체제 또는 커리큘럼을 대상으로 이루어진다(Reigeluth). WBI를 위한 거시 수준 설계를 수행하다 보면 조직 차원의 커리큘럼이나 프로그램들이 고려 대상이 된다.

그 외의 대안적 모형들은 특정한 수업 상황을 전제로 만들어진 것들이다. 미 국방성(DOD)은 ISD/SAT(Instructional Systems Design/Systems Approach to Training) 모형을 사용하고 있다. 이 모형은 이전에 사용되던 IPISD(Interservice Procedures for Instructional Systems Development) 모형을 대체한 신모형이다(Barrington & Kimani, 2003). 이 ISD/SAT 모형은 미군 내 각 단위 조직에서 사용하기 위한 목적으로 개발되었으며, 세 개의 주요 파트로 구성되어 있다. 내부 파트는 교수설계, 중간 파트는 관리, 외부 파트는 품질 개선을 다루고 있다. 그 외에도 Morrison, Ross, 그리고 Kemp(2004), Reiser와 Dick(1996) 등의 모형이 있는데, 모두 초 · 중등학교 환경을 염두에 두고 개발된 모형들이다. 이 교실 중심 교수설계 모형들은, 교수자이자 동시에 교수설계자인 선생님들이 수업용 교재를 찾고 확보하는(새롭게 개발하기보다는) 단계를 모형의 주요 부분으로 포함하고 있다.

또 다른 형태의 대안적 모형으로는 우리에게 래피드 프로토타이핑(rapid prototyping)으로 잘 알려진 설계 절차를 들 수 있다. 래피드 프로토타이핑의 목적은 전면적인 개발 작업에 들어가지 전에 수업용 산출물에 대한 검증을 먼저 받아내는 데 있다. 즉, 교수설계자들은 프로젝트 초기 단계에서 빠른 시간 내에 작동 가능한, 그러나 완전한 수준은 아닌 테스트용 수업을 제작한 후, 최종 승인을 받기 전까지 여러 번의 적용 및 시행착오를 통한 수정 작업을 거쳐 간다(Gustafson).

Richey와 Morrison(2002, p. 203)에 따르면, "래피드 프로토타이핑은 설계에 걸리는 시간을 줄여주며" 이 기간 동안에 비용 또한 절약할 수 있게 해주는 것으로 알려져 있다. 그러나 래피드 프로토타이핑을 교수설계 맥락에 적용하는 것에 대한 반론 또한 만만치 않다. Gustafson(2002)은 몇 가지 위험 요소가 개입되어 있음을 경고한다. 고객 또는 설계팀원들 중에 이 프로세스에 대한 이해가 부족할 경우, 프로젝트 관리가 복잡해지며 잘못하면 끝도 없는 수정 요구에 시달릴 수도 있다는 것이다. 이러한 위험 요소가 실제로 나타나면 시간, 자원, 노력상의 잠재적 절약 효과는 사라져 버릴 수도 있다. 이러한 몇 가지 주의 사항을 염두에 둔다면, 래피드 프로토타이핑 절차는 교수설계 분야에서 상당한 호응을 받으며 수용될 수 있다. 이러한 긍정적 경향은 기업이나 군대 등에서 더욱 두드러지게 나타나는 편이다.

Boling과 Frick(1997)은 WBI 설계 맥락에서, 그 초기 개발 단계에 사용성(usability) 검사를 실시하는 데 총체적 래피드 프로토타이핑(holistic rapid-prototyping)을 사용할 것을 권유하고 있다. 이 연구자들은 교수설계자는 일단 종이 위에 프로토타입을 만들어 테스트와 수정을 거친 이후 웹사이트에 올리는 작업을 해야 한다고 주장한다. 이러한 과정을 통해 "대부분의 오류를 사전에 잡아낼 수 있을 뿐 아니라, 사용자들이 원하는 바를 최대한 수용할 수 있다" (p. 320)고 덧붙이고 있다.

전통적 교수설계 절차들은 먼저 설계를 하고 난 이후에 프로토타입을 개발한다. 그러고 나서 일련의 형성평가 테스트가 실시되어야 하는데, 대부분의 실제 설계 환경에서 이런 절차들은 현실적이지도, 실용적이지도 않다. Nichols(1997, p. 379)는 전통적인 형성평가 절차들은 대개 긴밀한 일대일 평가 방식으로 이루어지게 되는데, 이런 방식을 WBI 상황에서 적용하게 되면 평가자와 피험자들을 같은 장소에 모으는 데 드는 교통비를 비롯하여 적지 않은 비용을 지불해야 한다는 점을 지적하고 있다. 이 경우, 비록 전통적인 상황과는 다르지만, 이메일이나 전자 화상회의 시스템 등 전자적 도구를 활용하면 어느 정도 형성평가 목적의 현장 검증(field test)을 실시할 수 있음을 강조하고 있다.

WBI는 대개 운영을 하고 난 후에야 비로소 수정 필요성이 나타나므로 전통적인 교수설계 프로세스상의 변화를 필요로 한다. 이러한 수정 · 보완은 학습 정보를 갱신해야 한다든지, 웹사이트 링크가 바뀐다든지, 학습관리시스템, 하드웨어, 소프트웨어 및 유틸리티 프로그램 등이 업그레이드되는 경우에도 불가피하게 일어난다.

교수설계 모형 관련 사이트 링크를 찾으려면 자매 사이트
(http://www.prenhall.com/davidson-shivers)를 참고하자.

생각해보기

WBI 설계와 관련하여 전통적 및 대안적 교수설계 모형 모두를 이해하는 것은 왜 중요한가? 이 교수설계 모형들은 구체적으로 어떤 방식으로 WBI 설계 프로젝트를 위한 기반이 될 수 있다는 것인가?

WBID 모형의 개관

WBID 모형은 분석, 설계 및 개발, 운영, 그리고 평가 등 전통적인 교수설계 모형들에게서 공통적으로 발견되는 기본적인 단계를 공유하고 있지만, 그 단계별 적용 방식에서는 사뭇 그 모습이 달라진다. 그림 2.12는 이 WBID 모형의 구성 단계들을 도시하고 있다. 이 WBID 모형은 교수설계를 순환적 프로세스로서 접근함으로써 WBI가 설계 단계를 거치면서 점차 진화할 수 있도록 해준다. 이러한 설계 절차는 WBI 프로젝트의 초기 개념화 단계에서부터 시작되어 본격적으로 운영이 실시된 이후의 총괄평가에 이르러 그 정점에 도달하게 된다. 이렇듯 설계, 개발, 그리고 형성평가(Davidson-Shivers & Rasmussen, 1999)를 동시에 추진하는 형태는 그림 속에서 서로 교차하는 타원들에 의해 도식화되고 있다.

WBID 모형은 분석 단계에서 출발하여 평가 계획 단계로 이행해 간다. 형성 및 총괄평가를 위한 예비 기획활동은 동시에 이루어진다. 이렇게 동시적으로 이루어지는 설계, 개발, 그리고 형성평가 수행은 평가 기획 단계 이후에 진행된다. 시범적인 WBI 운영은 그 다음 단계에 이르러 실시된다. 이러한 설계 체제 속에서, 평가는 WBI 설계의 필수 요소가 된다. 총괄평가는 본격적인 운영이 시작된 이후에 수행된다. 따라서 총괄평가를 위한 시간 운영 계획은 WBI의 생애 주기에 따라 달라진다.

WBID 모형의 각 단계는 의사결정 시점, 액션 플랜, 산출물의 형태 등을 포함하고 있으며, 이 각 단계들이 누적적으로 이루어져 결국 최종 완성 단계에까지 이르게 된다. 특정 단계에서 다음 단계로 이행하는 과정은 매끄럽게 이어진다. 이 매끄러운 단계 간 연결은 특히 본격적인 운영에 앞서 프로토타입이 설계되고 테스트되는 시점인 설계 및 개발 단계에서 자주 관찰된다. 이제 각 단계별로 개략적인 설명을 하고자 한다. 다음 장들에서는 각 단계별로 본격적인 해설과 함께 사례가 제시될 것이다.

분석 단계

분석 단계는 WBID 모형의 첫 번째 단계로서 문제 분석(problem analysis)과 교수 구성요소 분석(instructional component analysis)의 두 가지 하위 단계로 구성된다. WBI 설계 절차에 대한 문서화 작업은 이 분석 단계로부터 본격적으로 시작된다. 이 기록 문서는 종합 보고서의 일부로서, 흔히 **설계 문서(Design Document)**라고 불린다. 교수설계자들은 설계 절차에 대한 설명, 의사결정 내용의 진술, 그리고 그 결과의 기록 등의 목적을 위해 이 설계 문서를 작성해 나간다. 이 설계 문서에는 일련의 교수설계적 의사결정이 내려진 근거가 무엇이며 의사결정 과정에 참여한 사람이 누구인

그림 2.12 WBID 모형 단계 간 상호의존 관계. '동시적 설계' 사이클은 그 내부의 각 단계들 간의 반복순환적인 관계를, 실선 화살표는 직접적인 연관성을 표시한다. 점선 화살표는 어떤 단계의 결과물이 다음 단계로 투입되고 있음을 나타낸다. 예컨대, 평가 기획은 형성평가 및 총괄평가 수행과 직결되어 있다. 총괄평가에 대한 최종적인 기획 및 운영은 WBI가 본격적으로 운영되고 난 이후 시점에 이루어진다.

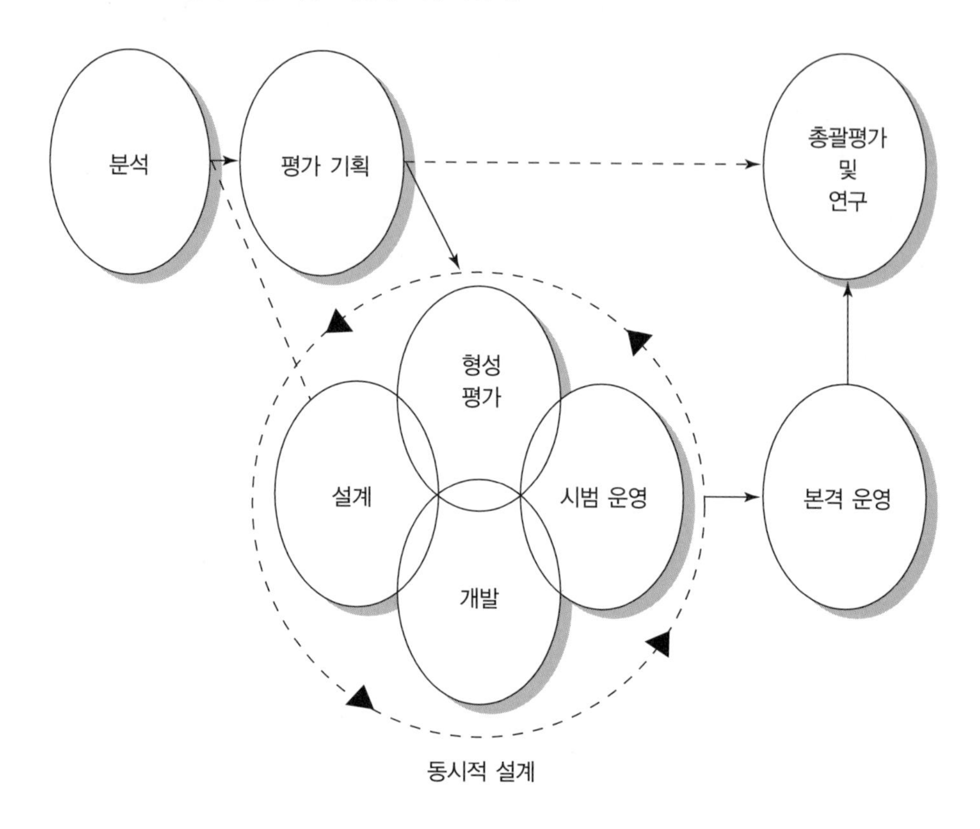

지 등이 포함된다(분석 단계에 대한 상술은 3장과 4장 참고).

원형 점선으로 표현된 '동시적 설계(concurrent design)'는 이 원 내부의 각 단계 간에 반복성이 있음을 나타낸다. 실선 화살표는 직접적인 연결 관계를, 점선 화살표는 어떤 단계의 결과물이 다음 단계에 투입물로 활용됨을 표시한다. 예를 들어, 평가 기획 단계는 형성평가 및 총괄평가 모두와 연결되어 있다. 총괄평가에 대한 최종 기획 및 실시 단계는 전면적인 운영이 일어난 이후에 이루어진다.

문제 분석. 분석 단계 중에서도 제일 먼저 실시되는 이 문제 분석 활동의 목적은 수행 문제를 면밀히 살펴보고 적절한 해결안을 규명하는 데 있다. 바람직한 수행과 현 상태의 수행 간의 격차(gap)를 파악해내기 위해서 여러 세부 단계를 거치게 된다. 이 격차 또는 문제는 기능, 지식, 동기의 결여 등 여러 원인으로 발생된다(Rossett 1987,

1999; Rothwell & Kazanas, 2004; Stolovitch & Keeps, 1999). 경우에 따라 수업은 이 문제 해결을 위한 최선의 대안이 아닐 수 있고, 교수설계자들은 정책 시정, 직무도우미(job aid), 그리고 개별 인사 조치 등 수행 공학적 대안을 검토할 필요가 있다 (Jonassen, Hannum, & Tessmer, 1989; Rossett, 1987, 1999, 2002b; Van Tiem, Moseley, & Dessinger, 2001; Zemke & Kramlinger, 1982). 만약 수업이 문제 해결을 위한 적절한 대안으로 판단되었다면, 이제 교수설계자는 전달 시스템(delivery system)을 결정하게 된다. WBI의 적용 가능성을 결정하는 데 고려해야 할 요소 중 하나는 조직 내에 보유하고 있는 WBI 도구와 옵션 기능, 지원 조직 등을 확인하고 평가하는 작업이다. WBI는 저작도구 또는 학습관리 시스템을 활용하여 웹페이지를 개발하는 방식으로 만들어질 수도 있으므로, 이들 소프트웨어가 어떤 기능을 갖고 있는지를 명확히 해두는 작업은 중요하다(Horton, 2000). 또 교수설계자들은 WBI를 설계하고 개발하는 데 필요한 소프트웨어 및 하드웨어에 접근할 수 있도록 해두어야 한다.

교수 구성요소 분석. 분석 단계 중 두 번째 절차를 통과하기 위해 교수설계자는 교수 상황에 대한 네 가지 구성요소를 다루어야 한다. 이 분석 작업은 교수가 문제에 대한 최선의 해결책으로, 또 WBI가 가장 적절한 전달 수단으로 결정된 경우에 한해서 수행된다. 이 네 가지 구성요소란 목표, 맥락, 학습자, 학습 내용을 말한다. 이 분석 절차의 틀을 구체화하기 위해 다음 네 가지 질문을 활용하면 도움이 된다(Davidson, 1990; Davidson-Shivers, 1998).

- WBI의 목표 또는 의도는 무엇인가?
- WBI의 맥락은 무엇인가?
- 학습자들은 누구인가?
- 교수 내용은 무엇인가?

교수 목표 분석. 분석의 두 번째 단계는 교수 목표를 분석하는 것이다. 교수 목표를 분석한다는 말은 WBI가 종료된 이후 학습자 또는 참여자들이 어떤 일을 할 능력을 획득할 것인가에 대해 개괄적으로 진술하는 것을 뜻한다. 교수 목표 확인을 위한 학습 결과 수준(outcome level)은 이 과정에서 결정된다.

교수 맥락 분석. 개인의 선호도 확인 차원에서 맥락 또는 환경 분석이 이어진다. 맥락 분석을 실시하는 두 가지 목적은 (1) WBI가 설계되고 전달되는 수업 환경에 대해 진술하고, (2) 조직 내 인프라 수준, 인프라 담당자의 능력, 기술 환경에 대한 학습자 접근 가능성, 그리고 이 가상환경을 유지하기 위해 지원 체제의 역량과 규모 등을 면

밀히 검토해두는 것이다.

학습자 분석. 학습자 분석은 학습자의 선수 지식, 기능, 경험은 물론, 흥미, 요구 사항, 능력 수준을 규명해내는 데 그 목적을 두고 있다(Davidson-Shivers & Rasmussen, 1999; Dick et al., 2005; Smith & Ragan, 2005). 예를 들어 목표 학습자 집단의 흥미에 관해 알아보는 작업은 적절한 수업용 사례와 연습용 문제를 만드는 데 도움을 준다. 학습자 분석은 학습자들의 문해 능력(literacy)과 컴퓨터 사용 능력을 확인하는 과정을 포함한다. 오늘날 기술 수준에서 볼 때 WBI는 여전히 문자 중심의 매체이기 때문이다. 그러나 이러한 기초적인 소양에 대한 고려는 WBI 기술지가 진화해 감에 따라 문맹자나 컴퓨터 초심자들도 온라인 학습에 참여할 수 있는 기회가 확대되어 가면서 상대적으로 그 중요성이 약화되고 있다. 1990년 발효된 미국 장애인 보호법(Americans with Disabilities Act, ADA)(미 법무성, 1990)과 웹 접근성 개선 조치(Web Accessibility Initiative)(World Wide Web Consortium [W3C], 2001)는 WBI은 장애를 가진 사람을 수용할 수 있도록 설계되어야 함을 규정하고 있다.

학습 내용 분석. 분석 단계에서 다루어야 할 마지막 요소는 학습 내용이다. 교수설계자는 WBI에서 제시될 주요 학습 단계와 하위 기능들의 구조와 계열을 결정하게 된다. 내용 분석은 학습자 분석 결과를 고려하여 WBI 내용이 어디에서부터 시작되어야 할지, 학습자들이 교수에 성공적으로 참여하기 위해 미리 알고 있어야 할 출발점 행동이 무엇인지를 규명한다.

교수 구성요소 분석의 결과는 WBI가 성공을 거두는 데 있어 중요한 시사점들을 제공한다. 구체적으로 WBI 설계 내의 이후 절차들에 대해서 직접적인 영향을 미치게 된다.

평가 기획 단계

평가 기획 단계는 최종 결과물에 대한 형성 및 총괄평가를 하기 위한 기획을 수립하고자 하는 교수설계자에게 구체적인 가이드를 제시해준다(형성평가는 5장에서 자세히 다룰 것이다). 형성평가 기획서는 다음 사항들에 대한 명세를 담게 된다.

- 이해당사자들은 누구인가?
- 평가의 대상은 무엇인가?
- 평가자와 검토자는 누구로 할 것인가?
- 어떤 평가 방법을 사용할 것인가?

- 평가는 언제, 어떻게 이루어져야 하는가?
- WBI 설계 기획서와 프로토타입이 개발되어 가는 과정에서 어떤 형태의 의사결정이 내려져야 할 것인가?

설계 및 개발이 진행되어 가면서 WBI 프로토타입의 정확성, 완결성, 명료성, 수월성, 매력성 등을 검토해 줄 다양한 전문가들이 참여하게 된다. WBID 모형에 따르면 먼저 교수설계자와 내용전문가가 투입된다. 그 외에 학습자 및 실제 수업을 진행할 교사(만약 교사가 설계팀원이 아닌 경우라면)가 교수설계서를 검토하기 위해 참여한다. 단, 이 검토는 통상 기획 단계 이후의 운영 단계에서 이루어질 수도 있다.

형성평가 기획 단계의 종반부에 이르러 최종 사용자들을 대상으로 하는 시범 적용이 있게 된다. 이는 WBID 모형이 전통적인 ID 모형과 대비되는 차이점 중 하나라고 할 수 있다. 시범 운영은 WBI 프로토타입을 대상으로 하는 시범 적용에 해당한다. 전통적인 교수설계 모형들은 대개 일대일, 소집단 그리고 현장 평가를 개발 마지막 단계에 포함시키는 것이 일반적이지만, WBI는 그런 시범 집단을 확보하지 않은 상태에서 개발되고 운영되는 경우가 자주 있다. 현장 평가는 WBI 개발 담당 교수가 교수설계에 관한 배경 지식이 없기 때문에, 조직이 이를 지원하지 않기 때문에, 또는 현실적으로 현장 테스트가 불가능하기 때문에 등 여러 가지 이유로 이루어지지 하지 못하게 되는 경우가 생긴다. 교수설계 배경 지식을 갖고 있거나, 조직에서 지원하는 경우라 하더라도 피험자를 확보할 수 없기 때문에 평가를 하기 어려운 경우도 많다. 이는 WBI를 개발하는 주요 목적 중 하나가 운영 기관으로부터 물리적으로 멀리 떨어져 있는 목표 학습자들의 학습 기회 확대에 있기 때문이다.

평가 기획 단계의 두 번째 부분은 총괄평가를 위한 예비 기획서(preliminary plan)를 개발하는 것이다. 이 예비 기획 작업은 WBID 모형의 주요 특징 중 하나가 된다. 새로운 혁신적 수업이 도입되기 전, 기존의 수업 자료나 실행 방식에 관한 데이터 수집이 제대로 되어 있지 않는 경우가 종종 있다(Solomon & Gardner, 1986). 이 경우 새롭게 도입된 수업 또는 처방의 효과를 서로 대비 · 분석하기 어렵게 된다. 총괄평가를 위한 예비 기획의 목적은 기존 수업 방식과의 비교 · 대비를 위해 필요한 데이터 수집을 확실히 해두기 위함이다.

동시적 설계 단계

분석 단계 및 형성평가 기획 단계에서 얻은 결과를 바탕으로, 동시적 설계 단계에서는 설계 및 개발, 그리고 평가 절차를 결합하게 된다(이 단계는 6장에서 8장에 걸쳐 자세히 다룬다).

사전기획 활동. 동시적 설계 단계는 실질적인 설계 절차가 시작되기 전, 예산을 확보하고 자원을 할당하는 사전기획 활동으로부터 시작된다. 교수설계자나 프로젝트 관리자는 규명된 프로젝트 수행 과제별로 팀원을 할당한다. 또한 WBI 프로젝트 개발 추진 일정이 수립된다.

설계 절차. 설계 절차는 수업 목표를 명세하고 평가 도구 초안을 제작하는 일을 포함한다(Gagné, et al., 1992). 이러한 과제는 과제-목표-평가 항목 청사진(TOAB: Task-Objective-Assessment Item Blueprint)(Davidson-Shivers, 1998; Northrup, 2001)에 잘 나타나있다. 이 TOAB는 규명된 학습 과제(교수 내용별), WBI 목표(학습 결과 수준별), 평가 항목 샘플들을 포함한 매트릭스 형태로 작성되며, 과제, 목표, 그리고 평가 간의 일관성을 조율할 수 있도록 해준다. 교수 및 동기 전략 또한 고려되어, 'WBI 전략 워크시트(WBI Strategy Worksheet)' 에 기록된다. 이 워크시트는 최종 WBI 산출물을 그려보는 두 번째의 청사진으로서, 학습 안내, 내용 제시, 학습 결과 측정, 요약 및 종결(Davidson-Shivers, 1998; Rasmussen, 2002)의 네 개의 섹션으로 구성되어 있다.

개발 절차. 각각의 섹션별 전략이 수립되면, 순환적 설계 및 개발이 시작된다. 이때 개발은 설계가 완료되기 전, 설계와 병행하여 시작된다. 예컨대, 학습 안내 섹션이 기획되면(즉, 설계되면), 그 개발은 다음 섹션의 설계 작업과 동시에 진행될 수 있다. 학습 내용에 대한 안내 섹션은 다른 모든 섹션들의 설계 및 개발이 완료될 때까지 마무리되어야 한다. 복잡한 WBI 프로젝트에 있어서 WBI의 일부분(유닛, 레슨, 모듈 등)이 설계되어 개발 단계로 넘어가면, 곧이어 다른 일부분이 시작되는데, 이러한 진행 방식은 프로젝트가 종료될 때까지 지속된다. 동시적 설계는 매끄럽고 동시적 설계와 개발이 가능하도록 해준다. 형성평가는 이 부분별 프로토타입 각각이 점차 개선되어 가는 순환적 절차 속에서 수행된다. 동시적 설계는 교수설계자로 하여금 간단한 WBI 프로젝트 내의 교수 사태뿐 아니라 보다 복잡한 프로젝트를 구성하는 다수의 레슨이나 유닛을 기획하고 개발하는 데에도 도움을 준다.

운영 단계

WBI가 학습자에 의해 활용이 가능한 상태일 때 운영 단계로의 진입이 이루어진다. 이를 시범 운영과 본격 운영이라는 관점에서 살펴보자(운영은 9장에서 자세히 다룬다).

시범 운영. 시범 운영 활동은 동시적 설계의 일부이다. 그 이유는 본래 의도했던 교수 환경에서 실제 학습자를 대상으로 시범 테스트를 해볼 수 있는 최초의 기회가 되기 때문이다. 최초 운영을 동시적 설계 단계에 포함시켰다는 것 또한 WBID 모형을 여타 모형들과 구분하게 만드는 특징이다.

본격 운영. 본격 운영을 통해 수업 촉진과 관리 간의 상호연관성이 확인된다. 전면 운영은 모든 주요 수정 작업이 완료되어 WBI가 이미 의도했던 학습자들의 상당수에게 이미 배포된 시점에서 이루어진다(Gagné, 1992). 이 두 가지 운영 유형의 공통적인 특징은 학습 촉진과 수업 관리 등이 제대로 되고 있는지에 주목한다는 점이다.

학습 촉진. **학습 촉진**은 운영팀에 의해 WBI를 실행하고 학습공동체를 조성하는 활동을 말한다. 운영팀은 교수자, 학습자, 기술 및 관리지원 담당자, 관리자, 튜터 등으로 구성된다.

관리. **관리**란 웹기반 학습 환경이 그 생애주기 동안 유지될 수 있도록 감독하는 것을 말한다. 웹사이트를 주기적으로 업데이트한다든지, 비활성화된 링크를 되살려낸다든지, 소프트웨어나 유틸리티 프로그램을 업그레이드하는 일 등이다.

총괄평가 및 연구 단계

WBID 모형의 최종 단계인 총괄평가는 WBI가 본격적으로 운영되는 시점에서 시작하여 생애주기 내내 일어난다. 총괄평가를 수행하는 목적은 WBID 모형과 다른 ID 모형들 간에 차이가 없다. 즉, WBI가 여전히 필요로 한지, 충분히 효과적인지를 판단하는 일이다. 총괄평가 절차는 교수설계자가 평가 기획 단계에서 제안하였던 예비 기획서에 따르게 된다. WBI에서 총괄평가는 연구 수행 절차와 유사하게 진행되는 경우가 많다. 평가의 절차, 결과 및 시사점 제시 등으로 구성된 평가 보고서는 이해당사자들을 위해 준비되며, 그들로 하여금 WBI의 미래 활용 방안에 대한 의사결정을 내릴 수 있도록 돕기 위해 활용되기 때문이다(총괄평가에 대해서는 10장에서 자세히 다룬다).

WBID 모형 요약

WBID 모형은 WBI 설계, 개발, 운영 등 각 단계가 수업 목적, 학습자 및 조직의 요구에 부응할 수 있도록 하기 위한 통합적 접근 방법이다. 각 단계들에 대해서는 이후에 관련된 장에서 자세히 다룰 것이다. 중요한 것은 어떤 단계들은 통합적으로 수행할 필요가 있음을 깨닫는 일이다. 이 단계들 또는 각 단계 내부의 세부 절차들은 서로 긴밀하게 연결되어 있다. 이 동시성은 WBID 모형을 독창적이자 복잡하게 만들어주는 요소이자, 동시에 WBI 설계 시에 유용한 길잡이가 될 수 있도록 해주는 장점이기도 하다.

이 책의 후반부에서 WBID 모형의 각 단계들을 세부적으로 다루어 나갈 것이다. 우리 저자들은 독자의 이해를 돕고 명료하게 하기 위한 목적으로 각 단계별 특성들을 나누어 설명할 것이다. 그러나 실제로 이 단계들은 분리된 것이 아니라 WBI 설계 맥락 속에서 서로 긴밀하게 얽혀 있음을 알아야만 한다. 우리는 단계별 특징들이 통합적으로 고려되어야 할 경우, 이를 분명히 밝히도록 할 것이다.

생각해보기

WBID 모형을 독자 여러분이 잘 알고 있는 여타 모형들과 비교해보자. WBID 모형의 특정 단계들을 평가해보자. 여타 모형들과 비교했을 때 WBID 모형이 갖는 강점과 약점은 무엇인가?

실제 적용 사례 연구

WBID 모형 단계들에 대한 이해를 돕기 위해 소규모 교수설계팀에 의해 설계되었던 WBI 적용 프로젝트를 살펴보고자 한다. 이 사례는 이후에도 계속 언급될 것으로서, 기본 사례라고 부를 수 있다. 이 장의 마지막에 추가로 소개될 네 개의 개발 사례들은 독자 여러분의 교수설계 기능을 증진시키기 위해 기본 사례를 보완하는 대안적 설계 시나리오들을 추가로 제공하게 된다. 이 대안적 설계 시나리오들은 각 장의 마지막에 '사례 연구' 에 제시될 것이다.

GardenScapes 사례

이 *Gardenscapes* 사례에는 Clatskanie 전문대학(Clatskanie Junior College, 이하 CJC) 평생교육학과 강사인 Kally Le Rue가 등장한다. 그녀는 이 대학의 조경학부에서 다음 과목을 가르치고 있다. '조경학 기초: 작은 숲에서의 즐거운 하루(Garden Basics: Just Another Day at the Plant)' 라는 개론 수준 과목은 지난 몇 년간 학생들의 인기를 얻어 점차 수강생 규모가 커지고 있었다. 주로 주택 소유자를 대상으로 정원 가꾸기 방법을 가르치기 위한 목적으로 개설된 이 과목의 수업 목표는 학습자들이 거주하는 지역의 토질, 기온, 식생에 대해 알아보는 것, 그리고 간단한 정원 손질용 도구에 대해 소개하는 것을 그 내용으로 하고 있었다.

조경과 정원 가꾸기에 대한 관심이 늘어감에 따라 그녀는 새로운 후속 과목을 개설하여 아마추어 정원사나 텃밭관리사들로 하여금 자신의 집 뒤뜰에서 훌륭한 정원의 느낌을 즐길 수 있도록 해주고 싶었다. 아직 개설 제안 단계에 있는 이 과목에 대한 그녀의 아이디어는, 참여하는 학습자들이 스스로 정원을 설계하여 새로운 가정용 정원을 개성 있게 꾸밀 수 있도록 하겠다는 것이다.

Kally가 근무하고 있는 CJC는 미국 어느 주, Westport라는 가상의 도시에 자리하고 있다. 이 학교 관리자들은 온라인 강좌 개설을 통해 가상 공간으로 캠퍼스를 확장함으로써 더 많은 학습자들에게 다가가기 위한 전략 수립에 부심하고 있다. 그들은 예전부터 원격교육 프로그램을 운영하고 있었지만, 최근에 이르기까지 온라인 전달 방식은 활용하고 있지 않았다. 교수학습개발센터(Teaching and Learning Development Center, 이하 TLDC)의 센터장인 Carlos Duartes는 최근 부서의 역할을 확장시킬 수 있는 미래 전략으로서 온라인 코스 개발에 뛰어들었다. 교수학습 개발 센터는 이제 교 · 강사 능력개발 서비스 제공 외에, 이 대학을 위한 온라인 관련 기술 지원 업무를 흡수하게 된 것이다.

조경학 기초 과목 강사인 Kally는 더 많은 수강생을 확보하고 원격 전달 방식의 양적 및 질적 성장을 지속할 수 있는 재원을 확보한다는 분명한 관리 목표와 함께, 후속 과목 개발을 허락받았다. Kally는 웹 사용에 있어 보통 수준 정도의 경험을 갖고는 있지만, 웹을 활용해서 수업을 운영해 본 적은 없다. 분명한 것은 이번 프로젝트를 위해 웹기반 전달 방식을 꼭 활용해 보아야겠다는 의지만큼은 확고하다는 사실이다. 그녀는 교수설계자도 아니요, 면대면 수업 외에는 어떤 수업도 개발해 본 적도 없다. 어쨌든 그녀는 담당 강사이자 이 프로젝트 설계 팀의 일원으로서 WBI 개발에 참여하게 되었다.

생각해보기

독자 여러분이 제안한 WBI 프로젝트에 대하여 수집한 정보를 바탕으로 그 일반적인 개발 시나리오를 작성해보자. 당신이 WBI를 개발해 주고자 하는 학교 또는 기업 등 특정 형태의 조직 특성에 대해서도 설명해보자. WBI 설계팀의 주요 구성원을 간략하게 소개하고, 그들 각자의 장점 및 단점에 대해 이 프로젝트 수행과 관련하여 기술해보자.

마무리하기

이 장의 목적은 WBID 모형을 위한 개념틀을 확고하게 해두는 것이었다. 이 교수설계 모형은 학습, 체제, 커뮤니케이션에 관한 이론 및 교수설계 모형에 그 이론적 기초를 두고 있다. 또 하나의 기초 영역, 즉 원격교육 이론은 1장에서 다룬 바 있다. 이 장에서의 논의를 통해 이 이론적 기초와 관련된 다양한 원리들을 설명하고 이들을 WBID 모형과 연결시켜 보았다.

이 장에서는 WBID 모형과 그 각각의 단계들을 개괄적으로 소개하였다. 최초의 단계인 분석 단계는 문제 분석, 교수 구성요소 분석 등 두 개의 하위 절차로 구성되어 있다. 이때 교수 목표, 맥락, 학습자, 학습 내용에 대한 분석이 포함된다. 분석 결과로부터 평가 기획 및 동시적 설계라는 두 후속 단계를 위한 정보를 도출해 낼 수 있다. 평가 기획 단계에서는 두 종류의 기획서를 작성하게 된다. 하나는 형성평가를 위한 것이고 다른 하나는 총괄평가를 위한 예비 기획서이다. 형성평가를 위한 기획서를 기초로 평가 절차가 동시적 설계 단계 내에 유기적으로 통합된다. 일단 WBI와 그 웹사이트 개발이 완료되면, 운영 단계에 접어들게 된다.

운영 단계는 학습 지원과 수업 관리라는, 서로 관련성이 높은 두 가지 측면을 갖고 있다. 하지만 시범 운영 시에 이루어지는 형성평가는 시범 집단(또는 1차 과정 참가자)을 대상으로 하는 현장 적용 연구의 형태를 띠기도 한다. 본격 운영은 중요한 부분에 대한 수정 작업이 완료되고 대다수의 목표 학습자 집단이 WBI를 사용할 수 있게 된 시점에 이르러서야 가능해진다.

사전에 계획된 횟수와 기간 동안 WBI를 운영한 후 총괄평가를 위한 최종 계획이 작성되고 이를 바탕으로 총괄평가가 실행된다. 총괄평가의 목적은 현 상태에서 WBI가 계속 운영될 것인지 여부를 결정하는 것이다.

WBID 모형은 이론과 실제로부터 도출된 통합적 교수설계 접근 방법을 제공한다. 이 모형은 WBI 개발에 있어 교수설계자들을 위한 자연스런 접근 방법이다. WBID 모형은 웹을 통해 전달될 수업을 위한 가이드라인과 고려 사항들을 밝혀 준다. 각 설계 단계들 간에 이루어지는 정보, 산출물, 그리고 설계 절차의 매끈한 흐름이 가능하도록 함으로써 모형의 유연성을 확보할 수 있다. WBID 모형은 정교하고 엄밀하게 만들어진 것으로 WBI뿐 아니라 다른 형태의 수업 또는 학습 환경 개발 시에도 효과를 나타낸다.

이 장의 마지막 부분인 실제 적용 사례 연구에서는 '*GardenScapes*'라는 과목 개발 사례를 소개하고 있다. 이 사례는 WBID 모형의 각 단계마다 계속 사용되어 일관성 있는 이해에 도움을 줄 것이다.

토론 과제

1. 여러분이 소속되어 있는 조직에서 일반적으로 받아들여지는 학습 이론은 무엇인가? 조직이 선호하는 이 학습 이론은 당신이 개인적으로 선호하는 학습 이론과 일치하는가?
2. 학습 이론에 관한 지식 향상을 위해 학습 이론가, 학습 이론 또는 학습 패러다임에 대해 온라인 도서관에서 구체적인 자료를 수집 · 분석해보자. 이 새로운 정보는 당신의 학습에 대한 관점에 어떤 변화를 촉진시켰는가?
3. WBI 설계와 관련하여 일반 체제 이론 또는 커뮤니케이션 이론에 관하여 웹 검색을 해보자. 이들 이론의 관점에서 WBI 설계에 적용할 수 있는 새로운 설계 원리는 무엇인가? 당신은 웹사이트에서 얻은 이 정보가 신뢰성 및 일관성을 확보하고 있다고 평가하는가?
4. 온라인 교수설계와 관련하여 일반 체제 이론을 적용할 수 있는 부분은 무엇인가?
5. 당신은 효과적인 커뮤니케이션을 위한 나름대로의 이론을 갖고 있는가? 그 이론에 대해 설명하고 온라인 교수설계와의 관련성을 기술해보자.
6. 교수설계 프로젝트를 하면서 어떤 교수설계 모형을 적용해 보았던 적이 있는가? 이 모형은 당신의 개인적인 학습 이론과 잘 부합하는가? 또 WBID 모형과 비교해보면 어떤 차이점이 있는가?
7. WBID 모형의 단계들을 나열해보자. 전통적인 교수설계 모형들의 단계별 순서와 이 WBID 모형의 단계들의 계열성 간에 차이가 나는 이유는 무엇인가? 당신은 전통적 교수설계 모형과 WBID 모형 간의 이러한 차이점이 바람직한 WBI 교수설계 활동에 도움이 된다고 생각하는가? 그렇다면, 또는 그렇지 않다면 그 이유는 무엇인가?
8. WBID 모형은 웹기반 전달 환경이 아닌 교수설계 상황에도 그대로 적용될 수 있다고 보는가? 왜 그렇게 생각하는지 근거를 제시해보자.

사례 연구

이제 곧 제시될 네 개의 사례는 WBI 설계에 관한 추가 시나리오를 제공하기 위해 이 책 전체에 걸쳐 활용되고 이다. 이 사례들은 수업 중 토론에서 상황적 논점을 형성하는 데 도움을 줄 뿐 아니라, 독자 여러분 각자의 수업 내용을 보강하는 데 참고 자료로서 활용될 수 있다. 이 사례들은 교수설계 기능을 적용해 봄으로써, 이를 보다 강화하기 위한 목적으로 개발되었다. 이러한 목적에 따라 우리는 각 사례에서 실제 일어났던 모든 요소들을 자세하게 제시하지 않았다. 모든 상세한 내용을 다 담지 않음으로써 상황에 대한 여러분의 해석을 어느 정도 허용하고, 부가적인 정보를 더하거나 유추해 볼 수 있는 여지를 남겨 두고자 하였다.

1. 초 · 중 · 고등학교의 사례

Megan Bifford는 Westport 시 교육청 본부에서 근무하고 있다. 그녀는 초등학교 교사로 재직하던 시절, Myers 대학교에서 교육공학을 전공한 석사학위자이다. 초등교사 및 과학교사 자격증을 소지하고 있는 Megan은 교육청 내 신설 보직인 컴퓨터 및 커리큘럼 개발 담당 장학사로 발탁되었다. 그녀의 임무 중 하나는 교육청 내 초등학교에 컴퓨터 기술을 보급 · 정착시키는 일이었다. 그녀에게 주어진 직분은 초등학교 수준에서 수업상의 혁신이 이루어지도록 지원하는 것이었지만, 그녀는 이에 안주하지 않고 스스로 혁신을 주도하여 성공으로 이끌어갈 수 있도록 끝까지 챙겨보고 싶었다. Megan은 먼저 컴퓨터 테크놀로지의 성공적인 통합 및 활용에 초점을 맞추어 교육청 내 초등학교 전체에 적용하는 것을 궁극적인 목표로 하면서, 일단 먼저 파일롯 프로그램을 운영하는 것이 좋겠다고 판단하였다. 그녀는 WBI를 주요 전달 체제로 활용하고자 마음먹었다.

새로운 교육감이 부임한 지 6개월이 되었다. 교육감은 인터넷을 교실과 결합함으로써 어린이들이 보다 신나고 흥미롭게 공부할 수 있도록 하는 데 깊은 관심을 갖고 있었다. 그는 최신 테크놀로지가 커리큘럼과 결합될 경우 학업 성취도 면에서 개선 효과가 나타났다는 연구 보고서가 발표된 학술대회에 다녀온 바 있다. 동시에 어린이들이 좋지 않은 웹사이트에 접근하지 않도록 하면서 보다 안전하게 테크놀로지를 사용할 수 있는 방안에 대해서도 고민하고 있는 중이다. 참고로, 교육청 규정에 의하면 학생들은 성인의 배석 없이 개인적으로 인터넷에 접속하는 것은 허용되지 않고 있다. 스스로 새로운 보직을 맡았다는 부담감에 더하여, 변화와 개선을 늘 요구하는 정열적인 교육감의 성격을 생각하면서, Megan은 반드시 성공하지 않으면 안 되겠다는 다짐을 하게 되었다.

Megan은 모든 커리큘럼을 테크놀로지 중심 환경으로 뒤바꾸어 놓는 것은 비현실적이라고 판단하였다. 그 대신 이 문제를 체계적으로 분석해 보기로 결정하였다.

Megan은 교육청 내 과학교육 장학사인 Cassie Angus의 도움을 받아 초등 5학년 과학 커리큘럼에서부터 차근차근 시작해 보아야겠다고 마음먹었다. 이렇게 결정한 데에는 주 전체를 대상으로 2년 전부터 실시된 표준화 검사 결과, 교육청 관내 5학년 학생들이 과학 과목에서 규준에 비해 매우 저조한 성적을 나타냈기 때문이었다. 그보다 더 중요한 것은 과학과 점수가 다음 학년도에 학교 종합 평가 항목으로 포함될 것이라는 사실이다. 과학 교과, 그 중에서도 국가 과학 표준안 및 연방법에 의해 필수 과목으로 지정된 탐구기반 능력(inquiry-based skills) 개발에 대한 국가, 주 정부, 그리고 교육청 차원에서의 관심이 높다보니, Megan의 고민은 이만저만이 아니었다.

Megan이 생각하고 있는 아이디어 중 하나는 학생들이 과학적 방법과 현장 데이터를 사용해서 실제 세계에서 일어나고 있는 문제들을 해결하는 일련의 웹퀘스트 학습 환경을 제공하는 것이었다. 이 웹퀘스트 학습 환경은 학생들이 질문기반 학습을 수행하면서 구성주의적 관점에서 주제를 탐색할 수 있도록 도와주도록 설계될 수 있을 것이라고 그녀는 생각했다. 또한 이 과목들은 실제적 학습 환경을 활용하는 온라인 및 오프라인 활동들로 구성되는 것이 좋을 것으로 판단하였다.

Megan은 어떤 한 초등학교에서 학교 개선 위원회 및 사친회를 열고 새로운 커리큘럼 강화 방안에 대해 학부모들과 이야기를 나누었던 적이 있다. 이때 어떤 학부모는 자신의 자녀가 웹에 접근하는 것 자체에 대해 우려를 표명하였다. 또한 학교 예산 감축이나 인력 부족 등 다른 제약 조건들로 테크놀로지를 수용하는 데 어려움을 겪을 수 있을지도 모른다는 점이 지적되기도 하였다. 하지만 부정적인 의견만 있었던 것은 아니었다. 교육청은 이미 기술과 관련된 예산을 확보해 둔 상태였을 뿐 아니라, 기술적 지원을 강화할 수 있는 제반 자원도 충분했기 때문이다. 과연 웹퀘스트가 학업수행 향상을 위한 적절한 도구가 될 수 있을지에 대해 고민하면서, 그녀는 테크놀로지와 인터넷이 교실 안에서 어떻게 활용될 수 있을 것인지에 대해 더 연구를 해 보아야겠다고 마음먹게 되었다.

2. 기업의 사례

Homer Spotwood는 국제적 제조 회사인 Milton Manufacturing(M2) 사를 위해 교육 훈련 프로그램을 설계 및 개발, 그리고 운영하는 업무를 맡고 있다. M2의 대표 이사인 Ira “Bud” Cattrell에 따르면, 새로운 훈련 방안은 국제표준화기구(International Standard Organization, ISO)의 표준은 물론, 새로 제정된 직장 내 안전 건강 관리국(Occupational Safety & Health Administration, OSHA)의 규정을 준수해야만 한다. 그는 또한 교육훈련은 공장 가동에 지장을 초래하지 않는 조건으로 운영되어야 한다는 점을 강조하고 있다. 공장은 24시간, 주 7일 내내 쉬지 않고 가동되기 때문에 교육훈련 또한 그에 맞추어 설계하지 않으면 안된다. 경영진들은 WBI를 통해 종업원의 업무 차질을 최소화하고 안전 교육에 언제 어디에서나 참여할 수 있는 가상 교육에 기대를 걸고 있다.

정부 규정에 맞추기 위해서 제안된 WBI이기 때문에 교육 수료 조건으로서 개인 작업 안전 지식 이외에 협력적 작업 상황에서의 안전에 관한 기능 개발의 기회를 반드시 확보해야만 한다. 즉, 일정한 수준에서 신체적 및 면대면 상호작용이 교육에 포함되어야 함을 의미한다. 동시에, 일부 팀원들은 작업 안전 및 보안상의 이유로 인해 직무 현장을 이탈해서는 안 된다는 점 또한 고려하지 않을 수 없는 상황이었다.

공장 가동은 자동화되어 있고, 공장 내 모든 장소에 컴퓨터가 비치되어 있다. 또 교육실 중 하나는 컴퓨터 Lab 시설을 갖추고 있다. 개별 종업원들은 의사소통과 훈련 목적으로 활용할 수 있는 컴퓨터를 한 대 이상 보유하고 있는 상황이다.

M2사는 복잡한 인터넷 응용프로그램을 지원할 수 있는 시설과 인력을 내부적으로 갖추고 있지는 않다. 회사 규정에 의하여 고성능 컴퓨터 시스템은 회사 외부에 설치·관리되고 있기 때문이다. 수업 전달, 일정 관리, 그리고 종업원 학업 진도 기록관리 등 안전교육 진행상 필요하다고 여겨질 경우, 아웃소싱을 통한 학습관리시스템의 활용은 가능하다. 관리·감독의 관점에서 볼 때 면대면 활동이 가미된 형태의 WBI는 좋은 해결책이 될 것으로 기대된다. Bud Cattrell 사장이 강조하는 핵심 고려 사항 중 하나는 어떤 시스템이 활용되더라도 교육훈련 목표가 성공적으로 달성되었는지를 확인할 수 있어야 하고, 개별 종업원들의 능력 향상 정도를 가시적으로 보여줄 수 있어야 한다는 것이다.

교육훈련 부서가 반드시 투자 대비 수익률(ROI)을 증명해야 한다는 것은 M2사의 인사관리 원칙 중 하나이다. 추가적으로 OSHA 감사관의 요청이 있을 때 즉시 제출할 수 있는 보고서가 늘 준비되어 있어야 한다. 또 이 컴퓨터 시스템은 M2사로 하여금 EPA, ISO, OSHA 표준에 맞추어 구성되어야만 한다. 이러한 여러 요구 조건들을 고려하여 Homer는 수업용 교재를 개발하기 위해 행동과학적 기준을 활용하려고 계획하고 있다. 개인 수행 능력의 변화야말로 종업원 개인의 성공은 물론 M2사의 생존을 위한 관건이 되기 때문이다.

3. 군의 사례

Rebekah Feinsten 부함장은 자신의 참모인 Cameron Prentiss 대위와의 회의를 마친 후 자신의 사무실로 돌아왔다. 미 해군 훈련지원 센터의 교육운영 담당 장교로서 그녀는 군인과 민간인 교육훈련 전문가들을 참모로 하여 전투 체제 학교 및 공병 체제 'A' 학교를 위한 커리큘럼을 개발하고 이를 운영하는 책임을 맡고 있다.

Feinstein 부함장은 해군 교육훈련 사령부가 군 교육훈련 운영 방식을 개편하기 위한 종합 프로그램을 이미 시작하였다는 사실을 알게 되었다. 해군의 이 '교육훈련의 혁명(Revolution in Training)' 프로그램은 인간 수행 공학의 발달 및 Advanced Distributed Learning(ADL)[5]이라 불리는 정부-산업 주도의 조치가 가져 올 효율성에 의해 크게 부각될 수 있을 것이라는 기대를 걸고 있다.

교육훈련 프로그램에 대한 재설계와 재목적화가 이미 진행 중에 있다. 지원 센터 내에는 내용전문가, 그래픽 아티스트, 애니메이터, 정보 기술자, 교수설계자들이 이 프로젝트 투입을 위해 대기하고 있다. 사진, 비디오, 내레이션 제작 등도 지원을 받을 수 있는 상황이다. 이 재설계 작업은 학습 환경 개선을 위해 인지주의적 관점을 그 이론적 기반으로 삼게 될 것이다.

4. 대학의 사례

Joe Shawn 박사는 Myers 대학교 경영대학의 부교수이다. 그는 경영학과에 개설된 오프라인 수업을 가르치는 것 외에, 지난 8년 동안 온라인 과목을 개발해서 운영하고 있다. 따라서 학과장이나 다른 교수들 사이에서 그는 온라인 교육 전문가로 통하고 있다. 그는 이미 다음 프로젝트로서 '경영학 원론' 이라는 학부 수준 오프라인 과목을 일부 수정하여 웹 전달 방식으로 운영하려고 마음먹고 있다. 강의계획서에 제시된바, 이 과목의 학습 목표는 경영학 기초에서부터 분석과 평가에 이르는 다양한 범위를 포함하고 있다.

Shawn 교수가 보기에 학생들은 대개 능숙하게 웹을 사용할 줄 안다. 그렇다고 해서 온라인 수업을 수강하기 위한 동기를 갖고 있다고 볼 근거는 없다. 교실 수업을 중심으로 웹 수업을 보완적으로 활용하는 웹 강화 수업(Web-Enhanced Instruction,

---

5) 역자주: WBI 교수설계 효율화를 위해 재사용성, 호환성이 높은 학습객체 설계 표준화 방안을 제시하는 미 연방기관

WEI) 형태가 100퍼센트 온라인 수업 형태보다 나은 방법일 것으로 여겨지는 이유였다. 현재의 과목 주제, 수업 내용, 학습 과제 등을 검토한 결과, 그는 대학 강의실에서 웹을 사용하는 여러 다양한 방식들 간에 장 · 단점들이 무엇인지를 분석해 볼 필요가 있다고 판단하였다. 그는 WEI 방식은 수업 내용, 과제물과 관련하여 수업에 도움을 줄 것으로 예상하고 있다.

이 외에도 자신의 승진 문제가 걸려 있다. 부교수로서 5년이 지난 현재, 그는 정교수로의 승진을 고려하기 시작하였다. 그는 승진 조건을 잘 알고 있으며, WBI를 하나 더 개발하기 위해 시간을 투자하는 것이 과연 승진에 도움이 될 것인지를 저울질해 보고 있다. Myers 대학 경영진은 테크놀로지와 수업 개발을 통합하는 것은 교수의 업무 중 일부라고 여기고 있다. Shawn 교수는 대학의 승진 및 교수 정년보장 시스템이 이런 활동들을 창조적 연구 노력으로서 또는 수업에서의 탁월성을 증명해 주는 자료로서 인정해 줄 것인지에 대해 확신을 갖고 있지 못한 상황이다. 그는 학과장인 Amber Wolfgang 박사와 이 문제들에 대해 논의하기 위한 회의 시간을 잡아 두었다. 학과장을 만나기 위해 준비하면서, 그는 웹 강화 수업을 위해 기존 과목을 재설계하는 작업에 착수하였다.

제 2 부

웹기반 학습공동체 구축을 위한 웹기반 교수설계 모형

제 3 장

분석: 교수 목표, 교수 맥락, 학습자

분석은 WBID 모형 중 최초의 단계이다. 이 분석 단계를 시작하면서 수행상의 문제들이 탐구되고 잠재적 해결안들이 규명된다. 수행상의 문제에 대한 가장 적절한 접근 방법으로 WBI 방안이 선정되었다면, 그 다음 절차에서는 설계 상황 속에서 교수 목표, 교수 맥락, 학습자, 내용의 네 가지 주요 교수 구성 요소 각각을 분석하게 된다. 이 분석이 제대로 이루어졌는지에 따라 WBI의 성공 여부가 결정될 수 있다는 점에서 분석 작업은 WBID 모형의 초석에 해당한다.

3장에서는 분석 단계 중 가장 먼저 실시되는 문제 분석에 대해 다룬다. 이 장에서 이루어지는 논의의 주제로는 문제의 원인, 증상과 해결책을 결정하고, 격차 분석 절차를 수립하는 작업이 포함된다. 다음으로 교수 구성요소 중 처음 세 가지에 대해 그 각각의 목적, 데이터 수집 방법, 결과를 문서화하는 절차 등을 설명한다. 이어지는 4장에서는 이 세 가지 이외의 구성요소인 학습 내용 분석과 그 절차가 주는 관련 시사점에 대해 보다 심층적으로 다루게 될 것이다.

학습 목표

이 장의 구체적인 학습 목표는 다음과 같다.

- 분석 단계와 관련된 용어를 정의할 수 있다.
- 분석 단계의 목적을 진술할 수 있다.
- 분석 단계를 구성하는 두 가지 하위 절차를 찾아낼 수 있다.
- 문제, 원인, 증상, 그리고 해결책 등 개념을 구분할 수 있다.
- 문제 분석 또는 격차 분석이 수행되어야 하는 시점을 결정할 수 있다.
- 요청되는 해결책의 유형이 무엇인지를 결정할 수 있다.
- 교수 상황의 네 가지 주요 구성요소를 찾아낼 수 있다.
- 학습의 범주 또는 기타 분류 체계를 활용하여, 교수 목표를 분류할 수 있다.
- 교수 목표 진술서 초안을 작성할 수 있다.
- 교수 맥락의 주요 특징을 설명할 수 있다.
- 학습 참여에 적절한 학습자의 속성에 대해 설명할 수 있다.

시작하기

대부분의 다른 교수설계 모형과 마찬가지로 WBID 모형도 분석 단계로부터 시작된다(그림 3.1). Hannum과 Hanson(1989)은 분석이야말로 교수설계 단계 중 가장 복잡한 것이라고 하였는데 이는 WBI에서도 마찬가지이다. 또한 이 두 연구자는 분석은 가장 시간이 많이 걸리는 단계이기도 하다는 점을 지적하고 있다. 분석은 시간이 많이 걸리며 따라서 비용도 많이 든다는 통념은 교수설계 프로젝트에서 이 분석 단계를 가급적 간략하게 하고 넘어가게 만드는 변명거리가 되기도 한다. 그러나 솜씨 좋은 기획과 세심한 수행을 한다면 분석은 효율적이면서도 비용 대비 효과적일 수 있다. 섬세하게 기획되고 수행된 분석은 꼭 필요한 해결책들이 선정되고 설계 및 운영될 가능성을 높여줌으로써 프로젝트 전반적으로 볼 때 자원 절약 효과를 가져 올 수 있다는 점을 잊어서는 안 된다. "예방을 위해 지출한 십 원은 병 치료를 위한 천 원의 가치를 갖는다"는 격언은 바로 분석 작업을 두고 하는 말이다.

분석의 목적

분석은 해결책을 설계하고 시행하는 방식을 결정하는 데 영향을 미치는 다양한 구성

▶ 그림 3.1 WBID 모형의 분석 단계

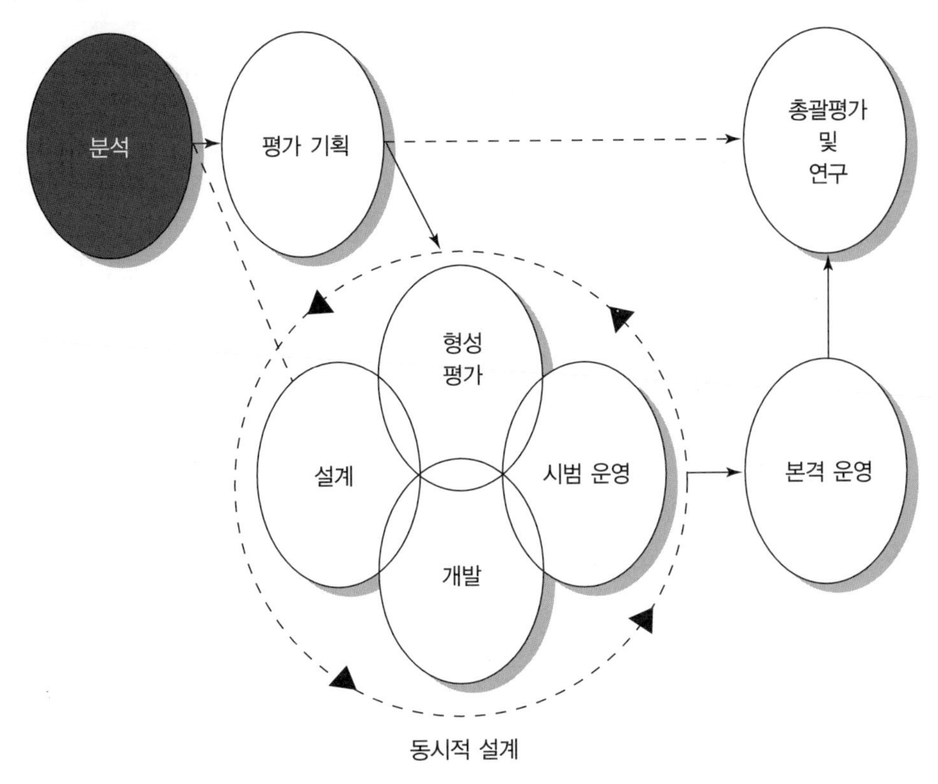

요소들을 탐구할 뿐 아니라 수행 문제를 검토하는 작업으로 이루어진다. 이 단계는 때때로 *전단 분석(front-end analysis)*(Romiszowski, 1981) 또는 *교수 분석(instructional analysis)*(Smith와 Ragan, 2005) 등으로 불리기도 한다. 분석 단계와 관련된 유사 개념들로는 *문제 규명(problem identification)*(Dick et al., 2005), *문제* 또는 *격차 분석(problem, or gap analysis)*(Hannum & Hansen, 1989; Seels & Glasgow, 1998), 그리고 *요구 사정(needs assessment)*(Rothwell & Kazanas, 2004) 등이 있다.

분석을 하는 주요 목적은 조직 내 수행 문제 또는 교수상의 문제를 규명하고, 대안적 해결책을 제시하며, 가장 적절한 대안을 선정하고 그 근거를 제시하는 데 필요한 충분한 정보를 확보하는 데 있다. 최적의 해결책이 교수 해결책인 것으로 결정된 이후, 분석의 주안점은 교수 목표, 맥락, 학습자, 내용 등 교수와 직접 관련된 것으로 옮겨진다. WBID 모형에서 이 분석 단계는 두 개의 주요 하위 절차로 구성되는데, 바로 문제 분석과 교수 상황에서의 구성요소 분석이다.

문제 분석

문제 분석 단계에서 문제에 대한 조사와 적절한 해결책의 규명 작업이 이루어진다. 교수설계 및 수행 체제 모형에 따르면 문제란 **현재 상태(actuals:** 조직 내 현 상황 또는 사건을 파악하는 것)과 **최적 상태(optimals:** 조직 내에서 일어나야만 하는 바람직한 조건을 파악하는 것)을 결정하는 것으로 정의된다. **격차(gap)**란 현재 조건과 최적 조건 간의 차이를 말한다(Hannum & Hansen, 1989; Rosett, 1987, 1999; Rothwell & Kazanas, 2004; Seels & Glasgow, 1998). 문제 분석 또는 **격차 분석**은 두 개의 주요 단계를 거쳐 이루어진다.

1. 문제 또는 현재 조건과 최적 조건 간의 격차의 성격을 규명한다.
2. 어떤 조건에서 어떤 방식으로 이 문제가 해결될 수 있을 것인지를 규명한다.

교수설계자는 문제를 바라보는 다양한 관점을 얻기 위해 아래와 같은 질문을 스스로에게 던져볼 필요가 있다(Rothwell & Kazanas, 2004; Stolovitch & Keeps, 1999).

- 이 문제로 인해 얼마나 많은 사람들이 영향을 받게 되는가?
- 문제가 나타나기 시작한 시점은 언제부터인가?
- 이 문제는 어떤 양상으로 시작되었는가?
- 현재 시점에서 무슨 일이 발생하고 있는가?
- 문제가 존재한다는 사실을 알려주는 현상은 무엇인가? (예: 요구되는 수행 목표는 무엇인가? 어떤 문제가 일어나고 있는가? 또는 어떤 바람직한 일이 일어나지 않고 있는가? 무엇이 결여되어 있는가? 이 문제는 긴급한 조치를 요하는가?)
- 문제가 주로 일어나는 장소는 어디인가? (예: 다른 곳보다 더 큰 영향을 받는 장소나 지역이 있는가?)

이런 질문들을 던져봄으로써 교수설계자는 문제의 원인뿐 아니라 그 잠재적 해결책을 어느 정도 파악할 수 있게 된다. Rossett(1987, 1999)를 비롯한 여러 학자들(Rothwell & Kazanas, 2004)은 데이터 수집을 위한 다양한 방법과 도구를 제안하고 있다. 표 3.1에는 여러 가지 문제 분석 방식과 각각에 걸맞은 도구의 명세가 제시되어 있다.

부록 A에는 분석을 위한 자료 수집 방법 및 도구에 대한 정보가 제시되어 있다.
이 분석 도구들은 WBI를 평가할 때에도 마찬가지로 활용될 수 있음을 주지하자.

표 3.1 문제 분석 방법 및 데이터 수집 도구

방법	도구 또는 자료
현존 자료	• 근태, 채용, 퇴직, 안전 보고, 제품 리콜, 고객 불만 등에 관한, 또는 그것들로부터 추출한 데이터
관찰	• 현장 방문 • 비디오 촬영
면담	• 개별 면담 • 소집단 또는 포커스 집단 면담 • 전화 면담
설문	• 지필 또는 온라인 설문지 • 설문지를 활용한 전화 조사 • 개방형 질문지

출처: 표 안의 데이터는 Rossett(1987, 1999), Rothwell과 Kazanas(2004)를 참고하였다.

문제의 성격 규명

문제의 성격을 결정한다는 말은 조직의 요구(needs)를 파악해내는 것을 의미한다. 이 요구는 여러 다양한 원천으로부터 비롯된다. 내용이나 기술상에서의 변화에서부터 내부 정책이나 업무 수행 절차의 변경에 이르기까지 다양한 원인으로 문제가 발생되었을 때 문제 분석이 수행된다. 표 3.2에는 문제 분석이 필요함을 나타내는 징표가 될 수 있는 조직 내 변화 유형을 사례를 들어 정리하였다.

문제, 원인, 증상. Rothwell과 Kazanas(1998)는 원인과 증상이라는 관점에서 현실적 상황과 당위적 상황 간의 차이를 검토하고 있다. 그들이 정의한 바에 따르면, "**원인(cause)**은 문제가 존재하는 이유와 관련되며(p. 34)", "**증상(symptom)**은 그 문제의 결과이다"(p. 36). 이 연구자들에 따르면, 교수설계자와 관리자들은 종종 근본적인 원인보다 증상에 대해 과민 반응하는 경우가 많고, "관리자들은 종종 증상을 문제와 혼동하고, 그러다 보니 문제의 뿌리인 원인은 건드리지도 않는다".

Rothwell과 Kazanas(2004)는 새로운 학습 매체 또는 혁신적인 교육-훈련 방식을 도입하는 데 열을 올리는 관리자들은, 자칫 실제로는 존재하지도 않는 문제들을 스스로 만들어낼 수도 있다는 점을 지적한다. 달리 말하면, 관리자들은 혁신을 하지 않는 것 자체를 문제라고 생각한다. 그러나 실제로 이는 문제를 찾아가는 과정에서 발견한 증상으로서 그 자체가 문제의 근본 원인은 아닌 것이다. 이러한 상황은 기업뿐 아니라 초·중등학교나 대학의 관리자, 교수자, 교수설계자, 그리고 기타 부서 임직원들에게

표 3.2 문제 분석이 필요한 시점

변화 유형	사례
수행상 명시적 문제 발견	회사 임직원들의 직무 수행 능력이 떨어지게 되자, 명시지를 공유 전파하고 수행을 개선하기 위한 대안으로 지식관리시스템에 의존하기 시작한다.
학생, 종업원, 또는 자원봉사자의 인구학적 구조 변화	대학은 원격교육 또는 가상 캠퍼스를 재학생 수를 확대시킬 수 있는 방안으로 바라본다. 나아가 중장년층이나 직장인 등 비전통적인 학생측에서는 원격 교육의 유연성을 자신의 학위 취득을 위해 매력적인 조건으로 여긴다.
교육 내용의 갱신 또는 변경	교육 당국은 각 학교에 새로운 커리큘럼을 첨가할 것을 요구하고 있다. 이 새로운 교육 내용에 대한 전문 자격증을 가진 교사가 부족한 소규모 지역 학교의 경우, 원격교육을 통해 전문적인 능력 개발이나 자격증 취득을 위한 학습 자원을 확보하려고 시도하게 된다. 웹을 통해서 학교는 과거 통신 교육 방식으로 배우던 과목을 대체 학습하게 될 것이다.
학위 수여 기관 자격 감사	자원이 부족한 경우, 피검 기관으로서의 대학은 수검 기관인 학위 수여 기관 자격 감사팀의 감사 결과 보고서를 통해 조직 내 문제들을 규명하는 경우가 자주 있다.
기술 또는 장비 상의 변혁	적시에 적정한 수준의 학습 도움을 제공하는 전자 수행지원 시스템이 도입되었다.
철학의 변화	자원을 절약하고 시장 대응력을 제고하기 위하여 기업은 회사의 미션 또는 경영 철학을 바꾸는 경우가 있다. 즉, 조직 축소(직급 체계를 간소화), 횡적 훈련(다른 사람의 직무도 수행할 수 있도록 함) 등을 시도한다.

출처: 표 안의 데이터는 Hannum & Hanson(1989), Rossett(2002b), Rothwell & Kazanas(2004), Smith & Ragan(2005), Wager & McKay(2002)를 참고하였다.

서도 발견할 수 있다. 예를 들어보자. 어느 학교 관리자와 교수자들은 학생들의 표준화 검사 점수가 국가 평균에 비해 낮다는 것을 발견한다. 그러나 낮은 점수 자체는 문제라고 할 수 없을 뿐 아니라 그 문제의 원인은 더욱 아니다. 이 낮은 점수는 증상, 즉 현존하는 문제가 드러난 결과일 뿐인 것이다. Rothwell과 Kazanas(2004)에 따르면 중요한 것은 문제의 원인을 밝혀내어 이를 제거해내는 작업이다. 이 사례에서 이 학교 관리자들이 스스로에게 던져 보아야 할 질문 몇 가지를 제시해보자.

- 왜 낮은 평가 점수가 나왔는가?
- 어떤 영역(학년, 교과 영역 등)에서 낮은 점수가 집중적으로 나타나는가?
- 이런 낮은 점수는 교육청 관내 학교 전체에서 나타나는 현상인가?
- 주로 어떤 조건에서 이런 낮은 점수가 발견되는가?

학교 관리자나 교수자들은 이와 같은 질문에 답해 봄으로써 진정한 문제와 그 원인을 발견해 낼 수 있다. 그 이후에야 비로소 제안된 해결안이 효과를 발휘할 수 있을 것이다.

문제에 대한 잘못된 해결안. 종종 해결안이 문제인 것으로 오해되기도 한다. 예를 들어, 대학교 관리자와 교수들이 웹을 통해 수업을 전달할 필요가 있다고 결정하는 경우가 있다. 그렇지만 학생들에게 온라인 강의를 제공하지 않는다는 것 그 자체가 문제는 아니며, 단지 문제를 해결하기 위한 방안인 것이다. 대학 관계자들은 학생들로 하여금 인터넷과 웹에 접속하는 방식에 따라 대학의 핵심 미션에 어떤 영향을 끼칠 것인지를 검토하기 위해 아래와 같은 질문을 해볼 수 있다.

- 웹을 통해 교수를 제공해야 할 필요성은 무엇인가?
- 웹이 학생 또는 교수나 교직원의 학습과 업무 수행 증진을 위해 어떤 역할을 할 수 있을 것인가?
- 웹의 어떤 '기능' 들이 현재 방식에 비해 더 효과적으로 과제를 수행할 수 있게 해주는 작용을 하는가?
- 이 새로운 기술이 현재 업무를 더 쉽게, 덜 귀찮게, 덜 복잡하게 만들어줄수 있다고 생각하는가?
- 이 혁신은 교수, 학생 서비스 등의 질과 효율을 높이는 데 기여할 것인가?
- 이 혁신은 교육비나 시간을 절감해 줄 것인가?
- 학교 경영상에서의 개선 효과가 나타날 것인가?

WBI 방식으로의 전환이라는 일종의 모험에 대한 검토 작업을 대학의 미션, 교수진, 교직원, 학생을 고려하여 추진해야 한다. 이들로부터 온라인 교육이 해결할 수 있을 진정한 문제가 무엇인지를 규명해 낼 수 있을 것이기 때문이다.

문제의 원인. 수행상 문제의 원인이 무엇인가에 대한 수많은 연구 결과들 중 가장 널리 적용되고 있는 것은 Rothwell와 Kazanas(2004), Stolovitch와 Keeps(1999), Rossett(1987,1999)에 의해 제시된 것이다. 이 셋 중에서도 Rothwell과 Kazanas가 제시한 원인 리스트가 가장 포괄적이다. 이 연구자들은 수행 문제를 세 가지 수준, 즉 조직, 업무 부서, 개인으로 나눈 후, 각 수준별로 수행에 미치는 고유 요인들을 찾아내어 기술하고 있다. 끝으로 이 연구자들은 각각의 고유 요인별로 수행에 미치는 과정을 밝혀내고 수행 문제의 잠재적 원인을 찾아내기 위한 질문 문항을 개발하였다.

Stolovich와 Keeps(1999)는 자신들이 찾아낸 원인 리스트를 기능 및 지식 요인, 정서적 요인, 정치적 요인이라는 세 개의 주요 환경 요인별로 구조화하여 제시하고 있다. 그들이 주장하는 바에 따르면, 이 요인들은 어떤 경우에는 모든 수행 문제에 대해 보편적으로 작용하기도 하고 어떤 경우에는 특수한 수행 문제 각각에 대해서만 독특한 방식으로 작용하기도 한다. 환경 요인들은 조직의 내부 또는 외부에 존재한다. 정서적 및 정치적 요인들은 인센티브 제도라든지 종업원 동기 수준과 관련된다. 지식과 기능을 분리하여 제시하지 않고 통합된 하나의 요인으로 설명하고 있는 점도 Stolovich와 Keeps 분류 체계의 특징이라고 할 수 있다.

Rossett(1987, 1999)은 수행 문제에 영향을 주는 주요 원인으로서 주로 개인 차원에 초점이 맞춰진 네 개의 요인을 규명해냈다. 그녀가 제시한 최신 리스트는, 훈련 요구 중심으로부터 인간 수행 요구 중심으로 확장되었다는 점 외에는 1989년 버전과 전반적으로 크게 다르지 않다. 최신 리스트인 1999년 버전에서 그녀는 개인 차원에서 기능과 지식, 동기의 결여, 직장 차원에서 종업원의 수행을 방해하는 직무 현장의 결함이라는 관점에서 각각의 요인을 설명하고 있다. 그녀의 리스트는 이러한 결점들이 어떤 것인지 사례를 들어 설명하고 있다.

문제 해결 가능성 여부, 그리고 해결 방안의 규명

문제 분석을 위한 두 번째 단계에서는 이 문제가 과연 해결될 수 있는 성질의 것인지, 만약 해결 가능하다면 교수 또는 다른 방법에 의해서 그 해결이 가능한지를 결정하게 된다. 여기에서 우리는 모든 문제가 교수 또는 훈련을 통해 해결될 수 없음을 다시 한 번 확인할 필요가 있다. Hannum과 Hansen(1989)에 따르면 많은 조직에서 "훈련은 종종 *유일한* 해결책으로는 아니더라도, 몇 가지 해결책 중 하나로 제안되는 경우가 많다"(p. 67. 강조점은 저자가 추가함)고 한다. 이 두 연구자는 훈련이나 교육이 자주 대안으로 제시되는 이유는, 그것이 가장 적절한 대안이어서라기보다 가장 손쉬운 대안이기 때문임을 지적하고 있다. 너무나 많은 경우에 관리자나 경영자들은 수행상의 문제를 일으킨 원인이 출처가 전혀 다른 곳임에도 불구하고, 너무나 쉽게 훈련이나 교육이 해결책이라는 결론에 이르곤 한다. 대부분의 경우, 관리자들은 교육이나 훈련이 적절한 해결안인지를 결정하는 데 있어 증상을 무시하거나 면밀하게 검토하지 않는 경향을 보인다. 예를 들어 보자. Z 회사의 경우 오후 작업조는 종이타올 생산 실적에서 늘 목표 대비 부진을 면치 못하고 있다. 반면, 오전 작업조와 야간 작업조는 거의 예외 없이 정해진 생산량을 초과 달성하고 있다. Z 사 생산 부장은 모든 오후 작업조 종업원들로 하여금 목표 달성 교육에 참여할 것을 명령하였다. 그러나 그보다는 오후 작업조의 생산량 감소 원인이 무엇인지를 조심스럽게 검토해보는 것이 더 적절했을 것이다. 예컨대 유지 보수팀이 현장에 상주하지 않고 문제 발생 시 요청에 의해서만 달려오기 때문에 발생하는 빈번한 생산 시설의 오작동이 원인일 수도 있고, 종업원들의 근태 불량이 원인일 수도 있었을 것이기 때문이다.

교육으로 해결될 수 있는 원인이란 대개 기능이나 지식의 부족과 상관관계가 높다. 동기 부족과 관련된 문제들도 교육을 통해 어느 정도는 해결될 수 있지만, 다른 조치들이 더 효과적일 수 있다.

동기나 다른 요인들이 수행 문제의 원인일 때, 교육 외적 대안을 적용할 수 있다. 예컨대 직무도우미, 자원 추가 지원, 업무 지원 체계 개편, 인센티브 시스템의 개선 또는 강화, 부서 조직 개편, 개인별 업무 기강 강화 등을 들 수 있다(Rossett, 1999; Stolovitch & Keeps, 1999; Van Tiem, Moseley, & Dessinger, 2001). 이 책은 그 초점이 WBI에 맞추어져 있는바, 우리는 수행 문제 해결안에 대해서만 언급하기로 한다.

WBI의 적절성 판단

교수설계자라는 직업의식 때문에 우리는 WBI가 어떤 문제에 대해서도 적절한 해결안이 될 수 있을 것 같다는 유혹에 빠지기 쉽다. 그러나 이러한 가정은 가정일 뿐, 결코 확인된 사실은 아니다. WBI가 효과를 발휘하기 위해서는 적절한 조건에서 적절하게 활용되어야 한다. 새로운 혁신을 활용해야겠다는 열정에 빠져 실제의 효능이 종종 과장되기도 하며, 이 경우 WBI 프로젝트는 처음부터 난관을 겪게 된다.

문제에 대한 적절한 해결안을 마련하기 위해서는 교수 전략 또는 방법, 그리고 활용 가능한 전달 시스템에 대한 고려가 선행되어야 한다(Dick et al., 2005). 교수 전략과 전달 시스템은 때때로 분리된 두 가지로 여겨지기도 하지만, 실제로는 서로 얽혀져 있는 경우가 많다. 교수 전략은 전달 수단에 의해 결정되는 부분이 많기 때문이다.

교수 전략 및 전달 시스템과 관련된 의사결정은 교수설계 과정 중 두 군데 시점에서 이루어지게 된다. 첫 번째 시점은 교수 전략을 선택하기 이전에 전달 전략에 관한 의사결정이 이루어진 때이다. 심지어 WBI 프로젝트가 시작되기 이전에 이미 전달 전략에 관한 의사결정이 내려져 있었을 수도 있다. Dick 등(2005)에 의하면, 전달 전략이 이렇게 일찍 결정되는 경우, 교수설계자, 관리자, 경영자, 또는 고객이 이 의사결정을 일종의 전제 조건으로 받아들이게 되어 비판적으로 분석하려 하지 않게 된다는 점을 지적한다. Smith와 Ragan(2005)은 Dick 등의 의견에 동의하면서, 한 걸음 더 나아가 사용하는 ID 모형의 유형(예를 들면, 래피드 프로토타이핑) 때문에, 또는 선택된 전달 시스템이 그 성격상 미디어, 지원 인력 등의 확보를 위한 대규모의 초기 투자가 필요하기 때문에, 전달 전략에 대한 조기 의사결정이 불가피한 경우가 있다는 현실론적 옹호론을 펼치기도 한다.

예컨대, 어떤 대규모 조직에서 온라인 강의에 대한 전략적 의사결정이 조기에 이루어졌다고 하자. 비용, 호환 기술, 그리고 인적 자원 등의 특성으로 인해 선택의 여지없이 특정한 학습관리시스템(LMS)을 사용할 수밖에 없는 상황에 처할 수도 있다. 이러한 강요적인 상황은 교수설계자가 교수 전략을 선택하거나 설계하고 운영하는 방법을 결정하는 데 영향을 미치지 않을 수 없다. LMS는 채팅, 토론방, 웹 링크 등의 기능을 포함한다. 이러한 다양한 기능들이 어떤 식으로 LMS에 통합되어 있는지에 따라 학습 환경에 적절한 교수 전략이 무엇이 될 것인지 달라질 수 있다.

교육 프로그램의 전달 방식에 관한 의사결정이 조기에 이루어졌을 경우, 교수설계자는 교수 전략을 선택할 때 이미 정해진 전달 시스템의 기능이나 용량 등을 고려하지 않으면 안 된다. 이 상황에서 기술은 교수 전략을 결정하는 결정 변수로 작용한다. 웹기반 전달 시스템에 탑재될 교수 목표 또는 내용 유형들은 어떤 것은 시스템 한계로 인해 아예 처음부터 배제되는 수도 있다. 전달 전략이 조기에 이루어진 경우라면 교수설계자들은 다음과 같은 질문에 부딪히게 된다.

- 웹기반 전달 방식으로 수업을 하고자 하는 근본 목적은 무엇인가?
- 제안된 교수 전략은 웹기반 전달 방식과 잘 부합하는가?
- 제안된 학습 과제는 웹기반 전달 방식과 잘 부합하는가?

이와는 달리 교수 전략이 먼저 결정된 후 그 전달 전략이 모색되는 상황은 교수설계자 입장에서는 가장 바람직하다(Dick et al., 2005; Smith & Ragan 2005). Smith와 Ragan(2005)은 전달 시스템을 결정하기 이전에 교수 전략을 선택할 수 있다면, 교수설계자는 상황에 대해 최선의 해결안을 제안할 수 있는 유연성과 선택권을 확보할 수 있게 된다고 한다. 이 경우 전달 전략은 교수 전략을 결정하는 결정 변수로 작용하지 않는다. Smith와 Ragan(1999)은 또한 전달 전략이 후반부에 결정되는 설계 상황은 "정교한 학습 자료를 만들 수 있는 능력, 예산, 시간을 갖춘 교수설계자에게 결정적으로 중요"(p. 286)한 역할을 한다고 주장한다. 예컨대, 온라인 강의 전달을 어떻게 할 것이지를 결정하기에 앞서 교수 전략 규명을 마친 교수설계자라면, 복잡하고 거창한 LMS보다는 값싸고 누구에게나 익숙한 이메일, 리스트서브, 그리고 교수자가 개발한 간단한 홈페이지가 더 효과적인 수업 방식이라고 판단할 수도 있다.

전달 시스템에 앞서 교수 전략을 결정할 수 있는 운 좋은 교수설계자는 문제 분석의 결과 및 그 시사점들로부터 의사결정 요인을 도출해 낼 수 있다. 그렇게 되면 교수 전략의 선택은 전달 전략에 대한 의사결정의 내용을 결정하게 된다. 이 상황에서 교수설계자는 다음과 같은 질문에 답할 수 있어야 한다.

- 문제 분석을 통해 확인된 결과를 기반으로 판단할 때, 웹(전달 시스템)의 기능과 성능은 교수 목적에 부합하는가?
- 웹(전달 시스템)의 기능과 성능은 내용에 부합하는가?
- 웹(전달 시스템)의 기능과 성능은 조직의 정책과 업무 수행 표준 절차에 부합하는가?

그렇다고 WBI의 적절성 여부를 결정하는 작업이 늘 명쾌한 결론에 이르는 것은 아니라는 점도 염두에 두어야 한다. 여러 가지 다른 고려 요소들이 개입되기 때문이다. 학습을 위해 웹을 활용하는 것에는 LMS, 컴퓨터, 인터넷과 웹 접속, 소프트웨어 및 응용프로그램, 그리고 지원 인력 등 관련 제 자원을 할당하고 재분배하는 작업이 포함된다. 따라서 교수설계자는 WBI를 개발하는 과정에서 활용 가능한 시스템과 지원이 어떤 것이 있는지를 찾아내기 위한 노력을 기울일 필요가 있다.

WBI는 웹사이트 저작도구 또는 LMS를 통해 웹페이지를 개발하는 방식으로 제작되기 때문에 교수설계자는 활용 가능한 구체적인 도구들에 대해서도 고려할 필요가 있다(Horton, 2000). 각각의 도구는 그 기능(예컨대 게시판, 채팅, 토론방 등)과 그 실용성(개발용 도구의 활용 가능성과 사용 용이성 등), 측정 및 평가 도구, 등록, 회계 시스템, 그리고 사용에 따르는 요금 체계 등에서 나름의 독특한 특성을 보유하고 있다. 따라서 교수설계자는 다음과 같은 점도 고려해야만 한다.

- WBI 설계 및 개발을 위한 시간은 충분한가?
- 예산, 인력, 도구 등 WBI의 설계 및 개발을 위한 자원은 충분한가?
- 교육 콘텐츠와 내용 전문가의 조언은 활용 가능한가?
- WBI를 수강할 학생들은 있는가?
- 온라인 강의를 가르칠 교수자는 있는가?

앞서 논의된 점들 외에 WBI는 내용 유형에 따라 그 효과가 달라진다는 점에 유의할 필요가 있다. 심동적 또는 정의적 영역에서의 학습 결과는 웹기반 전달 방식으로 달성하기가 어려울 수 있다. 특히 신체적 수행이 포함되며 면밀한 수행 관찰과 정교한 피드백이 주어져야 하는 내용에서는 더욱 그러하다. 배구에서 서브를 넣는다거나 하키에서 골을 방어한다든지 정확한 *푸에테*(발레 동작)를 취하게 한다든지 하는 내용이 그 예가 될 수 있다. 그러나 WBI는 기본 개념이나 다양한 스포츠나 게임의 기본 지식

(예: 게임의 목적, 규칙, 필요한 게임 플레이어의 숫자, 기본적인 점수 계산 방식 등)을 다루는 데는 완벽하게 잘 들어맞는 방식이다. 이외에도 웹은 신체적 적응성과 관련된 이슈나 고려 사항에 대해 교수자와 학생 간에 토론을 유도하는 용도로는 매우 훌륭한 전달 매체가 될 수 있다. 예컨대 스트레스를 줄이는 데 가장 좋은 유형의 운동이 무엇인지, 훌륭한 스포츠맨 정신은 어떠해야 하는지, 대학 운동선수들에게 학비를 징구하는 것이 정당한 것이지 등은 웹을 통해 잘 다룰 수 있는 체육 관련 내용이 될 수 있다.

정의적 영역에 속하는 학습 결과는 역할 연기처럼 면대면 상호작용을 활용하거나, 웹기반으로는 부적절한 상황적 뉘앙스나 언어적 및 비언어적 대화에 대한 관찰 및 피드백을 필요로 하기도 한다. 예컨대, 공감적 카운슬링 또는 분노 관리 기법의 적용, 교섭 능력의 시연, 또는 자기 주장 훈련을 목표로 하는 수업에서 온라인 강의 방식은 최적의 대안이 되기 힘들다. 카운슬링 이론이나 심리치료법과 같은 이론에 관한 주제라면 WBI를 통해 적절하게 전달할 수 있을 것이다.

이러한 구분은 명료해야만 한다. WBI는 언어적 정보, 개념, 그리고 규칙 적용 등의 교수 목표에는 적절하지만 수행 관련 결과 수준이 정의적 또는 심동적 영역일 경우에는 부적절한 경우가 많다.

생각해보기

웹기반 전달에 적절하지 않은 학습 유형에는 어떤 것들이 있는가? 대안적 수업으로서 WBI의 적절성을 판단할 때 고려해야 할 기타 요인들로는 무엇이 있는가?

WBI 프로젝트의 주제는 무엇인가? 무엇이 여러분의 프로젝트로 하여금 웹기반 전달 방식에 적절하게 만드는가?

WBI 프로젝트의 주제를 택하는 데 도움이 필요하다면, 자매 사이트 (www.prehall.com/davidson-shivers)를 참고하자.

문제 분석 결과 보고서 작성

문서 작성 작업은 문제 분석이 종료되면 곧바로 시작되며, **설계 문서**로 알려진 보다 포괄적인 보고서의 일부로 삽입된다. 설계자들은 WBI 설계 단계 내 각 파트에서 일어났던 모든 사안들을 표와 그림이 곁들여진 문서로 기록해두기 위해 '설계 문서' 를 활용한다.

'설계 문서' 는 WBI 프로젝트가 복잡할 경우, 또 설계팀원들이 프로젝트의 영역별로 나뉘어 작업하는 경우에 그 가치가 더욱 커진다. '설계 문서'는 이러한 다양한 분야별 노력들이 조화를 이루어 통합적이며 일관된 결과물, 즉 우수한 WBI로 완성되는 데 큰 도움을 주기 때문이다. 인간의 기억이란 자주 실수를 하기도 하고 지각된 정보는 오류를 포함하기 때문에 '설계 문서'는 여러 팀원들과 이해당사자들 사이에 정확한 커뮤니케이션 통로를 열어주는 데에도 기여한다. WBI 프로젝트에 관여한 모든 사람들이 열람할 수 있는 정확한 기록을 유지하기 위해서도 중요한 역할을 한다.

'설계 문서'에는 데이터 수집과 분석의 절차, 그리고 문제 분석 단계에서 파악된 결과 등이 기록된다. 교수설계자는 문제를 규명하여 교수학습 활동 측면에서 해결전략 혹은 다른 대안을 제시한다. '설계 문서'의 이 부분은 분석 작업에 참여한 사람이 누구이며, 어떤 원자료가 분석되었으며, 자료 수집에 활용된 기법이 무엇이었는지도 포함한다. 측정도구는 대개 별첨으로 제공된다. 표와 차트는 텍스트를 보강하기 위해 사용되기도 한다. '설계 문서'는 종종 권두 요약서 또는 개요로 시작하되, 본문에는 상세한 내용이 담겨 있어야 한다.

설계자들은 의사결정자들을 위해 잠재적인 해결안을 규명해내는 간단한 역할에서부터 이 규명된 해결안들 중에서 최적안을 선별하는 일에 이르기까지 다양한 지시를 받게 된다. 따라서 '설계 문서'는 모든 해결 대안들을 위한 충분한 정보를 포함하고 있어야 한다. 그럼으로써 이해당사자들이 확신을 갖고 하나의 대안을 선택할 수도, 교수설계자의 추천안에 대한 논거나 정당성을 명확히 이해할 수도 있게 된다.

GardenScapes 사례

미국의 한 작은 도시인 Westport에 소재한 Clatskanie 전문대학(CJC)의 평생 원격교육 학과(CDE)에는 본래 가정용 정원 가꾸기 및 조경에 관한 과목은 하나밖에 개설되어 있지 않았었다. '조경학 기초: 작은 숲에서의 즐거운 하루(Garden Basics: Just Another Day at the Plant)'라는 제목의 이 과목은 높은 인기를 누리고 있고, 그 결과 지난 5년 동안 수강생 규모가 점증하고 있다. 이 조경학 기초 과목의 목표는 토양 유형과 기후대 등 기초적인 조경 개념들을 가르치고 그 지역에서 정원수로 사용하는 수종들을 분류할 수 있도록 하는 것이었다. 현재는 학생들의 요구를 수용하여, 잔디 깎기와 벌초를 위한 기본적인 도구를 관리하고 사용하는 방법을 포함하고 있다.

과목 담당 강사인 Kally는 후속 과목을 개발하여 아마추어 정원사들로 하여금 세련된 정원과 뜰을 설계하고 정원의 초점을 이루는 영역과 나머지 영역 간의 조화를 이루는 방법을 가르칠 수 있기를 바랐다. 그녀는 과거 강의 평가 보고서, 이전 수강생들과의 인터뷰, 조경 과목 신규 개설을 요청하는 취지의 전화 통화 내용 기록 등 다양한 자료를 분석하면서 아이디어를 짜내기 시작했다.

CDE 소속 직원 중 한 명이 Kally를 도와 가정용 정원 및 손수 설계하는 정원에 대한 수요가 지난 5년 동안 급격하게 증가하고 있다는 문헌을 찾아내기도 했다. 추세 분석가들은 주택 수리 및 정원 관리 기구 전문점, 양판점, 관련 책자 및 잡지, 그리고 새로운 텔레비전 프로그램과 방송국 등도 성장일로에 있다고 밝히고 있다. 이 문헌 연구 결과와 지금 맡고 있는 과목을 통해 얻은 경험을 바탕으로 Kally는 CDE 직원들과 함께 이 후속 과목 개발을 위한 제안서를 작성, CJC의 신규 커리큘럼 인가 절차에 따라 심사위원회에 제출하였다.

이 '설계 문서'에는 현재 수행 수준과 바람직한 수행 수준에 관한 진술 모두가 문제(격차) 규명을 위해 사용된다. 아래 표는 이러한 내용들을 포함하고 있다.

현재 수준	문제(격차)	바람직한 수준
기초적인 정원 관리 기술 수준	기초 수준과 고급 수준 간의 격차를 메워 줄 기능 부족	테마가 있는 정원 설계가 가능한 수준
수강생 규모의 감소	현재 수강생을 유지하면서 추가 학생 모집	수강생 규모의 확대

문제 진술문을 약술하면 아래와 같다.

주택 소유자들 중 자신의 정원이나 뜰을 가꾸는 데 많은 시간을 보내려는 사람의 수가 증가하고 있다. 이들 중 상당수는 그들의 귀중한 정원을 관리하는 데 필요한 지식과 기능을 갖고 있지 못하다. 그들에게는 정원 관리도구나 수종, 기후대 등 기초적인 수준을 넘어서는 고급 정보가 필요하다.

신규 과목인 *GardenScapes*는 이 고급 기술을 다루게 될 것이다. 이 과목은 가정 내 조경물을 개선할 수 있는 정원 설계를 하고자 하는 수강생들에게 도움이 될 것으로 기대되고 있다.

Kally는 온라인 강의에 관한 대학 경영진의 관심사에 대해서도 잘 알고 있다. 이 대학 경영진은 새로운 학생층을 확보하는 데 진력하고 있다. 그들은 공개강좌나 정규 과목을 웹으로 전달하는 대안의 가능성을 탐색하기 위해 이미 몇 년 전에 원격교육에 대한 정책 연구를 실시한 바 있다. 비록 연구 결과가 일관되게 나타나지는 않고 있지만, 경영진이 판단컨대 웹은 수강생 규모를 늘릴 수 있을 뿐 아니라, 교수자나 사무 공간 신축 또는 개축과 관련된 비용 등 여러 측면에서 경비를 절감하게 해줄 잠재력을 갖고 있는 것으로 파악되고 있다.

Kally와 학과 직원들이 생각하기에, 경영층의 관심에 부응하기 위한 전략으로서 웹은 교수 전달 매체로서 적절한 매체이며, 대학의 시장점유율을 확대할 수 있는 잠재력 또한 갖추고 있는 것으로 보였다. Kally는 신규 과목 개설 제안서에 웹 전달 방식이 갖는 이런 장점에 대해 아래와 같이 적어 넣었다.

WBI로 과목을 개설할 경우, 다음과 같은 목표 달성이 가능해질 것이다.

1. *수강생은 특정한 시간과 장소에 캠퍼스로 와야 하는 번거로움 없이 집에서도 공부할 수 있다. 이는 학생과 교수 모두에게 WBI 운영상의 유연성과 편리성을 제공한다.*
2. *정원 관리와 조경 관련 웹사이트를 본 과목에 참고 자료로 삽입하여 학습자들의 지식과 기능 심화에 도움을 줄 수 있다.*
3. *본 과목은 먼 곳에 거주하는 신입생들을 학교로 끌어들일 수 있을 것이다.*

결과적으로 신규 과목 개설안은 승인을 받았다. Kally의 이 보고서가 '설계 문서'의 일부가 된 것은 물론이다.

대학은 교수설계직 인턴사원으로 Elliott Kangas를 채용하여 Kally가 WBI을 설계하고 개발하는 작업을 돕도록 해주었다. 교수학습개발센터 소장인 Carlos Duartes는 자신의 지도교수이기도 한 Myers 대학교 교수인 Judith Chauncy 박사와 함께 Elliot의 관리감독을 맡게 되었다.

GardenScapes '설계 문서' 에 관해서는 자매 사이트 (www.prenhall.com/davidson-shivers)를 참고하자.

생각해보기

먼저 문제 분석 단계로부터 여러분의 WBI 프로젝트 기획을 시작해보자.

- 여러분이 제기하고자 하는 문제의 요지는 무엇인가?
- 문제를 드러내는 증상으로는 어떤 것들이 있는가?
- 문제의 근본 원인은 무엇인가?
- 교육 프로그램이 이 문제의 해결을 위한 최적의 대안인가?

• WBI는 적절한 교육 프로그램의 대안인가?

주어진 상황에서 현재 수준, 바람직한 수준, 그리고 문제(격차)를 규명하시오. 데이터를 어떻게 수집할 것이며, 그 분석 결과를 '설계 문서'의 일부로서 어떻게 정리할 것인지 설명하시오. 자료 분석 결과를 조직화하기 위해 다음에 제시될 각종 표와 양식을 활용하시오.

(다른 교수설계자들이 동일한 문제들을 어떻게 해결하고 있는가를 알아보기 위해 이 장의 후반부에 제시된 사례 연구를 살펴보기 바란다.)

문제 진술문을 작성해보자. 이때 문제 해결 절차와 그 과정에서 발견한 사실들을 진술해보자. 왜 이 문제가 교수라는 솔루션을 통해 해결될 수 있다고 생각하는지 근거를 밝혀보자. 나아가 교수 전달 방식 중에서도 가장 적절한 솔루션이 왜 WBI이어야 하는지를 설명해보자.

'설계 문서' 템플릿을 인쇄하려면 자매 사이트
(www.prenhall.com/davidson-shivers)를 참고하자.

문제 분석을 마친 후 교수 상황의 네 가지 요소를 분석하는 두 번째 단계로 넘어가게 된다. 이 단계는 교수가 최선의 솔루션임이 입증된 경우에 한하여 시도되어야 한다.

교수 구성요소 분석

분석에 있어 두 번째 단계는 교수 상황의 네 가지 구성요소, 즉 교수 목표, 맥락, 학습자, 내용을 검토하게 된다. 먼저 교수 목표(instructional goal)와 그 결과 수준(output level)을 규명하게 되는데, 이 작업은 분석의 나머지 단계들에 영향을 미치게 된다. 교수 맥락(instructional context) 분석은 교수가 이루어지는 환경을 검토하게 된다(그림 3.2). 학습자 분석 단계에서는 잠재적인 수업 참여자들의 특성을 파악한다. 내용의 구성요소들은 내용 분석 과정을 통해 주요 절차들과 하위 기능들로 분해된다. 이러한 여러 분석의 과정들을 통해 교수설계자는 최종 목표 진술문을 작성할 수 있게 된다. 이 분석 작업은 나머지 WBI 설계 단계들에 필요한 이슈와 시사점들을 밝혀내준다(Davidson, 1988; Davidson-Shivers, 1998). 이 장의 이후 부분에서 우리는 이 처음 세 가지 요소들을 분석하는 작업에 대해 상술할 것이다. 제4장에서 네 번째 구성요소, 즉 내용 분석 및 각각의 분석 결과가 제시하는 시사점에 관해 집중적으로 다룰 것이다.

▶ 그림 3.2 교수 구성요소 분석

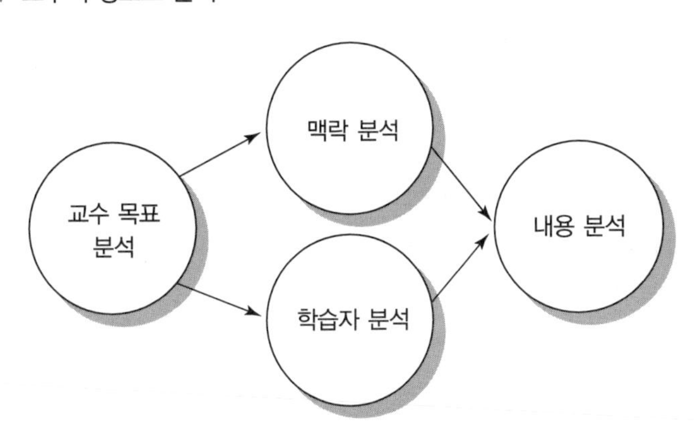

통상 교수설계자는 교수 목표 및 학습 결과 수준에 대한 정보를 수집하고 분석하는 작업에 먼저 착수하게 된다. 그러나 나머지 세 가지 구성요소 분석을 위한 순서는 상황에 따라 달라질 수 있으며, 교수설계자의 프로젝트 과제 성격에 대한 이해, 개인적 선호, 과거 경험, 그리고 전공 영역 등을 기초로 하는 주관적 판단에 의해 결정되곤 한다. 우리의 경험에 따르면, 내용 분석에 앞서 맥락 분석 및 학습자 분석을 실시하는 것이 바람직하다. 한편 다른 교수설계자는 내용 분석부터 착수하는 것을 선호하는 경우도 있다. 어떤 순서를 채택할 것인지는 개인적인 선호도 또는 설계자의 교육적 배경에 의해 결정될 문제이다.

교수 목표란 무엇인가

교수 목표 규명이란 그 교수의 핵심을 대표할 수 있는 하나 또는 두 개 정도의 문장 형태로 문제의 내용을 진술하는 작업을 말한다. 교수 목표는 교수 종료 시점에서 학습자들이 수행할 수 있게 될 행동에 관한 일반적인 진술이다. 이 목적 달성을 위해 필요한 학습 결과의 유형은 이어지는 분석 단계에서 규명된다(Davidson, 1988). 이 교수 목표 분석을 교수 이외의 수단, 예컨대 직무도우미, 인센티브 제도의 변화 등이 아닌 교수를 통해서만 달성할 수 있는 것이어야 한다. Dick과 그의 동료(2005)들에 따르면 교수 목표를 제대로 분석한다면 학습 결과 수준에 관한 명확한 진술문을 작성하는 것은 결코 어렵지 않다. 교수 목표는 규명된 문제 및 교수 환경과도 관련되어 있다.

학습 결과 유형의 결정. 교수 목표를 정의하는 작업 중 학습 결과물의 수준을 규명하는 것은 중요한 부분이다. 학습 영역(domain of learning)(Dick et al., 2005)으로 불리기도 하는 학습 결과란, 학습 목적을 구성하는 특정 유형의 학습을 의미하는데, 문제 분석 결과로부터 규명된다. 학습 결과의 유형을 나누기 위한 분류 체계에는 여러 가지가 있다.

이들 중 가장 널리 알려진 분류 체계로는 'Gagné(Gagné, 1985, 1987)의 학습의 범주(Categories of Learning)' 와 'Bloom의 분류 체계로 널리 알려진 '인지적 영역의 목표 분류 체계(Taxonomy of Objectives for the Cognitive Domain)' (Bloom 등, 1956) 두 가지를 들 수 있다. 학습의 범주 이론은 태도, 운동 기능, 인지 전략, 언어적 정보, 지적 기능 등 다양하게 학습 결과 유형을 분류한다(Gagné, 1985; Gagné, Wager, Golas, & Keller, 2005). 지적 기능의 범주를 세분화하면 다섯 가지 하위 범주로 나뉜다. 따라서 총 아홉 가지 학습 결과물로 분류하는 셈이다. Gagné는 이 아홉 가지 하위 범주 각각에 대해 고유한 행위 동사, 즉 학습된 능력 동사(Learned Capability Verb, 이하 LCV)를 제시하였다. Bloom의 분류 체계는 다섯 가지의 범주로 인지적 영역 목표를 분류하고 있다.

교수설계자들이 '학습의 범주' 에 대해 잘 알고 있는 반면, Bloom의 분류 체계는 일반 교사들에게 더 잘 알려져 있다. 이 두 가지 분류 도식은 Bloom의 분류 체계에 일부 수정이 있었던 것을 제외하고는 오랜 시간을 거치면서도 그 원형을 유지하면서 살아남을 수 있었다. 2002년에 Krathwohl은 Bloom의 분류 체계상에서 몇 가지 수정이 필요하다는 점을 지적하였다. 수정 내용에는 알기 차원에 '메타인지' 를 추가하는 것이 포함되어 있다. 그 결과 Bloom의 분류 체계는 Gagné의 인지 전략 범주와 더 비슷한 모습을 갖추게 되었다.

이 두 가지 외에 다른 분류 체계들도 지속적으로 개발되어 왔다. 예컨대, '정의적 영역의 학습 목표 분류 체계(Krathwohl, Bloom, & Masia, 1964), 심동적 기능을 위한 학습 목표 분류 체계(Simpson, 1972), 그리고 운동기능 학습을 위한 학습 목표 분류 체계(Singer, 1982) 등이다. 교수설계자와 교수자들에게 최근에 제시된 이 세 가지 분류 체계는 Gagné나 Bloom의 분류 체계에 비해 생소하게 느껴질 것이다. 이 세 가지 분류 체계는 주로 학교 상담가, 상담교육가(정의적 학습)나 체육교육 전문가, 운동 코치(운동기능 학습) 등 특수 분야 교육자들에게 잘 알려져 있는 편이다. 표 3.3은 Gagné의 학습 범주 이론을 LCV, 개념 설명, 사례, 그리고 다른 유사 분류 체계와의 관련성 비교를 중심으로 요약, 정리하고 있다.

인지적 영역과 관련된 다양한 학습 결과 유형은 유·초등 및 중등, 대학 등에서 공통적으로 가르쳐지고 있다. Gagné 등(2005)은 초보 교수설계자의 경우 인지적 영역(예: 지적 기능) 목표를 먼저 다루고, 이후 경험이 쌓이게 된 이후 점차 정의적 또는 운동기능 영역을 통합해가는 식으로 단계적으로 접근해 갈 것을 권고하고 있다. 교수 목

표 3.3 Gagné의 결과의 범주

학습 범주	LCV	설명	사례	유사 개념
언어적 정보	진술하다	선언적 지식; *사물 속성*에 대한 지식(knowing what); 나열하다, 이름 붙이다, 기술하다 등	화학 원소를 진술한다.	**Bloom의 알기** 동사(나열하다, 외우다, 명명하다, 연결시키다, 말하다 등)
지적 기능 *오름차순으로 5가지 기능을 아래에 제시*	(아래 참조)	절차적 지식; *방법*에 대한 지식(knowing *how*); 선언적 지식을 적용하기 위한 지식		
구분	구분하다	구체적인 속성을 들어 유사성과 차이점을 비교하기	두 가지 소리가 같은지 다른지를 구분한다.	
구체적 개념	규명하다	구체적인 아이디어, 대상물, 또는 사건을 찾아내고 이름을 붙이기	다년생 식물의 사례 및 비사례에 당하는 식물들을 찾아낸다.	**Bloom의 이해** (설명하다, 논의하다, 기술하다. 요약하다, 해석하다 등)
정의된 개념	분류하다	정의된 의미별로 추상적인 개념, 사건, 그리고 대상물들을 유목화하고 그에 이름을 붙이기	민주적인 정부에 해당하는 사례들을 정확히 분류한다	**Bloom의 이해**
규칙사용 또는 규칙 적용	적용하다	저차적인 절차적 지식을 적용하기; 다양한 상황들 간의 관련성을 찾아내기	다양한 기하 문제들에 대해 정확한 수학적 정리를 적용한다.	**Bloom의 적용** (수행하다, 예언하다, 전이하다, 연산하다, 계산하다, 인터뷰하다 등)
고차적 규칙 또는 문제 해결	생성하다	문제 상황을 평가하고, 그 해결을 위해 적용 가능한 개념 및 규칙을 결정하고, 2개 또는 그 이상의 규칙들을 혼합하여 적용하기	주거 지역 설계를 위해 환경 친화적인 방안을 강구한다.	**Bloom의 분석, 종합, 또는 판단**(분석하다, 차별화하다, 창조하다, 설계하다, 글을 쓰다, 평가하다, 판단하다, 증명하다 등)
인지 전략	적응하다	학습자 자신의 정보 처리 또는 인지 처리 과정을 통제하고 감시하기 위한 학습하기	인지 과정을 감시하기 위해 독백 전략을 활용한다.	**메타인지 지식:** Bloom의 교육목표체계의 일부 변형(Krathwohl, 2002)
태도	선택하다	개인이 어떤 행위를 선택하고 가시화시키는 학습하기	마약을 사용하라는 권유를 들었을 때 이를 거절한다.	Krathwohl의 정의적 영역 목표 분류 체계에서 세분화

표 3.3 Gagné의 학습 결과의 범주 (계속)

학습 범주	LCV	설명	사례	유사 개념
운동기능	실행하다	균형 잡히고 정교하게 신체적 운동 기능을 학습하기	뒤로 공중회전을 한다.	**Simpson**의 목표 체계 또는 **Singer**의 심체동작적 영역 분류 체계에서 세분화

출처: 표 안의 데이터는 Bloom 등(1956), Davidson-Shivers (1998), Gagné(1985), Gagné 등(1992), Krathwohl(200), Krthwohl 등(1964), Simpson(1972), Singer(1982)를 참고하였다.

표 중 인지적 영역에 속하는 것들이 웹을 통해 전달되기가 쉽다. 예를 들자면,

- 사실, 분류, 기본적인 정보(Gagné의 언어 정보와 관련)
- 아이디어, 개념, 적용, 그리고 문제해결 학습 결과물(Gagné의 지적 기능 내 고차적 규칙과 관련)
- 학습 전략과 공부 방법(Gagné의 인지 전략과 관련)

학습 결과와 교수 목표를 매칭시킴으로써 WBI를 설계하는 이후 과제들 간의 정합성을 유지할 수 있는 기초가 마련된다. 또한 WBI 개발 팀 구성원들 간에 프로젝트에 관한 공유된 이해 및 의사소통 과정에서의 일관성을 확보할 수도 있다.

교수 목표 수립에 관한 데이터 수집. 문제 분석 결과를 보완하기 위해 교수설계자는 내용 전문가나 최종 사용자를 대상으로 설문이나 인터뷰, 문헌 분석을 실시하여 추가적인 데이터를 얻을 수 있다. 여기서 *내용 전문가*란 교과 내용, 학습자, 맥락 등에 관한 전문 지식을 갖춘 사람을 말하며, 교수자, 교육 담당자, 내용 관련 저자, 그리고 경험 많은 실무자 등이 그 역할을 맡을 수 있다. *최종 사용자*란 교육 과정의 잠재적 참여자로 지목된 사람들을 말한다. 앞으로 WBI에 참여할 것으로 예상되는, 또는 이미 유사한 수업을 듣고 있는 학습자 또는 훈련생이 최종 사용자가 될 수 있다. 수업 평가 결과 보고서, 학습자 성적 및 점수, 출결 및 수강 취소 이력 등은 학습자의 의견과 성공 가능성에 관한 정보를 제공하는 좋은 문헌 자료가 될 수 있다.

참여자 또는 문헌을 분석할 경우, 교수설계자는 조직의 자료 수집 및 보고에 관한 내규를 먼저 살펴보아야 한다. 사람을 피험자로 사용할 경우, 자료 수집 과정에서 소속 조직은 물론 피험자 개인으로부터 실험을 위한 사전 허락을 얻어두어야 하는 경우가 많다. 기존 문헌에 접근하여 활용하려는 경우도 마찬가지로서, 조직 및 개인의 허락을 필요로 한다. 개인 피험자의 익명성 보장을 위해 데이터 분석 결과는 개인별 정

보 대신 집단 합계나 총액 등 집계 형태로만 제시하는 것이 바람직하다.

자료 수집 방법에 관한 추가정보는 부록 A를 참고하자.

교수 목표 진술서 초안 작성하기. 예상되는 교수 목표와 그 학습 결과에 관한 데이터를 수집하고 나면 교수설계자는 교수 목표 진술서 초안을 작성하게 된다. 이 문서는 최종 버전에 앞서 만드는 예비 문서로서 이후 추가 정보 수집 결과에 따라 수정될 수 있다.

교수 목표는 전체 학습 과정상에 나타나는 모든 단계들을 포함하는 총괄적인 진술 형태로 작성되어야 한다. 따라서 포괄적으로 작성될 수밖에 없지만, 그렇다고 그 방향성이 모호하거나 애매해서는 안 되며(Smith & Ragan, 2005), WBI 설계 과정에서 교수설계자를 가이드해 줄 수 있을 정도로 충분히 명료하게 진술되어야 한다.

교수 목표 진술서는 학습자들이 수업 종료 후에 비로소 할 수 있게 될 활동을 기술하는 데 초점이 맞춰지게 된다. 일반적으로 말하자면 교수 목표는 학습자 집단이 아닌, 학습자 개인의 수행 개선을 지향한다(Smith & Ragan, 2005). 만약 구성주의적 학습 접근법이 사용될 경우, 이 교수 목표는 개별 학습자만으로는 달성하기 어려운 수준, 예컨대 사회적 상호작용이 포함된 활동에 초점이 맞춰질 수도 있다(Driscoll, 2005). 목표 진술서는 측정 가능한 형태로 기술됨으로써 평가자들이 학습자들의 성취 수준을 정확히 파악할 수 있도록 해야 한다.

목표 진술서는 교수자보다는 학습자 중심으로 작성되어야 한다. 진술의 초점이 교수자가 어떤 활동을 할 것인가(예컨대, '교사는 권리장전을 설명한다' 또는 '강사는 춤 스텝을 시연한다' 등)에 있는 것이 아니라, 학습자가 지식으로 알거나 또는 행동으로 수행할 수 있는 행동('학습자는 권리장전에 대해 설명할 수 있다' 또는 '학습자는 춤 스텝을 시연할 수 있다' 등)에 맞추어져야 한다. 목적 진술문은 수업 활동('참석자들은 데이터 입력을 위해 매뉴얼을 읽는다', '학생들은 대수학 교재의 1번에서 3번까지 문제를 푼다', 또는 '학습자들은 문예 워크시트 작성을 완료한다')을 기술하기 위한 것이 아니다. 그보다는 이런 활동을 하는 목적과 이유에 관심을 집중해야 한다. 또한 목표 진술서는 학습 결과 평가('학습자들은 지필고사를 통해 합격점을 받거나 퀴즈를 성공적으로 풀 수 있어야 한다')을 위한 것은 아니다. 왜냐하면 지필고사, 프로젝트, 과제물 등은 평가나 사정을 하기 위한 도구이지 교수 목표 자체는 아니기 때문이다. 표 3.4에 목표 진술문의 올바른 사례와 잘못된 사례가 제시되어 있다.

교수 목표 진술서 문서화하기. 교수 목표 도출을 위한 절차, 수집된 데이터, 분석 결

표 3.4 교수 목표 진술서의 바른 사례, 잘못된 사례

바른 사례	잘못된 사례
WBI를 마치면 [학습자, 참여자, 또는 학생]은 다섯 가지 갈등 관리 기법에 대해 설명할 수 있다.	WBI를 마치면 [학습자, 참여자, 또는 학생]은 갈등 관리 문제를 해결하는 방법에 대해 잘 알게 된다. (쉽게 측정하기 어려운, 모호한 교수 목표)
WBI를 마치면 [학습자, 참여자, 또는 학생]은 구성주의, 행동주의, 인지주의 학습 이론의 기본적인 차이점과 유사점을 설명할 수 있다.	구성주의, 행동주의, 인지주의 학습 이론의 기본적인 차이점과 유사점에 대해 설명할 것이다. (교수자 또는 교수 활동 중심으로 진술)
WBI를 마치면 [학습자, 참여자, 또는 학생]은 교실 내에 컴퓨터 기술을 도입해야 하는 10가지 이유를 규명할 수 있다.	수업을 마친 후 학생은 20문항으로 구성된 선다형 문제를 치르게 될 것이다. (학습자가 교수 목표를 달성했는지 여부를 측정하는 평가 도구)
WBI를 마치면 [학습자, 참여자, 또는 학생]은 종업원의 수행 지침서를 개발할 수 있다.	학습자들은 수행 목표 기준을 수립하고 이를 놓고 종업원들과 의사소통하는 방법에 관한 자료를 독해할 것이다. (교수 내 활동을 진술)

과, 그리고 목표 진술서 초안은 모두 '설계 문서' 내에 포함된다. 이 작업을 마친 후 교수설계자는 교수 상황의 구성요소 중 남은 세 가지(맥락, 학습자, 내용)를 계속해서 분석하면서, 동시에 그 결과에 따라 목표 진술서를 수정해간다. 따라서 최종 버전이 작성되기까지 문체, 학습 결과물의 유형, 또는 완전 학습을 위한 제 조건상에서 늘 수정이 가해지는데, 이는 바람직한 현상이다.

GardenScapes 사례

Elliot과 Kally는 교수 목표 진술서 초안 마련을 위해 이미 실시했던 문제 분석 결과를 검토하고 있다. 분석 결과에 따르면 이 수업은 성인들로 하여금 자기 집 정원을 가꿀 수 있도록 돕기 위해 마련된 것으로서, 고급 조경 기술을 그 내용으로 담아야 할 것으로 보고 있다. 이 결과를 바탕으로 그들은 다음과 같이 교수 목표 진술문을 작성하였다.

교수 프로그램이 종료되면 참여자들은 기본 조경 가이드라인과 절차에 부합하면서, 동시에 자신의 취향에도 맞는 조경테마를 설정하고, 이를 바탕으로 'GardenScapes 계획'을 수립한 후, 이 계획에 따라 정원을 개발할 수 있게 될 것이다.

Elliot과 Kally는 학습자들이 기본 컨셉과 가이드라인(조경과 정원 손질에 관한)을 이해하고, 이에 맞도록 조경 계획을 수립한 후, 이 계획을 실제로 적용할 수 있어야만 한다고 판단하게 되었다. 그 결과 WBI 목표 달성을 위한 학습 결과물의 수준은 Bloom의 목표 분류 체계상의 '응용', 또는 Gagné의 학습 범주상의 '지적 기능'에 해당한다고 보았다.

GardenScapes '설계 문서'에 관해서는 자매 사이트 (http://www.prenhall.com/davidson-shivers)를 참고하자.

생각해보기

여러분 스스로 자신의 교수 목표 진술문을 작성하고, 학습 결과 수준을 규명한 후 이를 '설계 문서'에 넣어보자. 이때 문제 분석의 결과가 교수 목표 진술을 위한 기초로 활용될 수 있도록 유의해야 한다. 하나 또는 두 문장 정도로 간단하게 교수 목표를 기술하는 것이 바람직하다. 교수 목표 진술문은 학습자 중심으로 작성해본다. 즉, 수업을 마친 후 '학습자' 들이 무엇을 할 수 있게 될는지에 초점을 맞추는 것이다. 교수 목표가 웹기반 전달 방식에 적합한 것이지를 검토해보자. 교수 목표에 맞는 학습 결과물 수준을 규명하기 위해 Gagné의 학습 범주 또는 다른 목표 분류 모형을 사용하는 것이 좋다.

(다른 교수설계자들이 동일한 문제들을 어떻게 해결하고 있는가를 알아보기 위해 이 장의 후반부에 제시된 사례 연구를 살펴보기 바란다.)

교수 맥락이란 무엇인가

교수설계자가 교수 목표를 결정하는 것만큼이나 중요한 것은, 교수 맥락 또는 환경을 분석하는 것이다. 맥락 분석은 WBID 모형에서 목표 분석 다음에 이루어지는 또 하나의 분석 작업이다. 맥락 분석은 WBI가 전달되는 환경적 상황을 진술하고, 주어진 학습 상황 내에서 여러 요소들의 성능과 규격을 결정하는 두 가지 목적을 갖고 있다(표 3.5 참조). WBI 맥락 분석에서 면밀하게 검토되어야 할 것으로는 조직의 인프라, 직원들의 역량, 그리고 학습자들의 기술에 대한 이해 수준 등이다.

조직 인프라. 조직 인프라는 그 조직의 기계 장비 구성뿐 아니라 경영 및 관리 방식까지를 포함하는 개념이다(Davidson-Shivers, 2002). WBI 설계에 영향을 미치는 네 가지 맥락 범주로는 자원(시설과 장비), 경영층의 지원, 조직 문화, 그리고 WBI의 소유권 등이 있다.

이 맥락 분석 단계에서 결정적으로 중요한 과제는 WBI를 위해 가용한 기술적 자

표 3.5 WBI를 위한 맥락 분석의 주요 구성요소

주요 구성요소	특성
조직 인프라	• 자원(예컨대, 가용한 시설, 기술적 자원, 정보화 지원 체계 및 서버 환경) • 관리 기능 • 조직 문화 • WBI 개발 산출물의 보유자
직원 배치 및 역량	• 교수자의 기술적 및 교수설계적 지식 및 교과 내용 지식 • 교수설계 지원 인력 • 기술 지원 인력 • 행정 지원 인력
학습자 소재지 및 기술적 요소	• 학습자 소재지(같은 지역인지 국내 또는 세계 전역에 걸쳐 분포하는지) • 학습자 소재지(도시인지 농어촌인지) • 일반적인 기술적 요구사항(하드웨어의 속도 및 기억용량, 운영체제) • 요구되는 유틸리티 및 응용 프로그램의 종류

원이 어느 정도까지 확보될 것인지 수준을 파악해내는 것이다. 기술적 자원으로는 WBI를 설계, 개발하고 탑재하게 될 컴퓨터와 서버가 포함된다. 교수설계자는 조직이 갖추고 있는 컴퓨터 시스템의 종류, 학습관리시스템(LMS)의 보유 여부, **지원 체제** (**help desk**; 수강 신청 기능, 조교, 직원교육용 교재 등)의 유형과 가용성 등을 고려해 두어야 한다. 소프트웨어, 이메일 시스템, 인터넷 브라우저 등의 종류와 적절성 여부, 그리고 컴퓨터 하드웨어와의 호환성 등도 파악되어야 한다.

조직 경영 및 관리 체계 또한 이 단계에서 고려해야 할 측면들이다. Schermerhorn (1999)에 따르면 경영 활동은 네 가지 기능으로 구성된다. 즉, 기획, 조직화, 시행 주도, 통제이다. 조직 구조의 탈중심성, 수평성은 대개 그 조직의 경영 스타일 및 이들 네 가지 기능이 작동되는 양상을 짐작하게 해주는 지표가 된다. 누가 어떻게 의사결정을 내릴 것인가를 결정하는 것 또한 WBI 설계 활동에 직접적인 영향을 미칠 수 있다.

또 다른 고려 사항은 조직 문화와 관련되어 있다. Hellreigel, Slocum, Woodman (Mosley, Pietri, Megginson, 1996에서 재인용)에 따르면 *조직 문화*란 "조직의 핵심 정체성을 구성하는 공유된 철학, 가치, 신념 그리고 행동 패턴(p. 95)"으로 정의된다. Mosley 등은 조직 내에서 업무가 추진되는 공식적 절차 외에 문화의 중요성을 강조하였다. 이들 연구자에 따르면 조직 문화는 종업원과 경영자의 성격, 보상 및 승진 체계, 그리고 업무처리 절차와 의사결정 구조가 결정되는 방식 등과 깊은 관련이 있다.

조직 문화의 일부로서 관리 또는 경영 활동이 WBI 개발에 어떤 지원을 할 수 있

을 것인지에 관한 폭넓고 심도 있는 검토가 있어야 한다. 그렇게 함으로써 교수설계자는 최고위 경영층, 중간관리자, 일선 현장 관리자로부터의 지원, 인센티브 제도, 전문능력 육성 및 훈련 시행 현황, 조직 내 제 자원에의 접근성 등을 알아낼 수 있기 때문이다.

교수설계자는 WBI 시스템 소유권의 귀속과 그 적정 사용을 위한 정책, 그리고 설계와 운영에 관한 조직 내 제반 정책에 대해서도 파악해 두어야 한다. 저작권 및 수업용 교·보재에 관한 정책(대학 교수에게 귀속되는 지적 재산권과 대학이 가져야 할 적정한 사용권 간의 조정, 그리고 민간 기업, 비영리조직, 영리조직 등 조직 성격에 따르는 배타적 사용 및 소유권에서의 차이점 등)도 반드시 살펴보아야 한다. 소유권 문제는 고용 시점에 맺은 계약서, 직무 수행에 따르는 보상 정책(예컨대, 고용계약서 관련 관행 및 규정 등), 그리고 웹기반 이외의 수업 및 수업용 교·보재 사용 유형과 비교될 만한 정책 등 여러 이슈들과 맞물려 돌아간다.

확보 인력 및 보유 역량. 맥락 분석의 일환으로 교수설계자는 WBI 개발 및 운영과 관련된 인력들의 능력과 기능 수준을 분명히 파악해 두어야 한다. 교수설계자는 온라인 강사들이 내용, 웹 기술, 교수설계와 교수 활동에 관해 어느 정도 전문성을 갖추고 있는지에 관한 정보와 데이터를 모으고, WBI과 관련된 다른 직무 담당자들의 기능과 능력에 대한 정보를 수집한다. 교수설계자는 다음과 같은 문제들에 관해 고민해야 한다.

- 교수자와 교수설계자들에게 어떤 유형의 교수설계적 또는 기술적 지원이 확보될 수 있는가? 웹 전달을 위해 교수설계자, 기술 지원 담당자, 교수자 등으로 구성된 팀이 확보될 수 있는가? 아니라면 교수자 혼자서 교수설계자와 기술지원 담당자의 역할을 도맡아야만 할 상황인가?
- 교수설계자와 교수자를 도와주기 위해 어떤 유형의 행정 지원 인력이 확보될 수 있는가?
- 웹기반 설계 및 개발, 그리고 운영 과정에서 지원 인력이 확보된다면, 그 시점은 언제인가?
- 교수자를 지원하는 조교는 누가 될 것인가? 교수설계자와 학습자는 누가 도와주는가?
- 만약 지원 인력이 배당된다면, 어떤 절차를 거쳐 그들을 활용할 수 있는가? 활용 가능 시간대가 고정되어 있는가, 아니면 지원 신청을 할 때마다 바로바로 지원을 받을 수 있는가? 이 외에 다른 어떤 기준이 있는가?

• 이러한 지원을 받으려 할 때 교수설계자는 어떤 행정 절차를 거쳐야 하는가?

학습자의 소재지와 기술적 환경. 맥락 분석의 대상 범위에는 원격 학습자의 소재지와 그들의 기술적 환경을 파악하는 작업이 포함된다. 공간적 거리(소재지)와 시간적 거리(질의-응답 간 시차)는 WBI 전략을 선택하는 데 영향을 미치게 된다. 예컨대, 학생들이 학교 가까운 곳에 산다면 캠퍼스에 출석하여 면대면 수업을 할 수 있다. 그러나 만약 상당수 학생들이 전 세계에 걸쳐 흩어져 있다면 캠퍼스 안에서의 면대면 수업은 불가능하게 되며, 동시적 채팅을 하기도 어려울 것이다. 소재지의 다른 측면, 즉 학생들이 도시에 사는지 또는 농어촌에 사는지 등도 수업용 사례, 연습 문제 등을 개발할 때 고려해야 한다.

맥락 분석을 통해서 학습자가 갖추어야 할 공통적인 기술적 요구 사항이 무엇인지 알아낼 수 있다. 특히 학생들이 기능과 종류 면에서 천차만별인 각자의 개인 컴퓨터를 사용해서 인터넷과 웹 접속을 해야 할 경우, 기술적 요구 사항을 파악해야 할 필요성은 더욱 절실해진다. 유・초・중등학교 및 대학교 내에서 학습자들은 대개 컴퓨터와 웹 접속이 가능하다. 대학의 경우 학생들에게 캠퍼스 밖에서의 인터넷 접속을 필수사항으로 요구하기도 하며, 교직원과 간부들에게 직업 훈련의 목적으로 당연히 필요한 웹과 컴퓨터 접근성을 기본으로 제공하는 경우도 있다.

교수설계자는 컴퓨터 처리속도, 기억용량, 운영체제 등 명세를 분명히 밝혀주어야 하고, PDF 읽기 소프트웨어, 사운드 및 비디오 레코더 및 플레이어 등 수업에 필수인 유틸리티나 응용 프로그램이 있다면 이 또한 알려주어야 한다. 이러한 요구 조건들은 설계 초기에 결정될 수도 있다. 만약 사전에 결정되지 않았다면 설계와 개발 과정에서 관련 의사결정을 내려도 된다. 그러나 학습자들을 위한 정확한 기술적 요구 사항들은 파일럿 테스트 시점보다는 먼저 결정되어야 한다. 최종 운영보다 훨씬 앞서 결정되어야만 한다는 것은 말할 것도 없다. 기술적 필요 사항에 대해서는, 추후에 세부적인 명세가 제시된다는 전제하에서, 예비적 아웃라인만 결정되어도 큰 문제는 없다.

교수 맥락에 관한 데이터 수집. 건물 설계도, 조직도, 규정집, 뉴스레터지, 연간 경영보고서 등 기존 문헌자료들은 시설, 물리적 환경, 경영 스타일 등에 관한 유용한 정보를 제공해준다. 실제 교수가 이루어질 장소를 방문하여 관찰할 수 있다면 이를 통해 시설과 장비의 물리적 배치에 관한 유용한 정보를 얻을 수 있다. 교수진, 트레이너, 기술 및 행정 지원 조교, 학습관리시스템 관리자 등과의 인터뷰 또는 설문은 맥락에 관한 추가적인 정보를 얻는 귀중한 기회가 될 수 있다.

데이터 수집에 관한 추가정보는 부록 A를 참고하자.

맥락 분석 결과 문서화 및 보고. 교수설계자는 반드시 맥락 분석의 결과를 문서화하고 정보 취합 과정에서 활용한 자료 수집 기법을 보고해야 한다. 또 WBI 자체를 위해, 그리고 앞으로 남아 있는 설계 절차들을 위해 시사점을 줄 수 있다고 생각되는 주요 측면들을 명세화해야 한다.

GardenScapes 사례

Kally와 Elliot은 인터뷰, 설문, 그리고 캠퍼스 내의 다양한 장소에 대한 현장 방문 등을 통해 그들이 제안한 과정과 관련된 정보를 모으기 시작했다. 그들이 '설계 문서' 에 적어 놓은 맥락 분석 내용의 일부를 아래에 제시하였다.

Clatskanie 전문대학의 인프라

Clatskanie 전문대학(이하 CJC)의 교수학습개발센터(TLDC)는 종합적인 교수-학생 지원 시스템을 갖추고 있다. 이 시스템은 다양한 형태의 원격 및 분산 학습 환경에서 살고 있는 학생들뿐 아니라 신임 교수진을 위한 폭넓은 내용의 입문교육을 실시하기 위해 개발 중인 WBI 프로젝트들을 지원하고 있다. 지원인력으로는 교수와 학습자를 도와주는 요원들 외에 개별 교수를 돕는 학생 실험 조교들이 있다.

TLDC는 교수진 개발을 위한 컴퓨터 실습실을 보유하고 있다. 각 컴퓨터 실습실은 동시에 10명까지 수용가능하며, 아래와 같은 장비와 교·보재가 설치되어 있다. 이 장비들은 3년 주기로 교체 또는 업그레이드되고 있다.

- *충분한 저장 용량과 메모리, 그리고 인터넷 및 웹 접속 기능을 갖춘 10대의 최신형 멀티미디어 컴퓨터*
- *디지털 카메라 세 대와 디지털 비디오카메라 한 대*
- *사무 자동화(OA)용 소프트웨어, 웹사이트 편집기, 디지털 미디어 편집기, 그래픽 저작도구 등 다양한 소프트웨어*
- *개발물 완성 시 수업 진행을 위한 운영 서버 1대 외에 개발자 간에 공유가 가능한 개발용 서버 1대*
- *교수 전략, WBI 개발용 각종 템플릿, 그리고 기타 교육용 및 지원용 자료*

이 컴퓨터 실습실은 교수진에게 개별화된 지원과 소그룹별 훈련 기회를 제공할 수

있도록 설계되어 있다.

CJC 소속 전임 교수들은 자신의 연구실에 인터넷 접속, 이메일, 그리고 교수로서의 연구-수업에 필요한 각종 소프트웨어를 갖춘 최신 컴퓨터를 보유하고 있다. 이 외에 HTML 편집기, 그래픽 패키지, 사무자동화 소프트웨어 등 다양한 소프트웨어를 필요 시 활용할 수 있다. CJC의 지원 제도 안에는 학습관리시스템이 포함되어 있다. 이 시스템에는 채팅 시스템, 토론 기능, 학생들의 과제 제출을 위한 과제 제출함, 그리고 성적 조회 기능 등 다양한 기능을 갖추고 있다. Kally를 포함한 비전임 교수들은 컴퓨터 1대를 갖춘 연구실을 공동 활용한다.

전임 교수들은 WBI 개발을 위해 한 과목에 해당하는 강의 시수 축소 혜택을 받는다. 그러나 개발이 끝나 수업을 진행하게 되면 추가적인 시수 축소 혜택을 누릴 수 없다. 단, 개발과 수업을 동시에 하는 경우는 예외이다.

WBI 개발은 창조적 작품 제작 실적으로 인정되어 CJC 관리자와 교수들의 승진 및 정년직 보장에 일부 가점 항목이 되고 있다. Clatskanie 전문대 교수진에 의해 최종 검토와 승인을 받기까지 WBI 개발과 운영은 표준적인 캠퍼스 지적 재산권 정책의 관점 하에서 관리된다. 즉, 교재를 개발한 과목 담당 강사는 지적 재산권을 보유하고 CJC는 적절한 범위 내에서 그 사용권을 행사할 수 있다.

기술 지원팀

온라인 강사와 학습자는 헬프데스크 기능을 통해 TLDC로부터 지원을 받을 수 있다. 헬프데스크는 원격 및 분산 학습 환경에 있는 참여자들이 기술적 문제에 봉착할 경우, 이를 해결하는 데 주력하고 있다. 지원 서비스는 온라인뿐 아니라 직접 방문 또는 전화나 데스크톱 화상회의 시스템 등을 통해 다양한 방식으로 제공된다. 지원팀은 온라인 강의에의 접속 문제 또는 기타 자질구레한 문제들을 면대면으로 처리해주기 위해 별도의 사물실을 보유하고 있다. 지원 요원들은 품질 관리에 만전을 기하기 위해 함께 WBI과 관련된 각종 프로그램들이 본격적으로 사용되기 이전에 그것들을 검수하는 일도 맡고 있다.

인력 지원팀

교수진은 TLDC로부터 시설과 인력을 지원받는다. 그들은 TLDC 개발실을 사용할 수도 있다. TLDC 지원 인력은 교수설계자, 컴퓨터 프로그래머, 그래픽 디자이너, 웹 개발자 등이며, 이들은 원격 교육 시스템을 위한 전략을 개발하는 데 있어 교수진에게 필요한 지식과 지원을 제공한다.

Myers 대학교의 교육공학 전공 석사 과정 학생들로 구성된 조교들은 TLDC에서

인턴으로 일한다. 특정 교수에게 배당되지 않는 인턴들은 컴퓨터 실습실 안에서 근무하도록 되어 있다.

GardenScapes WBI 프로젝트를 위해 배치된 인력

GardenScapes WBI를 위해 배치된 인력과 그들에게 요구되는 개인 역량은 다음과 같다:

강사인 Kally는 Westport 시 Golden Valley 식물원에서 자원봉사자로 일하고 있는 조경 기능장이다. Kally는 5년 전쯤 조경학 기초라는 독창적인 과목을 개설한 이래 현재까지 그 수업을 맡아 가르치고 있다. 그녀는 학부에서 사회학을 전공했고 본래 직업은 사회사업가였다. 그녀는 7년 전 Westport 식물원과 연계된 주정부의 농업 관련 평생교육 프로그램 과정을 이수함으로써 조경 기능장의 자격을 얻게 되었다.

조경 관련 과정을 5년 전부터 가르쳐왔지만 그녀는 교육학이나 교수설계 분야에서 정규적인 교육을 받은 적은 없다. 그녀는 이 분야에서 TLDC 직원의 도움에 의존하게 될 것이다.

교수설계자인 Elliott은 Westport시 소재 Myers 대학교의 교육공학과 석사과정 학생이다. 그는 전공 분야 프로그램에서 필수 과목을 전부 이수했고 대부분의 선택 과목도 마친 상황이다. 그는 CJC의 TLDC 소장인 Carlos Duartes 밑에서 인턴직을 맡게 되었다. 그가 맡은 인턴직의 주요 역할은 CDE에서 웹기반 및 멀티미디어 수업을 개발하는 과정에서 도움을 주는 것이다. Carlos는 Elliot의 첫 번째 인턴십 프로젝트로 Kally의 GardenScapes 과정 설계 조교직을 맡긴 것이다.

TLDC의 다른 지원 인력들에 관해서는 이 WBI 프로젝트에서 필요할 때마다 대응하는 형태로 참여하고 있으므로 그들의 역할이 구체화될 때마다 각각에 대한 소개를 하도록 하겠다.

학습자 소재지와 기술

GardenScapes 과정의 처음 몇 강좌에 참여하는 동안 대부분의 학습자들은 학교 인근 지역에 거주할 것으로 예상되었다. Westport는 비교적 작은 도시로서 그 주위는 시골풍으로 둘러싸여 있는데 특히 북쪽과 남쪽 지역이 더욱 한적하다. 그러나 수업 참여자의 거주지 분포는 그 주(洲)는 물론 나라 전체, 경우에 따라서는 세계 다른 국가로까지 확장될 수 있으므로 이 점이 과정 운영 방식에 영향을 미칠 것으로 예상되었다.

이 과정을 수강하기 위해 학습자들은 가급적 직장과 가정 모두에서 컴퓨터와

인터넷에 접속할 수 있어야 한다. 만약 그것이 불가능하다면 CJC의 컴퓨터 실습실을 사용할 수 있다. 기술 요구 사항이 정확히 규명되는 교수설계 시점이 되면, 온라인 과정에의 접속을 위한 구체적인 기술적 요구 사항이 도출될 수 있을 것이다.

생각해보기

여러분이 수행하고 있는 WBI 프로젝트의 맥락을 분석하자. 표 3.5를 템플릿으로 활용하여 조직의 인프라 및 각종 자원, 행정지원 사항들의 가용성 및 역량을 규명하고 분석해보자. 프로젝트를 위해 투입 가능한 인력의 이름을 명시하고, 교육 내용, 기술, 교수설계 등 영역별로 그들이 갖고 있는 역량을 진술해보자. 수업을 듣게 될 학습자들에게 요구되는 기술적 요구사항의 일반적 개요를 적어보자.

이 분석 결과를 여러분의 '설계 문서' 의 공식 내용 중 일부로서 작성해보자. 여러분의 WBI 프로젝트에 배당될 자원과 인력 또한 첨부하자.

여러분이 수행한 맥락 분석 결과가 WBI 프로젝트상의 설계, 개발, 운영 등에 어떤 시사점을 줄 것인지에 대한 고민을 시작해보자. 여러분은 이 시사점들을 나중에 '설계 문서' 에 첨부할 시점을 맞게 될 것이다.

(다른 교수설계자들이 동일한 문제들을 어떻게 해결하고 있는가를 알아보기 위해 이 장의 후반부에 제시된 사례 연구를 살펴보기 바란다.)

GardenScapes '설계 문서' 에 관해서는 자매 사이트 (www.prenhall.com/davidson-shivers)를 참고하자.

학습자는 누구인가

학습자 분석의 목적은 WBI에 참석하게 될 사람이 누구인지, 그들의 특성은 무엇인지를 파악해내는 데 있다. 교수설계 관련 문헌을 살펴보면 이 학습자 분석은 학습자 집단의 특성과 개인 간 차이점 및 유사점을 밝혀내는 것임을 알 수 있다(Cornell & Martin, 1997; Davidson, 1988a; Dick et al., 2005; Smith & Ragan, 2005). 학습자 특성 파악은 매우 중요하다. 학습자들에게 흥미롭고 알찬 WBI를 설계할 수 있도록 해주기 때문이다.

학습자 분석 작업 중에는 목표 학습자층의 이질성 정도를 파악하는 것이 포함된다. 만약 학습자 집단이 이질적이라면 WBI의 설계, 개발, 운영 등에 심대한 영향을 미칠 수 있다. 조사해 보아야 할 학습자 특성으로는 일반적인 인구학적 특성, 동기 수준, 사전 지식, 의사소통 기능 및 기술 기능 수준, 장애 특성 보유 여부 등이다(표 3.6).

표 3.6 WBI에서 학습자 분석 시 고려해야 할 주요 요소

학습자 분석 주요 요소	세부 변수
일반적 특성	• 성별 • 인종 • 연령 • 일반적인 수학 능력 • 교육 정도 • 직무 경험 • 읽기 능력
동기	• 흥미도 • 호기심 • 귀인 • 열망 • 인내력/의욕
사전 지식	• 교과 내용 친숙도
의사소통 기능	• 문서를 통한 의사소통 능력
기술 기능	• 키보드 입력 기능 • 기술 친숙성 • 파일 유형별 조작 능력(워드 문서, PDF, SWF, JPEG 등) • 이메일, 토론방, 채팅 기능 • 인터넷과 웹 사용 기능 및 친숙성 • 자료 검색 기능
장애 특성	• 지체 장애 • 이동성 장애 • 시각 장애 • 학습 장애 • 청각 장애 • 언어 장애 • 발작증
학습자 기타 특성	• 개인 성격 특질 • 학습 양식 • 학습 불안감

일반적 특성. 일반적 특성이란 성별, 인종, 연령, 일반적 수학 능력, 교육 수준, 직무 경험, 그리고 읽기 능력 등을 지칭한다(Davidson, 1988; Dick et al., 2005; Smith & Ragan, 2005). 일반적 학습자 특성을 찾아내게 되면 교수설계자는 목표 학습자군 내

의 공통성과 이질성을 발견해 낼 수 있다. Smith와 Ragan(2005)은 성별과 인종 요인에 관한 정보 수집과 관련하여 중요한 지적을 하고 있다(저자들이 연령 요인을 추가하였음). 이 연구자들은 "특정 성별이나 인종[또는 연령]이 정보 처리 과정상에서 남다른 행태를 보인다고 여기기 때문이 아니라, 집단으로서 특정 성별, 인종[또는 연령]이 공통적으로 갖고 있는 독특한 경험 환경이 다른 집단과 현저하게 다르기 때문에 이 요인들에서의 차이에 주목하게 된다" 고 말한다(p. 64).

목표 학습자 집단이 보이는 차이점과 공통점을 찾아내기 위해 학습자 특성을 살펴보는 작업은 WBI 설계 및 운영 방향을 결정하는 데 중요한 영향을 준다. 따라서 학습자 분석을 충실히 한다면 학습자의 성공적 학습을 돕는 데 크게 기여할 수 있다. 예컨대, 학습자 분석을 하게 되면 어떤 목표 학습자 집단에게 더 적절하고 흥미로운 최적의 사례가 무엇인지를 알 수 있다. 학습자 집단이 인종, 성별, 연령 면에서 이질적이라면 수업에 사용할 사례 또한 다양해질 필요가 있다.

학습 동기. Cornell과 Martin(1997)은 학습 동기를 흥미, 호기심, 귀인, 열정 등이 복합된 포괄적 개념으로 정의한다. 이 연구자들은 학습 동기는 WBI 설계 상황에서 특히 중요한 역할을 수행한다고 주장한다. 원격교육 과정에서 중도 탈락률은 약 30에서 50퍼센트에 이르는 것으로 추정된다(Moore & Kearsley, 1996). 따라서 학습자의 호기심과 흥미도 수준을 찾아내게 되면 그들로 하여금 끝까지 인내심을 갖고 수업에 임함으로써 결국 수료율을 높일 수 있다는 점에서 학습 동기 분석은 각별히 중요하다.

사전 지식. 교과 내용에 대한 사전 지식은 학습 결과를 예언하는 가장 강력한 설명 요인이 된다(Driscoll, 2004; Omrod, 2004; Smith & Ragan, 2005). 적절한 사전 지식은 새로운 교과 내용에 대한 친숙도 수준을 결정할 뿐 아니라 기억이 잘 되도록 돕는 역할도 한다. 학습자의 사전 지식에 관한 정보는 교수설계자로 하여금 학습자들이 학습 환경 속으로 '갖고 오는(bring)' 진입 행동이 무엇인지를 알 수 있도록 해 준다. 교수설계자는 이 정보를 내용 분석 또는 학습 과제 분석과 함께 활용함으로써, 가르쳐야 할 내용 중 어느 지점에서 교수가 시작되어야 하는지를 결정할 수 있도록 해준다. 이 지점은 쉽게 말하자면 '기준선을 중심으로 위 또는 아래' 라는 식으로 불리기도 한다. 이 표현은 문자적 의미와 도상적 의미를 동시에 갖는다. 이것에 대해서는 4장에서 다루도록 한다.

의사소통 기능. 어떤 교수 상황에서도 학습자가 의사소통을 원활히 한다는 것은 바람직하다. 특히 WBI 학습자들에게 의사소통 능력은 결정적으로 중요한 기능이다. 학습자와 교수자가 면대면 접촉 없이 분리된 상태에서 만나기 때문에 개별 학습자들이 글로 자신을 표현하고 또 이해할 수 있어야 하기 때문이다. 따라서 교수설계자는 학생들의 의사소통 수준을 파악해내는 방도를 찾아야만 한다.

컴퓨터 활용 능력. 온라인 학습에서 학습자가 기본적인 컴퓨터 활용 능력을 갖추고 있는지 여부는 학습 성공에 결정적인 영향을 미친다. 예컨대 대부분의 의사소통이 문자의 형태로 이루어지기 때문에 타이핑 능력이 중요해진다. 다양한 포맷의 문서(HTM, HTML, JPEG, GIF, PDF 등)를 다룰 줄 아는 능력, 이메일을 보내고 토론방 및 채팅 기능을 활용하는 능력, 파일을 업로드 및 다운로드할 수 있는 능력 등 필요한 기능의 보유 여부를 확인하는 작업은 수업 초기 안내 세션을 준비하는 데에도 도움을 준다. 동시에 기술적 문제를 해결할 수 있는 지원 인력의 필수 역량과 경험 수준도 파악해 두도록 한다.

컴퓨터 기술을 활용해 본 경험은 웹기반 환경에서 학습자의 수행에 영향을 미칠 수 있다. Abbey(2000)에 따르면 학습자의 웹 탐색 기능은 지각, 탐색, 정보처리 능력 및 인지 전략 구사 능력만큼이나 WBI의 성공 여부에 영향을 미치는 것으로 나타났다. 이 여러 속성들은 학습자가 정보를 탐색하여 이해하고 동료 학습자 및 WBI 자료와 상호작용하는 방식과 깊이 관련되어 있다.

장애 유무. 1990년에 발효된 미국 장애인 보호법(The Americans with Disabilities Act, ADA), 웹 접근권 보장조치(W3C, 2001) 등은 시민들 누구에게나 전자적 접근권(electronic accessibility)이 보장되어야 한다고 규정하고 있다. 미국 국내법뿐 아니라 국제적인 차원에서도 관련 정책이나 법제적 장치들이 마련되고 있다(French & Valdes, 2002). 따라서 WBI 설계자들은 이동성 장애, 시각 장애, 학습 장애, 청각 장애, 언어 장애, 그리고 발작증 등을 포함한 여러 형태의 장애를 가진 사람들에게도 접근권을 보장하기 위해 노력해야 한다(Burgstahler, 2002; Joint ADL Co-Laboratory, 2001; W3C, 1999,2000,2001). 이 외에 색맹 등 다른 형태의 신체적 제한성에 대해서도 고려하는 것이 바람직하다. 잠재 학습자군 내에서 장애 특성을 규명하는 일은 그들로 하여금 WBI으로부터 배제되지 않도록 해준다는 측면에서 점차 시급한 과제가 되고 있다.

학습자 기타 특성. 교수 맥락, 내용, 목표에 따라서 개인 성향, 학습 양식, 학습 불안감 등 학습자의 특성에 대해서도 분석할 필요가 있다. 만약 모든 학습자의 특성을 고려할 수 있다면 이후에 다시 학습자 분석을 할 필요는 없을 것이다. 교수설계자는

WBI 설계 및 운영에 직접적으로 관련되는 학습자의 특성이 무엇인지를 실용주의적 관점에서 선택해야만 한다.

교수설계자는 학습자 분석 결과를 바탕으로 설계, 개발, 그리고 교수 전략의 실행(예컨대 질문의 유형, 제시될 잘된 사례 및 잘못된 사례, 상호작용 전략 등) 방식을 결정하게 된다. 규명된 학습자 특성은 WBI 인터페이스의 매력적 설계, 사용 단어의 난이도, 정보 제시 문구의 어조 결정에도 도움을 준다.

학습자에 관한 데이터 수집. 학습자에 관한 데이터는 평점, 적용 관찰, 표준화 측정 도구 활용(학습 불안감 측정도구, 학습양식 측정도구 등), 설문 조사(과거 및 현재 학습자 대상) 등을 통해 얻을 수 있다. 목표 학습자를 가르쳐 본 경험이 있는 교수자나 트레이너 또한 훌륭한 정보원이 될 수 있다.

학습자에 관한 자료 수집 방법에 관한 추가정보는 부록 A를 참고하자.

학습자 분석 결과의 서면보고. 목표 학습자의 특성에 대한 서면 보고서 역시 '설계 문서'의 일부로 활용된다. 이때 데이터 수집 및 분석을 위해 적용된 절차와 측정도구에 대해 기술하는 것이 중요하다. 분석 결과 알게 된 사실들을 WBI의 설계, 전달, 운영에 주는 시사점과 함께 제시해야 한다.

GardenScapes 사례

Kally는 Elliot에게 최근 '조경학 기초' 강의에 참여했던 학습자들에 관한 분석 보고서(과정 평가서 등)를 제출하였다. Elliot은 수업 이수자들 중 몇 명을 대상으로 기본적인 인구학적 정보, 조경 기능 수준 및 조경에 관한 흥미도, 기술에 대한 성향, 그리고 컴퓨터 활용 능력 등을 묻는 14문항짜리 설문을 실시했다. 그는 응답자가 편리하게 답할 수 있고 분석도 쉽도록 리커르트 척도를 사용한 응답시트를 사용하기로 결정했다. 이 외에 반응자들이 개방형 질문에 답을 써 넣을 수 있는 여백도 마련하였다. 그의 데이터 수집 및 분석 결과, 다음과 같은 결론에 이르게 되었다.

*GardenScapes*의 잠재적 학습자는 다양한 연령대 및 사회경제적 계층에 속한 성인들임을 알 수 있었다. 그들 중 일부는 전문직 종사자인 데 반해 어떤 사람들은 서비스 직종이나 기술직, 상업 등에 종사하고 있었다. 교육 수준 또한 다양하여 고졸자와 기능대학 출신으로부터 상당수의 대학 졸업자, 그리고 소수의 대학원 졸업자들이 포함

되어 있었다.

그러나 이 집단 내에는 공통점도 있었다. 모두가 정원 조경에 관심이 높은 주택 소유자들이었고 집 뒤뜰을 더 아름답게 꾸미기를 원하고 있었다. 일부는 스스로 정원 가꾸기를 하고 있었지만 돈을 주고 용역을 맡기는 경우도 많았다.

이들은 모두 적절한 수종을 선택하고 조경 기술을 적용함으로써, 건강하면서도 아름다운 정원을 설계하는 방법을 이해할 수 있기를 바라고 있었다. 한편 교수설계자와 교수자는 이 학습자들이 모두 자발적 학습자라는 사실도 알게 되었다. 즉, 참여자들은 이 수업이 필수 과목이 *아니었음*에도 '스스로 원해서 수강' 하고자 하였던 것이다. 따라서 그들의 흥미도와 학습 동기는 높을 것으로 예상되었다.

Elliot과 Kally는 학습자 중 상당수가 WBI를 전혀 경험해 본 바가 없다는 사실도 알게 되었다. 이 점에서는 Kally 또한 마찬가지였다. 현존 자료 분석에 따르면 기술에 대한 사전 지식 측면에서 매우 큰 개인차를 발견할 수 있었다. Kally는 이번에 Elliot과 함께 교수설계 프로젝트를 하게 되면서부터 웹 사용 경험을 얻게 되었지만, Myers 대학교 IDT 프로그램에서 제공하는 WBI를 자세히 살펴볼 수 있었다.

대부분의 목표 학습자들이 선수 과목인 *조경학 기초*를 수강했기 때문에 신규로 개설될 후속 고급 과정 수강을 위해 필요한 사전 지식을 갖고 있을 것으로 예상할 수 있었다. '조경학 기초' 를 수강하지 않은 일부 사람들 또한 신규 과목에 대한 관심을 표명하고 있었다. 첫 번째 과목인 '조경학 기초' 에서 다루었던 주제와 관련하여 다음과 같은 사전 지식 및 기능이 필요한 것으로 판단되었다.

1. 일년생, 이년생, 다년생 식물의 차이를 설명할 수 있다.
2. 덤불 식물과 나무의 차이를 진술할 수 있다.
3. 인근 지역의 계절적 · 기후적 특성을 진술할 수 있다.
4. 자신의 정원 중 특히 관심을 갖고 있는 영역이 양달, 부분 양달, 부분 응달, 응달 중 어디에 속하는지 판단할 수 있다.
5. 필요 시 토양 조건에 따라 흙 성질을 개선할 수 있다.
6. 정원 조경에 필요한 기본 도구들이 무엇인지 찾아낼 수 있다.
7. 정원 식물의 건강한 성장을 위해 필요한 기본 조건들을 나열할 수 있다.

사전 지식을 갖추지 못한 일부 학습자들을 위해서 웹사이트와 보조교본이 제공됨으로써 최소한의 지식을 갖추도록 도와야 한다는 점에 Elliot와 Kally는 동의하게 되었다.

이 설문 조사에서 Elliot은 WBI을 설계할 때 고려하기 위해 응답자들의 신체장애 여부도 확인하였다. 그러나 아무도 이 질문에 응답하지 않았고, 개인 프라이버시 문제와 관련하여 구체적인 장애 부위와 정도에 대한 정보는 얻을 수 없었다. 그럼에도 Elliot과 Kally는 필요할 경우 TLDC 지원팀들에게 여러 형태의 장애를 수용할 수 있는 수단에 관하여 자문을 구해야겠다고 마음먹었다.

그들은 설문 결과만으로는 과거 학습자들의 의사소통 기능에 관해 평가를 내릴 수 없었다. 이때 Kally는 면대면 교수 상황에서 토론과 활동 등에서 학습자들이 생동감 있게 참여했던 사실을 기억해냈다. 그녀는 조경학 기초가 주로 실습 위주 과목이었기 때문에 학습자들의 글쓰기 능력에 대해서는 아는 바가 거의 없는 형편이었다. 그렇지만 학력에 관한 데이터를 활용하여 기본적인 읽기 및 쓰기 능력을 짐작해 볼 수 있었다.

Elliot이 *GardenScapes* '설계 문서' 작성을 위해 실시했던 설문지는 자매 사이트(www.prehall.com/davidson-shivers)를 참고하자.

생각해보기

독자 자신의 목표 학습자 집단을 정의하고, 교수설계에 적절한 정보가 될 만한 학습자 특성을 다음 질문에 답을 하는 형태로 진술해보자. 여러분의 학습자는 누구인가? 표 3.6을 활용하여 이 질문에 대한 답을 정리해보자.

학습자의 사전 지식, 기능, 경험, 또 부족하다고 생각되는 지식이나 기능, 컴퓨터, 이메일, 웹 등 기술 활용 능력에 관해서 빠짐없이 살펴보기 바란다. 필요할 경우 학습자들이 기술에 대해 느끼는 태도 및 성향, 가상 학습 환경에서 공부해야 하는 데 따르는 불안감에 관해서도 주의를 기울이도록 하라. '목표 학습자들 사이에 어떤 공통점과 유사점이 발견되는가?' 에 주목하자.

이외에, 학습자들의 수업 선택 과정이 순수하게 자발적이었는지, 아니면 구직 활동, 학위 취득 또는 자격 취득 등 때문이었는지도 살펴보라. 과목 선택 배경은 WBI 설계에 어떤 영향을 미칠 것인지, 그들의 학습 동기 수준에 대해 독자 여러분은 어떤 평가를 내리고 있는지 등도 기술하자.

학습자에 관해 필요한 정보를 얻는 데 어떤 방법이나 도구를 스스로 개발 또는 차용할 것인가? '설계 문서' 내에 이 자료 수집 도구에 관해 설명하고, 활용 예시를 제시하라. 여러분은 도구를 스스로 개발할 수도 있지만, 경우에 따라서는 구입하거나 다른 사람의 설문지를 일부 보완하여 사용할 수도 있을 것이다. 이 경우 사용에 대한 허락을 얻어야 할 뿐 아니라, 참고자료의 인용 정보를 밝혀야 한다는 점도 잊지 말자.

이제 이렇게 수집된 정보들이 WBI의 교수설계, 개발, 그리고 전달 과정에 어떤 영향을 미칠 것인지에 대해 생각해 볼 단계가 되었다. 이러한 고민의 결과는 이후 '설계 문서'의 일부로 첨부될 것이다.

(다른 교수설계자들이 동일한 문제들을 어떻게 해결하고 있는가를 알아보기 위해 이 장의 후반부에 제시된 사례 연구를 살펴보기 바란다.)

마무리하기

수행상의 문제점과 그 원인을 밝혀내는 작업은 분석 단계의 핵심이다. 밝혀진 문제에 대한 최적의 해결책을 찾아내는 일은, 조직은 물론 학습자 또는 종업원들에게 영향을 미칠 수 있는 변화를 창출하기 위한 요체가 된다. 교수설계자는 문제와 해결책을 찾아낸 후, 교수 목표, 맥락, 그리고 학습자에 대한 분석에 돌입한다. 이 정보는 교수설계자로 하여금 교수 목표와 학습 결과 수준을 명료화하고, 교수 맥락의 주요 측면들을 자세히 정리할 수 있게 해주며, 나아가 목표 학습자의 학습자 특성을 밝혀내는 데 활용된다. 이러한 일련의 진술, 검토, 분석 결과는 '설계 문서' 내에 중요한 부분으로 포함된다. CJC 구성요소 분석 과정을 통해 파악된 분석 결과는 설계 및 운영을 포함한 WBI 프로젝트 전반에 걸쳐 앞으로 수행해야 할 후속 작업의 가이드라인이 되어 줄 것이다.

토론 과제

1. 문제 분석이 WBI 설계에서 왜 그렇게 중요한지 그 이유를 설명해보자.
2. 문제 분석이 불필요한 상황이 존재할 수 있는가? 그렇게 생각하는 이유는 무엇인가?
3. 우리가 *GardenScapes*를 설계하는 상황에 처해 있다면 Elliot과 Kally가 취했던 것과는 다른 방식으로 분석 단계를 수행했을까? 그렇다면 자신이 생각하는 방식을 설명하고 그 정당성을 논증해보자.
4. *GardenScapes* 관련하여 추가로 더 얻고 싶은 정보가 있다면 무엇인가? Elliot과 Kally였다면 이 추가 데이터를 어디에서 어떻게 얻고자 하였을 것인가?
5. 처음 작성한 목표 진술문이 최종안이 아닌 초안일 수밖에 없었던 이유는 무엇인가? 이 최초 진술문을 변경하거나 수정해야 할 상황은 어떤 경우인가? 이 수정 및 변경 작업은 WBI 설계 및 개발에 어떤 영향을 미치는가?

6. 맥락 및 학습자 분석을 하는 목적을 기술하자. 이 두 요소가 WBI 설계에서 왜 그토록 중요하다는 말인가? 만약 이러한 실증적인 분석을 하지 않게 된다면 어떤 일이 벌어질 것이라고 예상하는가?
7. 웹을 활용하여 가계수표 사용법을 가르치는 교재 개발 프로젝트의 교수설계팀원이 되었다고 가정해보자. 이 교재의 교수 목표는 "학습자들은 수표에 이서를 하고 이를 수표사용기록부에 정확하게 기록할 수 있다."라는 것이다. 이 WEI(Web-Enhanced Instruction)은 수표책, 수표사용기록부, 수표에 서명하는 법 등을 그 내용으로 포함한다. 수업 요구, 학습 맥락, 그리고 학습자와 관련하여 여러분이 알아야 할 정보는 무엇인가? 여러분이라면 이 의문 사항에 대한 답을 얻기 위해 어떤 자료 수집 활동을 할 것인가?

사례 연구

1. 초 · 중 · 고등학교의 사례

Megan Bifford는 Westport 교육청 관내 세 개 초등학교에서 과학과 커리큘럼을 활용한 개발 프로젝트에 착수하기로 결정했다. 과학과에 초점을 맞추어야겠다는 의사결정이 내려진 배경은 최근의 학습 책무성 검사에 나타난 학습자 수행 분석 결과, 그리고 내년 학기부터 과학과가 학교 평가에 처음으로 포함된다는 사실, 두 가지 계기로부터 비롯되었다. 최근 교육청으로부터 수업에 컴퓨터 기술을 결합하도록 하는 방침이 입법화되었다는 사실도 이런 결정에 한 몫을 했다. 이러한 배경에서 그녀는 인터넷과 웹을 수업에 결합시켜 과학과 수업을 강화할 수 있는 새로운 프로젝트를 기획하고 있다.

표준화 검사 결과, 관내 학생들이 보여준 과학과 수행 능력은 지난 2년 내내 평균에 미달하고 있다. 과학적 방법을 현실 상황에 적용하는 수행 영역에서 많은 문제점들이 드러나고 있다. 특히 탐구학습 영역에서 심각한 상황이다. 학생들은 주제 내용 지식이 결여되어 있을 뿐 아니라, 과학적 방법을 문제 상황 분석에 적용하는 능력이 부족한 데, 문제는 이 두 문제점이 결합되어 상황을 더욱 악화시키고 있다는 점이다. 이 모든 문제의 핵심은 학생들의 기본 지식이 제대로 갖추어져 있지 않은 데 있다. 현재 사용하고 있는 과학 교과서와 참고교재를 분석한 후 그녀가 내린 결론은, 교과서가 지식과 이해 중심으로 구성되어 있어 고차 사고 능력을 육성하는 데에는 허점이 많다는 것이었다. Megan은 교사가 학생들을 더 높은 수준으로 끌어올리기 위해 웹퀘스트를 활용, 학생들의 탐구학습 기능을 제고시켜야만 한다고 생각하기에 이르렀다. 따라서 Megan은 다음과 같은 교수 목표 진술문 초안을 작성하였다.

학생들은 과학적 방법을 실제 세계의 문제 해결을 위해 적용할 수 있다.

5학년 담당 교사들은 원격교육과 온라인 학습 자원을 활용하는 데 적극적이다. 그들이 현재 사용하는 교과서는 수업용 자료로서 몇 개의 웹사이트 주소를 참고자료로 제시하고 있는데, 교사들은 이 웹 자료가 학생들의 동기를 높여줄 수 있을 것으로 기대하고 있다. 하지만 정작 교사들 자신은 웹 자료를 사용해 본 경험이 없다. 다행스런 일은 금년부터 모든 5학년 학생들에게 교실, 도서관, 또는 컴퓨터 실습실에서 웹 접속이 가능하게 되었다는 점이다. 학생들은 3학년 때부터 키보드 사용법을 익혀 왔으며 정보 검색을 위해 CD-ROM을 사용할 줄도 안다. 교사들은 여름 방학 내내 집중적인 연수를 받았고, 기본적인 컴퓨터 활용 기능을 습득해 둔 상태이다. 5학년 교실이 있는 교사 바로 옆에 소규모의 실습용 과학탐구실이 마련되어 있다.

각 반은 약 20명에서 25명 정도의 학생들로 편성되어 있고 연령대는 10세와 11세 사이, 남학생과 여학생 비율은 약 50 대 50 정도이다. 학생의 50퍼센트는 초등학교 표준 목표 수준의 읽기 능력을 갖고 있다. 나머지 50퍼센트의 학생들은 목표 수준보다 1~3단계 아래에 머무르고 있다. 학생들의 대부분은 비디오 게임을 즐기고 있고 이들 중 대부분은 집에서 게임을 한다. 그러나 학생들의 대부분은 자기 집에 컴퓨터를 갖고 있지 않다고 응답하였다. 그들은 인종적으로 다양하며, 일부 학생들은 극빈층에 속한다. 학생의 55퍼센트는 무상 급식 또는 일부 보조 급식 혜택이 없으면 밥을 굶어야 할 상황이다.

컴퓨터는 읽기와 쓰기 등 어학 계열 수업에서 이미 사용되고 있다. 어학 담당 교사들은 읽기와 쓰기 수행 평가를 위해 통합학습시스템(Integrated Learning System, ILS)도 사용하고 있다. 교육청 과학담당 장학사는 과학과 기초 지식 함양을 위해 ILS에 과학 관련 모듈을 추가하는 방안을 검토하고 있다. 학생들은 과학 실험실에서 컴퓨터를 사용해 본 경험을 어느 정도 갖고 있다. 그들은 그 나이 아이들답게 뭔가 손에 잡히는 구체물에 관심을 보이고 있다. 여학생들은 남학생들에 비해 과학에 대한 관심이 적은 편이다. 전교생 중 10퍼센트 정도는 신체상 또는 학습능력상의 장애를 갖고 있는 것으로 파악되고 있다.

이러한 데이터를 확보한 후 이제 Megan은 그녀의 '설계 문서'를 작성할 수 있는 준비를 마치게 되었다.

2. 기업의 사례

Homer는 회사 대표이사인 Ira "Bud" Cattrell을 만나 공장 내 인트라넷을 통해 새로운 안전교육 프로그램을 실시하는 문제에 대해 이런저런 이야기를 나누고 있다. 이 회의에 앞서 Homer는 아래와 같은 기초적인 데이터를 수집해 둔 상태이다.

- 지난 3년간 일어났던 공장 내 안전사고에 관한 부서별 자료
- 안전 관련 정부(주정부 및 연방정부) 지침
- 기존 훈련프로그램의 개요, 핸드아웃, 그리고 강의 평가 결과 보고서
- 부서 단위로 집계된 인력 배치표
- 인트라넷 접속 가능 컴퓨터를 포함한 각종 기술 장비 최신 목록

Homer는 현재 확보된 데이터를 해석하는 과정에서 몇 가지 의문을 갖게 되었고 그에 대한 명확한 이해를 구하기 위해 Bud Cattrell에게 다음과 같은 질문을 던졌다.

- 안전 교육 방침을 시행할 때 우선순위 결정 기준은 무엇인가?
- 공장 내 임직원들 모두에게 컴퓨터 접근이 가능한가?
- 컴퓨터 접근성 개선에 관한 계획은 수립되어 있는가?
- 개발 프로젝트에서 사내 교육담당자의 역할은 무엇인가?
- 개발 프로젝트를 수행할 때 얻을 수 있는 지원 사항으로는 어떤 것이 있는가?
- 이 조치의 시행은 언제까지 완료되어야 하는가?

Bud는 Homer의 고민거리에 대해 다음과 같이 명확히 해주었다.

- 공장의 화재 안전 예방이야말로 최우선순위이다.
- 공장 내에서는 모든 부서에서 컴퓨터 접근이 가능하다.
- 훈련은 직장 내 면대면 훈련과 웹을 통해 전달되는 모듈로 구성되어야 한다. 이때 인터넷 모듈이 개괄적인 내용을 제시하면, 면대면 훈련 방식으로는 실습과 수행 기반 수업을 하게 될 것이다.
- 사내 교육담당자들은 온라인 및 면대면 훈련 과정에서 학습 촉진자로 참여하게 될 것이다.
- 종업원들은 전화 모뎀을 통해 집에서도 수업을 받을 수 있을 것이다. 이렇게 집에서 개인 시간을 이용하여 온라인 교육을 수강하는 종업원들에게는 인센티브가 제공될 것이다. 교육부서에는 10대의 노트북을 비치해 두었고, 필요하다면 종업원들이 자기 집에서 공부하기 위해 반출해 갈 수 있도록 할 것이다.

- 전 종업원은 6개월 내에 이 수업을 수료해야만 한다.

Homer는 집에 돌아와 나머지 분석 작업을 마무리한다. 이미 분석을 마친 자료 이외에 이전 수업 장면을 찍어둔 녹화테이프를 검토한 후, 현장 방문을 통해 실제 안전 활동이 어떻게 이루어지는지 직접 관찰해 보아야겠다고 마음먹는다. 시간이 매우 촉박했다. Homer는 Cattrell과의 회의 결과를 바탕으로 가급적 빠른 시간 내에 분석을 마침으로써 훈련을 조속히 시작해야만 했다. Homer는 분석 과정에서 가이드가 되어 줄 교수 목표 진술문의 초안을 다음과 같이 작성하였다.

이 훈련을 마치게 되면 종업원들은 3분 이내에 자신의 공장 지역을 폐쇄하고 탈출할 수 있는 능력을 갖추게 될 것이다.

3. 군의 사례

Rebekkah Feinstein 부함장은 목전에 다가온 프로젝트 분석을 위해 위원회를 구성하였다. 이 위원회에는 교육 체계 및 표준화팀(Curriculum and Instructional Standards Division)과 신기술팀(New Technology Division)에서 차출된 교육 전문가, 전기공학 핵심 고급 전자기술 핵심 과목을 가르치는 강사 및 내용 전문가들이 참여하고 있다. 준사관 출신으로서 실무경력이 많은 신기술팀 소속의 Rex Danielson 대위는 Feinstein 부함장의 주요 연락책이다.

Feinstein 부함장은 위원 모두에게 '해군교육훈련의 혁명(Revolution in Training)'에 관한 최종 분석 자료와 해군 내 교육훈련 파견인력 특성 분석 보고서를 회람시켰다. Sandra Cole 대위가 맡고 있는 워크그룹은 훈련지원센터 소속 네 개의 해군 기술학교('A' school[6]) 각각의 커리큘럼을 분석하여 이 네 학교에 공통적인 교수 요소가 무엇인지를 분석하는 데 총력을 기울이고 있다.

Cole 대위와 그의 팀은 지난 5년간 전일제 교육생 모집단 전체를 대상으로 전수조사를 실시하여 자료를 수집하였고, 함대 사령부 장병들을 대상으로 WBI을 지원할 수 있는 현존하는 모든 교육용 자료와 제도에 관한 설문을 실시하였다. 그는 한 달에 걸친 회의, 설문, 분석을 통해 자신의 팀원들이 발견한 새로운 사실과 그 시사점에 관한 보고서를 작성, Feinstein 부함장에게 제출하였다. Cole 대위와 그의 팀이 내린 결

6) 역자주: 'A' School이란 미 해군 또는 연안경비대 소속 하사관 및 사병에게 전문 기술을 가르치는 군 훈련기관을 말함.

론에 따르면, WBI 형태로 제일 먼저 변환될 필요가 있는 과목은 전기 및 전자 공통 핵심 과정(Electricity and Electronic Common Core, E2C2)이었다. 그들은 교수 목표 진술문을 작성하였다.

이 과정은 해군 e-러닝 학습관리시스템을 통해 함대 및 훈련 사령부 소속 해군 병사들에게 교류 및 직류 전력의 개념, 절차, 그리고 원리에 관한 기초 수준의 교육 프로그램을 제공할 것이다.

E2C2 과정은 해군 e-러닝 시스템을 통해 누구에게나 입과가 허용될 것이다. 그러나 이 보고서에 따르면 목표 학습자는 조만간 전기 또는 전자 담당 특과병(specialist)이 될 초급 사병(이등병부터 3등 하사관)들로 명시되어 있다.

위원회의 분석에 따르면 WBI 운영에 필수인 인프라와 관련하여 몇 가지 문제점들이 드러났다. 기초 군사훈련을 마친 뒤 해군 기술학교에 입교하는 사병들은 교육훈련지원센터의 컴퓨터 실습실을 사용할 수 있는 권한을 부여받는다. 이 실습실 서버는 웹 접속을 위해 초고속, 광대역 통신 기능을 제공한다. 그러나 함대(해상 또는 정박 상태), 지상 부대, 그리고 가정 등 병사가 처한 상황에 따라 학습이 지속되기 위해서는 기술적으로 복잡한 문제들을 해결하지 않으면 안 된다. 해상에서 작전 중인 함대 소속 전함들은 작전 목적 이외의 용도(이메일, 온라인 학습 등)를 위해 통신 대역을 할애할 수 없는 여건에 놓여 있다. 마지막으로 최근 실시한 설문에 따르면 집에서 광대역 통신 기능을 갖춘 컴퓨터를 보유한 병사는 30%에 불과한 것으로 나타났다. 나머지는 이보다 훨씬 느린 56K 전화 모뎀에 의존하고 있었다.

4. 대학의 사례

Joe Shawn 박사는 Myers 대학교 경영학과의 부교수이다. 그는 수강 학생들과 그들의 성적에 관해 수집했던 데이터를 다시 분석하고 있다. 그의 다음 프로젝트는 학부 과목인 '경영학 원론'을 재구성하는 것이었다. 그는 이 프로젝트를 막 시작했고 웹 강화 수업(WEI) 방식으로 운영해 보려고 마음먹고 있다. 그는 다음 학기에 이 과목을 개설하고자 일정을 수립했다.

이 프로젝트의 목표는 경영 활동의 핵심 요소들을 역동적인 직무 상황에 적용하도록 하는 것이다. 웹 강화 학습 형태를 활용함으로써 제반 경영 기능(기획, 조직, 주도, 통제 등)에 관한 강의의 개선뿐 아니라, 조직 성과에 관한 정보 공유가 용이해질 것으로 기대하고 있다. Bloom의 학습 목표 위계에 따르면 교수 목표는 '지식 습득'으로부터 '평가' 에까지 걸쳐 다양한 편이다.

학부생들은 대개 웹을 자유자재로 사용할 줄 아는 편이지만 그렇다고 온라인 강의를 받는 데 관심을 갖고 있다고 볼 수 없었다. 그가 맡은 경영학 과목은 분반마다 수강생 수가 35명으로 제한되어 있다. 그들의 나이는 18세에서 25세에 걸쳐 분포한다. 대부분의 학생들은 어느 정도 실무 경험을 갖고 있지만, 경영자로서의 체험을 해 본 학생은 거의 없다. 대부분의 학생들은 전업 학생들이며, 한 학기 평균 12에서 15 학점 정도를 이수하는 것으로 나타났다.

Amber Wolfgang 박사는 경영학과 학과장으로서 가능한 모든 자원을 활용하여 수업상의 혁신을 이루고자 학과 교수들을 지원하고 있다. Shawn 박사는 연구실과 집에 각각 한 대씩의 컴퓨터를 보유하고 있다. 이 두 대 모두 초고속 인터넷 접속이 가능하다. 경영학과 내에는 컴퓨터 전용 실습실이 마련되어 있다. 이 실습실에는 25대의 컴퓨터와 강사용 작업대가 마련되어 있다. 이 컴퓨터들은 모두 캠퍼스 인트라넷과 인터넷에 연결되어 있다. 이 실습실 외에 대학이 관리하는 매일 24시간/주 7일간 개방하는 컴퓨터 실습실이 하나 있다.

그는 최근 이 대학 MBA 프로그램에 입학한 대학원생인 Brian Cody를 조교로 임명하였다. Shawn 교수는 최근 Brian이 전자상거래에 깊은 관심을 갖고 있을 뿐 아니라 웹에 대해서도 기본적으로 이해하고 있음을 알게 되었다. 그러나 그는 강의 경험이라곤 거의 없다. Shawn 박사는 Brian을 대학이 제공하는 기술 연수 프로그램에 보내서 앞으로 주위의 컴퓨터 자원을 활용할 수 있는 능력을 키우고자 하였다.

다음 질문은 이 네 가지 사례 모두에게 공통적으로 적용된다. 교수설계자로서 여러분이 이 각각의 사례 상황에 대해 어떤 행동을 취하거나 반응할 것인지 생각해 보라.

- 여러분은 사례 주인공들과 다르게 행동했을 것인가? 그렇다면 어떤 식으로 달랐을 것인가? 그렇지 않다면 그 이유는 무엇인가?
- 여러분에게 추가적으로 필요한 지식이나 정보는 무엇인가?
- 이 정보를 얻기 위해 여러분은 어떤 행동을 할 것인가?
- 자신이 맡은 프로젝트가 지향하는 바는 무엇인가? 여러분이 담당하는 프로젝트상의 목적은, 사례로 제시되었던 시나리오 상황과 어느 정도 유사한가?
- 사례 시나리오상에서 제시된 분석 정보는 WBI 모형의 이후 수행 단계들, 그리고 실제 웹기반 학습 개발 프로젝트에 어떤 시사점을 주는가? 이 시사점들은 각 사례별로 어떻게 다른가? 이 시사점들 간의 차이는 또 무엇인가?

제 4 장

분석: 학습 내용

내용 분석은 전체 분석 단계 중 마지막 부분에 해당한다. 내용 분석 과정에서 교수설계자는 학습자가 교수 목표에 이르렀을 때 수행할 주요 절차와 하위 기능을 학습 순서에 따라 나열하게 된다. 이 절차와 하위 기능들은 수업 참여를 위해 요구되는 필요 기능과 새롭게 학습할 기능들을 선으로 구분하여 표시해주는 학습 과제 지도(Learning Task Map, LTM)로 도식화된다. 과제 항목들과 그 항목별로 규명된 학습 결과 수준은 과제-목표-평가 항목 청사진(TOAB)이라 불리는 표 안에 정리된다. WBID 모형 후반부에 이 TOAB는 교수 목표와 평가 항목이 서로 조응되고 있는지를 점검하는 도구로 활용된다. TOAB 작성 후 목적 진술문 초안이 재검토되고 수정되어 최종 교수 목표 진술문이 만들어진다. 앞서 분석 작업을 통해 알게 된 내용은 WBI 설계와 운영, 평가를 위한 시사점을 제공하게 될 것이다.

4장에서는 내용 분석을 다룬다. 먼저 학습 과제 지도의 유형과 번호 체계를 설명한 후 TOAB 작성을 위한 방법을 제시한다. 그러고 나서 네 가지 교수 구성요소들을 찾아내기 위해 분석 결과를 검토하고 교수 목표 진술문을 완성한다. 이 장은 분석 단계의 결과가 WBI 설계 및 전달에 주는 시사점을 살펴보는 것으로 마무리된다.

학습 목표

이 장의 구체적인 학습 목표는 다음과 같다.

- 내용 분석과 관련된 전문용어를 정의한다.
- 내용 분석의 목적을 설명한다.
- 내용 영역에 대한 학습 과제 지도(LTM)를 작성한다.
- 과제 항목들과 과제별 학습 결과물들을 변환하여 TOAB 문서에 포함시킨다.
- 최종 교수 목표 진술서를 작성한다.
- 이후 전개될 WBID 단계들을 위한 시사점을 도출한다.

시작하기

내용 분석은 WBID 모형 중 분석 단계에서 마지막 부분에 해당한다(그림 4.1). 교수설계 관련 문헌에 따르면 이 분석 작업은 *교수 분석*(Dick et al., 2005), *교수 과제 분석*(Gagné et al., 1992; Gagné et al., 2005), *학습 과제 분석*(Smith & Ragan 2005) 등으

▶ 그림 4.1 WBID 모형의 분석 단계

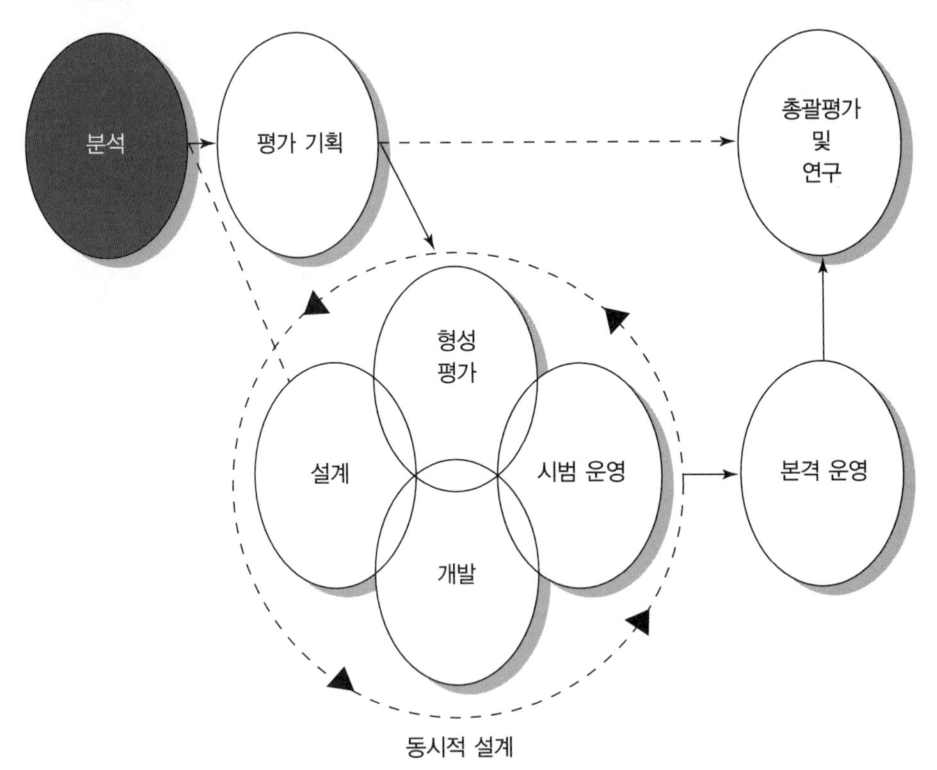

로 불린다. 교수설계를 위한 절차는 교수 목표 달성을 위해 세부 학습 단계가 몇 개나 필요한지, 그 단계의 순서는 어떻게 잡아가야 하는지를 찾아내는 방법을 제공한다. Smith와 Ragan(2005)은 이 분석 절차를 통해 '쓸데없는' 내용이 담기는 것을 방지할 수 있다고 주장한다. 더 나아가 이 연구자들이 시사하는 바를 살펴보자.

> 교수 목표를 잘게 분해하여 선수-후수 관계의 작은 수업 단위로 위계적으로 정리한다는 말은, 이 작은 수업 단위별로 차례대로 가르쳐야 한다는 것을 의미하는 것은 아니다. 우리의 주장은 이들 수업 단위들을 보다 유의미한 방법으로 통합하는 전략을 심각하게 고민해야 한다는 것이다. 선수 학습 단위로 교수 목표를 분석하는 유일한 이유는 고차학습 목표를 구성하는 인지 작용 또는 정신 과정이 무엇인지를 알아내는 것이다. 이 정보는 학습자들로 하여금 그들의 "근접발달영역" 밖에 있는 달성 불가능한 수업을 강요받지 않도록 선수 학습 단위들을 조정하는 데 활용된다(p. 93).

WBID 모형에서 내용 분석은 이와 유사한 가정을 하고 있다.

이 분석의 핵심 취지는 교수 목표 달성을 위해 학습자들이 수행해야 하는 기능들을 찾아내는 것이다. 또 다른 취지는 학습 과제 지도(LTM)를 개발하여 주요 수업 절차 및 하위기능들 간의 관련성을 명시화하는 것이다. 이를 통해 교수 목표에 의해 제시된 과제와 기능 학습을 위한 최적 학습 경로를 밝혀낼 수 있기 때문이다.

*주요 단계*란 학습자가 수행할 수 있기를 기대하는 중요한 과제로서, 교수 목표 달성에 필요한 사전 지식이라고 생각하면 된다(Gagné et al., 2005). Smith와 Ragan (2005)은 경험치상 이 주요 단계는 약 3개에서 12개 사이 정도라고 한다. Dick 등 (2005)은 이와 유사하게 5에서 15 단계 정도가 적당하다고 제안한다. 저자들이 제안하는 단계의 수는 서로 다르지만, 너무 적거나 많은 단계는 문제를 일으킬 수 있다는 점에 공감하고 있다. Smith와 Ragan(2005)은 3개 이하로 단계를 구분하면 서로 분리되었어야 할 교수 목표가 뭉뚱그려질 가능성이 높고, 12개보다 많은 단계를 사용하면 주요 단계와 하위기능 등 서로 다른 수준의 분석 단위들이 뒤섞여 버릴 수 있다고 한다.

WBID 모형에서 *하위기능*이란 용어는 전통적인 교수설계 모형에서 *선수 학습 기능*에 해당한다. 하위기능은 규명된 각 수행 주요 단계를 수행하기 위해서는 반드시 할 수 있어야 하는 정신적 절차를 말한다. 따라서 하위기능을 선수 학습 기능이라고도 할 수 있다(Dick et al., 2005; Gagné. 1992; Smith & Ragan, 2005). 교수설계자는 교수 목표를 주요 단계들로 나누고, 계속해서 각 주요 단계를 하위기능들로까지 분석해가는 과정에서 아래와 같은 질문을 스스로에게 던져볼 필요가 있다.

- 목표로 하는 수업 과제를 수행하기 위해 [학습자]가 반드시 알고 있어야만 하는 지식과 능력에는 어떤 것들이 있는가?
- 하위기능은 무엇인가?
- 이 기능의 달성을 확인할 수 있는 학습 결과 수준의 유형은 무엇인가?
- 이 선수지식들 간에는 어떤 상호관련성이 있는가?
- 기능들 간의 적용 순서와 절차는 무엇인가?

이 질문들에 대한 대답은 행위동사 및 대상을 포함하는 짤막한 문장의 형태로 제시된다. 행위동사는 학습 과제의 일부가 되며, 나중에는 학습 목표 및 평가 항목 개발을 위한 기초 자료가 된다(6장에서 자세히 설명할 것이다). 학습 과제 항목의 사례로는 *단풍잎이 무엇인지 찾아내기, 이력서 틀 잡기, 주(洲) 정부 수도 이름 나열하기* 등을 들 수 있다. 각 과제 항목별로 해당하는 학업 성과 수준을 대응시켜 진술하면 학습 과제 분석이 완료된다.

학습의 범주 이론(Gagné, 1985), Bloom의 학습 위계(Bloom et al., 1956) 이론은, 웹기반 교수 목표 분석(3장 참고)에서와 마찬가지로, 각 학습 과제 항목별로 학습 결과 수준을 규명하는 데 사용된다. 이 이론들을 활용하면 교수 목표, 단계, 하위기능들을 LTM 안에서 학습 결과 수준별로 조응시킬 수 있다. 앞서 제시한 사례에서 학습 결과 수준을 Gagné의 학습 범주 이론의 틀로 살펴보면, 단풍잎 식별하기는 *구체적 개념*, 이력서 틀 잡기는 *규칙 적용*, 주 수도 이름 나열하기는 *언어적 정보*에 해당한다. Bloom의 학습 위계 개념을 활용하면, 이 학습 결과 수준들은 각각 이해, 적용, 알기(그림 4.2 참조)에 해당한다.

그림 4.2 다양한 학습 과제 항목들이 표시된 LTM 작성 사례(하단에 식별된 학습 결과 수준 문구 표시)

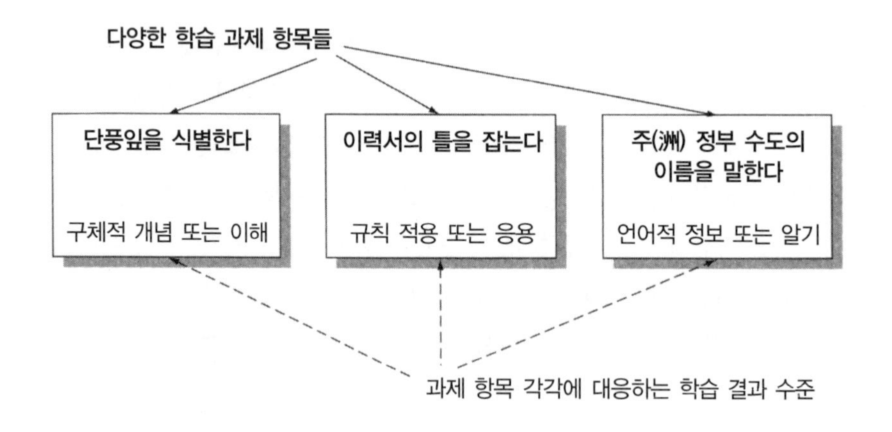

학습 과제 지도 개발

내용 분석을 하면서 교수설계자는 WBI의 목적, 주요 단계, 하위기능으로 조직된 학습 과제 지도(Learning Task Map, 이하 LTM)를 제작하게 된다. 이 LTM은 종종 *플로차트*(Morrison, 2004; Seels & Glasgow, 1998), *수업 커리큘럼 지도*(ICM)(Gagné, 2005) 등으로 불리기도 한다. 이 LTM은 교수 목표, 단계, 하위기능 간의 관계성을 보여주며, 그 최종 버전은 '설계 문서'의 일부가 된다. 다양한 교수설계 모형들(Dick, 2005; Morrison 1994; Smith & Ragan 2005)은 LTM을 개발하기 위한 3 수준 계층 구조를 시사하고 있다.

1. 주요 단계는 교수 목표 달성을 위해 필요하다.
2. 하위기능은 각 주요 단계들을 달성하는 데 필요하다.
3. 출발점 기능은 수업에 진입하는 시점에서 이미 알아야 하는 전제로서 필요하다.

LTM을 개발할 때 교수설계자는 주요 단계들과 하위기능들을 다룸으로써 그들 간의 정확한 관련성을 파악하고 계열화한다. 하위기능을 분해하는 과정은 출발점 기능 수준에 이르기까지 계속된다. *출발점 기능*은 새로운 학습에 효과적으로 참여하기 위해서 사전에 갖추고 있어야 하는 사전 지식이나 기능을 말한다.

LTM의 점선은 출발점 기능과 앞으로 학습하게 될 기능을 구분한다. '점선 윗부분'에 속하는 단계(그리고 그 하위기능들)는 교수 목표를 달성하기 위한 학습 경로를 보여주는 동시에, WBI에 담겨질 내용을 구성하게 된다. 출발점 기능은 '점선 아랫부분'에 해당하는 것으로 WBI의 개발 대상에서 제외된다. 이처럼 수업을 어디에서부터 시작할 것인지를 결정하기 위해 학습자 분석과 관련 지원 내용을 분석하는 것은 중요하다.

적절한 주요 단계와 하위기능 모두를 규명해내기 위해서는 반복적인 작업이 필요한 경우가 대부분이다. WBI를 위한 최적의 학습 절차를 반영하기 위해서는 이 단계들과 하위기능들을 배열하고 다시 수정하는 작업이 여러 차례 필요하다는 것을 예상해야 한다. 경험 많은 교수설계자라 할지라도 만족스런 수준의 LTM을 만들기 위해서는 여러 번의 초안 수정 작업을 거쳐야 한다. 교수설계자에 따라서는 하향 방식을 사용하여 교수 목표로부터 주요 학습 단계를 거쳐 하위기능까지 작업해 내려오기도 하고, 반대로 상향 방식을 채택하여 완전히 반대 방향으로 일을 진행하기도 한다. 또 경우에 따라서는 이 두 가지 접근 방식을 섞어 사용하기도 한다.

LTM 구조

대부분의 LTM들은 네모 또는 마름모꼴의 글상자, 그리고 이들을 이어주는 화살표로 구성된다. 물론 다른 형태의 기하도형을 사용하여 학습 단계와 하위기능을 표현해도 아무런 문제는 없다(Seels & Glasgow, 1998). 이 네모 글상자들은 각 학습 과제 항목과 그에 해당하는 학습 결과 수준에 관한 짧은 문구를 담게 된다(그림 4.2. 참조). 그 형태는 굳이 대칭형일 필요는 없다. 즉 규명된 주요 학습 과제별로 동일한 숫자의 하위기능이 제시되지 않아도 된다는 뜻이다. 교수 목표는 주요 학습 단계를 나타내는 글상자 위에 표기된다. 단, 통상 마지막 단계 글상자에는 표시하지 않는데, 그 이유는 마지막 단계에 이르게 되면 교수 목표가 달성되었음을 의미하기 때문이다.

LTM 번호 체계

LTM은 여러 가지 관계를 나타내기 위해 번호 체계를 사용한다. 이 체제는 정수와 소수를 활용하며, 과제 항목 글상자에 기입된다. 그림 4.3은 번호 체계가 적용된 예를 보여준다.

LTM 번호 체계에서 1.0, 2.0 등은 최종적인 WBI 교수 목표를 달성해가는 주요 학습 단계를 나타내며, 1.1, 1.2, 2.1, 2.2...등은 해당 학습 단계 아래에 속하는 직속 하위기능을 표시한다. 분석 수준이 더 세부적으로 진행될 경우 소숫점과 번호가 늘어나게 된다. 예를 들면, 숫자 2.1.1, 2.1.2, 2.1.3 등은 하위기능 2.1의 아래에 속한다는 상위 관련성을 표시한다. 이 번호 체계는 WBI의 단계와 하위기능에 순서가 있음을 전제로 하여 점수를 부여한다. 다양한 교수설계 모형들이 출발점 기능 표시를 위해서 이런 번호 체계를 적용하고 있다. WBID 모형에서는 한 자릿수가 영(0.1, 0.2, 0.3 등)인 숫자를 사용해서 학습 과제 단계와 하위기능 요소들을 출발점 기능 요소와 명확히 구분하고 있다(Davidson, 1990; Davidson-Shivers, 1998).

▶ 그림 4.3 학습 과제 항목을 위한 번호 체계 적용 사례. 5.0은 이 학습 과제 항목이 주요 학습 단계 중 하나이며, 다른 두 개는 하위기능임을 나타내고 있음.

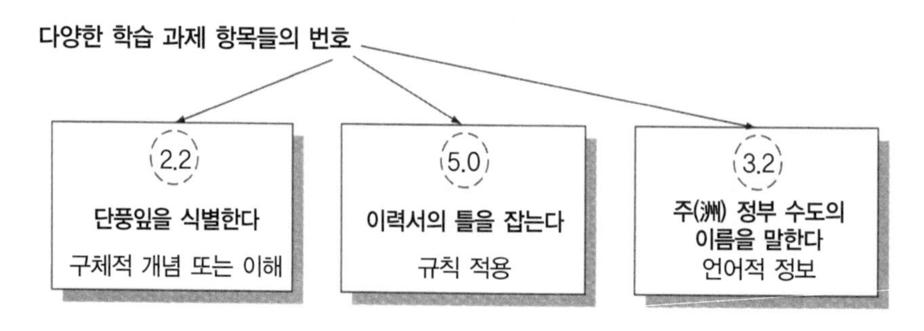

세 가지 분석 유형과 LTM 구조

일반적으로 말하자면 LTM은 교수 목표를 지향해 나아가는 주요 학습 단계들의 절차적 진행 양상을 보여준다. 그러나 하위기능을 포함하고 있다는 구조적 특징으로 인해, LTM은 위계적, 절차적, 또는 이 두 가지를 혼용하는 형태로 작성될 수 있다(Dick, 2005; Gagné, 2005; Morrison, 2004; Seels & Glasgow, 1998; Smith & Ragan, 2005).

위계적 분석법과 LTM 구조. 위계적 분석을 적용할 경우, LTM의 구조는 학습 단계와 하위기능을 하위 및 상위 수준 간의 수직 계열 관계로 표시된다. 위계적 분석에 따르면 하위기능은 차상위 수준으로 올라가기 위해 반드시 선행 달성되어야만 한다. 예컨대, 수업 전체의 목적, 학습 단계, 그리고 하위기능과 관련한 학습 결과 수준이 지적 기능이라면, 학습자들은 규칙을 배우기 이전에 개념을 알아야 하고, 문제를 해결하기 이전에 규칙을 습득해야 하는 것 등이다. Gagné의 지적 기능 범주는 다섯 가지 기능을 포함하고 있음을 상기하라. 이 기능들은 변별에서부터 문제해결에 이르는 순서대로 고차화되는 위계적 관계를 갖는다. 지적 기능은 학습자로 하여금 차상위 수준으로 진도를 나가기 전에, 이전 수준에 속하는 모든 하위기능들을 섭렵할 것을 요구한다. 그러나 하위기능들 간의 학습 순서는 임의적이다. 좌우에 병렬 배치된 동일한 수준의 기능들 간에는 이러한 위계적 관계가 성립하지 않는다. 따라서 어떤 것을 먼저 학습해도 상관이 없다.

그림 4.4를 보면 WBI 교수 목표와 주요 학습 단계들은 LTM 상단에서 각각 오른쪽 방향, 수평으로 그려진 화살표를 따라 진행하는 것으로 표시되어 있다. 하위기능들은 이 주요 학습 단계의 아래에 첨부되어 있으며, 교수 목표를 향해 계열화된 학습 예정 기능(to-be-learned skills)의 위쪽 방향을 나타내는 화살표로 연결되어 있다. 각 숫자들은 규명된 학습 단계와 그 관련 하위기능들을 각각 표시하고 있다. 각 단계별 하위기능들은 다음 단계로 이행하기 이전에 반드시, 그리고 순서에 따라 수행되어야 한다. 예컨대 북미 대륙의 수종 이름을 식별하는 것을 교수 목표로 하는 WBI의 경우, 하위기능 2.2.1, 2.2.2, 2.2.3은 동일한 수준의 하위기능들로서 그 학습 순서는 어떻든 상관이 없다. 그렇지만 차상위 학습 기능인 2.2로 올라가기 위해서는 이 세 가지 모두를 먼저 숙달하지 않으면 안 된다.

절차적 분석법과 LTM 구조. 내용적 위계 관계에 의해서 분석하는 위계적 분석과는 달리, 절차적 분석은 목표로 하는 학습 과제가 수행되는 시간순에 따라 교수 목표를 분석하는 방법이다. 따라서 절차적 분석을 활용하는 LTM 작성은 비교적 쉬운 편이다.

▶ 그림 4.4 위계적 분석과 LTM 구조(점선은 수업에 포함될 학습 과제와 사전 지식을 분리하고 있음)

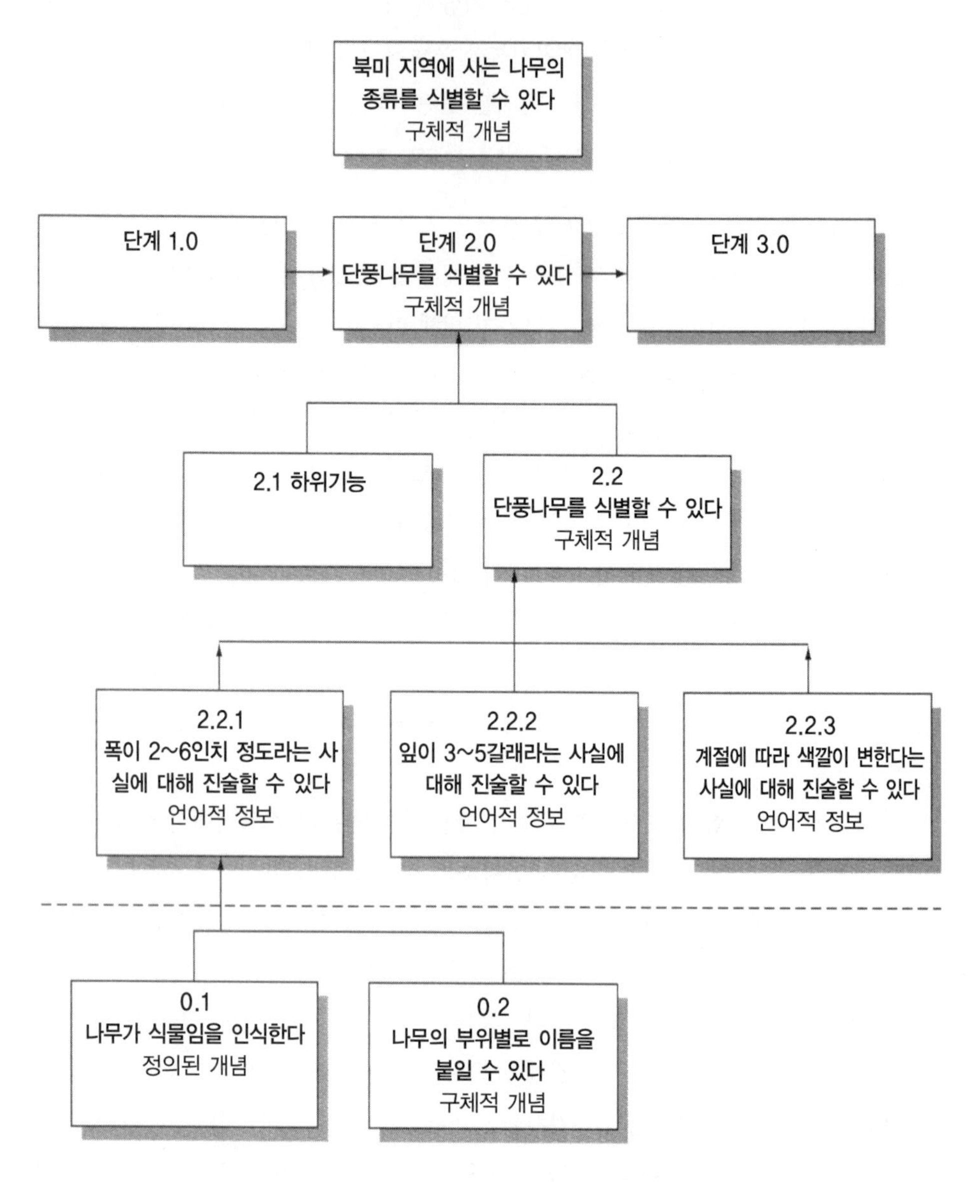

교수 목표 분석 작업이 주요 학습 단계와 하위기능이 수행되는 순서에 따라 질서정연하게 이루어지기 때문이다. 각 하위기능별로 절차적 순서를 매기다 보면, 이미 이전에 수행했던 단계를 다시 한 번 수행해야 할 경우가 생길 수 있다. 이때에는 화살표를 거꾸로 돌려 수행해야 할 이전 단계로 다시 한 번 연결시키면 된다. 그림 4.5는 한 LTM의 절차적 형태를 예로 보여주고 있다. 이 사례의 경우는 Bloom의 위계 이론에 근거하여

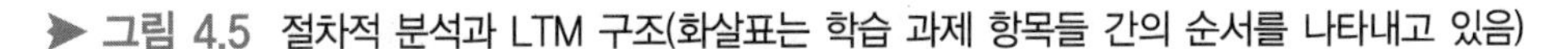

▶ 그림 4.5 절차적 분석과 LTM 구조(화살표는 학습 과제 항목들 간의 순서를 나타내고 있음)

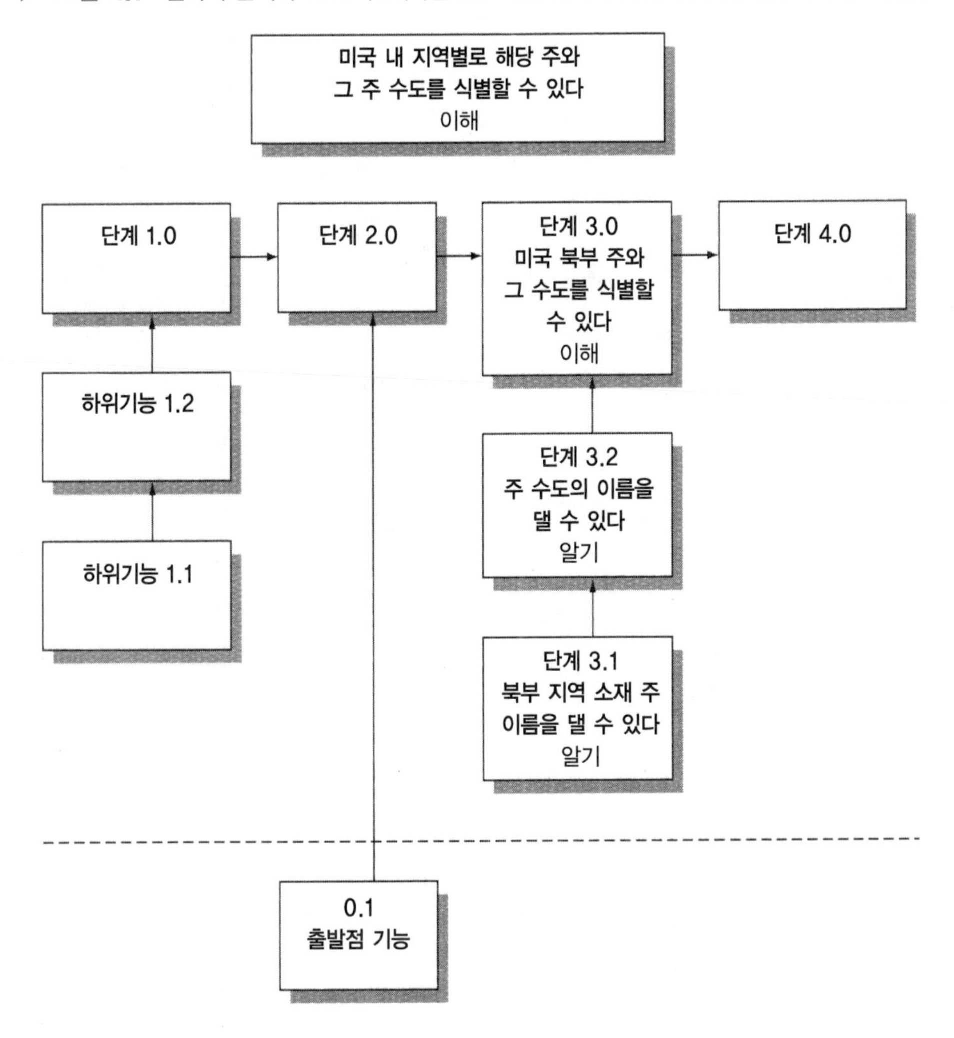

학습 결과 수준을 나타내고 있다. 이 분석 사례에 의하면, 하위기능 3.1은 하위기능 3.2 이전에 반드시 학습되어야 하며, 이 두 하위기능 3.1과 3.2는 공히 주요 학습 단계인 3.0, 즉 미국 북부 주 및 그 수도의 이름을 식별하기 위해 사전에 숙달되어야 한다.

혼합 분석법과 LTM 구조. 때로는 교수 목표, 주요 학습 단계, 하위기능이 위계적 및 절차적 분석이 함께 필요한 경우가 있다. 그림 4.6이 보여주듯이 어떤 LTM의 경우는 혼합 분석법을 활용한다. '구직을 위한 효과적인 이력서 준비하기'를 교수 목표로 하는 이 WBI 사례에서 주요 학습 단계 중 하나는 '5.0 오프라인 이력서 틀 잡기'이다. 이 단계는 두 개의 절차적 하위기능인 5.1과 5.2(5.1은 5.2를 배우기 전에 공부해야 함)를

▶ 그림 4.6 혼합 분석과 LTM 구조(절차적 및 위계적 분석 방법이 함께 사용되고 있음)

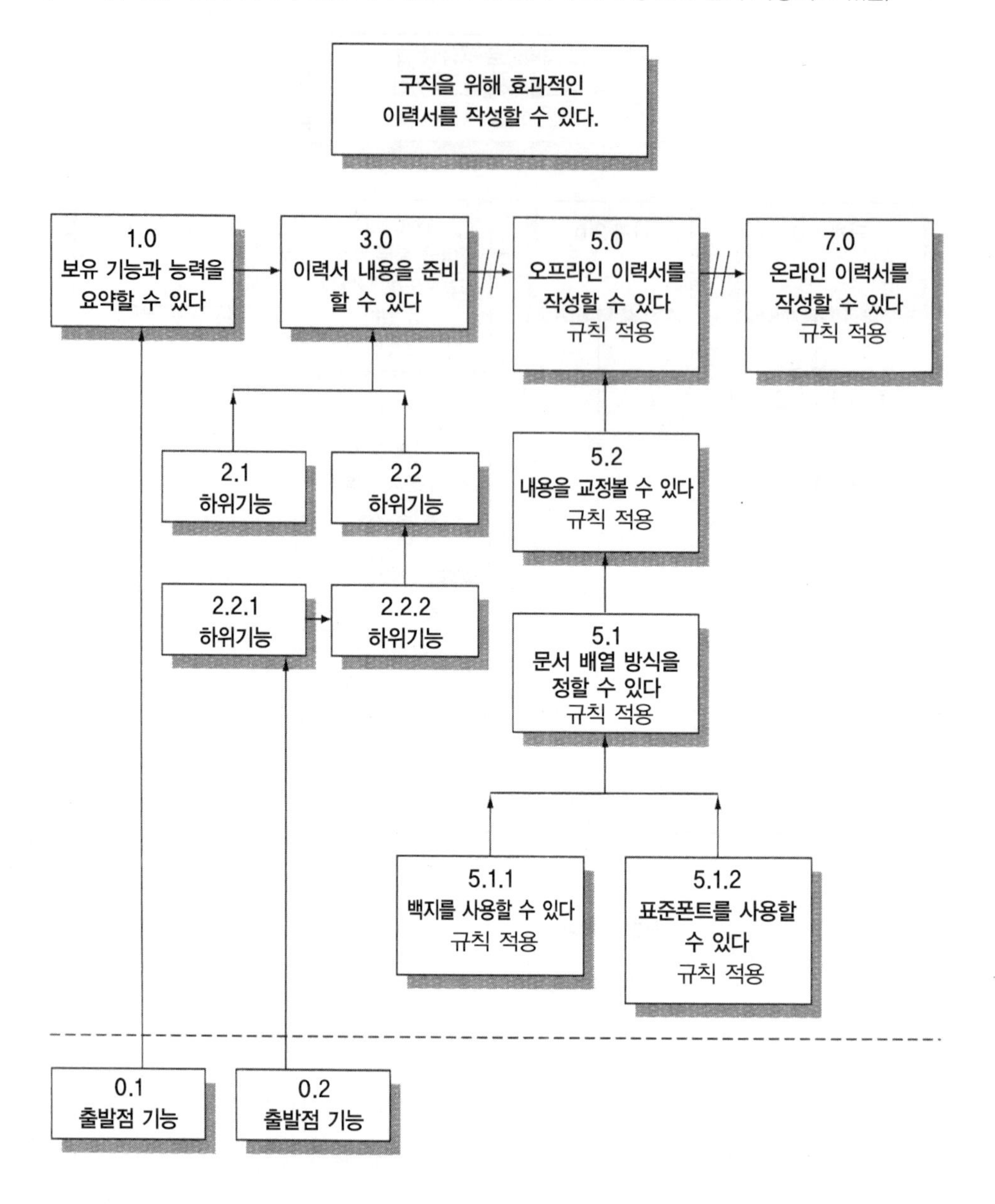

포함한다. 이 외에도 두 개의 위계적 하위기능인 5.1.1과 5.1.2가 보인다. 이 둘은 어떤 순서로 공부해도 무관하지만 하위기능 5.1로 나아가기 전에 숙달해야만 한다.

내용 확보를 위한 자료 수집

교수설계자는 자신이 잘 모르는 학습 내용을 개발해야 하는 경우를 흔히 겪는다. 이는 WBI라고 해서 예외일 수 없다. 특정 주제 영역에 대해 전문 지식을 확보하는 방법에는 여러 가지가 있다(Morrison 2004). 교수설계자는 내용 전문가들과 공동 작업을 할 수도 있는데, 이는 아마 내용 숙지를 위한 최선의 기회일 것이다. 내용 전문가들이 가르치는 장면 또는 과업을 수행하는 장면을 면밀하게 관찰하는 것만으로도 귀중한 정보를 얻을 수 있다. 특히 가르치려는 내용이 지식이나 이론이 아니라 직무 수행과 직결된 것이라면 더욱 그러하다. 과거 수업을 이수한 학생이나 참가자들 또한 그들의 경험을 바탕으로 어떤 내용이 추가되어야 하고 삭제되거나 갱신되어야 할 것인지에 관한 정보를 제공해 줄 수 있다. 참고 문헌(책, 전문지, 웹사이트 등)에 대한 강독이나 관련 교육을 수강하는 것도 해당 주제 영역에 대한 관점을 형성하는 데 도움이 될 것이다.

학습 내용 분석과 LTM

분석 결과, LTM 다양하게 나올 수 있다는 사실에서 우리는 동일한 교과목이라 하더라도 서로 다른 여러 학습 경로에 따라 설계가 가능하다는 것을 깨닫게 된다. WBI의 기본 경로로서 다양한 학습 경로 중 가장 일반적이고 공부하기 쉬운 대안을 선택하는 것이 좋다(Seels & Glasgow, 1991; Smith, 1990; Smith & Ragan, 2005). 이러한 선택 전략은 학습 내용이 어려울수록, 학습자가 초심자일수록, 시간 등 학습을 하는 데 필요한 자원이 제한적일수록 더 효과적이다. 다른 대안적인 학습 경로들은 파지(retention)와 전이(transfer) 강화 전략으로서 고려될 수 있을 것이다.

분석 결과가 만족스럽게 나오고 LTM이 실용가능한 수준으로 제작되면 학습 단계와 하위기능의 계열 구조에 대해 그 정확성과 완결성을 확인받는 작업이 뒤따르게 된다. 설계를 혼자 도맡아야 하는 교수설계자라면 개발된 LTM을 검토해 줄 전문가들을 찾아야만 한다. 통상 교수설계자는 팀을 이루어 일하기 때문에 분석 결과의 확인을 위해서는 소속 팀 개발자나 내용 전문가들을 활용할 수 있을 것이다.

GardenScapes 사례

Elliot은 교수 내용 분석을 실시하여 후속 과목인 *GardenScapes* 개발을 위해 LTM을 완성하였다. 그는 조경이나 정원 관리라는 주제에 대해 별로 아는 바가 없다. 그래서 Elliot은 주요 학습 단계와 하위기능 도출 과정에서 내용과 관련된 정보를 얻기 위해 Kally에게 주로 의존하고 있다. 몇 차례의 초안 수정 작업과 회의를 거친 끝에 그는 만족할 만한 LTM을 만들 수 있었고, 이를 '설계 문서' 의 일부로 첨부하게 되었다. 이제 그가 완성한 LTM을 제시하고자 한다(지면의 제약 때문에 학습 결과 수준은 제외하였

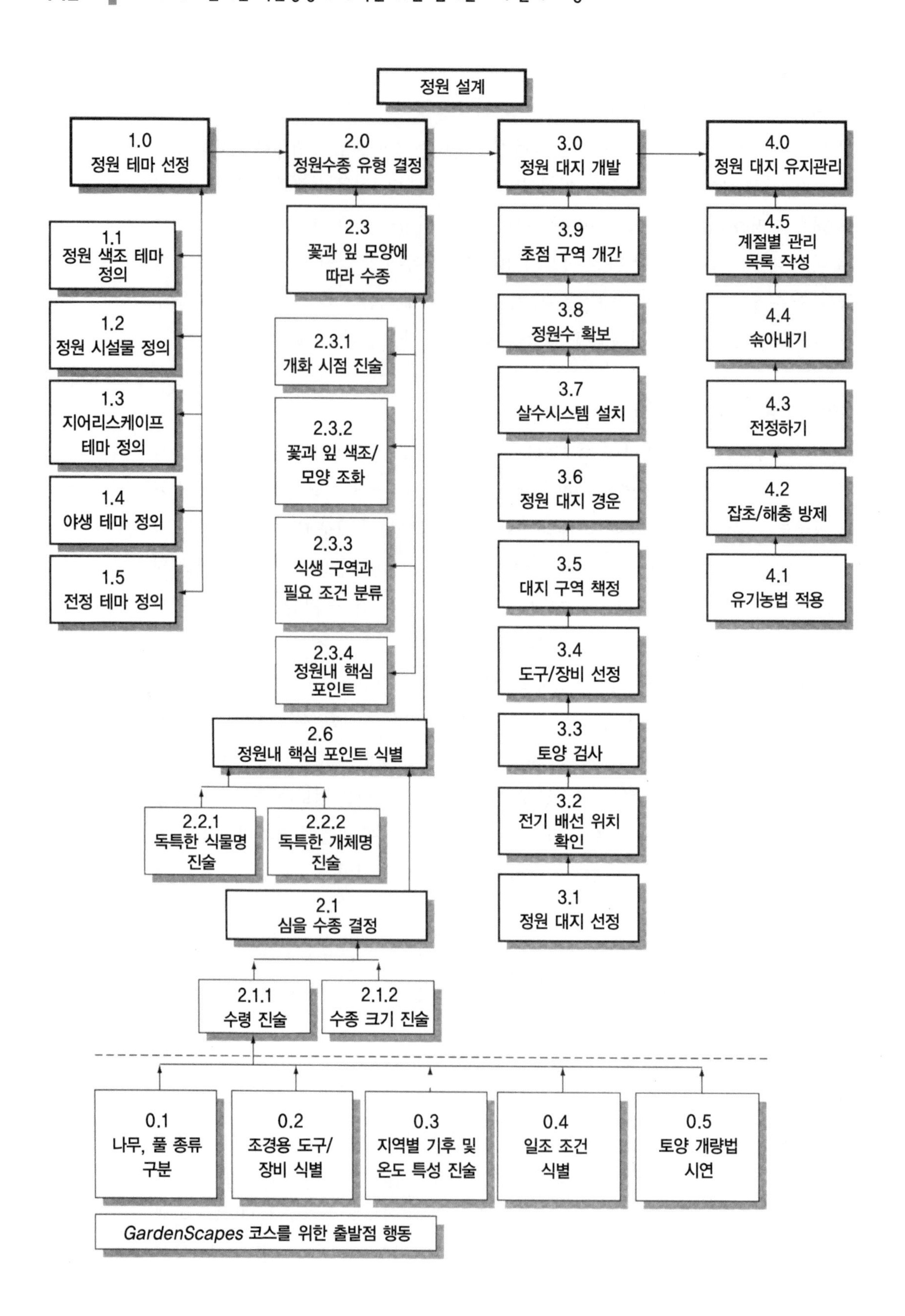
정원 설계
1.0
정원 테마 선정
2.0
정원수종 유형 결정
3.0
정원 대지 개발
4.0
정원 대지 유지관리
1.1
정원 색조 테마 정의
1.2
정원 시설물 정의
1.3
지어리스케이프 테마 정의
1.4
야생 테마 정의
1.5
전정 테마 정의
2.3
꽃과 잎 모양에 따라 수종
2.3.1
개화 시점 진술
2.3.2
꽃과 잎 색조/ 모양 조화
2.3.3
식생 구역과 필요 조건 분류
2.3.4
정원내 핵심 포인트
2.6
정원내 핵심 포인트 식별
2.2.1
독특한 식물명 진술
2.2.2
독특한 개체명 진술
2.1
심을 수종 결정
2.1.1
수령 진술
2.1.2
수종 크기 진술
3.9
초점 구역 개간
3.8
정원수 확보
3.7
살수시스템 설치
3.6
정원 대지 경운
3.5
대지 구역 책정
3.4
도구/장비 선정
3.3
토양 검사
3.2
전기 배선 위치 확인
3.1
정원 대지 선정
4.5
계절별 관리 목록 작성
4.4
솎아내기
4.3
전정하기
4.2
잡초/해충 방제
4.1
유기농법 적용
0.1
나무, 풀 종류 구분
0.2
조경용 도구/ 장비 식별
0.3
지역별 기후 및 온도 특성 진술
0.4
일조 조건 식별
0.5
토양 개량법 시연
GardenScapes 코스를 위한 출발점 행동

다. 이는 TOAB를 다루는 부분에서 나중에 제시하도록 한다).

Elliot이 *GardenScapes*의 LTM을 만들 때 사용했던 방법은 혼합형 분석법이었다. 출발점 기능들은 이 수업의 선수 과목인 '조경 기초학' 의 교수 목표, 그리고 주요 교수 목표들로부터 도출하였다. Elliot은 이 과목에 들어오기 전에 알고 있어야 하는 출발점 기능을 표시하기 위해 첫 자리가 0인 번호체계(0.x)를 사용했고, 점선을 그어 수업 내에서 다룰 내용과 다루지 않은 내용을 구분하였다.

Elliot이 개발한 LTM은 자매 사이트
(http://www.prenhall.com/davidson-shivers)를 참고하자.

생각해보기

자신이 맡은 개발 과제의 교수 목표에 대한 내용 분석을 해보기 바란다. 다양한 분석 방법, LTM의 형태 중 어떤 것을 택할 것인지 결정하라. 이때 "이 학생들이 교수 목표를 달성하기 위해 알아야 하는 것, 또 수행할 수 있어야 하는 행동이 무엇일까?" 라는 질문을 자신에게 던져보자. 주요 단계와 하위기능들이 모두 드러날 때까지 이 질문을 반복하라. 분석을 마치게 되면 아마 3개에서 12개 정도의 주요 수행 단계가 도출될 것이다.

내용 분석을 하면서 동시에 LTM 작성에 착수하자. 분석표 맨 위에 글틀을 만들고 그 안에 WBI 목적을 적어둔다. 그 아래에 주요 단계들을 열거하고, 이어 각 단계들의 하위기능을 차례로 도출해 나간다. 이 분석 결과를 짧은 문구의 형태로 글틀 속에 적어 넣은 후, 이 글틀들을 앞으로 학습해야 할 것들과 사전에 알고 수업에 들어와야 할 것들로 구분, 배치한 뒤 그 사이에 선을 그어 둔다.

Inspiration(Inspiration Software, Inc. 2005)이나 Microsoft의 *Powerpoint* 또는 *Word* 등이 제공하는 그리기 기능을 활용하면 간편하게 LTM을 작성할 수 있다. LTM을 처음 작성해보는 사람에게는 포스트잇 노트를 사용해보길 권한다. 작업이 만족스럽게 되었다고 판단되면, 그때 가서 소프트웨어를 사용하여 최종 문서를 만들면 된다.

'학습의 범주' 이론 또는 그와 유사한 분류 체계를 사용하여 각 주요 단계와 그 하위기능들이 어떤 학습 유형 또는 성과 수준에 속하는지를 식별해두자. 작업 결과가 만족스런 정도에 이르게 되면 교수설계 전문가와 내용 전문가에게 그 검토를 요청하는 것이 바람직하다. 이번에도 모든 절차가 종료되면 LTM을 '설계 문서' 의 일부로 삽입해둔다.

(다른 교수설계자들이 동일한 문제들을 어떻게 해결하고 있는가를 알아보기 위해 이 장의 후반부에 제시된 사례 연구를 살펴보기 바란다.)

내용 분석 종료 시점

내용 분석은 자연과학처럼 명석판명하게 이루어지는 작업이 아니다. 따라서 교수설계자는 경험과 실무 지식을 능숙하게 사용할 줄 알아야 한다. 이 작업은 힘들고 지루한 과정의 연속이라는 점을 잊지 말자. 주요 단계들과 그 하위기능들을 도출해내고 수업목적과의 관계를 위계적-절차적으로 탐색하고 수정해가는 과정은 끊임없이 반복된다.

그러다 보니 내용 분석이나 LTM 작성 작업을 효과적으로 할 수 있는 유일한 해답은 결코 존재하지 않는다. 단지 여러 개의 '적절한' 방식이 공존한다고 보는 편이 현실적이다. 이 작업은 교수설계자와 고객이 그 내용과 구조에 만족할 때까지 계속된다. 일단 분석이 종료되었다 하더라도 이후 설계 과정 중에 언제든지 수정될 수 있다. 최종적인 판단은 설계 작업이 완료되어 WBI가 성공리에 운영될 때까지 유보된다.

과제-목표-평가 항목 청사진(TOAB)

LTM 작성 작업이 어느 정도 마무리되면, 이제 분석 작업의 마지막 단계에 이르게 된다. 즉, 과제-목표-평가 항목 청사진(TOAB)를 만드는 것이다(Davidson-Shivers,

표 4.1 과제-목표-평가 항목 청사진(TOAB) 내용 개요

학습 과제 항목과 번호	목표	성과 수준	평가 항목
교수 목표 진술	수업 종료 시 달성 목표 (3개에서 5개 정도의 목표 나열)	Gagné의 범주이론 또는 Bloom, Krathwohl, Singer, Simpson 등의 분류 체계 활용	평가 도구에 대해 설명하고, 측정 문항 예를 제시
단계 1.0	주요 학습 목표		
하위기능 1.1 하위기능 1.2	하위기능 목표		
단계 2.0	문제해결		
하위기능 2.1 하위기능 2.1.1 하위기능 2.1.2 하위기능 2.2			
단계와 하위기능 계속 나열 출발점 기능 출발점 기능			

1998; Northrup, 2001). LTM은 주요 학습 단계와 그 하위기능들 간의 계열 관계를 도식화해 준다. TOAB는 도출된 학습 과제와 학습 결과의 직접적 연관 관계를 나타내준다(표 4.1). 교수설계자는 지금까지 찾아낸 모든 항목들(예컨대, 학습 과제, 목표, 결과 수준, 평가 항목 등) 간의 조화를 문서로 나타내 주어야 한다. 이를 위해 LTM의 주요 단계와 하위기능들을 TOAB 표의 첫째 및 둘째 열에 배치하고, 셋째 열에는 각 하위기능과 관련된 결과 수준을 제시하면 편리하다. 이렇게 만든 TOAB는 WBI 교수 목표와 그에 상응하는 평가 항목들을 학습 과제 항목과 성과물 수준에 대응하도록 정렬시켜 준다(WBI 목표와 평가에 관해서는 6장에서 다룰 것이다).

GardenScapes 사례

Elliott은 목표와 학습 결과물 분석을 하기 위한 여러 가지 분류 체계들 중에 Gagné의 학습의 범주 이론을 가장 선호하기 때문에, 이 이론에 따라 TOAB 표의 셋째 열을 채웠다. 완성된 TOAB는 설계 문서에 첨부하였다.

Elliott의 *GardenScapes* TOAB 초안

학습 과제 항목과 번호	목표	성과 수준	평가 문항
정원을 개발할 수 있다. (목표 진술문으로부터 도출)		지적 기능; 규칙 적용	
단계 1.0 정원 테마를 선정한다		**지적 기능; 규칙 적용**	
1.1 색상 테마를 정의한다.		정의된 개념	
1.2 정원 구조물 테마를 정의한다.		정의된 개념	
1.3 지어리스케이프[7] 테마를 정의한다.		정의된 개념	
1.4 야생 보존형 테마를 정의한다.		정의된 개념	
1.5 전정(剪定)이 필요한 테마를 정의한다.		정의된 개념	
단계 2.0 정원수 종류를 결정한다		**지적 기능; 규칙 적용**	
2.1 심을 정원수를 결정한다.		지적 기능; 구체적 개념	
2.1.1 정원수의 나이를 말할 수 있다.		언어적 정보	
2.1.2 정원수의 크기를 말할 수 있다.		언어적 정보	

7) 역자주: 지어리스케이프(Xeriscape)란 많은 물을 필요로 하지 않는 식물을 사용한 정원 꾸미기 방식을 말한다.

Elliott의 *GardenScapes* TOAB 초안 (계속)

단계 2.0 정원수 종류를 결정한다	지적 기능; 규칙 적용
2.2 정원 내 핵심 포인트를 식별해낸다.	지적 기능; 구체적 개념
2.2.1 독특한 수종을 식별해낸다.	언어적 정보
2.2.2 독특한 정원용 사물을 식별해낸다.	언어적 정보
2.3 꽃잎과 잎을 보고 정원수를 선별한다.	지적 기능; 구체적 개념
2.3.1 꽃이 피는 시기를 말할 수 있다.	언어적 정보
2.3.2 꽃잎과 잎의 색깔과 모양을 조화롭게 배치할 수 있다.	지적 기능; 정의된 개념
2.3.3 식생과 그 생장 필요조건들을 분류할 수 있다.	지적 기능; 정의된 개념
단계 3.0 정원 대지를 개발한다	**지적 기능; 규칙 및 운동기능**
3.1 정원을 만들 땅을 선정한다.	지적 기능; 구체적 개념
3.2 전기 배관 위치를 잡는다.	지적 기능; 규칙 적용
3.3 토양 조건을 검사한다.	지적 기능; 규칙 적용
3.4 조경용 도구와 장비를 선정한다.	지적 기능; 구체적 개념
3.5 정원수 심을 자리의 구획을 표시한다.	운동기능
3.6 정원수 심을 자리를 개간한다.	운동기능
3.7 살수 시스템을 설치한다.	지적 기능; 규칙 및 운동기능
3.8 정원수를 구한다.	운동기능
3.9 정원 내 핵심 포인트를 만든다.	지적 기능; 규칙 및 운동기능
단계 4.0 정원을 유지 보수한다	**지적 기능; 규칙 적용**
4.1 유기농법을 적용한다.	지적 기능; 정의된 개념 및 운동기능
4.2 해초를 제거한다.	지적 기능; 구체적 개념 및 운동기능
4.3 정원수를 전정하고 필요 시 솎아준다.	지적 기능; 구체적 개념 및 운동기능
4.4 정원수 뿌리 부분에 덮개를 씌워준다.	지적 기능; 구체적 개념 및 운동기능
4.5 계절별로 해야 할 일의 목록을 만든다.	지적 기능; 규칙 적용
출발점 기능	
0.1 정원용 초본, 목본을 식별한다.	지적 기능; 구체적 개념
0.2 필요한 정원용 도구와 장비를 식별한다.	지적 기능; 구체적 개념
0.3 정원 소재 지역의 온도 및 기후 특성에 대해 설명할 수 있다.	지적 기능; 언어적 정보
0.4 정원 소재 지역의 일조/그늘 조건에 대해 설명할 수 있다.	지적 기능; 규칙 적용
0.5 토양 개량 방법을 시범한다.	지적 기능; 규칙 적용

*GardenScapes*의 '설계 문서' 는 이 책의 자매 사이트
(http://www.prenhall.com/davidson-shivers)를 참고하자.

생각해보기

여러분의 WBI 프로젝트의 TOAB를 작성해보자. 이 TOAB라는 도구를 활용하여 학습 과제 항목들을 그에 부합하는 성과물 수준과 연결시키도록 한다. 표의 최상단에 교수 목표를 적어 넣는다. 모든 주요 단계들을 나열하되, 각 단계별 하위기능들을 순서대로 배열하고 LTM에 과제 번호 체계에 맞추어 숫자를 적어 넣는다. 마지막으로 출발점 기능을 추가한다. 각 단계 및 하위 단계별로 성과물 수준을 기입한다. 표 4.1을 일종의 템플릿으로 활용하도록 하자. WBI 프로젝트를 위한 설계 분서에 이 TOAB를 추가해 둔다.

TOAB 템플릿을 인쇄하려면 자매 사이트
(http://www.prenhall.com/davidson-shivers)를 참고하자.

교수 목표 진술문 완성

WBID 모형 중 분석 단계를 마치기 전에 마지막으로 해야 할 일이 한 가지 더 있다. 교수 목표 진술문을 한 번 더 검토하여 그 정확성을 기하는 것이다. WBI 설계는 융통적인 절차로서 설계 과정 중에 새로운 정보가 끊임없이 환류될 여지를 열어둔다. 따라서 교수설계자는 최초에 작성했던 초안으로서의 교수 목표 진술문이 내용, 학습자, 학습 맥락과 완벽하게 부합될 때까지 지속적으로 수정 · 보완을 하게 된다(3장, 그리고 여러분이 작성해 둔 '설계 문서' 를 참고하기 바란다).

나아가 설계자는 이 교수 목표 진술문이 적절한 학습 결과 수준을 간명하게 반영하고 있는지 확인해야 한다. 교수 목표 진술문이 여전히 수정을 필요로 하는지 아닌지를 알려주는 지표가 네 가지 있다. 첫 번째 지표는 부적절한 동사를 포함하고 있는지 여부이다. '~에 친숙해진다' , '~을 안다' , '~을 인식한다' , 또는 '~를 고려한다' 등은 개선이 필요한 동사들이다. 이런 부류의 동사들이 사용되었다는 말은 교수 목표 진술이 '모호하다' 는 증거가 된다. 두 번째 지표는 일반적 수준에서 작성된 진술 스타일이다. 환언하면, WBI 목적이 불분명한 어조로 작성되었기 때문에 학습자가 교수 목표를 확실하게 달성했는지를 알 도리가 없다는 뜻이다. 불분명한 어조로 작성된 진술문의 예로는, '자신의 업무에 대해 일종의 자신감을 느낀다' , '수학적 연산법을 이해한다' 는 등의 표현이다. 세 번째 지표는 목적이 수업 활동 또는 평가적 관점에서 진술되어 있어 본질적인 학습 결과를 지시하지 못하고 있는 경우이다. 그 예 중 하나는, '학생은 차시별 시험을 통과할 것이다' 라는 것이다. 네 번째 지표는 목적 진술문이 학습자 중심으로 기술되어 있지 않은 것이다. 교수자 중심으로 진술된 것이 대표적인 예이다. 예컨대, '교사는 열 자릿수의 나눗셈 방법을 시연한다' 가 여기에 해당된다(Smith, 1990; Smith & Ragan, 2005).

불명확한 교수 목표 진술문을 수정하기 위해 교수설계자는 반드시 행동동사를 사용해야 한다. 나아가 설계자는 그 행동의 대상을 명확히 제시해야 한다. WBI 교수 목표 진술문에 남아 있는 이러한 불명료성을 제거하기 위해 Smith(1990)는 다음과 같은 절차를 제안하고 있다.

1. 평가 상황에서 교수 목표 달성 여부를 확인할 수 있는 조건을 명확히 기술해보자:
   완전 학습 수준에 이르렀음을 확인할 수 있는 객관적 지표들은 무엇인가?
2. 1단계에서 확인해 둔 각각의 지표들을 진술문의 형태로 명기하여, 어느 수준으로, 어떤 정도로 학습자들이 목표로 하는 수행에 접근하고 있는지를 기술해보자.
3. 수정 · 보완된 목적 진술문을 검토하고, 다음과 같은 질문에 대해 생각해보자:
   만약 학습자들이 수행 목표를 달성하였다면, 최종적인 교수 목표 또한 온전히 달성된 것으로 볼 수 있는가?
4. 수정 · 보완된 목적 진술문을 검토하고, 다음과 같은 질문에 대해 생각해보자:
   이 교수 목표는 수업 과정 중이 아닌, 수업을 마친 후 시점에 달성된 것인가?
5. 수정보완된 목적 진술문을 검토하고, 다음과 같은 질문에 대해 생각해보자:
   이 교수 목표는 ***학습자*** *중심으로 작성되었는가? 혹시* ***교수자*** *중심으로 작성된 것은 아닌가?*
6. 만약 질문에 대한 답이 긍정적이라면, 교수설계자는 다음과 같은 평가적 질문에 대해 생각해보자:
   이 교수 목표는 수업에 의해서만 달성될 수 있었던 것인가? 다른 대안은 없었던 것인가?
   이 교수 목표는 규명된 문제 또는 이미 수행했던 일련의 분석 결과들과 직접적인 관련성을 갖고 있는가?

GardenScapes 사례

Kally와 Elliott은 최초에 초안으로 쓰인 다음과 같은 목적 진술문 초안을 검토하고 있다.

> *수업을 마친 후, 학습자들은 자신이 선택한 정원 개발 테마를 바탕으로, 정원 가꾸기의 기본 원칙과 적절한 절차를 따라 스스로 수립한 정원 개발 계획에 따라 정원을* ***개발할 수 있다.***

이때 도출된 WBI 목적을 위한 학습 결과 수준은 지적 기능과 규칙 적용 수준(Gagné) 또는 응용 수준(Bloom)에 해당한다.

Elliot과 Kally는 이렇게 작성된 성과 수준에 만족한 편이었지만 목적 진술문(굵은 체로 표시된 부분)에 뭔가 부족하다는 느낌을 지울 수 없었다. 정원 터를 본격적으로 개발하기에 앞서 그들은 학습자들이 먼저 정원 개발 계획을 수립하고 그에 따라 필요한 절차들 간의 순서를 명확히 규명하기를 바랐다. 그렇게 함으로써 지리적 위치나 기후 조건과는 무관하게, 주어진 한 학기 동안의 수업 시간 내에 모든 학습자들이 빠짐없이 교수 목표를 달성할 수 있을 것이라고 생각하게 되었다. 이 두 사람은 결국 최종 목적 진술문을 다음과 같이 수정하였다.

> *수업이 끝난 후, 학습자들은 자신이 선택한 테마에 따라 정원 개발 계획을 개발할 수 있을 것이다. 학습자들은 이 계획을 실행에 옮기기 위해 취해야 할 적절한 조치들에 대해서 설명할 수 있게 될 것이다.*

이 학습 과제에 해당하는 결과 수준은 규칙 적용(또는 응용)에 해당한다.

Elliot은 Kally의 재가하에 최초 TOAB에 나타난 학습 과제, 학습 결과 수준 중 일부를 변경하였다(어떤 변화가 있었는지 구체적인 사항에 대해서는 6장에 나오는 TOAB 관련 내용을 참고하자). Elliott은 이 변경 사항, 그리고 그 변경 사유에 대한 논거를 *GardenScapes* '설계 문서' 에 포함시켰다.

GardenScapes '설계 문서' 에 관해서는 자매 사이트 (http://www.prenhall.com/davidson-shivers)를 참고하자.

생각해보기

여러분이 작성해 두었던 교수 목표 진술문 초안과 그 결과 수준을 검토해보자. 이 책에서 살펴보았던 사례와 절차를 바탕으로 여러분이 작성한 교수 목표에 모호함이 없는지 살펴보자. 최종 목적 진술문 작성에 앞서 이 목적의 불명확한 부분을 수정해보자. 이렇게 목적을 수정한 후에도 그 성과 수준이 여전히 적절한지도 검토하라. LTM이나 TOAB에도 필요하다면 이런 변화를 적절하게 반영해보자. '설계 문서' 에 삽입해 둔 교수 목표, LTM, TOAB에 어떤 변경이 있었는지를 확인하고 왜 이런 변경이 불가피했었는지는 설명해보자.

(다른 교수설계자들이 동일한 문제들을 어떻게 해결하고 있는가를 알아보기 위해 이 장의 후반부에 제시된 사례 연구를 살펴보기 바란다.)

WBI 설계 및 개발 시사점

Smith와 Ragan(2005)에 따르면 "목표 학습자, 그리고 교수 목표 및 성과물 수준, 맥락과 내용의 특성을 잘 활용한다면 평범한 수업을 매력적이고 상상력을 자극하며 결코 잊혀지지 않는 수업으로 바꾸어 줄 수 있다"(p. 70). 교수 구성요소 분석(3장과 4장 참고)에 해당하는 네 가지 유형의 분석 작업을 통해 WBI 설계 단계 중 남아 있는 이후 작업에 주는 시사점을 찾을 수 있으며 WBI 프로젝트 자체의 가능성과 한계를 인식할 수 있다.

이러한 한계를 확인할 수 있다는 것은 분석 단계의 가장 중요한 역할 중 하나이다. 그럼에도 불구하고 바쁘다는 핑계로 분석 단계가 소홀하게 다루어지기 일쑤이다. WBI 프로젝트 일정에 쫓기다 보면 교수설계자는 분석 작업을 속성으로 진행하지 않으면 안 될 경우도 있다. 또 어떤 경우에는 분석 작업을 능숙하게 해낼 수 있음에도 불구하고 여전히 그로부터 결론을 도출하기 어려울 수도 있다. 즉 분석은 마쳤지만 그 결과가 WBI 설계 프로젝트의 설계 및 운영에 어떤 의미를 주는지 해석해내지 못할 수 있다. 더 나아가 일부 교수설계자들의 경우 분석 단계가 프로젝트의 필수 요구 사항 중 하나로서 형식적으로 거쳐 가기만 하면 되는 요식 행위라고 생각하기도 한다. 그렇지만, "그렇다면 이 결과는 무슨 의미로 해석해야 하나?"라는 비판적인 질문을 스스로에게 던져보는 것은 중요하다. 또한 보다 구체적으로 "이 정보는 효과적인 WBI 설계 또는 운영을 위해 어떻게 활용될 수 있을까?"라는 질문을 통해 부적절하고 불필요하며 조악한 교수 프로그램이 개발되지 않도록 만전을 기할 수 있다.

WBID 모형의 후속 잔여 단계에 주는 영향

교수설계자는 맥락 분석, 학습자 분석, 내용 분석의 작업 결과를 분석 단계 이후에 이어질 후속 설계 단계를 위해 어떻게 활용할 것인가를 고민해야 한다. 예컨대, 최종 교수 목표 진술문과 그 학습 결과 수준은 동시적 설계 단계(설계 및 개발, 그리고 형성평가 작업이 동시에 이루어지는 단계는 2장에서 이미 개략적으로 설명하였고, 6-8장에서 집중적으로 다룰 예정)에서 식별되고 개발되어야 하는 교수 전략의 유형을 결정하는 데 직접적인 시사점을 제공한다. 이제 그 사례를 하나 살펴보자. 교수 목표가 응용 수준의 학습 결과로 나타나기 위해서는 응용 작업의 절차를 상세하게 보여주고, 각 응용 절차별로 적절한 또는 적절하지 않은 적용 사례를 제공하며, 학습자로 하여금 스스로 응용해 볼 수 있는 기회를 제공해주는 교수 전략이 채택되어야만 한다. 반면, 교수 목표가 언어적 정보 수준이라면, 교수 전략은 어떤 특정 사실, 그림 등을 예로 보여주고 설명한 후, 파지와 기억을 증진시키기 위해 연습해 볼 수 있는 기회를 제공하는 것이어야 한다.

교수 맥락 분석의 결과 또한 설계에 직접적인 영향을 미치는데, WBI의 경우에 그 영향력의 정도는 더욱 크다. WBI 상황에서 개발 시점에서 사용되는 웹사이트가 실제 운영 환경으로 그대로 옮겨가는 경우가 일반적이다. 따라서 교수설계자는 개발 과정에서 사용하고 있는 웹사이트 또는 LMS의 기능에 관해 숙지하고 있어야 한다. 상황에 따라 다르긴 하지만 어떤 웹사이트들은 여러 가지 기술적 제한점들을 갖고 있어 WBI 설계 및 운영의 제약요인으로 작용하기 때문이다. 예를 들면, 무료 웹사이트 중에는 정작 학습에 필요한 정보에의 접근을 제한하는 경우도 있고, 학습자 간의 다양한 상호작용을 제한하는 경우도 다반사이다. 다운로드 또는 업로드할 수 있는 파일의 용량에 제약이 가해지는 경우도 있다. 이러한 여러 가지 기능상의 특성들은 학습자가 정보를 탐색하는 데 이용할 경로를 설계하는 데 영향을 미친다.

학습자 특성은 WBI 교수 및 동기 전략 수립에 결정적 역할을 한다. 예컨대, 연령, 기본 수학 능력, 문해 능력 등에 관한 정보는 수업 중에 제시할 '수업 단위(chunk)'의 크기 및 교수 목표 달성을 위해 필요한 수요, 그리고 어느 정도 상세한 설명이 필요한 것인지의 수준을 결정하는 데 도움을 준다. 이 특성은 문화, 인종, 성별, 기타 특성 지표 등과 함께, 수업에 쓸 사례의 유형, 연습의 분량과 종류, 그리고 피드백의 종류를 결정하는 데 고려해야 할 요인이다. 예를 들자면 내용을 잘 아는 학습자들은 그렇지 못한 학습자들만큼 연습을 시킬 필요는 없을 것이다.

교수의 유형에 따라 적절한, 또는 부적절한 유머 요소가 무엇인지를 파악하는 것도 중요한데(Bork, 2000), WBI의 경우에는 더욱 그렇다. 대부분의 WBI 참여자들은 목소리의 음조나 억양 등을 활용한 상호작용이 불가능하기 때문에 자칫 유머가 의도하지 않은 방향으로 오해될 소지가 있다. 따라서 교수설계자가 동시에 교수자인 경우에는 유머에 대한 반응도를 결정하는 참여자들의 배경(문화, 인종, 나이, 성별 등)에 관하여 명확한 개념을 갖고 있어야 한다. 전달하는 메시지 내용을 문자 그대로 너무 심각하게 해석하지 않도록 하기 위해서는 **네티켓**(예의바른 의사소통 규칙)(Albion.com, 1999), **이모티콘**(다양한 키보드 기호를 활용한 얼굴 표정 기호)(ComputerUser.com, Inc., 2000) 등을 교수자가 자유자재로 사용할 수 있어야 한다.

내용 분석 결과는 동시적 설계 단계의 주요 부분 중 하나인 WBI 교수 목표 및 평가 항목 개발에도 유용하게 활용된다. 내용 분석 결과는 교수 전략이 학습 정보를 제시하는 순서와 서로 잘 들어맞도록 설계하는 데 활용된다.

지금까지 논의된 바가 주로 설계와 운영 단계에 주는 영향력 관점에서 이루어졌지만, 분석의 결과는 5장의 주요 내용이기도 한 평가 단계에도 큰 영향을 미친다. 전반적으로 볼 때, 자료 수집 방법, 수집된 자료의 유형, 그리고 결과 분석의 정확성, 그리고 다양한 평가 방법론과 도구를 사용할 수 있는 평가자의 능력 등은 향후 평가 활동이 어떻게 기획되고 수행될 것인지를 결정하는 요인이 된다. 예컨대, 주어진 질문에 대한 답을 얻기 위해 수행 관련 데이터가 필요한 상황에서, 태도 관련 데이터를 수집하게 되면, 그 분석 결과는 신뢰할 수 없게 될 것이다.

이제 WBID 모형 중 남아 있는 이후 단계들이 마무리되어 가는 과정에서 분석 결과를 주기적으로 검토하도록 하자. 이런 습관을 들인다면 다음과 같은 이점을 챙길 수 있다.

1. WBI에 영향을 미칠 수 있는 중요한 또 다른 사실들을 발견할 수 있다.
2. WBI 설계 작업이 분명한 목적하에 일사분란하게 진행되도록 해준다.

GardenScapes 사례

교수학습개발센터(TLDC)는 WBI 개발을 위해 최고 사양의 소프트웨어 및 하드웨어를 구입하였고, 경험이 많은 우수 직원도 확보하였다. Elliott은 이 개발 자원을 십분 활용하고자 한다. 그러나 Kally는 학습자뿐 아니라 자기 자신조차 사용하기에 애를 먹을 것 같다는 우려 때문에, 복잡한 고급 사양이 너무 많지 않기를 바라고 있다.

Elliott은 하드웨어 및 소프트웨어에 대한 사용 매뉴얼 등 추가로 확보할 수 있는 지원 사항들이 무엇인지를 따져보고 있다. 그는 또 수업 안내 자료의 일부로 수업 시작하기, 학습자 간 상호작용하기, 교수자에게 메시지 보내기 등에 관한 안내 문구를 작성할 필요를 느끼고 있다. Kally는 Elliott의 이런 일련의 작업을 통해 교수자로서 자신이 갖추고 있는 기술적 지식이 개선되어 점차 고민거리가 사라져 갈 것이라고 기대하게 되었다.

그들은 내용 분석과 LTM 분석 결과를 바탕으로 수업 관련 내용을 네 가지 주요 섹션으로 나누어 제시하고자 하였다. 이 외에 두 개의 추가 섹션, 즉 수업을 소개하는 섹션과 마지막에 마무리하는 섹션도 개발하기로 마음먹었다. 결국 *GardenScapes*를 6개의 섹션으로 구성된 1.2학점(평생교육 수업 단위)짜리 과목으로 개발하기로 결정하였다.

바른 사례와 잘못된 사례를 보여주는 시각적인 사례를 들어가며 잘 가꾼 정원과 그렇지 못한 정원의 특징들을 설명한다면, 수업 효과뿐 아니라 학습 동기 측면에서도 도움이 될 것이라 판단하였다. Kally는 *조경학 기초* 과목에서도 내용에 가급적 재미난 제목들을 붙임으로써 성인 학습자들로 하여금 마치 그 옛날 학창 시절로 돌아간 듯한 느낌 속에서 편안한 기분으로 공부할 수 있도록 배려했던 경험이 있다. 이런 노력들이 학습자들에게 실제로 어느 정도 재미있게 받아들여졌는지는 알 수 없지만 Elliott은 WBI의 전반적 분위기를 조금은 더 격식 없고 부드러운 분위기로 만드는 데 도움이 될 것이라 생각하면서 Kally의 아이디어를 수용하기로 마음먹었다. 그는 이 전략의 실효성에 관하여 수업 마지막 시간 형성평가를 위한 설문 조사 시에 확인해 보아야겠다고 생각한다. 분석 결과 학습자들의 학습 동기 수준은 매우 높은 것으로 나타났으므로 수업 시간에 제시되는 정보 또한 그만큼 재미있고 동시에 내용 면에서 적절한 것이어야만 하겠다고 판단하고 있다.

Kally와 Elliott은 학습자 중 상당수가 학교 소재 지역 밖에 거주하고 있으며 따라서 수업에서 사용되는 사례나 내용은 미국 내 타 지역, 심지어는 외국에 맞는 식물이나 정원수도 다루어야만 한다는 것을 깨닫게 되었다.

이제 평가 및 설계 계획을 수립해야 할 단계에 이르게 되면서 Elliott은 지금까지 분석 결과를 참고하여 모든 WBI 구성요소들과 기능들이 체계적으로 상호 연계될 수 있기를 기대하고 있다. 그와 Kally는 WBI 설계 프로젝트에 영향을 미칠 수 있는 중요한 정보 중에 혹시 놓친 것은 없었는지를 확인하고자 한다.

GardenScapes '설계 문서' 에 관해서는 자매 사이트 (www.prenhall.com/davidson-shivers)를 참고하자.

생각해보기

지금까지 수행했던 분석 결과가 앞으로 남아있는 WBI 설계 단계에 어떤 영향을 미칠 것인지 생각해보자. 즉, 지금까지 이 분석 정보를 수집해 왔으니, 그것을 앞으로는 어떻게 활용할 것인가? WBI의 교수적 효과성, 시각적 매력성 등에 대해 분석 결과가 주는 의미는 무엇인가? 교수용 사례로는 어떤 것을 사용할 것인가? 어떤 질문을 던질 것인가? 연습 문제로는 어떤 유형을 사용할 것인가? 요컨대, 다양한 분석 결과들을 도대체 어떤 용도로 교수 및 동기 전략과 연결 지을 것인가?

'설계 문서' 가 WBI 자체는 물론, 설계, 운영, 평가 단계 각각에 어떤 효과를 미칠 것인지 핵심 요인들을 식별하고 상세히 설명해보자.

(다른 교수설계자들이 동일한 문제들을 어떻게 해결하고 있는가를 알아보기 위해 이 장의 후반부에 제시된 사례 연구를 살펴보기 바란다.)

마무리하기

내용 분석 작업은 교수 구성요소 분석에서 마지막 단계에 해당한다. 이때 WBI의 목표를 구성하는 주요 학습 단계와 하위기능, 그리고 LTM이 도출된다. 이 LTM을 바탕으로 학습 과제 항목과 결과 수준이 정리된 TOAB가 만들어진다.

이 분석 단계의 마지막 시점에 교수 목표 진술문 초안이 그 명료성과 일관성 측면에서 재검토된다. 분석 결과를 바탕으로 교수 목표 진술문 초안이 수정된다. 이 최종 목적 진술문은 WBI의 교수 의도를 명확하게 식별하고 이를 자세히 기술하여야 한다.

분석 단계가 마무리되면 교수설계자는 교수 목표와 그 결과 수준을 정교화할 수 있다. 또 학습자 특성과 적절한 맥락 특성을 기술할 수도 있다. 이 외에도 교수설계자는 LTM과 TOAB 등 도구를 사용하여 학습 내용을 구성하는 주요 학습 단계와 그 하위기능들 간의 관계를 도식화할 수 있다. 분석 단계의 결과를 바탕으로 두 종류의 WBI 기획서 작성에 착수할 수 있다. 그 중 하나는 평가를 위한 것이요, 또 다른 하나는 동시적 설계를 위한 것이다. 이제 2부의 다음 네 개의 장에서 이 두 가지를 자세히 살펴볼 것이다.

토론 과제

1. 내용 분석의 목적에 대해 진술하시오. 이러한 실증 자료 분석을 수행하지 않는다면 어떤 일이 일어날 것인가? 내용 분석이나 LTM 작성을 하지 않아도 된다

면, 그 논거는 무엇인가? 독자 여러분이 생각하는 바를 말해보자.

2. LTM에서 '선 상단 또는 하단' 이라는 말이 갖는 의미는 무엇인가? LTM상에서 어떤 항목의 위치는 어떤 경우에 바뀌는가? 독자 여러분의 의견을 말해 보시오.
3. 아래 제시된 교수 목표 진술문에 따라 내용 분석과 LTM 작성을 해보자.

   학습이 끝나게 되면 학습자는 과자를 구울 수 있게 될 것이다.

   이 목적을 달성하기 위한 주요 단계와 그 하위기능을 식별해 내시오. 점선을 긋기 위해서는 학습자의 연령대와 맥락을 규정해 두어야 할 필요가 있을 것이다. 예컨대, 학습자가 캠핑을 나온 스카우트 대원인가? *현대인의 생활 기술* 과목을 수강하는 고교 2학년생들인가? 또는 특별학 요구가 있는 성인인가? 또는 고급 요리전문학교의 요리학 개론 시간인가? 여러분이 생각하고 있는 학습자 집단 및 교수 맥락을 먼저 결정하기 바란다.
4. 주요 단계와 하위기능들을 도시하기 위해 LTM은 어느 정도 수준에서 상세하게 작성되어야 하는가? 너무 자세하거나 간략하다는 판단은 어떤 근거로 내릴 수 있는가?
5. TOAB를 꼭 작성해야 하는가? 왜 그런가, 또는 왜 그렇지 않은가? 여러분의 생각을 말해 보시오.
6. LTM 또는 TOAB상에서 과제 항목 각각의 학습 결과물 수준을 결정해야만 하는 이유는 무엇인가?
7. 교수 목표 진술문 초안을 굳이 여러 번 재검토해야 할 이유는 무엇인가? 왜 그렇게 생각하는지 논거를 들어 설명하시오.
8. 과제 분석과 내용 분석의 차이점은 무엇인가? 토론을 활성화하기 위해 선행 연구 결과를 연구해보기 바란다.

사례 연구

1. 초 · 중 · 고등학교의 사례

Megan Bifford는 초등 5학년 과학과에 대한 교수 분석을 시작한다. 이때 소속 교육청뿐 아니라 주정부 및 연방정부의 표준 커리큘럼을 참조하고 있다. 그녀는 동시에 교육청 인증 교과서들을 놓고 그 내용도 분석하기로 하였다. 몇몇 교사들의 강의계획서도 받아 두었는데 실제 교실에서 과학과 수업이 어떤 내용을 중심으로 어떻게 다루어지고 있는지를 알아보기 위함이다.

각종 커리큘럼을 모아 분석한 후, Megan은 내용 전문가들과 토론하기 위해 필요 능력 리스트 초안을 마련해 두었다. 그녀는 이어 두 명의 교육청 관내 교사인 Rohda Cameron과 Buzz Garrison, 그리고 과학 담당 장학사인 Cassie Angus를 만난다. 그들은 Megan이 초안으로 작성해 둔 필요 능력 리스트를 검토하는 것으로부터 시작해서 올 봄에 있을 중요한 시험에 대비하여 어떤 능력을 중점적으로 개선해야 할 것인지를 분석하기 시작했다.

내용 분석을 통해 보다 명확한 교수 목표 진술문을 수정할 수 있었다.

수업을 마치게 되면 5학년 학생들은 실제 세계의 현실적 문제들을 해결하기 위해 과학적 접근법과 함께 탐구 기법(inquiry techniques)을 적용할 수 있을 것이다.

이러한 여러 시사점들을 종합한 뒤, Megan은 LTM 초안을 작성하고 Bloom의 분류 체계에 따라 각 하위기능들을 정리하면서 TOAB 개발에 착수한다. 필요한 제반 항목들을 모두 기입한 후 그녀는 그 파일을 Cassie, Rhoda, Buzz에게 보내어 검토를 요청한다. 그들의 피드백을 받은 후 그녀는 프로젝트 평가에 대한 생각을 정리해 나갈 계획이다.

2. 기업의 사례

Homer Spotswood는 모든 안전 매뉴얼과 공장 작업 안전과 관련된 OSHA 규정을 모아 두었다. 그는 이제 안전 요건을 지키기 위해 필요한 지식, 기능, 수행능력을 모아 정리하는 작업을 시작한다. 작업을 하면서 그는 자신이 추출해내는 필요 능력들이 최종 WBI 개발 프로젝트에 어떻게 반영될 것인가를 고심하고 있다.

정리 작업이 끝나자 그는 내용의 계열 구조를 나타내는 LTM 작성에 들어간다. 자신의 작업 방향을 점검받기 위해 그는 먼저 공장 내 안전 담당관인 Greta Dottman을 만나 LTM의 수정 · 보완 사항을 파악한다. 이어 정확성을 더욱 기하기 위해 연방정부로부터 인가를 받은 유사한 훈련 프로그램들도 비교 · 검토하고 있다. LTM을 검증하고 나서 그는 TOAB 작성에 들어간다. 분석 결과를 바탕으로 훈련 목적을 다음과 같이 수정하였다.

훈련을 마친 후 종업원들은 작업 환경에 대한 안전 조치를 취한 후 2분 내에 탈출할 수 있다.

3. 군의 사례

Rebekkah Feinsten 부함장에게 브리핑을 하면서 Rex Danielson 대위는 전기 담당 선임 하사관인 Gus Mancuso를 소개한다. 그는 해군 전문기술학교인 'A' School의 전기 담당 과목 선임 교관을 맡고 있다. E2C2는 개론 수준에서 다양한 내용을 두루 다루기 때문에 전기 분야에 대해 전문적 지식을 필요로 하지는 않는다. E2C2는 다음 세 가지 주요 주제를 다루고 있다.

- 물질, 에너지, 직류에 관한 기본 개념 소개
- 교류와 변압기에 관한 기본 개념 소개
- 발전기와 모터에 관한 기본 개념 소개

Danielson 대위와 그의 팀은 내용 분석 결과를 바탕으로 교수 목표 진술문을 완성한 후 Feinstein 부함장에게 제출하였다. 이와 동시에 부함장의 재가를 받기 위해 기안서를 작성하고 있다.

부함장과 Danielson 대위는 Cameron Prentiss 함장에게 제출할 진척 보고서 제출 일정을 잡아야 한다. 만약 함장이 분석 결과 및 향후 수정 방향이 적정하다고 판단할 경우에 한하여 LTM과 TOAB 작성에 들어갈 수 있기 때문이다.

4. 대학의 사례

Shawn 교수는 *경영학 개론* 과목의 담당 강사일 뿐 아니라 내용 전문가이기도 하다. 내용 전문가로서 그는 진술된 교수 목표(학과에서 재가한 강의 계획서에 나타나 있음) 달성을 위해 필요한 내용을 식별하고 그 순서를 정한 후, 강의 내용에 대한 개요서를 작성한다. 그는 자신의 강의 조교인 Brian Cody에게 웹 및 도서관 검색을 통해 수업에 사용할 적절한 경영 사례와 조직 운영 전략에 관한 웹사이트 정보 및 논문을 찾아 줄 것을 부탁한다.

Shawn 교수는 '경영학 개론' 을 가르치고 있는 다른 강사진을 만나 자신이 정한 주제가 그들의 강의계획서와 일치하는지를 확인한다. 그들은 몇 가지 제안을 하였고 이를 바탕으로 Shawn 교수는 교수 목표를 다음과 같이 수정하였다.

학생들은 실제 세계에서 일어나는 상황에 경영학 기법들을 적용할 수 있다.

Shawn 교수는 회의 결과와 취합한 자료 목록을 문서로 정리한다. 이 문서는 과목

인증을 받는 과정에서 유용한 자원으로 쓰일 것이다. 과목 인증을 하는 기관 중 하나로 미국 경영대학 협회(American Association of Collegiate Schools of Business, AACSG)가 있다. 변경된 교수 관련 사항들은 예외 없이 AACSG 기준에 부합해야만 한다.

다음 질문은 이 네 가지 사례 모두에게 공통적으로 적용된다. 교수설계자로서 여러분이 이 각각의 사례 상황에 대해 어떤 행동을 취하거나 반응할 것인지 생각해 보라.

- 다루어야 할 내용 중에 혹시 빠진 것은 *없는가*? 있다면 그 데이터는 어디에서 구할 수 있는가?
- 3~4장에서 다룬 분석 절차들은 WBI 설계 및 개발에 어떤 영향을 미쳤는가? 그 영향 관계는 사례마다 다른가?
- 사례 연구에서 다루어지는 여러 경영학 원리들 각각을 어떻게 차별화하여 다룰 것인가?

제 **5** 장

평가 기획: 형성 및 총괄평가 기획

평가 기획에는 형성 및 총괄평가 기획이 있다. WBID 모형의 평가 기획 단계에서 형성평가는 완성된 형태까지 기획되어야 하지만, 총괄평가는 예비적인 수준 정도로 기획될 수도 있다. 이 형성평가 기획에 따라서 WBI 프로토타입은 물론 그 프로토타입에 따라서 개발될 웹사이트가 수정 및 보완될 것이다. 이 평가는 일단 동시적 설계 단계가 시작되고, 이 설계 단계가 WBI의 시범 운영 단계로 옮겨질 때 일어난다. 이를 현장평가라고 한다. 기획의 두 번째 부분인 총괄평가의 예비 기획 활동은 WBID 모형에서 중요한 특징이다. 즉, 이 평가를 통하여 WBI가 교육 현장에 실제로 운영되기 전에 그 현장의 상황에 관한 데이터를 수집할 수 있도록 해준다. 새로운 프로그램이 도입되기 전, 그 교육 현장에서 사용한 기존 교육 프로그램에 관한 정보가 수집되지 않았을 때는 필요한 정보를 잃어버리는 경우가 왕왕 있다(Solomon & Gardner, 1986). 교육 현장에 WBI를 본격적으로 운영하게 된 후에야 비로소 총괄평가의 최종적인 기획이 가능할 뿐만 아니라 총괄평가를 할 수 있게 된다.

5장에서는 평가 방법과 도구에 대하여 논의한 후, 평가의 주요 목적과 일반적 평가 모형 다섯 가지에 대하여 개괄적으로 살펴보도록 하겠다. 그리고 각각의 평가 활동을 기획하는 방법과 형성평가의 결과를 보고하는 방법에 대하여 살펴볼 것이다. 마지막으로, 총괄평가를 위한 예비 기획에 대하여 살펴볼 것이다.

학습 목표

이 장의 구체적인 학습 목표는 다음과 같다.

- 평가의 일반적인 목적을 설명할 수 있다.
- 일반적인 평가 모형 다섯 가지를 말할 수 있다.
- *형성평가*와 *총괄평가*를 비교, 대비할 수 있다.
- 형성평가의 기획 절차를 설명할 수 있다.
- 내부와 외부 평가자들의 장단점을 설명할 수 있다.
- 형성평가 기획서를 작성할 수 있다.
- 형성평가 과정과 결과를 보고하기 위한 커뮤니케이션 기획서를 개발할 수 있다.
- 총괄평가의 예비 기획서를 작성할 수 있다.

시작하기

평가는 WBI 설계에서 또 다른 중요한 단계이다(그림 5.1). **평가(evaluation)**는 교육 프로그램의 가치를 결정하는 수단이다(Fitzpatrick, Sanders, & Worthen, 2004). 또한 평가는 WBI를 수정할 필요가 있는지, 아니면 어떤 수정도 하지 않고 그대로 유지해도 되는지를 결정하는 데 필요한 정보를 수집하는 과정이기도 하다. 이 책에서는 학습자가 어느 정도로 학습 목표를 성취했는가를 측정하기 위해 정보를 수집하는 **査定(assessment)**과 그 의미를 구분하여 사용하고자 한다.[8)]

WBI의 가치는 효과성, 효율성, 매력성에 의하여 이해당사자들 간에 의사소통이 된다. 세 가지 준거는 WBI가 최종적으로 얼마나 성공적인가를 결정하게도 해주지만 학습자가 어느 정도 학습 목표를 달성했는가를 결정하게 해준다. 표 5.1에 이 준거의 정의를 간단하게 설명해 놓았다. WBI의 상황이 제각각 다르기 때문에 이 평가 준거도 다양하게 사용할 수 있다. 어떤 상황에서는 모든 준거를 적용할 수 있고, 또 어떤 상황에서는 하나 또는 두 개의 준거가 필요할 수 있다. 예를 들어 '생명 안전 문제' 를 가르치는 것과 같은 상황에서는 교수자나 기관이 매력성보다 효과성을 WBI의 더 중요한 준거로 삼을 것이다.

8) 역자주: 이 책에서는 '평가'와 '사정'의 개념을 구별하여 사용하고 있으나 굳이 그 표현을 달리하지 않아도 내용을 이해하는 데 문제가 없는 경우에는 두 개념을 혼용하고자 한다.

▶ 그림 5.1 WBID 모형

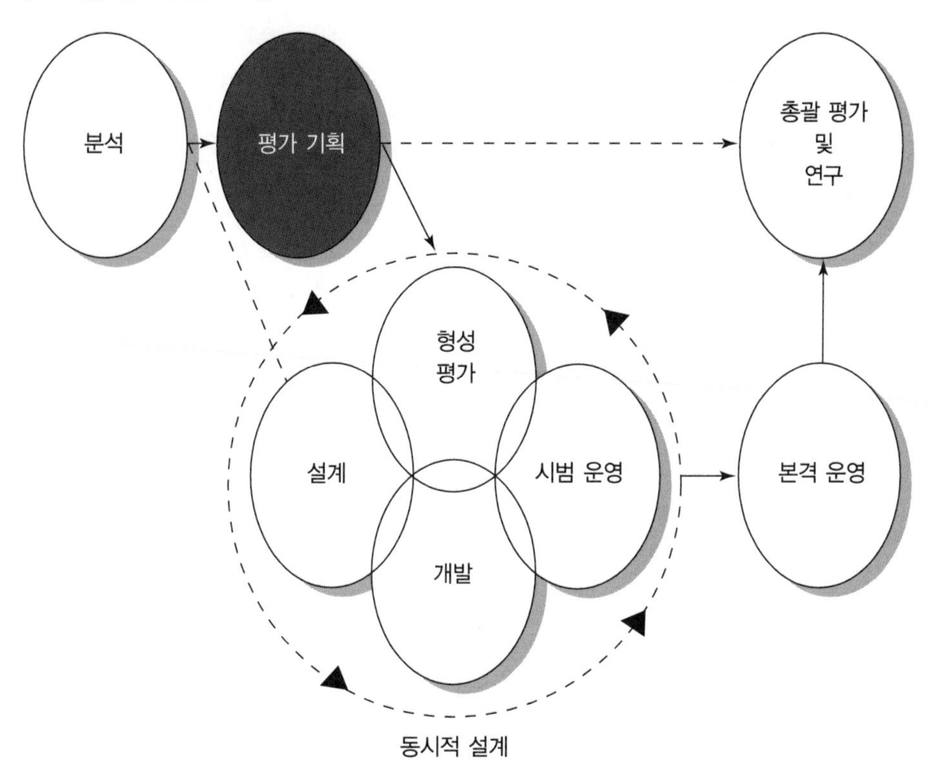

효과성

WBI의 **효과성(effectiveness)**은 학습자가 학습 목표를 달성했는가를 판단함으로써 측정될 수 있다(McLellan, 1997). 목표 달성 여부는 WBI의 최종 학습 목표나 하위 성취목표에 진술된 기준에 따라서 판단된다. 다음의 '화재 안전' 에 관한 목표 진술의 예를 보자.

화재가 났을 경우, 병원 근무자는 의무적인 병원 안전 수칙 매뉴얼에 따라 환자 보호를 위한 다섯 단계 절차를 정확하게 적용할 수 있다.

병원 근무자들은 이 목표를 학습하고 있어야 하는 것이 중요하기 때문에 효과성이 WBI의 가치를 판단하는 데 일차적인 준거가 된다. WBI 평가에 대하여 논의할 때, Khan과 Vega(1997)는 효과성을 가장 강조했다. 이 예에서, 병원 근무자들이 다섯 가지 단계를 정확하게 시연할 수 있게 되었다면 사용된 WBI가 효과적임을 입증하는 것이다.

표 5.1 평가 준거 개요

평가 준거	설명	데이터 출처
효과성: WBI 목표 달성	WBI에 의하여 핵심적인 학습이 일어났는지의 여부로 판단한다.	• 전문가 의견 • 수행평가 • 실습항목
효율성: 적시 또는 비용 절감되는 방법으로 제공	WBI에 소요된 시간과 다른 자원들이 적절하게 사용되었는지 여부로 판단한다.	• 기초자료 비교 • 설계 및 실행 경비 요소 • 시간 요소
매력성: 학습자 주의와 흥미를 획득하고 유지; 사용성(즉, 접근과 사용의 용이성)	주의와 흥미를 획득하는 요소들이 WBI에 적절하게 사용되었는지 여부로 판단; 사용과 내비게이션의 사용성으로 판단한다	• 교수자와 참여자 의견 • 전문가 검토

출처: 표 안의 데이터는 Dick et al.(2005), Khan & Vega(1997), McLellan(1997), Smith & Ragan(2005)을 참고하였다.

효율성

훈련과 교육이 효과적이어야 함을 누구나 알지만 시간, 비용, 또는 다른 자원들이 부족할 때가 있다. 이런 상황에서 **효율성(efficiency)**을 강조하려면 WBI를 사용한 결과로 시간, 비용, 기타 자원이 절감되었는지를 결정하는 것에 대한 평가에 초점을 두어야 한다. 이해당사자들은 WBI를 '적시(JIT: just-in-time)'에 중요한 정보를 제공해 줄 수 있는 것으로 보려고 한다.

전자 수행 지원 시스템(EPSS: Electronic Performance Support System)(Northrup, Rasmussen, & Dawson, 2004), 재사용 학습 객체(RLOs: Reusable Learning Objects)를 사용하는 시스템(Shepard, 2000) 또는 SCORM(Sharable Content Object Reference Model)을 사용하는 시스템(Advanced Distributed Learning, 2003)과 같이 WBI를 통하여 적시 학습 경험을 제공하면 업무에 소요되는 시간을 최소화해 주고, 훈련비용을 절감해준다. 비용 절감, 시간 단축, 개인의 숙련도 증가에 초점이 맞추어질 때, WBI 평가는 효과성이나 매력성보다는 효율성을 강조한다(Reiser, 2002; Rosenberg, 2001; Van Tiem et al., 2001; Wager & Mckay, 2002).

효율성이 효과성보다 더 중요하게 여겨질 때 WBI는 포괄적인 학습 내용이 아니라 특정 과제를 해내는 데 필요한 특정 정보만을 제공하는 것임을 평가자는 알고 있어야 한다. 게다가 학습해야 할 필요가 있는 내용 혹은 정보의 유형을 진단하고, 그것을 언제 제공해야 할 것인가를 결정하는 것은 교수자와 학습자에게 달려있다. 적시학습은 학습자의 취약점이 무엇인지를 알아내서, 그것과 직접적으로 관련된 내용만을 WBI

에 포함해야 한다. 결과적으로, 효율성을 강조하는 WBI를 평가할 때 이러한 모든 요소들이 고려된다.

매력성

평가자들이 매력성을 언제나 고려하려고 하지는 않지만 WBI의 또 다른 중요한 준거임에는 틀림없다(Smith & Ragan, 2005). **매력성(appeal)**은 학습자로 하여금 어떤 학습 과제에 관심과 흥미를 갖고, 유지하게 하는 것을 말한다. 매력성은 일반적으로 학습 내용과 WBI의 속성(활동, 메시지 설계 등)의 동기적 측면에 초점을 둔다.

교육 담당자들은 때때로 교육에 참여하는 사람들이 훈련이나 학습에 동기화되어 있기를 가정하거나 희망한다. 그러나 교사, 교육 담당자, 설계자는 그 반대의 경우를 접하게 되는 것이 다반사이다. Slavin(1991)은 사람들이 동기화되어 있다고 주장하는데, 이들의 동기는 학습을 향해 있지 *않다*. Slavin에 따르면, 교육 담당자의 일은 다른 일들(점심, 금요일 저녁 인기 있는 스포츠 게임 중계, 미개봉 편지, 텔레비전 등)에 향해 있는 학습자의 주의를 학습으로 돌리는 것이라고 주장하고 있다.

어떤 조직에서 지금까지와는 다른 새로운 방침, 절차, 기술, 또는 다른 변화를 추진하기 위한 직원 지원이 필요할 때, 매력성에 의한 WBI 평가가 주된 관심을 받게 된다. 복잡한 또는 어려운 과제를 포함하고 있는 WBI를 학습자들이 계속해서 학습하려고 하는지의 여부를 결정하려고 할 때, 매력성은 평가자들의 관심 대상이 된다. WBI가 학습자에게 매력적이고, 학습 과제를 지속하도록 고무하는지를 평가자는 고려해야 한다.

매력성을 판단하는 것은 주관적인 일이다. 아이들에게 매력을 끄는 것이 반드시 어른들에게는 매력적이지 않을 수도 있다. 매력은 성, 문화, 기타 특성에 따라 개인마다 다르게 나타난다(Ormrod, 2004; Slavin, 1991; Weiner, 1992). 이러한 이유 때문에 학습자 분석에서 나온 결과는 평가 기획에서 잘 활용되어야만 한다(3장을 참고하자).

사용성. WBI의 매력성을 결정하는 또 다른 요소 중 하나가 사용성이다. **사용성(usability)**이란 교육 프로그램의 사용과 접근이 얼마나 용이한지와 웹사이트를 얼마나 쉽고 직관적으로 내비게이션할 수 있는가를 말한다. 사용성은 WBI 평가에 있어서 중요한 요소이다. 어떤 웹 관리 도구는 다른 도구보다 교수자와 학습자들이 내비게이션하는 데 더 용이하다. 비상업적 또는 교수자가 제작한 웹사이트가 WBI 목적으로 사용될 때 내비게이션의 용이성은 훼손되기가 쉽다.

WBI 평가에 있어서, 한두 개 정도의 가치 준거로만 제한할 필요가 있다. 심층적 평가를 위해서는 세 가지 준거를 모두 사용할 수 있다. 설계자는 WBI를 평가하고, 만든 WBI를 어떻게 사용할 것인가를 결정할 이해당사자들과 평가 결과를 공유하고 적합한 아이디어를 건의해야 한다.

GardenScapes 사례

Kally와 Elliott은 *GardenScapes*라고 하는 프로그램의 효과성과 매력성에 일차적으로 관심을 두었다. 이런 입장이라면, 이들은 학습자가 정원의 테마에 따라서 정원 조성 기획서를 개발할 수 있다는 코스의 학습 목표 달성뿐만 아니라 코스의 내용과 이 코스를 웹기반으로 하는 학습 방식에 대하여 만족했는가를 알고 싶어할 것이다. 마지막으로 교수자(Kally)와 참가자들이 얼마나 시간 집약적으로 활동하였는지를 알고 싶어한다. 결과적으로 이들은 효과성과 매력성을 일차적 평가 준거로, 효율성을 이차적 평가 준거로 삼았다고 할 수 있다. 다음 표에서 중요한 순서대로 준거를 나타내었다.

평가 준거	설명	데이터 출처
효과성: WBI 목표 달성	학습자들이 정원조성계획을 세울 수 있는가를 결정한다.	• 학습자의 정원조성 최종계획 • 개념과 절차에 관한 사전/사후검사 • WBI에서 실전연습
매력성: 학습자 주의와 흥미를 획득하고 유지 사용성	흥미를 기준으로 그래픽, 비디오, 텍스트 등을 검토한다. 흥미를 기준으로 내용을 검토한다. 사용성과 내비게이션의 직관성을 기준으로 기술을 검토한다.	• 코스 내용, 활동, 메시지 설계, 전달 시스템에 관한 학습자의 의견 • 코스 내용과 전달 시스템의 사용성에 관한 교수자의 의견 • 동기 요소에 관한 전문가의 검토 • 교수자와 학습자에게 사용성에 관한 질문을 한다.
효율성: 적시적 방법으로 제공되는 교육 프로그램	웹으로 학습 내용을 전달하는 데 소요되는 시간을 조사한다.	• 준비, 촉진, 채점 · 피드백에 소요된 교수자의 시간을 문서화한다. • WBI 활동에 소요된 참가자들의 시간을 문서화한다.

*GardenScapes*의 '설계 문서—평가 기획' 에 관해서는 자매 사이트 (http://www.prenhall.com/davidson-shivers)를 참고하자.

생각해보기

어떤 평가 준거가 당신의 WBI 프로젝트에 적합하고, 알아보고자 하는 영역과 관련이 있으며, 구체적인 데이터 출처를 찾을 수 있는가를 결정해보자. 표 5.1을 따라 그 개요를 만들어보자.

(다른 교수설계자들이 동일한 문제들을 어떻게 해결하고 있는가를 알아보기 위해 이 장의 후반부에 제시된 사례 연구를 살펴보기 바란다.)

일반적인 평가 모형

여러 가지 평가 모형을 이용하여 WBI를 평가할 수 있다. 그 중 Fitzpatrick 등(2004)은 평가 모형을 다음과 같이 제시하였다.

1. *목표* 지향 모형—WBI가 프로젝트 목표를 얼마나 잘 달성하는가?
2. *관리* 지향 모형—WBI가 외부 의사결정권자들의 요구에 얼마나 잘 부합하는가?
3. *고객* 지향 모형—WBI가 고객들의 요구를 얼마나 잘 충족시키는가?
4. *전문가* 지향 모형—WBI가 목표를 달성한 것을 전문가가 얼마나 잘 판단하는가?
5. *참가자* 지향 모형—WBI가 참가자의 요구를 얼마나 잘 충족시키는가?

다섯 개의 평가 모형을 자세하게 살펴보는 것은 이 책의 범위를 벗어나는 일이다. 이 모형에 대하여 자신이 없는 설계자들은 자신의 교수 상황에 가장 잘 맞는 모형을 정하기 위하여 관련 자료를 찾아보아야 한다. 어떤 모형을 선택하든지, 일반적으로 모든 모형에서는 형성평가와 총괄평가의 범주와 방향을 안내해줄 것이다.

GardenScapes 사례

Elliott은 Fitzpatrick 등(2004)이 제시한 목표 지향 모형과 관리 지향 평가 모형이 혼합된 것을 사용하기로 하였다. 목표 지향 모형 관점에서는 학습자가 코스의 학습 목표를 달성하는 것이 가장 중요하다. 관리 지향 모형 관점에서는 해당 코스가 Clatskanie 전문대학에게 어떠한 부가 가치적 요소를 제공하는지와 학생들과 교수가 수업에서 웹 사용이 가능한지를 평가한다.

*GardenScapes*의 '설계 문서－평가 기획' 에 관해서는 자매 사이트 (http://www.prenhall.com/davidson-shivers)를 참고하자.

생각해보기

프로젝트를 하면서 따라 하기에 어느 평가 모형이 가장 적합한가?

'설계 문서' 의 한 부분으로 자신이 선택한 평가 모형 및 목적을 결정하고 그 정당성을 설명해보자.

(다른 교수설계자들이 동일한 문제들을 어떻게 해결하고 있는가를 알아보기 위해 이 장의 후반부에 제시된 사례 연구를 살펴보기 바란다.)

WBI 평가의 두 가지 기본 유형

WBI 설계 및 개발 중에 일어나는 형성평가와 총괄평가는 기본적인 두 가지 유형의 평가이다. 각 평가 과정은 WBI 설계자의 결정에 큰 영향을 미칠 수 있다.

형성평가

형성평가는 학습 프로그램의 설계 및 개발 중에 실시되는 그 프로그램에 대한 평가 과정을 말한다. 형성평가의 목적은 학습 프로그램에 약점이 있는지를 검토하여, 필요하다면 수정하여 오류를 바로 잡음으로써 실제 교수 상황에 운영되기 전에 그 프로그램의 효과를 높이는 것이다(Gagné et al., 1992). Gagné 등에 따르면, "프로그램의 개발에서 형성평가 단계는 설계 과정 후반부에 시작되고, 형성평가를 기획하고 실행에 옮기는 데 상당한 노력을 필요로 하기 때문에 아주 빈번하게 간과되는 단계 중 하나이다." (p. 30)라고 한다. Gagné 등은 형성평가가 이루어지지 않았다면 그 교수설계 과정은 완성되지 않았다고 보아야 한다고 주장하고 있다. 전형적으로 형성평가는 전문가 검토와 대상학습자 집단을 대상으로 한다(표 5.2 참조).

총괄평가

총괄평가는 어떤 조직에서 어떤 학습 프로그램이 제대로 작동하는지, 다시 말하면 효과적으로 원하는 학습 목표를 달성하게 해주는가에 관한 정보를 이해당사자들에게 제공하기 위하여 프로그램의 효과를 알아보기 위한 활동을 말한다. 이 정보를 받은 사람들은 그 정보를 이용해서 WBI 프로그램을 개발하고 대상학습자들에게 배포했을 때 과연 그 WBI가 전체적으로 어떤 가치를 가지고 있는가를 결정하게 된다(Dick et al., 2005; Gagné et al., 2005; Smith & Ragan, 2005). 총괄평가는 WBI를 사용하여 어

표 5.2 형성평가와 총괄평가의 비교

	형성평가	총괄평가
시간프레임	WBI가 설계 및 개발되는 동안 수행	형성평가 후 수행
목적	WBI 약점 검토 및 수정	WBI의 전반적인 가치 판단
평가자	전문가 검토, 표집된 대상학습자	대다수의 대상학습자

떤 가치가 부가되었는지를("WBI를 사용하였기 때문에 가치가 부가되었는가?") 판단하기 위하여 행해진다. **부가가치(value added)**라는 용어는 교육 프로그램이 적용되지 않고는 얻을 수 없었던 긍정적인 어떤 것을 의미한다. 가치가 부가되었는지를 판단하는 준거의 예로, 지리적 위치가 다른 학습자들이 웹을 통하여 코스가 보급되었기 때문에 코스를 들을 수 있다는 것이다.

가치가 부가되었는지를 알아보기 위한 질문에는 "WBI가 운영되지 않았다면 무슨 일이 일어났을까?"와 "WBI 자체 때문에 학습자들의 성과가 높아졌는가?"가 있다.

총괄평가의 결과에 기초하여 이해당사자들은 WBI를 지속할 것인지, 수정해야 할지 아니면 중단해야 할지를 결정한다. 영원히 사용될 수 있는 학습 프로그램은 없다. 이해당사자는 현재 사용하고 있는 WBI가 본래의 목표를 달성할 수 있는지 아니면 더 이상 사용할 가치가 없는지를 항상 주시해야 한다. 만일 WBI가 더 이상 사용할 가치가 없다면 당연히 사용을 중단해야 한다. 그러나 여전히 유용하다면 그대로 사용할지 아니면 수정, 보완해야 할지를 결정해야 한다.

WBI가 사용되는 동안의 주기적인 유지보수 일정 내에 총괄평가가 행해지는 것이 일반적이다. 형성평가를 통하여 프로그램에 심각한 문제가 없다고 판단된 후에 총괄평가가 실시되고 상당기간 동안 그 프로그램은 다수의 학습자들에게 사용되고 나서, WBI 생명주기에 따라 1년 또는 늦어도 5년 이후에 다시 총괄평가가 실시된다(Gagné et al., 1992).

WBI를 개발하기 위해서는 형성평가와 총괄평가가 필요하다. WBI의 형성평가와 총괄평가의 목적은 전통적인 교수설계 모형의 목적과 크게 다르지 않지만, WBID 모형과는 다음과 같은 차이점이 세 가지 있다.

WBID 모형과 전통적 교수설계 모형의 차이점

WBID 모형에서의 평가와 전통적인 교수설계 모형에서의 평가의 차이는 '형성평가 기획' 시기에 있다. Smith와 Ragan(2005)은 실제 프로그램 개발에 들어가기 전에 설계안이 수정되도록 하기 위해서는, 형성평가 절차가 설계 과정 초기에 기획되어서, 교수 목표가 진술되자마자 형성평가가 실시되어야 한다고 주장하였다. 그런데 다른 전통적인 교수설계 모형과 마찬가지로(Dick et al., 2005; Gagné et al., 2005), Smith와 Ragan은 형성평가를 자신들의 교수설계 모형의 마지막 절차에 포함시키고 있다. 반면 WBID 모형에서는 분석 단계가 끝나자마자, 설계 과정이 본격적으로 시작되기 전에 형성평가를 기획한다. 이 모형에서 형성평가에 대한 문제를 더 빨리 거론하는 것은 WBI를 설계 및 개발할 때, 설계자로 하여금 검토와 보완을 위한 기획을 바로 실행에 옮기도록 해주기 위해서이다. 이렇게 초기에 형성평가를 기획하면, 개발 단계만이 아니라 설계 및 개발 단계에 평가 활동이 통합되도록 해줄 수 있기 때문이다. 이런 방식으로 형성평가를 기획하면 시간 절감은 물론 경비 절감 효과를 거둘 수 있다. 왜냐하면 설계를 하는 중에 수정이 이루어져서 프로토타입을 개발하는 데 드는 비용을 줄일 수 있기 때문이다(아직 증명된 사실은 아니다). 결국 초기 평가 기획과 운영은 형성평가를 결코 간과해서는 안 되는 교수설계 과정임을 보여준다. 표 5.3에 교수설계 모형과 WBID 모형을 비교하였다.

WBI 설계 및 개발의 과제가 진척되는 것만큼 형성평가도 강조된다. 그림 5.2는 설계 및 개발 과제와 형성평가 과제 간의 유동성을 보여주고 있다. 화살표는 동시적 설계 단계(6~8장에서 다룸)에서 설계 및 개발 활동이 형성평가와 통합됨을 보여주고 있다.

두 번째 차이는 형성평가를 위한 시범 집단의 활용에 있다(표 5.3 참조). 교수설계 모형(예, Dick et al., 2005; Gagné et al., 2005)은 개발 단계의 말미에 시범 집단(일대일, 소집단, 현장평가)을 사용하도록 한다. 그러나 WBID 모형에서는 시범 집단 활동을 포함할 뿐만 아니라, 설계 초반과 전반에 걸쳐 전문가와 학습자가 WBI를 검토할 수 있는 기회를 체계적으로 통합하고 있다.

표 5.3 전통적 교수설계 모형과 웹기반 교수설계 모형에서의 평가 비교

	전통적 교수설계 모형	웹기반 교수설계 모형
형성평가 기획 시기	설계 후 개발 전	분석 후 설계 전
시범 집단	시범 집단은 개발 단계 말미에 WBI를 평가함	시범 집단은 설계 단계 초기부터 검토할 수 있는 기회를 가짐
총괄평가 기획	대다수의 사용자들에 의하여 사용된 후 기획이 일어남	과정 초기에 예비 기획이 일어남

▶ 그림 5.2 형성평가와 WBI 설계 및 개발의 통합

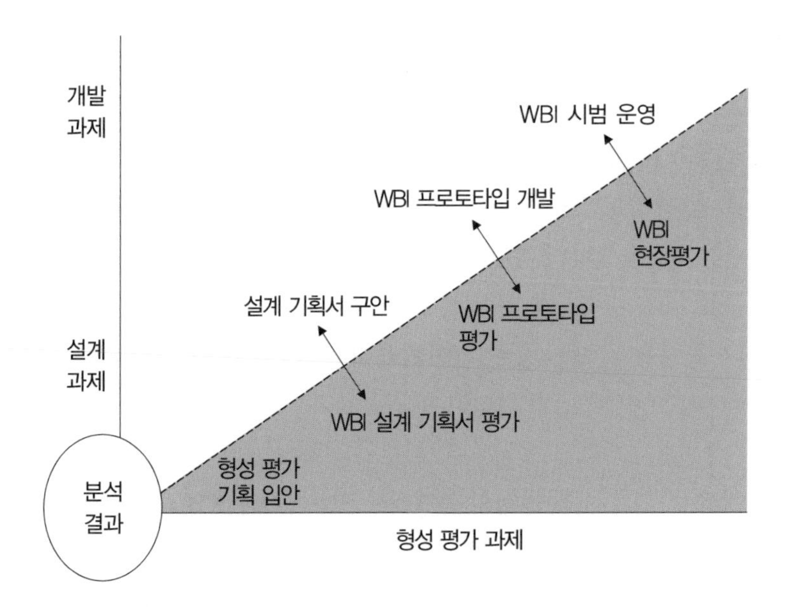

예를 들면, 목표와 평가 항목이 설계된 후, 교수설계 전문가 또는 내용 전문가는 프로그램의 명료성과 일관성을 검토한다. 또 다른 통합의 예로 전문가, 앞으로 그 프로그램을 이용하게 될 교수자와 학습자들은 교수 전략을 검토하는 것이다. 이렇게 검토시기를 앞당기면 다양한 사람들로부터의 정보를 설계자에게 제공해줄 수 있기 때문에 설계자는 그 제공된 정보에 따라 WBI 프로그램을 즉각적으로 수정해서 프로그램의 수준을 향상시킬 수가 있다.

세 번째 차이점으로는 총괄평가도 다른 교수모형과는 달리, 보다 초기에 예비 기획된다는 점이다(표 5.3 참조). 물론 다수의 학습자들을 대상으로 WBI 프로그램을 활용해본 후에 총괄평가의 구체적인 기획과 시행이 이루어지는 점은 전통적인 교수설계 모형과 유사하다. 총괄평가에 대한 예비 기획을 좀 앞당겨서 하는 이유는 WBI가 채택되어서 운영되기 전에 현재 이용하고 있는 기존의 교육 프로그램에 관한 데이터를 수집하는 데 있다(Boultmetis & Dutwin, 2000; Sherry, 2003; Solomon & Gardner, 1986). 만일 그러한 데이터가 확보되어 있다면, WBI가 운영되고 난 후에 새로운 WBI와 기존 교육 프로그램과의 비교를 위한 데이터를 쉽게 확보할 수 있게 될 수 있을 것이다.

형성평가 기획: 평가 목적의 구체화

분석 결과에 근거하여 일반적 평가 모형을 선택한 후, 설계자는 '형성평가 기획' 을 세운다. WBI 프로그램의 강약점을 알아보기 위하여 초기의 형성평가 기획서는 설계자로 하여금 WBI 설계(목표, 평가, 교수전략 등)와 개발의 중간 산출물(스토리보드, 프로토타입, 웹사이트 등)을 검토할 수 있도록 그런 내용이 포함되어 있어야 하고, 그 검토 결과에 따라서 중간 산출물들이 수정될 수 있어야 한다. 여기에서 검토 대상이 되는 주된 영역은 교수 목표, 내용, 기술, 메시지 설계이다. 설계자는 형성평가의 준거(효율성, 효과성, 매력성)와 목적을 구체화하기 위하여 다음의 영역들을 사용할 수 있다.

교수 목표

교수 목표는 정확성, 명료성, 완전성의 측면에서뿐만 아니라 WBI의 다른 부분과의 일관성 측면에서 검토해야 한다. **일관성(congruence)**은 목표, 내용, 교수 활동, 평가 등이 서로 일관되게 어울리고 조화를 이루고 있는 정도를 말한다.

교수 내용

교수 내용은 그 내용의 정확성과 함께 내용들이 얼마나 적합하게 연결되어 있는가(계열화)에 따라 평가되어야 한다. 실전 연습이나 그 연습을 위한 안내와 같은 부가정보가 충분히 완전하고 명백하게 이해될 수 있는가에 대하여 검토되어야 한다. 그리고 제시된 내용들이 WBI의 다른 부분과 논리적으로 일관성을 가지고 있어야 한다. 제공되는 내용의 상세화 수준은 학습 목표를 달성하기에 충분할 정도이어야 한다. 내용에 대한 평가는 WBI의 효과성과 효율성으로 교육적 의의를 따져볼 수 있다. 그리고 내용의 평가는 내용과 관련하여 제시된 예와 연습 등이 학습자들에게 얼마나 매력적이었는지의 측면에서 평가될 수 있다(Cross, 1981; Keller, 1987; Knowles, Holton, & Swanson, 1998; Weiner, 1992; Wlodkowski, 1999).

기술

인쇄, 철자, 문법, 구두점, 단어 사용 등의 기능적 오류와 같은 기술적 측면에 대해서도 평가해야 한다. 오류는 발견 즉시 수정해야 한다. 개발 과제가 주를 이루면, 다른 사이트와의 링크와 게시판 접근이 제대로 되는지와 같은 기술적 문제를 평가하게 된다. 기술적 측면의 평가에서는 웹사이트 내 모든 것이 제대로 기능하는지를 확인하는 것이 있다. 예를 들어, 대화방을 만들었다면 그것이 예상한 대로 작동하는지를 검사해야 한다. 즉 교수자와 학습자가 공유 문서와 과제함에 접근하고자 할 때 이것이 제대로 작동되는지를 검토해야 한다. 기술적 문제를 해결하는 데 필요한 지원 및 도움 장치(예: 헬프 데스크, 멘토, 온라인 도움, FAQ)와 같은 지원이 가용한지는 또 다른 평가 요소이다(Khan & Vega, 1997; Nichols, 1997; Tweedle, Avis, Wright, & Waller, 1998). 웹사이트의 전체적인 구조는 특히 그 구조의 효과성과 효율성 관점에서 그 웹사이트의 적합성이 평가되어야 한다.

메시지 설계

메시지 설계(message design)는 사용된 미디어가 보기에 좋으면서 학습자를 즐겁게 해주고, 메시지를 정확하게 전달해주고 있느냐의 관점에서 평가해야 한다. WBI 내용을 그래픽이나 텍스트 중 어느 것으로 표현되었든지 간에 *메시지*는 사용 방법의 명료성, 내용들이 적합하게 연결되고 조직되어 있는지(계열성과 조직화), 학습자의 주의를 흐릴 수 있는 요소의 최소화, 유머 · 언어 · 음성과 같은 요소의 적절한 활용 등의 관점에서 검토해야 한다(Lohr, 2003). 그래픽, 애니메이션(동적 또는 정적), 청각 요소들은 그것들이 학습 내용을 지원하여 그 프로그램의 효과를 높임으로써, 결국 학습자가 학습 목표를 달성할 수 있도록 도와줄 수 있는가를 평가해야 한다. 아이콘, 링크 등과 같은 그래픽 장치는 웹기반의 학습, 내비게이션, 목적에 얼마나 부합하는가의 측면에서 평가해야 한다.

표 5.4에서 보는 바와 같이 세 가지의 평가 준거와 각각의 항목별 질문들이 형성평가의 중요한 내용이 될 것이다. 설계자는 표의 모든 질문에 대해 알아보기보다는 자신의 온라인 교수 상황과 직접 관련된 질문만을 선택하여 평가할 수 있다.

표 5.4 평가 매트릭스: 형성평가 질문 예시

평가 준거와 항목	질문 예시
효과성	
목표	목표가 정확하게 진술되었는가? 프로그램의 최종 목표와 하위 목표가 명확하게 진술되었는가? 진술된 목표가 성취 가능한 것인가? 목표와 내용이 특정한 방법(예: 웹)으로 전달되기에 적절한가?
내용	제시할 정보가 학습해야 할 내용을 제대로 포함하고 있어 완벽한가? 학습 내용, 목표, 활동, 평가 도구 간에 일관성이 있는가? 인용 표시가 되어 있는가? 교수 활동이 성찰적 반응이나 토론을 증진시키는가? 활동이 학습을 촉진하는가?

표 5.4 평가 매트릭스: 형성평가 질문 예시 (계속)

평가 준거와 항목	질문 예시
효과성	
기술	적용된 기술이 제대로 기능하는가? 학습자가 학습 내용에 손쉽게 접근할 수 있는가? 지적 재산권을 침해하고 있지 않은가?
메시지 설계	메시지가 전체적으로 통합되어 있는가? 내용 이해를 돕기 위하여 사용된 그래픽이 학습자의 주의를 분산시키지 않고 학습에 도움이 되는가? 학습자들에게 내용을 전달하는 데 적절한 음성이 사용되었는가? 사용하고 있는 유머가 적절한가? 사용방법에 대한 설명이 명확한가? 코스의 시간 프레임이 적절한가? 그래픽이 사용가능하지 않다면 오직 텍스트만 사용가능한가?
효율성	
목표	목표는 명확하고 간결하게 진술되어 있는가? 프로그램의 목적은 명확하고 간결하게 진술되어 있는가? 교수 목표와 내용 간에 일관성이 있는가?
내용	학습 내용이 명확하고 간결하게 제시되어 있는가? 학습 내용이 관련 교과목에 적합한가? 시의적절하면서도 최신의 내용인가?
기술	교수자 또는 다른 학습자가 쉽게 접근할 수 있는가? 웹사이트가 적절하게 구조화되어 있는가? 적용된 기술이 쉽고 효율적으로 기능하는가?
메시지 설계	메시지의 조직과 구조의 내적 긴밀성이 있는가? 내용을 조직하는 데 제목과 부제목이 사용되었는가? 학습자와 교수자들이 동시적, 비동시적 활동을 할 수 있는가?
매력성	
목표	학습자들에게 관련된 목표인가?
내용	학습 내용이 흥미로운가? 도전적인가?
기술	인쇄, 철자, 문법, 구두 오류가 있는가? 코딩 오류가 있는가? 사용성을 고려한 프로토콜로 코딩되었는가? 내비게이션이 쉬운가?
메시지 설계	메시지와 사용된 멀티미디어가 서로 어울리는가? 어휘 수준과 음성이 내용과 대상에게 적절한가? 화면이 정돈되어 있고, 여백이 충분한가? 색깔, 글씨체, 강조가 적절하게 사용되고, 학습 효과를 높이는가? 그래픽과 그림이 주의를 분산시키지 않고 학습 효과를 높이는가? 그래픽 장치가 제대로 기능하는가? 그래픽, 애니메이션, 사운드가 선명한가? 내비게이션 설계가 적합한가? 아이콘 사용이 쉽고, 그것의 의미가 명확한가? 스크린 배치가 내용과 학습 목표에 적절한가?

출처: 표 안의 데이터는 Davidson-Shivers (1998), Khan & Vega(1997), Nichols (1997), Tweedle et al. (1998)을 참고하였다.

설계 및 개발(그리고 형성평가) 과정이 시작되면, 설계자는 위에서 제시한 어떤 질문은 삭제하고, 어떤 것은 추가하는 조정이 필요하다는 것을 알게 될 것이다. 필요하다면, 설계자는 자신이 선택한 질문에 대한 정당성을 제시하고, 그 질문들을 상세화하는 과정을 기술할 필요가 있다. WBI 프로젝트 규모가 크고 복잡하거나 최고 관리자가 문서를 요구할 때만 이러한 부가적 정보가 필요하다.

설계자는 질문 상세화 작업을 하기 위하여 평가 매트릭스를 개발할 수 있다. 차후에, 이 매트릭스를 완성하기 위하여 데이터 수집을 위한 방법과 도구가 추가될 수 있고, 그 결과는 나중에 WBI 설계 문서의 한 부분으로 '형성평가 기획' 에 통합될 것이다.

GardenScapes 사례

Kally에게 컨설팅을 받은 후, Elliot은 형성평가를 할 동안 물어볼 질문 목록을 개발하였다. 이 목록은 앞서 결정한 평가 준거에 기반하고 있으며, 네 개의 분류 항목을 사용하고 있다. Elliot은 이 질문들을 평가 매트릭스로 조직해 보았다. *GardenScapes* 프로젝트의 관점에서 준거를 재정리하였다.

GardenScapes 평가 매트릭스: 형성평가 질문

평가 준거와 항목	질문 예시
효과성	
목적	정보가 정확한가? 진술된 목표가 명확하며, 성취 가능한가? 목표와 내용이 웹으로 전달하기에 적합한가?
내용	제공되는 정보가 학습해야 할 내용을 제대로 포함하고 있어 완전하고 정확한가? 목표, 교수 활동과 *GardenScapes* 프로젝트 간에 일관성이 있는가? 활동이 학습을 촉진하는가? 정보가 조경과 정원 조성 계획에 대한 최근의 지식을 반영하고 있는가?
기술	교수자 또는 학습자가 접근할 수 있는가? 전체 웹사이트가 내용과 학습자에게 적절한가? 지적 재산권을 침해하고 있지 않은가?
메시지 설계	내용을 표현하는 데 사용된 음성이 적절한가? 사용된 유머가 적절한가? 사용된 아이콘이 성인학습자에게 적절한가? 사용방법에 대한 설명이 명확하게 진술되어 있는가? 그래픽이 사용가능하지 않다면 오직 텍스트만 사용가능한가?

GardenScapes 평가 매트릭스: 형성평가 질문 (계속)

평가 준거와 항목	질문 예시
매력성	
목표	학습자와 연관된 목표인가?
내용	학습 내용이 흥미로운가? 재미있는가?
기술	인쇄, 철자, 문법, 구두점 등의 오류가 있는가? 내비게이션이 쉬운가? 직관적인가? 학습자가 WBI 학습 내용에 접근하기 용이한가? 교수자가 WBI 학습 내용을 수정하기 용이한가?
메시지 설계	메시지와 사용된 매체가 재미 있는가? 어휘 수준과 음성이 내용과 대상에게 적절한가? 화면이 정돈되어 있고, 여백이 충분한가? 색깔, 글씨체, 강조가 적절하게 사용되고, 학습 효과를 높이는가? 그래픽과 그림이 주의를 분산시키지 않고 학습 효과를 높이는가? 스크린 배치가 정원 꾸미기 내용에 적당한가?
효율성 목표	목표가 간결하게 진술되어 있는가? 최종 목표와 프로그램의 하위 목표가 서로 일관성이 있는가? 또한 이것들이 내용과 일관성이 있는가?
내용	정보가 명확하고 간결하게 제시되어 있는가?
기술	웹을 기반으로 전달하는 것이 효율적인가? 적용된 기술이 쉽고, 효율적으로 기능하는가? 그래픽 장치가 제대로 기능하는가?
메시지 설계	메시지의 조직과 구조가 내적으로 서로 일관적인가? 내용을 조직하는 데 제목과 부제목이 사용되었는가? 학습자와 교수자를 위한 동시적, 비동시적 활동이 있는가? WBI 시간 프레임이 적절한가?

참고: Elliott은 평가 목적에 따라 준거를 재조직하였다.

*GardenScapes*의 '설계 문서—평가 기획'에 관해서는 자매 사이트 (http://www.prenhall.com/davidson-shivers)를 참고하자.

생각해보기

WBI 상황을 분석한 결과에 근거하여, 형성평가 목적을 상세화한 구체적 질문을 개발해보자. 특정 질문을 열거하기 위하여 템플릿으로 표 5.4에 있는 평가 매트릭스를 사용해보자. 나중에 이 매트릭스에 데이터 수집 방법과 도구를 추가할 수 있다. 완성한 매트릭스는 '형성평가 기획'의 일부가 될 것이다. 특정 질문을 찾아내기 위하여 사용할 과정을 설명하고, 필요한 논거를 제시해보자. 형성평가 기획서가 완성되면 그것은 WBI 설계서의 일부가 될 것이다.

(다른 교수설계자들이 동일한 문제들을 어떻게 해결하고 있는가를 알아보기 위해 이 장의 후반부에 제시된 사례 연구를 살펴보기 바란다.)

평가 매트릭스 템플릿을 인쇄하려면 자매 사이트 (http://www.prenhall.com/davidson-shivers)를 참고하자.

형성평가 기획: 주요 단계의 구체화

WBI 형성평가 기획의 주요 단계는 다른 평가 과정(인력 · 학습 내용과 자원 규명하기, 데이터 수집하기, 정보 처리하기, 결과를 이해당사자들에게 보고하기)과도 유사하다.

다음 여섯 가지 질문은 '형성평가 기획'(표 5.5 참조)을 개발하고, 조직하기 위한 구조를 제공한다. 이 중 '어떤 평가 방법을 할 것인가?' 라는 질문의 일부분은 분석 단계에서 이미 확보되어 있어서 이 단계에 그대로 사용하면 된다.

- 이해당사자는 누구인가?
- 평가의 대상은 무엇인가?
- 평가자와 검토자는 누구로 할 것인가?
- 어떤 평가 방법으로 할 것인가?
- 평가는 언제, 어떻게 이루어져야 하는가?

표 5.5 형성평가 기획

구분	설명
이해당사자는 누구인가?	일 · 이차 이해당사자들을 규명해서 기술한다.
평가의 대상은 무엇인가?	평가할 문항을 명료화한다. 문항은 설계 문서, 스토리보드, 플로차트, 교수 전략 등을 포함한다.
평가자와 검토자는 누구로 할 것인가?	
어떤 평가 방법으로 할 것인가?	평가 매트릭스를 해당 영역에 통합한다.
평가는 언제, 어떻게 이루어져야 하는가?	평가시기를 기술한다.
WBI의 설계 기획서와 프로토타입 개발 과정에서 어떤 형태의 의사결정이 필요한가?	

- WBI의 설계 기획서와 프로토타입 개발 과정에서 어떤 형태의 의사결정이 필요한가?

위의 여섯 가지 질문은 '형성평가 기획' 의 윤곽을 마련하는 데 도움이 된다(Fitzpatrick et al., 2004; Guba & Lincoln, 1989; Hale, 2002). 이렇게 문서화해두면 WBI 프로젝트에서 이루지는 일체의 과정과 절차를 명확하게 이해하는데 도움이 된다. 최종적으로, '형성평가 기획' 은 WBI 설계서의 일부분이 된다. 뿐만 아니라 '형성평가 기획' 은 평가에 대하여 보고를 해야 할 때 그 근간이 되며 평가 결과는 프로젝트의 발주자인 고객 (또는 이해당사자)과의 계약 협정을 위한 프레임워크가 된다.

이해당사자는 누구인가

형성평가 기획서에는 평가 과정에서 '무엇을, 언제, 어떻게' 해야 할지에 대해서뿐만 아니라 누구에게 평가 결과정보를 보고해야 하는지에 대하여 구체적으로 기술해야 한다. 고객, 임직원(잠재적 학습자), 관리자, 기술지원 담당자, 행정지원 담당자, 최종 사용자와 같은 개인들이 이해당사자 집단의 일원이 되어서 그 결과를 보고받게 된다 (Dean, 1999; Greer, 1999). WBI의 개발과 운영에 직접 관여하거나 결정권한을 가지고 있는 개인이나 집단을 **일차 이해당사자**라고 한다. 교수 상황에 간접적으로 영향을 주거나 부분적으로만 책임이 있거나 관심 가지고 있는 개인이나 집단을 **이차 이해당사자**라고 한다(다 자세한 내용은 1장 참고).

WBI 형성평가 기간 동안, 일차 이해당사자들은 교수자, 설계자, 그 밖의 팀 구성원들로 구성될 수 있다. 학습자는 WBI 설계 단계에서 자신의 참여도에 따라서 이차 또는 일차 이해당사자가 될 수 있다. 관리자는 조직과 상황에 따라서 그리고 설계 단계에서의 참여도에 따라서 일차 또는 이차 이해당사자가 될 수 있다. 조직과 상황이 다양하기 때문에 다른 사람들도 이해당사자가 될 수 있다.

설계자/교수자 혼자서 WBI를 개발할 때와 같은 상황에서는 설계자와 학습자가 일차적 이해당사자가 될 수 있다. (아동 또는 청소년이 학습자일 때) 교장과 학부모는 이차 이해당사자가 될 수 있다. 각 시·군·구 교육청의 장학 담당자들이 이해당사자에 포함되기도 한다. 1인 설계자의 경우 평가 기획 과정은 상당히 비공식적일 수 있다. 예를 들면, 대학 교수들이 혼자서 자신의 코스를 개발하는 경우이다. 과목 간의 공통적인 부분에 대하여 교수들 간의 조정이 필요할 경우가 있기는 하지만 코스 자료를 만들고 평가하는 것은 교수 각자의 몫이다.

GardenScapes 사례

Kally의 도움을 받아 Elliott은 *GardenScapes* 프로젝트를 위한 형성평가 기획을 진행하고 있다. 이들은 코스를 담당하고 있는 교수자인 Kally와 설계자인 Elliott을 일차 이해당사자로 정하였다. 둘 다 WBI와 관련된 주요한 의사결정을 하고, 프로젝트에 직접 영향을 받기 때문이다. 성인 참여자, 특히 실험 집단에 참여한 성인들은 WBI의 설계 및 개발이 진행될 때 이를 검토하는 데 직접 참여하기 때문에 일차 이해당사자에 포함된다.

교수학습개발센터(TLDC)의 지원 인력들이 *GardenScapes* 프로젝트의 개발 및 운영을 지원하지만 어디까지나 제한된 범위에서만 참여하고 의사결정을 하기 때문에 이들을 이차 이해당사자로 분류하였다.

이차 이해당사자에 추가된 두 명은 교수학습지원센터장인 Carlos Duartes와 교육공학과 교수이자 Elliott의 지도교수인 Judith Chauncy이다. Elliott은 TLDC 인턴이기 때문에 센터장에게 인턴십 보고서를 제출해야 한다. Elliott은 교육공학과 인턴십 감독이자, 인턴십 성적을 산정하는 Chauncy 교수에게도 동일한 보고서를 제출해야 한다.

Elliott은 Chauncy 교수에게서 배웠던 평가 과목에서 다루었던 내용을 따른다.

GardenScapes의 이해당사자

일차 이해당사자

- *강사: Kally Le Rue는 코스의 성공적 운영과 코스의 내용에 책임을 지고 있다. 그녀는 WBI 설계 및 개발에 대하여 Elliott을 도와주고 있다.*
- *설계자: TLDC 인턴인 Elliot Kangas는 코스를 설계하고, 평가 기획을 개발하고, '형성평가 기획'을 수행하는 책임을 지고 있다.*
- *학습자: GardenScapes의 성인 참여자들은 WBI 실행 성공에 직접적인 영향을 미친다. 어떤 참여자들은 평가 과정에서 WBI 설계에 대한 검토 의견을 제시함으로써 WBI 설계에 직접적인 영향을 준다.*

이차 이해당사자

- *인턴십 프로그램 감독인 Carlos Duartes: 그는 Elliott의 설계 과제를 관찰 · 검토하고, Elliott의 진행사항에 대하여 Chauncy 교수에게 보고한다.*
- *Myers 대 교육공학과 교수인 Judith Chauncy 박사: 그는 Elliott의 지도교수이자 인턴 감독이다. Elliott의 진행사항을 프로그램 관점에서 관찰 · 검토하고,*

Duartes에게 알려줄 뿐만 아니라 Elliott의 인턴십 성적을 부여한다.

*GardenScapes*의 '설계 문서－평가 기획'에 관해서는 자매 사이트 (http://www.prenhall.com/davidson-shivers)를 참고하자.

생각해보기

WBI 프로젝트를 위한 형성평를 기획해보자. *이해당사자는 누구인가* 질문에 답해보자. WBI 프로젝트에 직접적 혹은 간접적으로 연관이 있는가에 따라 일차 이해당사자와 이차 이해당사자로 명확하게 분류하는 것을 만족시키는 구체적 예를 제시해보자. 이러한 상세한 설명을 '형성평가 기획'에 추가해보자.

(다른 교수설계자들이 동일한 문제들을 어떻게 해결하고 있는가를 알아보기 위해 이 장의 후반부에 제시된 사례 연구를 살펴보기 바란다.)

'형성평가 기획' 템플릿을 인쇄하려면 자매 사이트 (http://www.prenhall.com/davidson-shivers)를 참고하자.

평가의 대상은 무엇인가

두 번째 부분인 '평가의 대상은 무엇인가'라는 문제는 형성평가에서 검토할 특정 교수 자료, 교수 과정 또는 교수 프로그램 산출물에 초점을 맞추어야 한다. WBI 자료에는 설계 기획서, 스토리보드, 교수 내용, 교수 전략, 인터페이스, 내비게이션, 메시지와 시각 디자인, WBI 프로토타입, 평가 도구와 점수, 실전 연습 등이 포함된다. 이와 같은 자료들을 검토하기 위한 질문은 표 5.4에 제시된 형성평가 매트릭스에서 찾을 수 있다. 어떤 산출물과 설계 과정을 평가할 것인가를 결정해서 기술하면, 그 WBI 설계와 형성평가가 서로 어떻게 연결되어 있는지를 명확하게 알 수 있다.

GardenScapes 사례

Elliott은 '평가의 대상은 무엇인가' 부분을 기술하고 나서 그 물음에 대한 응답 결과를 '형성평가 기획'에 포함시켰다.

*GardenScapes*를 설계할 때, Elliott과 Kally는 앞서 결정해둔 질문들을 가지고, 목표, 평가 항목, 목표들을 계열화한 군집(clustering of objectives), 교수 전략, 동기 전략을 검토한다. 만일 다른 질문이 제기되고, 추가적 조언이나 전문성이 필요할 경우에

대비하여, 두 명의 내용 전문가인 TLDC 기술지원부장 Laila Gunnarson과 'Golden Valley' 식물원장 Nikko Tamura 박사를 확보해 두었다.

WBI 프로토타입과 웹사이트를 개발하면서, 학습 내용, 실전 연습, 과제, 평가에 대한 검토는 교수자(Kally), 설계자(Elliott), 인턴십 감독 등에 의하여 이루어진다. 평가에 참여한 학습자들은 그 사이트에 대하여 적합성을 검토하고 설계자들에게 검토 의견을 제시한다. 평가에서 Elliott은 교수자와 학습자가 WBI을 운영하고 학습하는 데 걸리는 필요한 시간을 결정할 것이다.

직무도우미(job aid)처럼, Elliott은 형성평가를 하는 동안 검토해야 할 항목을 빠르게 찾을 수 있도록 차트를 개발한다.

검토할 것	
설계 기획	• 목표 • 평가 항목 • 목표들을 계열화한 군집 • 교수 전략 • 동기 전략
프로토타입과 웹사이트	• 스토리보드 • 인터페이스 • 내비게이션 장치 • WBI 프로토타입

*GardenScapes*의 '설계 문서－평가 기획' 에 관해서는 자매 사이트 (http://www.prenhall.com/davidson-shivers)를 참고하자.

생각해보기

'형성평가 기획' 개발을 계속 진행해보자. 두 번째 부분인 *평가의 대상은 무엇인가* 질문에 답해보자. 이를 구체적으로 제시해보자.

(다른 교수설계자들이 동일한 문제들을 어떻게 해결하고 있는가를 알아보기 위해 이 장의 후반부에 제시된 사례 연구를 살펴보기 바란다.)

평가자와 검토자는 누구로 할 것인가

교육평가 표준위원회(Joint Committee on Standards for Educational Evaluation, 1994)는 교육 평가를 위한 평가의 책임과 자격요건을 개발하였다. 위원회의 결정에 따르면, 평가자는 평가에 실무적 지식, 평가 기술 능력, 성실성, 경험, 대인관계 능력,

그리고 이해당사자들이 필요하다고 생각하는 그 밖의 능력을 갖추고 있는 사람이어야 한다고 규정하였다. 단지 소수 사람만이 평가에 필요한 이런 모든 능력을 가지고 있기 때문에 이러한 능력들을 가지고 있는 사람들을 모아서 팀으로 만들어야 평가가 이루어질 수밖에 없다.

평가자의 역할은 보통 평가의 목적에 기초하고 있어야 하고, 평가자의 업무는 그 목적을 실현하기 위하여 수행해야 할 일이어야 한다. 형성평가에서, 설계자 또는 설계팀 구성원들은 흔히 평가자가 되며, 그 역할은 데이터 수집과 의사결정이다. 형성평가에서 이들의 책임은 WBI의 강약점을 찾아내어서, 만일 수정이 필요하다면 그 필요성을 결정하는 것이다. 최선의 WBI를 개발하기 위하여 이러한 의사결정은 교수자와 같은 다른 이해당사자들과 의논해서 결정해야 한다.

형성평가에서, 검토자와 이들의 자격은 확인할 필요가 있다. 예를 들면, 전문가로서 참여한 검토자는 그들의 역할(내용, 기술 등)과 자격이 확인되어야 한다. 만일 학습자가 형성평가에 참여했다면, 이들의 배경 정보가 '형성평가 기획'에 포함되어야 한다. 기획서에 개인의 신상 정보가 종합되어 있거나 특정 개인의 신상 정보가 그대로 포함되어야 한다면, 그런 정보는 보고서에 포함시키지 말아야 한다.

GardenScapes 사례

Elliott이 형성평가 및 총괄평가 기획 개발 '책임을 맡고' 있지만, Elliott은 형성평가를 기획 및 실행하고, 그 결과를 보고하는 데에만 참여할 것이다. Elliott과 Kally는 각 구성원의 의무를 개략적으로 설명하고, 이들의 전문성을 문서화한다. 이들은 형성평가 기간 동안 함께 작업을 하고, 필요한 변경을 하고, Carlos에게 평가 진행을 보고하고, 최종 보고서를 Chauncy 교수에게 보낼 예정이다.

다음은 Elliott 설계 문서의 일부로 포함시킨 내용이다.

GardenScapes 평가자와 검토자

- *평가자/설계자: Elliott은 주 평가자이며, WBI 설계 및 개발과 형성평가에 전문성을 가지고 있다. 그는 Myers 대 석사과정 때 평가 방법과 이론에 관하여 세 과목을 수강하였다. TLDC 구성원이 아니기 때문에 TLDC와 Clatskanie 전문 대학(CJC)의 운영과 문화에 대한 일반적 지식이 부족하지만 TLDC의 전문가들과 긴밀하게 일할 것이다.*

- *평가자/교수자: Kally는 부 평가자이며, 수년 동안 CJC에서 강사로 근무하였다. 그녀는 여러 수준의 전문성을 가지고 있다. 즉 원예 전문 자격증을 가지고 있기 때문에 관련 지식을 가지고 있으며, 대상 학습자에 대한 강의 경력을 가지고 있으며, WBI 설계 및 개발에 참여하고 있다. 그는 CJC의 평생교육과에 대해 잘 알고 있다. CJC는 외부 컨설턴트를 고용할 수 있는 재원이 부족하기 때문에 Kally가 부 평가자로 참여함으로써 가용 자원의 효과적인 사용을 기할 수 있다.*
- *전문 검토자(기술 전문가): TLDC 기술 코디네이터인 Laila Gunnarson은 필요한 경우 WBI 프로토타입과 웹사이트의 기술 측면을 검토한다. Laila는 CJC에서 멀티미디어 전문학사 학위를, Myers 대학교에서 학사 학위를 받았고, 직원으로 12년째 근무하고 있다. 멀티미디어 개발과 그래픽 설계에 능하고, CJC의 웹마스터이다.*
- *전문 검토자(내용 전문가): 'Golden Vally' 식물원장 Nikko Tamura 박사는 WBI가 설계 및 개발될 때 내용 전문가로서 전문 검토자 역할을 한다. Tamura 박사는 10년째 식물원에서 일하고 있으며, 최종 학력은 원예조경 학위를 수여했으며, 미조경학회(American Society Landscape Architecture)에서 활동하고 있는 회원이다. Tamura 박사는 조경과 관련된 내용에 광범위한 경험을 가지고 있으며 Kally와 함께 다른 평생교육 프로젝트를 진행하고 있다.*
- *전문 검토자(교수설계자): 교수설계 전문가는 검토에 참여하지 않는다. Elliott의 인턴십 프로그램의 일부로 Chauncy 교수와 Duartes는 GardenScapes 교수 프로그램을 검토할 것이다. 두 사람 다 교수설계와 관련된 학력과 전문성을 가지고 있다. 따라서 추가적으로 교수설계 전문가들이 필요하지 않다.*
- *최종 사용자 검토자: 정원꾸미기 기초 코스를 수강한 학습자들은 형성평가 기간 동안 최종 사용자 검토에 참여하라는 요청을 받을 것이다. 한두 명의 학습자들은 설계 기획을 검토할 것을, 나머지 학습자들은 실험 집단에 참여할 것을 요청받을 것이다.*

  학습자들을 정원꾸미기에 대한 경험 수준 기술 능력, 동기 수준, 능력의 신뢰성에 기초하여 선발할 것이다. 필요한 학습자의 정확한 수는 사용 방법과 도구, 데이터 수집에 필요한 시간 프레임과 같은 요소에 의하여 결정된다.

  Elliott은 학습자 참여를 위하여 CJC의 '연구 위원회'에서 요구하는 실험 동의서를 포함한 연구 참여를 구안하고 있다.

*GardenScapes*의 '설계 문서－평가 기획' 에 관해서는 자매 사이트 (http://www.prenhall.com/davidson-shivers)를 참고하자.

생각해보기

'형성평가 기획' 을 계속 진행해보자. 설계서에 포함되어야 할 필요한 내용을 구체적으로 제시해보자. *평가자와 검토자는 누구로 할 것인가* 질문에 답하기 위하여 여기에 포함될 사람들의 자격요건을 밝히고 설명해보자.

(다른 교수설계자들이 동일한 문제들을 어떻게 해결하고 있는가를 알아보기 위해 이 장의 후반부에 제시된 사례 연구를 살펴보기 바란다.)

어떤 평가 방법으로 할 것인가

형성평가 기획은 데이터 수집 방법과 도구를 찾는 일이다. 형성평가의 목적과 WBI 프로젝트의 양상이 항상 달라지기 때문에 그것에 적합한 형성평가 방법을 찾아야 한다. 표 5.4에서 이 문제에 대하여 간략하게 제시한 바 있다. 시간, 예산, 시설 장비와 같은 현실적 문제 때문에 형성평가 방법과 도구의 선택에 제약을 받을 수밖에 없다.

데이터를 수집하는 많은 방법들이 평가에 사용될 수 있지만, 이 모두를 WBI 평가에서 사용할 수가 없다. 형성평가에 적절한 방법으로는 검사, 조사, 전문가와 최종 사용자 검토, (평가 기간 중) 관찰, 현존 자료(기관 보고서, 이메일, 게시판 등)가 있다. 표 5.6에는 표 5.4에서 제시한 질문별로, 가능한 다양한 방법과 도구 또는 데이터 출처 등과의 관계를 알아보기 쉽도록 제시했다.

데이터 수집 방법과 도구에 대한 설명은 부록 A를 참고하자.

특히 현실적인 제약이 있을 때에는 가장 단순한 형성평가 방법을 선택하는 것이 최선일 때가 있다. 단순한 평가 방법은 WBI 프로젝트에 대한 실용적 가치를 유지하면서도 그 단순한 평가 방법이 평가로서의 통합성을 가지는 것이다. 예를 들어, 시간적 제약이 있다면, 평가자는 면담이나 관찰 방법이 아닌 최종 사용자에게 질문지를 사용하는 것이 단순한 평가 방법이다. 또한 예산 제약이 있다면, 최종 사용자의 수와 형성평가 방법 유형을 줄이는 것이 단순한 평가 방법이다.

'형성평가 기획' 단계에서 방법과 도구를 결정할 때, 설계자는 그 방법과 도구의 용도(부록 참고)를 설명하거나 정당화해야 할 뿐만 아니라 실제 도구들의 샘플을 제시해야 한다. 또한 설계자는 그 출처를 밝히고, 저작권이 보호된 도구인 경우에는 필요한 허가를 받아야 한다.

표 5.6 형성평가를 위한 방법과 도구 유형

평가 준거와 항목	질문 예시	방법과 도구
효과성		
목표	목표가 정확하게 진술되었는가? 최종 학습 목표와 하위 목표가 명확하게 진술되었는가? 진술된 목표가 성취가능한 것인가? 목표와 내용이 특정한 방법으로 전달되기에 적절한가?	전문가 검토(SME, 교수설계자) 현존 자료(평가 점수, 실전 연습 등) 면담 설문조사
내용	제공되는 정보가 학습해야 할 내용을 제대로 포함하고 있고, 완벽한가? 내용, 목표, 활동, 평가 도구 간 일관성이 있는가? 인용이 제공되고 있는가? 교수 활동이 성찰적 토론과 반응을 촉진하는가? 활동이 학습을 촉진하는가?	전문가 검토(SME, 교수설계자) 최종 사용자 검토 설문조사 현존 자료(평가 점수, 실전 연습 등) 면담
기술	적용된 기술이 제대로 기능하는가? 학습자가 학습자료에 손쉽게 접근할 수 있는가? 지적 재산권을 침해하고 있지 않은가?	전문가 검토(기술 전문가, 교수설계자, 교수자) 최종 사용자 검토 관찰
메시지 설계	메시지가 전체적으로 통합되어 있는가? 그래프와 그림들이 주의를 분산시키지 않고 학습에 도움이 되는가? 학습자들에게 내용을 전달하는 데 사용되는 음성이 적절한가? 사용하고 있는 유머가 적절한가? 사용방법에 대한 설명이 명확한가? 코스의 시간 프레임이 적절한가? 그래픽이 사용가능하지 않다면 텍스트 단독으로 사용가능한가	전문가 검토(SME, 기술 전문가, 교수설계자) 최종 사용자 검토 설문조사 면담
효율성		
목표	목표는 명확하고 간결하게 진술되어 있는가? 프로그램의 목적은 명확하고 간결하게 진술되어 있는가? 교수 목표와 내용 간에 일관성이 있는가?	전문가(교수설계자, SME, 교수자)와 최종 사용자 검토 면담 설문조사
내용	학습 내용이 명확하고 간결하게 제공되는가? 해당 교과 분야에 적절한 내용인가? 시의적절하고, 최신의 내용인가?	전문가(교수설계자, 교수자, SME)와 최종 사용자 검토 면담 설문조사
기술	교수자 또는 다른 학습자가 내용에 접근할 수 있는가? 웹사이트가 적절하게 구조화되어 있는가? 적용된 기술이 쉽고 효율적으로 기능하는가?	전문가 검토(기술 전문가) 최종 사용자 설문조사 현존 자료(이메일, 게시판)

표 5.6 형성평가를 위한 방법과 도구 유형 (계속)

평가 준거와 항목	질문 예시	방법과 도구
메시지 설계	내용의 조직과 구조가 일관적인가? 내용을 조직하는 데 제목과 부제목이 사용되었는가? 학습자와 교수자를 위한 동시적, 비동시적 활동 유형이 있는가?	전문가 검토(교수설계자, 교수자) 최종 사용자 검토 설문조사 면담
매력성		
목표	학습자의 관심과 관련된 학습 목표인가?	최종 사용자 조사
내용	내용이 흥미로운가? 도전적인가?	최종 사용자 검토 설문조사
기술	인쇄, 철자, 문법, 구두 오류가 있는가? 코딩 오류가 있는가? 사용성을 고려한 프로토콜로 코딩되었는가? 내비게이션이 쉬운가?	전문가 검토(교수설계자, SME, 기술 전문가) 관찰
메시지 설계	메시지와 미디어가 어울리는가? 어휘 수준과 음성이 내용과 대상에게 적절한가? 화면이 정돈되어 있고, 여백이 충분한가? 색깔, 글씨체, 강조가 적절하게 사용되고, 학습 효과를 높이는가? 그래픽과 그림이 주의를 분산시키지 않으면서 학습 효과를 높이는가? 그래픽이 제대로 기능하는가? 그래픽, 애니메이션, 사운드가 선명한가? 알맞은 내비게이션 디자인을 가지고 있는가? 아이콘 사용이 쉽고, 그것의 의미가 명확한가? 스크린 배치가 내용과 목표에 적절한가?	전문가(교수설계자, SME, 교수자, 기술 전문가) 최종 사용자 검토 설문조사 관찰 면담

GardenScapes 사례

Elliott은 자신의 평가 매트릭스에 자신과 Kally가 형성평가하는 동안 사용할 데이터 출처를 기술할 세 번째 열을 추가하였다. 이들은 데이터 수집을 위하여 주요 방법(과 도구로) 전문가와 참가자 검토, 설문조사, 현존 자료 수집을 사용하기로 하였다. 이들은 *GardenScapes* 코스의 기술적 측면에 초점을 두기 위하여 관찰 방법을 사용할 것이다.

평가 준거와 항목	질문 예시	방법과 도구
효과성		
목표	정보가 정확한가? 진술된 목표가 성취가능한 것인가? 목표와 내용이 웹으로 전달되기에 적절한가?	전문가(체크리스트를 가진 SME, 교수설계자, 교수자) 최종 사용자 설문조사 현존 자료(실전 연습, 최종적인 정원가꾸기 계획)
내용	제공되는 정보가 학습해야 할 내용을 제대로 포함하여 완벽하고 정확한가? 목표, 교수 활동, 최종 *GardenScapes* 프로젝트가 일관성이 있는가? 활동이 학습을 촉진하는가? 정보가 정원가꾸기 계획에 대한 최근의 내용을 반영하고 있는가?	전문가(체크리스트를 가진 SME, 교수설계자, 교수자) 최종 사용자 검토와 설문조사 현존 자료(게시판, 이메일, 실전 연습 등)
기술	교수자 또는 학습자가 접근할 수 있는가? 전체 웹사이트가 내용과 학습자에게 적절한가? 지적 재산권을 침해하고 있지 않은가?	전문가(체크리스트를 가진 기술전문가, SME, 교수설계자) 최종 사용자 검토 설문조사 관찰
메시지 설계	내용을 표현하는 데 사용하는 목소리가 적절한가? 사용하고 있는 유머가 적절한가? 사용된 아이콘이 성인학습자에게 적절한가? 사용방법에 대한 설명이 명확하게 진술되어 있는가? 그래픽이 사용가능하지 않다면 텍스트 단독으로 사용가능한가?	전문가(체크리스트를 가진 SME, 교수설계자) 최종 사용자 검토 설문조사
매력성		
목표	학습자의 관심과 관련된 목표인가?	전문가(체크리스트를 가진 SME, 교수설계자) 최종 사용자 설문조사
내용	내용이 흥미로운가?	전문가(체크리스트를 가진 SME, 교수설계자, 교수자) 최종 사용자 설문조사
기술	인쇄, 철자, 문법, 구두점 등의 오류가 있는가? 내비게이션이 쉬운가? 직관적인가? 학습자가 자료에 접근하기 용이한가? 교수자가 수정하기 용이한가?	전문가(체크리스트를 가진 기술자, SME, 교수설계자, 교수자) 최종 사용자 설문조사 관찰

평가 준거와 항목	질문 예시	방법과 도구
메시지 설계	메시지와 미디어가 어울리는가? 어휘 수준과 음성이 내용과 대상에게 적절한가? 화면이 정돈되어 있고, 여백이 충분한가? 색깔, 글씨체, 강조가 적절하게 사용되고, 학습 효과를 높이는가? 그래픽과 그림이 주의를 분산시키지 않고 학습 효과를 높이는가? 스크린 배치가 정원가꾸기 학습 내용에 적절한가?	전문가(체크리스트를 가진 SME, 교수설계자, 교수자, 기술자) 최종사용자 설문조사
효율성		
목표	목표가 간결하게 진술되어 있는가? 학습 목표와 레슨 목표가 서로 일관성 있는가? 또한 이것들이 내용과 일관성이 있는가?	전문가(체크리스트를 가진 SME, 교수설계자) 최종 사용자 설문조사
내용	정보가 명확하고 간결하게 제공되는가?	전문가(체크리스트를 가진 SME, 교수설계자, 교수자) 최종 사용자 설문조사
기술	웹으로 전달하는 것이 효율적인가? 적용된 기술이 쉽고 효율적으로 기능하는가? 그래픽이 제대로 기능하는가?	전문가(체크리스트를 가진 기술자, SME, 교수설계자, 교수자) 최종 사용자 설문조사 관찰 현존 자료(학습자 활동량, 로그인 시간)
메시지 설계	내용의 조직과 구조가 일관적인가? 내용을 조직하는 데 제목과 부제목이 사용되었는가? 학습자와 교수자를 위한 동기적, 비동기적 활동 유형이 있는가? WBI 시간 프레임이 적절한가?	전문가(체크리스트를 가진 SME, 교수설계자, 교수자) 최종 사용자 설문조사 관찰

참고: Elliott은 평가 목적에 따라 준거를 재배치하였다.

GardenScapes 평가 방법

Elliott은 교수 목표, 내용, 기술, 메시지 설계와 관련된 질문지로 설문조사를 할 것이다.

내용과 기술 전문 검토자는 WBI 설계 기획과 프로토타입을 검토하고자 할 때 체크리스트를 사용할 것이다. Elliott은 전문가들이 사용하는 체크리스트 데이터를 명확히 하고, 데이터에 관한 질문을 하기 위하여 지정된 시간의 미팅을 준비할 것이다. 대부분의 전문 검토가들은 합당한 비용을 지불해야 가능하고 그렇지 않은

다른 사람들은 비용의 지불 없이 가능하다.

형성평가의 특정 시점에서 학습자의 대표 표본을 대상으로 효과성, 효율성, 매력성을 중심으로 WBI를 평가하는 면담이 진행될 것이다. 후에 학습자들은 교수적으로, 그리고 기술적으로 어려움을 겪은 곳이 어디인지를 알아내기 위하여 관찰될 것이다.

Elliott은 자신만의 데이터 수집 도구를 개발해야 한다. 그는 설계 단계를 시작하기 전에, 의견을 물어보는 질문지와 면담 질문 항목을 고안하여 전문가 검토와 관찰을 위한 체크리스트를 개발하고 있다. 이 도구들은 질문 목록에 맞는 문항이어야 한다.

Elliott은 다른 곳에서 도구를 가져와서 사용하려고 했기 때문에 설계에서 각 도구의 출처를 표시했다. 이 도구들은 '형성평가 도구' 라고 표시해서 부록에 첨부하였다.

질문지는 WBI의 교수적, 동기적, 기술적 측면에 대한 학습자 의견을 조사하기 위하여 사용할 것이다. 초기의 설계아이디어를 검토하기 위하여 '교수 전략 워크시트' , 스토리보드, 화면 설계가 사용된다.

학습자인 최종 사용자 또는 검토자들은 종이 위에 그려본 프로토타입에 자신의 의견을 표시하고, 프로토타입이 웹브라우저에 어떻게 나타날지를 검토하기 위해서 체크리스트를 사용할 것이다. 체크리스트를 사용하여 개선될 필요가 있는 것을 찾아낼 것이다.

현장평가를 통하여 완성된 최종 WBI와 평가 결과는, 학습자들이 코스의 목표와 하위 목표를 얼마나 잘 성취할 수 있는가를 알아보는 데 사용된다. 학습자와 Kally는 활동과 과제를 준비하는 데 얼마나 시간이 소요되는가를 기록해야 한다. 이 교수 프로그램의 부가가치 측면을 평가하기 위하여 Elliott은 Kally와 다른 일 · 이차 이해당사자들과 면담을 할 것이다.

생각해보기

부록 A에서 제시된 방법과 도구에 대한 설명을 살펴보도록 하자. 형성평가에 사용할 유형을 결정해보자. 이 방법과 도구를 결정하여 평가 매트릭스 세 번째 열에 기록해보자.

데이터 수집 방법과 도구에 대한 설명은 부록 A를 참고하자.

사용할 질문지, 체크리스트들을 스스로 개발하지 않으려면, 특정 평가 도구를 사용허가를 받거나 구매해야 한다. 도구를 목적에 맞게 변형하여 사용하려면, 출처를 알아보고, 수정본이 원본과 얼마나 비슷한가에 따라 서면 사용허가를 받아야 한다. 형성평가 기획에 이 내용을 추가하고, 부록에 모든 내용을 첨부하고 출처를 밝히도록 하자. 표 5.7의 개요를 참고하자. (만일 다음 사이트에서 찾은 인쇄 가능한 템플릿을 사용하고자 한다면, 편의상 세 번째 열을 추가하자.)

'형성평가 기획' 템플릿을 인쇄하려면 자매 사이트
(http://www.prenhall.com/davidson-shivers)를 참고하자.

(다른 교수설계자들이 동일한 문제들을 어떻게 해결하고 있는가를 알아보기 위해 이 장의 후반부에 제시된 사례 연구를 살펴보기 바란다.)

평가는 언제, 어떻게 이루어져야 하는가

형성평가가 어떻게, 어느 정도로 이루어질 것인가는 기획된 평가 방법의 유형과 데이터 수집 시기에 따라 달라진다. 설계자 또는 어떤 상황에서는 프로젝트 관리자가 WBI 프로젝트 초기에 형성평가의 시작과 종료 시기를 정한다. 형성평가 데이터는 WBID 동시적 설계 단계 전반에 걸쳐, 시범적으로 운영될 때까지 수집된다(예로, 6장의 표 6.1을 참고하자). 형성평가 결과에 따라 WBI 설계 기획 혹은 프로토타입(스토리보드, WBI 등)의 수정이 필요한지를 결정하게 된다. 가급적 WBI 프로젝트를 위한 모든 형성평가를 수행하는 것이 최선이다.

WBI를 설계하는 동안의 형성평가. WBID 모형에 따르면, WBI 프로토타입의 개발이 끝날 때까지 기다려서 이를 수정하는 것은 너무 늦다. 대신 설계 단계 초기부터 전문가와 최종 사용자(교수자, 학습자, 학습공동체에 속한 다른 사람들)들이 WBI를 검토하도록 해야 한다.

우선 설계자와 설계팀의 다른 구성원들은 WBI 설계 기획을 검토한다. 이때 '형성평가 기획' 은 설계자, 설계팀의 다른 구성원, 또는 프로젝트 관리자에 의하여 수행된다. 평가자로 해당 분야의 전문가를 검토자로 활용할 수도 있다. 코스 프로젝트인 WBI를 개발할 때는 동료 검토자(같이 수업을 듣는 동료)들끼리 서로의 프로그램을 평가하고 조언하게 할 수 있다(Smith, 1990).

설계팀, 내용 전문가, 최종 사용자는 목표의 명확성, 의미 있는 예, 교수 활동의 관련성 측면에서 WBI 설계 기획을 평가한다(Kirkpatrick, 1998). 이들은 효과성, 적절성, 학습자 동기 측면에서 WBI의 교수 전략과 동기 전략을 검토한다. 이러한 유형의 검토는 WBI 설계 기획을 개선하는 데 그 목적이 있다.

WBI 프로토타입을 개발하는 동안의 형성평가. 내용 전문가, 교수설계자, 그리고 기술 전문가는 스토리보드가 개발되면 검토를 시작할 수 있고, 화면과 내비게이션 구조가 나올 때까지 검토를 계속한다. WBI 프로토타입 버전이 좀더 높아지면, 이들 전문가들은 주요 교수 목표를 재검토한다. 내용 전문가와 교수설계자는 사이트가 상호작용적이지 않고, 기능이 작동하지 않더라도 WBI의 구조, 내용, 그래픽, 메시지 설계를 검토한다. 나중에 이 사이트를 사용하게 될 사용자들도 WBI의 초기 버전을 검토할 수 있다.

WBI 프로토타입 개발의 최종 단계에서의 형성평가. 최종 프로토타입으로 개발 단계가 넘어가게 되면 이 WBI의 최종 사용자들에게 평가를 시작한다. 전통적 교수설계 모형에 따르면, 개발 단계에서 프로토타입을 학습자들로 하여금 검토하도록 하는데, 이 때 세 가지 유형의 평가 방법(일대일 평가, 소집단 평가, 현장평가)이 사용된다 (Dick et al., 2005; Gagné et al., 2005; Smith & Ragan, 2005).

일대일 평가. 전형적으로 **일대일 평가**는 평가자와 학습자가 함께 교수 프로그램을 검토하는 평가이다. Dick 등(2005)에 따르면, 교수 프로그램에 대한 학습자의 다양한 반응을 받아보기 위하여 세 명 정도의 학습자를 이용하여 일대일 평가를 해보도록 권장한다. 일대일 평가를 통하여 학습자에게 제시된 학습 내용 정보가 완전하고 메시지가 적절한지를 설계자가 확인할 수 있다(Smith & Ragan, 2005). 여기에 참여한 학습자들은 사용된 교수 전략들이 만족스러웠는지에 대하여 그 전략을 검토할 수 있다. 그리고 사용된 그래픽이 웹사이트에 관련성이 있는지, 적절성이 있는가에 대하여 검토할 수도 있으며, 문법, 철자, 구두점의 오류 등이 없는가에 대해서 오류를 찾아서 기록해야 한다.

WBID 모형에서는 웹사이트가 개발될 때까지 설계 프로토타입을 인쇄 버전으로 볼 수 있고, 그 후에는 네트워크가 되지 않는 컴퓨터에서 볼 수 있다(Frick, Corry, & Bray, 1997). 그러나 평가자/설계자가 개발 서버를 통하여 그 내용에 접근할 수 있다면, 이들은 네트워크를 통하여 WBI 형태와 기능을 볼 수 있다. 네트워크가 되지 않는 컴퓨터에서 WBI를 개별적으로 검토하는 평가자/설계자도 있다.

소집단 평가. 전통적 교수설계 모형에서의 **소집단 평가**는 대상학습자로부터 4~10명 정도를 표집한 소집단의 학습자들을 대상으로 실제로는 실제와는 다소간 거리가 있는 상황에서 개발한 교수 프로그램이 예상했던 대로 효과를 발휘하는지(작동하는지)를 알아보기 위하여 이용하는 방법이다(Dick et al., 2005; Gagné et al., 2005; Smith

& Ragan, 2005). 일대일 평가의 결과에 의하여 수정을 했지만 아직은 프로토타입 형태에 머물고 있다. 평가자는 개발한 교수 프로그램(WBI)으로 학습하는 소집단을 관찰하고 나서, 참여한 소집단 학습자들에게 평가 도구를 제시한다. 소집단 평가에서는 참가자들이 이 레슨과 어떻게 상호작용하는가에 대해서 검토자가 정확하게 파악할 수 있도록 하기 위하여 WBI가 거의 완성된 상태로 개발되어 있어야 한다. 소집단에서 학습자들이 이 프로그램으로 학습하는 데 얼마나 시간이 걸리는지, 평가 항목과 과제를 통하여 얼마나 잘 수행하는지에 대한 정보를 평가자는 얻을 수 있다.

현장평가. 일대일 및 소집단 평가 결과에 따라서 프로토타입에 대한 주요한 수정이 이루어지고 나면 **현장평가**를 한다(Dick et al., 2005; Gagné et al., 2005; Smith & Ragan, 2005). 내용의 난이도, 대상학습자의 범위, 웹기반 학습 환경의 복잡성에 따라서, WBI를 완성하기 전에 충분한 데이터를 얻기 위한 현장평가의 횟수는 달라질 수 있다. 평가자는 현장 적용과정을 잘 관찰하고, 평가 도구를 배포하고(또는 교수자에게 평가 도구를 배포하도록 하고), WBI에 최소한 수정해야 하는 것이 무엇인지를 발견해야 한다. 일단 이러한 수정이 끝나면, WBI는 개발이 완료되고, 실제로 활용할 단계에 이른다.

현장 적용 단계에 이르면 WBI는 완벽하게 온라인에서 작동해야 한다. 이 단계에 표집된 학습자 집단은 실제 대상학습자의 모집단과 거의 일치해야 한다. 이 평가의 결과, WBI 프로토타입을 '최종' 완성품의 형태로 발전시키기 위하여 남아있던 모든 오류를 찾아내야 한다.

WBI나 또 다른 형태의 교육 프로그램은 다수의 학습자들에게 전체적으로 투입되고 보급되었을 때 최종적인 완성품으로 간주된다(Gagné et al., 1992). 설계자와 교수자는 경미한 수정(외부 웹사이트에 새롭게 링크를 걸거나 소프트웨어를 갱신하는 등)을 계속할 수는 있지만, 현장평가의 마지막 순간에 더 이상 실제적인 수정이 필요하지 않을 때 비로소 지금까지 개발해온 WBI는 최종 완성품이 되었다고 볼 수 있는 것이다.

형성평가 '시기와 방법'의 수정. WBID 모형에 따르면, 완전한 형성평가를 위해서는 세 가지 유형의 평가를 최종 사용자인 학습자들을 활용하여 실행해야 한다고 주장하면서도, 최종 완성품을 실제 상황에 투입하기 전에 이와 같이 WBI 설계와 평가를 지원하기 어려운 사정이 있는 조직에 대해서는 예외도 허용하고 있다. 대상 학습자들을 충분한 수만큼 표집하기가 어려운 상황이거나 웹기반 학습 환경을 구현하는 데 필요한 시설, 장비 문제로 인하여 처음부터 WBI에 접근할 수 없는 문제가 있을 경우에는 평가를 생략할 수도 있다.

WBID 모형이 이러한 예외를 허용하고는 있지만, 여전히 형성평가의 일부분으로 어떠한 형태로든 평가를 수행할 필요는 있다. 예를 들면, 평가자/설계자는 실제 대상 학습자를 표집하는 대신 이들과 유사한 특징을 가진 사람들에게 WBI 설계 기획과 프로토타입 검토를 요청하는 것이 하나의 대안이 될 수 있다. 아니면 앞에서 제시한 세 가지 형태의 형성평가 중에서 하나 혹은 두 가지 방법으로 형성평가를 할 수도 있다.

마지막으로 WBID 모형은 개발한 프로그램을 실제 현장에 처음 적용해보는 시범 운영을 형성평가를 위한 평가로 볼 수 있는 가능성도 열어두고 있다(8장에서 다룰 것이다). 예를 들면, 대학 교수들은 현장평가로 코스를 개발해서 처음 그 코스를 설강하는 것이 흔한 일이다. 대학 교수진들은 하나의 과목을 설계 및 개발해서 과목을 개설할 시간적 여유가 많지 않다. 일단 현장평가로 과목을 WBI(또는 다른 교육 프로그램)로 개발한 것을 한 학기 동안 실제로 운영해보고 나서 그 WBI는 최종 형태를 취하게 된다.

GardenScapes 사례

Eliott과 Kally는 '설계 문서' 에 데이터 수집 계획을 추가하였다.

***GardenScapes* 평가 방법과 일정**

형성평가 데이터는 GardenScapes의 설계 및 개발, 시범 운영을 거치면서 수집될 것이다. 수집된 데이터에 기초하여, WBI는 수정될 것이다. 시간 제약이 있고 참여자들을 구할 수 없기 때문에 소집단 평가를 하지 않고 대신 현장평가 목적으로 초기 실행을 할 것이다. 세 명의 학습자가 WBI 설계 기획을 검토하고, 최소한 20명의 학습자가 현장평가에 참여할 것이다. 설계 기획 검토에 참여한 학습자는 프로그램 목표부터 스토리보드까지의 예비 설계 초안을 검토할 것이다. 평가에 참여할 사람들은 정원가꾸기 기초 코스를 수강한 사람들을 대상으로 모집될 것이다. 자원자와 선발된 사람은 CJC에 있는 연구위원회에서 제공하는 동의서에 서명할 것이다.

*GardenScapes*의 '설계 문서 — 평가 기획' 에 관해서는 자매 사이트 (http://www.prenhall.com/davidson-shivers)를 참고하자.

생각해보기

형성평가 데이터를 수집할 시점을 정하기 위하여 '평가는 언제, 어떻게 이루어져야 하는가' 질문에 답해보자. 동시적 설계 및 개발 단계 초기부터, 검토할 전문가와 최종 사용자를 찾을 필요가 있는가? 세 가지 유형의 시범 적용 집단을 모두 사용할 것인가? 형성평가를 시범 운영 단계까지 계속할 것인가? 이 과정에 어떤 사람들을 선발해서 참여시킬 필요가 있는가? 어떻게 참여 동의를 구할 수 있을까? 참여를 위한 초대장이나 동의서가 필요한가?

여러분의 결정에 대하여 상세하게 문서화와 정당화를 하고, 이를 '설계 문서'에 포함시키자.

(다른 교수설계자들이 동일한 문제들을 어떻게 해결하고 있는가를 알아보기 위해 이 장의 후반부에 제시된 사례 연구를 살펴보기 바란다.)

WBI의 설계 기획서와 프로토타입 개발 과정에서 어떤 형태의 의사결정이 필요한가

형성평가의 각 단계에서 수집된 데이터는 분석되어야 한다. 대부분의 경우, 수행 평가나 질 관리 측정치와 같은 형성평가 데이터는 빈도 표나 기술 통계치(평균, 최빈값, 중앙값, 표준편차)로 양화될 수 있기 때문에 비교적 분석하기가 쉽다(Boulmetis & Dutwin, 2000). 리커르트 척도를 사용한 질문지는 기술 통계치 또는 백분율로 제시할 수 있다(Hale, 2002; Kirkpatrick, 1998; Sherry, 2003).

어떤 데이터에는 t-검증, 분산분석, 공분산분석, 선형회귀분석 혹은 중다회귀분석과 같은 추리 통계 검증을 사용하는 것이 적합할 것이다. χ^2과 같은 비모수 검증은 수집한 데이터가 통계적 분석을 위한 조건을 충족하지 못할 때 사용된다(Boulmetis & Dutwin, 2000; Gall, Gall, & Borg, 2003; Hale, 2002). 양적 분석을 자세하게 설명하는 것은 이 책의 범위를 벗어난다. 양적 연구 방법과 분석 기법에 관한 정보가 필요하면 다른 자료들을 참고하도록 하자.

질적 연구 관점에서, 면담으로 수집된 데이터는 전사와 코딩을 통하여 공통적인 주제와 패턴이 밝혀진다(Boulmetis & Dutwin, 2000; Hittleman & Simon, 2002; Stringer, 2004). 그 후 각 주제는 해석되고, 결론이 도출되고, 제언이 이루어진다. 전문가와 최종 사용자 검토를 통하여 수집된 데이터와 관찰을 통해 수집된 데이터도 비슷한 방법으로 평가할 수 있다. 질적 분석 과정은 상당히 복잡한데(Denzin & Lincoln, 1994), 이를 자세하게 설명하는 것은 이 책의 범위를 벗어나는 것 같다. 질적 연구 방법과 분석 기법에 관한 정보가 필요하면 다른 자료들을 참고하도록 하자.

데이터 분석 결과에 근거하여 WBI 수정하기. 데이터 분석 결과에 근거하여, WBI

의 수정에 대한 결정이 이루어져야 한다. 어떤 수정은 WBI 프로젝트에 반영하기가 수월하다. 예를 들자면 편집 오류의 문제에 대한 수정이라면 간단하게 고쳐서 문서화하면 될 것이다. 그러나 서로 상충되는 정보가 포함된 데이터에 의한 수정의 경우에는 설계자의 해석 또는 다른 이해당사자들의 동의를 필요로 하는 경우가 있다. 예를 들면, 어떤 최종 사용자는 제시된 내용이 너무 길다고 반응하고, 또 다른 이들은 너무 짧다고 응답할 경우이다. 설계자와 이해당사자들은 이렇게 상반된 반응을 어떻게 해석해야 할지에 대하여 합의를 하고, 어떻게 수정해야 할지를 결정해야 한다.

어떤 수정을 해야 할지를 결정하는 한 방법은 전문가 검토 결과, 실전 연습, 검사 점수, 학습자들이 수행한 과제의 질과 같은 데이터를 검토하는 것이다. 교수자의 관점도 고려해야 한다. 수정을 하는 데 추가적인 시간과 자원이 필요하다면, 의사결정자들을 추가할 필요가 있다. 형성평가에 대한 추가적인 논의(WBI 설계 기획서와 프로토타입의 검토와 수정)는 6~8장에서 제시할 것이다.

GardenScapes 사례

Elliott과 Kally는 '형성평가 기획' 에 상세한 설명을 추가하고 있다. 일단 이 마지막 부분이 완성되면, 이들은 '설계 문서' 에 이것을 포함시킬 것이다.

WBI 설계와 프로토타입 개발 및 수정 기간 동안의 지속적 의사결정

형성평가가 진행되는 동안에 수집된 데이터는 분석된다. 전문 검토자인 Elliott과 Kally는 내용을 분석하고, 내용 전문가와 기술 전문가, 세 명의 최종 사용자들이 작성한 코멘트와 노트를 분석하고, 분석 결과의 해석에 대하여 이들의 동의를 얻어 WBI에 반영할 예정이다. WBI 프로토타입에 대한 데이터가 수집되고, 이를 검토하여 나온 결과들은 프로토타입 수정이 필요한지를 결정하기 위하여 분석된다.

참가자들의 정원꾸미기 학습에 대한 최종 기획은 현장평가가 진행되는 동안 전반적으로 검토될 것이다. 검토를 촉진하기 위하여, Kally는 참가자들에게 그들이 설계한 것에 설명을 붙이도록 하거나 (만들었다면) 실제 사이트의 사진이나 비디오를 제공하도록 할 것이다. 인식과 태도와 관련된 데이터는 통계소프트웨어 패키지를 사용하여 분석될 것이다.

*GardenScapes*의 '설계 문서-평가 기획' 에 관해서는 자매 사이트 (http://www.prenhall.com/davidson-shivers)를 참고하자.

생각해보기

*WBI 설계 기획과 프로토타입을 개발 및 수정할 때 어떤 의사결정이 필요한가*라는 질문에 답해보자. 형성평가가 진행되는 동안 수집된 데이터를 어떻게 분석할 것인가? 이 분석 결과에 기초한 의사결정을 어떻게 문서화할 것인가? 데이터가 혼재된 결과를 보여줄 때 발생하는 갈등을 어떻게 해결할 것인가?

'설계 문서' 에 포함시키기 전에 전체 '형성평가 기획' 을 최종 검토해보자.

여러분이 작성한 교수 목표 및 분석을 가지고, 다음의 질문에 대해 생각해보자.

- 이해당사자는 누구인가?
- 평가의 대상은 무엇인가?
- 평가자와 검토자는 누구로 할 것인가?
- 어떤 평가 방법으로 할 것인가?
- 평가는 언제, 어떻게 이루어져야 하는가?
- WBI의 설계 기획서와 프로토타입 개발 과정에서 어떤 형태의 의사결정이 필요한가?

필요한 경우, 자신의 '형성평가 기획' 을 다른 이들이 따라할 수 있도록 충분한 설명을 제시하였는가?

(다른 교수설계자들이 동일한 문제들을 어떻게 해결하고 있는가를 알아보기 위해 이 장의 후반부에 제시된 사례 연구를 살펴보기 바란다.)

형성평가 결과에 대한 커뮤니케이션

설계자가 비중이 있는 프로젝트를 수행하는 설계팀에서 일하거나 프로젝트 경비를 지불하고 있는 고객(또는 이해당사자)을 위하여 일할 때, 형성평가 결과를 보고하는 일은 중요하다(Boulmetis & Dutwin, 2000; Kirkpatrick, 1998). WBI를 1인 설계자/교수자가 개발해서 자신이 사용하려고 할 때는 그 설계과정을 다른 사람에게 보고할 일이 거의 없기 때문에 상세한 문서화가 불필요하다. 그러나 프로젝트의 기록을 유지하기 위하여, 의사결정 과정, 결과에 대한 평가, 수정에 대하여 반드시 문서화해 두어야 한다.

커뮤니케이션 유형

평가 과정 및 결과를 커뮤니케이션하기 위한 두 가지 기본 형식으로는 구두 보고와 서면 보고가 있다. **구두 보고**는 비교적 만나기 쉬운 이해당사자들과 신속하고, 비공식적으로 정보를 공유하도록 한다. **서면 보고**는 공식적이면서 영구적인 형태를 취한다. 서류 문서는 의사결정 내용을 기록하고 커뮤니케이션할 수 있는 정적인 형태에 속한다. 두 가지 형태를 통합하면 프로젝트의 계획, 절차, 결과를 유통할 수 있는 최선의 방법이 된다.

다양한 경로로 인하여 커뮤니케이션 구조가 복잡할 때에는 똑같은 메시지가 공유될 수 있도록 일관성을 유지해야 한다. 어떤 이유로, 구두 보고와 서면 보고 간에 어떤 내용이 변경되었다면 서류 문서에 어떤 변경이 왜 일어났는지를 기술해 두어야 한다(Boulmetis & Dutwin, 2000; Joint Committee, 1994).

보고서는 시의성, 간결성, 명료성, 그 보고서를 읽은 사람의 의견 반응가능성의 특성을 가지고 있어야 한다. 이해당사자들은 결과를 보고할 때, 특히 자신들이 받아야 할 정보의 양을 고려해야 함을 명심해야 한다(Joint Committee, 1994). 커뮤니케이션이 과부하되지 않도록 해야만 평가자의 메시지를 듣는 데 도움이 되기 때문이다(Kirkpatrick, 1998). 평가가 진행 중일 때는 물론, 평가가 종료된 후에도 보고서를 제출해야 한다.

구두 보고. 구두 보고는 진행 사항, 발생한 문제, 해결을 요하는 이슈에 대하여 이해당사자들과 설계팀원들에게 알려주기 위하여 자주 사용된다. 구두 보고는 전화, 발표, 대화의 형태로 이루어진다. 그러나 이 보고는 영구적이지 못하고, 말하고 들은 것에 대한 기억이 서면 보고에 비하여 신뢰도가 낮다.

서면 보고. 내부 기안 문서와 발송 공문과 같은 서면 보고서는 이해당사자들에게 평가 과정을 수시로 알려 줄 수 있을 뿐만 아니라, 중간 보고서와 최종 보고서로 사용될 수 있다(Boulwetis & Dutwin, 2000; Joint Committee, 1994; Kirkpatrick, 1998). *중간 보고서*는 고객과 설계팀에게 프로젝트 진행 상황을 알려준다. 중간 보고서는 시간적인 문제 때문에 완성되지 않거나 부분적인 정보를 제공한다. 이 보고서는 보내지고, 받을 때 정적인 특징이 있다. 왜냐하면 보고서가 오고가는 중에 발생된 변경사항을 기록에 반영할 수가 없기 때문이다. 그러나 불완전한 내용의 기록이 잘못 해석될 여지가 있기는 하지만 갱신된 중간 보고서의 제공은 그만한 가치가 있다. 혹시 잘못 해석된 부분이 있었다고 해도 그것은 다음 보고서에서 밝혀질 수 있기 때문이다.

설계자들은 설계 및 개발 과정에 있었던 의사결정 과정을 추적하기 위하여 표 5.7과 같은 보고서 템플릿을 사용하기도 한다. 이 템플릿에서 누가, 언제, 왜 그러한 결정을 했는지에 대하여 상세한 내용을 확인할 수 있다. 만일 WBI 설계 프로젝트의 계약이 체결되었다면, 템플릿에 서명할 수 있는 한 줄을 추가할 수 있다.

표 5.7 의사결정 보고서 템플릿

WBID 단계	의사 결정	책임자	날짜	결정 또는 수정의 근거

최종 보고서는 전형적으로 권두 요약서와 평가 내용을 전부 담고 있는 전체 문서를 포함한다. 권두 요약서는 평가 활동, 결과, 제안 등을 간결하게 부각시켜 주어야 한다. 요약문은 보고서 앞에 나오며, 본문 구조를 제시해야 한다. 전체 문서는 평가의 목적, 목표, 준거를 위시해서, 평가 과정을 자세하게 기술해야 한다. 대상학습자, 학습자원, 학습 환경, 평가 방법, 도구, 절차는 평가 기획에 제시한 주요 질문별로 기술되어야 한다. 보고서는 데이터 분석 절차에 대한 설명과 함께 결과에 대한 완벽한 논의를 제시해야 한다. 어떤 경우에는 이러한 제시뿐만 아니라 결과에 근거한 제안도 제시해야 한다.

형성평가에 대한 정보를 발표하는 또 다른 방법은 전문적인 발표회와 출판에 의한 방법이다(Joint Committee, 1994). 즉 이러한 형태는 주로 대학에서 사용되는 방법이다. 논문을 학술대회에서 발표하거나 평가결과를 전문 잡지나 학회지에 출판할 수 있다. 아니면 기관의 뉴스레터나 온라인 출판을 통하여 발표할 수도 있다. 어떤 출판사는 잠재적 고객들에게 교육 상품에 대한 정보를 제공하는 마케팅 도구로서 평가 활동의 결과를 보고하기도 한다.

GardenScapes 사례

Elliott과 Kally는 문서와 구두로 *GardenScapes* 프로젝트를 보고할 예정이다. 이들은 '설계 문서' 내에 이러한 커뮤니케이션 기획을 포함시켰다. 정기적으로 회의가 열릴 것이다. 자신의 인턴십을 위하여 Elliott은 Chauncy 교수와 Duartes에게 중간 보고서를 준비할 것이다. 이 보고서에는 설계와 관련된 주요한 의사결정과 그에 따른 수정사항을 문서화할 것이다. 의사결정, 책임자, 날짜, 결정 또는 수정의 근거를 작성할 수 있는 표 5.7의 보고서 템플릿을 사용할 것이다. 그는 초기 '형성평가 기획'에 일어나는 변경 사항을 문서화할 것이다.

Elliott의 형성평가 최종 보고서는 권두 요약서 내에 평가 개요를 포함시켰다. 이 최종 보고서는 중간 보고서의 내용을 포함하고 있기 때문에, 그는 최종 보고서를 작성하는 것을 간략히 하기 위해 모든 문서를 저장할 계획이다.

*GardenScapes*의 '설계 문서—평가 기획'에 관해서는 자매 사이트 (http://www.prenhall.com/davidson-shivers)를 참고하자.

생각해보기

형성평가에서 사용하는 커뮤니케이션과 보고 절차 유형을 정하고, 이것들을 '설계 문서'에서 설명해보자. 표 5.7에서 안내한 템플릿을 사용해보자. 과정을 보고하는 데 주요한 요소를 확인해보자. 이해당사자들에게 손쉽게 알리기 위하여 어떻게 보고서 구조를 조직할지 계획해보자.

(다른 교수설계자들이 동일한 문제들을 어떻게 해결하고 있는가를 알아보기 위해 이 장의 후반부에 제시된 사례 연구를 살펴보기 바란다.)

의사결정 보고서 템플릿을 인쇄하려면 자매 사이트 (http://www.prenhall.com/davidson-shivers)를 참고하자.

총괄평가의 예비 기획

이 단계에서는 총괄평가를 위한 예비 기획에만 초점을 둔다(총괄평가는 10장에서 다룬다). WBI를 특정 기간 동안 실제로 운영해보고 나서, WBI로서 전반적 가치 또는 부가가치를 결정하기 위한 것이 총괄평가의 목적임을 명심해야 한다.

일반적으로 WBI 생명 주기의 어느 시점에서나 총괄평가를 할 수 있다. 학습 내용, 학습자, 상황, 기술의 안정성에 따라서 공식적인 총괄평가는 WBI를 본격적으로 운영한 후에 실시할 수도 있고 3~5년의 주기로 실시할 수도 있다(Dick et al., 2005, Gagné et al., 2005, Smith & Ragan, 2005). 총괄평가의 실행 시기는 궁극적으로 고객 또는 일차 이해당사자들의 필요와 요구사항에 달려있다.

총괄평가는 상당히 후에 실시됨에도 불구하고, 이 예비 기획은 차후의 설계 과정에서 중요한 역할을 한다. 첫째, 예비 기획은 총괄평가를 하는 데 도움을 준다. 총괄평가에 대하여 논의를 하지만 실제로는 잘 실시되지 않는 경우가 대부분이다. 심지어 대단히 일반적인 수준으로라도 총괄평가의 예비 기획을 세워두면 고객이 자신의 조직 내에서 일어나는 교육에 관한 평가를 실시하는 데 촉매 역할을 할 수 있다.

둘째, 예비 기획은 현재 교육 상황과 관련된 필요한 데이터를 수집하게 해준다. 새로운 프로그램이 도입되기 전, 현재 사용되고 있는 교육 프로그램에 관한 데이터는 수집되지 *않는데*(Solomon & Gardner, 1986), 이는 귀중한 정보를 잃게 만든다. 그러한 데이터를 수집하지 않으면 이전의 교육 프로그램과 새로운 것의 비교가 어려워지고, 어떤 새로운 교육 프로그램의 효과성에 대한 논의가 제한적일 수밖에 없다. 일단 WBI가 최종 운영될 때 그 전 교육 프로그램과의 비교를 위하여, 예비 기획은 기존 프로그램 효과성에 대한 **기초 자료**를 수집하도록 해준다.

이 기초 자료와 총괄평가 중 수집된 데이터는 형성평가에서 사용한 평가 준거인 효과성, 효율성, 매력성에 의하여 WBI를 평가하는 데 활용된다. 동시에 총괄평가에서 사용될 질문과 방법 및 도구들도 정해지는데 형성평가에서 사용되었던 것과 상당히 유사하다(표 5.8).

평가 기획을 위한 기타 고려사항

형성평가에서 제시된 준거 외에 다음과 같이 총괄평가를 위한 데이터 수집을 위한 고려사항이 추가될 필요가 있다. 여기에서는 개략적인 내용만 제시하고 자세한 것은 10장에서 다룰 것이다(Fizpatrick et al., 2004; Fullan & Pomfret, 1977; Joint Committee, 1994).

- 설문조사, 질문지, 면담, 관찰을 위한 체크리스트, 검토 결과 기록지, 검사도구를 개발하거나 구매하기 위한 시간 프레임을 설정하자. 이는 벤치마크 데이터를 수집할 때 특히 중요하다.
- 평가자를 외부인으로 할 것인지 아니면 내부인으로 할 것인지를 결정하자.
- 평가를 시작하기 전에 선택한 평가 방법 또는 도구에 대한 교육을 평가자에게 시킬 것인지를 결정하자.

표 5.8 총괄평가 예비 기획

평가 준거	질문	데이터 출처(또는 방법과 도구)
효과성		
효율성		
매력성		

- 데이터의 수집 절차를 설정하자.
- 외부 전문가를 찾아서 그들의 전문성에 대해 문서화하자.
- 필요할 경우, 인간을 대상으로 한 실험에 대한 허가를 받도록 하자.
- 최종 사용자를 확보해서 이들에게 평가 과정을 설명하고, 무엇을 기대하는지를 이해시키고, 필요한 동의서를 얻도록 하자.
- 데이터 수집 날짜뿐만 아니라 해당 날짜별로 필요한 자료 및 도구의 양과 유형의 확보하자.
- 언제까지 전문가가 검토를 완료하고 그 결과를 제출하도록 할 것인지를 결정하자.
- 평가할 때 데이터의 수집 및 코딩, 분석 시간을 결정하자.
- 데이터의 분석 절차를 문서화하자.
- 고객과 다른 이해당사자들과 커뮤니케이션을 하기 위한 날짜와 시간을 포함한 절차를 설정하자.

평가자/설계자는 현재 상황에 대한 기초 자료를 수집할 수 있도록 위의 고려 사항을 충분히 기술하여 문서화한다. 그러한 데이터가 수집되고 분석되면, 결과에 대한 기술은 총괄평가 예비 기획에 포함되어야 한다. 그 과정을 꼼꼼하게 기술해두면 나중에 다른 평가자가 이를 보고 따라할 수 있게 된다.

다른 평가와 마찬가지로, 총괄평가의 최종 보고서에는 평가 과정 및 결과 제안이 포함되어야 한다. 최종 보고서는 권두 요약서와 전체 보고서로 이루어진다(10장에서 총괄평가 보고를 다룰 것이다).

GardenScapes 사례

GardenScapes 코스의 최종 실행 후 일어날 총괄평가를 준비하기 위하여 Elliott은 필요한 몇 개의 주요 질문과 데이터 출처를 확인하였다. 이러한 질문들은 Elliott과 Kally, Carlos와 Chauncy 교수와 함께한 토론에 근거하였다. 이들은 '설계 문서' 에 총괄평가 예비 기획을 포함시켰다.

TLDC에서 Elliott의 인턴십은 총괄평가가 실시되기 전에 종료되기 때문에 그는 예비 기획만 했다. 그는 이 평가를 수행하는 누구라도 이 평가를 수행할 수 있을 만큼 개요를 상세하게 제시했기 때문에 평가 기획에서부터 평가 수행까지의 기초를 제공할 수 있을 것이다. *GardenScapes*는 CJC에서 제공하는 새로운 코스이기 때문에 기존 코

총괄평가 예비 기획

평가 준거	질문	데이터 출처
효과성	최종 프로젝트가 코스 목표를 어떻게 충족시키는가? 학습자는 WBI를 수강할 가치가 있다고 생각하는가?	수행 활동 설문조사에 의한 이해당사자의 인식
효율성	학습자는 각 세션당 혹은 학습 활동당 얼마동안 WBI에 참여하였는가?	학습자 로그인, 로그아웃 시간
매력성	학습자는 CJC에서 제공하는 다른 코스를 수강할 것인가?	설문조사에 의한 이해당사자의 인식

스에 대한 데이터가 없다.

비교 데이터가 부족하기 때문에, Elliott은 총괄평가를 위한 사전-사후 검사 설계를 통하여 WBI가 (효과성 측면에서) 성공적이었는지를 알아보고자 하였다. 총괄평가의 특성을 살리기 위하여 Elliott은 다음과 같은 데이터 수집 방법을 추가하였다.

• (질문지를 사용한) 설문조사를 통하여 (매력성과 관련된) 사용성과 흥미에 관한 정보를 얻으려고 하였다. 이 정보는 교수자, 참가자, TLDC 기술 지원팀원을 대상으로 하여 조사된다.
• 토론과 이메일을 주기적으로 관찰하여 효율성과 관련된 정보가 제공된다.

평가 결과는 교수자(강사), TLDC장, 학장을 포함한 이해당사자들에게 제출될 공식적인 보고서 형태로 작성될 것이다. 이 보고서는 평가 결과에 기초하여 평가 방법, 결과, 제안 등으로 구성되어 있다.

Kally의 도움을 받아 Elliott은 형성 및 총괄평가 기획을 세운다. 완성된 '형성평가 기획' 은 형성평가 수행을 바로 할 수 있도록 준비되었고, 총괄평가를 위한 목적도 구체적으로 제시했다. 그는 총괄평가 기획을 승인받기 위하여 Carlos에게 제출하였다.

생각해보기

총괄평가 예비 기획을 세워보자. 시간, 목적, 데이터 출처, 사용할 방법과 도구, 커뮤니케이션 방법을 정하자. 이를 설명해보고, 그에 대한 근거를 제시해보자.

마무리하기

WBI 평가는 성공적인 WBI 프로젝트에 있어서 중요한 단계이다. WBID 모형과 전통적 교수설계 모형은 평가에서 사용되는 데이터 출처와 평가 절차가 유사하다는 점에서 서로 호환성이 있으나 형성평가 기획 시기에 있어서 차이가 난다. WBID 모형에서는 초반부에 평가 기획을 하는데, 이는 WBI의 성공적 설계 및 운영에 영향을 준다. 이 단계에서 '형성평가 기획'과 '총괄평가 예비 기획'이라는 두 유형의 평가 기획이 수립된다. 두 모형의 또 다른 차이점으로 최종 사용자와 전문가의 검토로부터 나온 데이터가 개발 단계의 후반부에서보다 설계 및 개발 단계에서 통합되는 것이 있다. 두 모형의 마지막 차이점은 WBI를 개발할 때, 형성평가의 세 가지 유형의 평가를 모두 실시하지 않을 수도 있다는 점이다. WBI 설계에서 형성평가를 할 때 이 세 가지 유형의 평가를 할 것인가는 대상학습자 집단에 속한 학습자들의 확보가능성과 웹기반 학습 환경의 기능성에 따라 달라질 수 있다. 형성평가 결과는 문서화되어서, 설계 기획과 프로토타입을 수정하는 데 사용된다.

총괄평가 예비 기획은 WBID 모형의 초반부에 이루어진다. 예비 기획을 하는 두 가지 주요한 이유는 (1) 벤치마크 데이터를 수집할 수 있고, (2) 총괄평가의 수행을 보장해주기 때문이다. 총괄평가를 통하여 얻어진 결과를 통하여 사용해본 WBI의 가치와 그 WBI를 계속 사용할 것인지에 관한 제언을 할 수 있다.

토론 과제

1. WBI를 평가하는 데 평가 준거가 어떻게 사용되는가? WBI를 설계 및 개발할 때 가장 중요한 평가 준거는 무엇인가? 이에 대한 여러분의 생각을 정당화해보자.
2. 평가 기획은 왜 WBID 모형의 중요한 일부분인가?
3. 평가자가 WBI의 수정 결정을 하는데 있어서 중요한 정보를 얻을 수 있는 평가 방법은 무엇인가?
4. 평가 과정에서 내린 결정과 결과를 문서화하는 목적은 무엇인가?
5. 평가 결과를 커뮤니케이션하고 보고하기 위한 계획을 왜 세워야 하는가?
6. 전통적 교육 프로그램과 WBI에서 평가 방법은 어떤 점에서 유사하고, 다른가?
7. 학습 환경 또는 WBI의 어떤 특징이 평가를 수행하는 데 어려움을 주는가? 이러한 어려움을 어떻게 극복할 수 있는가?

사례 연구

1. 초 · 중 · 고등학교의 사례

Megan은 초등학교를 대상으로 하여 WSI 분석을 마쳤다. 그녀의 업무는 5학년 과학 교육과정을 분석한 후 형성평가를 기획하고, 총괄평가를 위한 예비 기획을 시작하는 것이다. 그녀는 평가 방법 유형에 관한 정보를 검토한 후 주와 지역이 정한 요구 조건 때문에 여러 가지 평가 모형 중 목표 지향 모형을 채택하였다.

Westport 학교는 한정된 자원을 가지고 있고, Megan은 저예산으로 작업하기 때문에 외부 평가자를 고용할 자금이 없는 형편이다. 따라서 Megan은 교육청 내 과학교육 장학사인 Cassie의 도움을 받아 내부 평가자로 활동할 것이다. 평가를 시작하기 위하여, Megan은 다음과 같은 형성평가 질문을 만들었다.

- 기술적 지원이 효과적인가?
- 레슨이 교육과정 프레임워크와 지역 표준과 어떻게 부합하는가?
- 교수 환경에 대한 학습자들의 인식은 어떠한가?
- 학습자의 수행이 향상되는가?

Megan은 형성평가를 진행하면서, 개략적으로 커뮤니케이션 계획을 세웠다. 그녀의 일차 이해당사자들은 교장과 교육위원회, 이들과 Megan 사이에 연락을 담당하는 Cassie이다. 이차 이해당사자들은 교사, 학생, 학부모, 비즈니스 커뮤니티를 포함한다. Megan은 연구 방법에 따라 총괄평가를 완료한 후, 문서 보고의 형태로 일차 이해당사자들과 커뮤니케이션을 할 것이다. 또한 이차 이해당사자들과 커뮤니케이션을 하기 위하여 교사와 사친회를 대상으로 발표를 하고, 학생들의 가정에 보낼 가정 통신문을 만들 것이다. 그녀는 학습 환경 설계를 시작하기 전에 이러한 총괄평가 기획을 시작하였다.

Westport 학군 내에서 Megan은 5학년을 담당하는 동기화된 교사들 집단과 대규모의 학생들과 함께 일하고 있다. WSI가 개발되는 동안 그녀는 형성평가를 함께할 두 명의 교사를 이미 확보하였다. WSI가 설계 및 개발되는 동안 Cassie는 Megan과 함께 계속 일할 것이다. Cassie와 지명된 5학년 담당교사인 Rhoda Cameron과 Buzz Garrison은 SME로 일할 것이다. 일단 프로토타입이 수정되면, 다른 학교들도 WSI를 제공받을 것이다. 모든 학교는 WSI에 대한 총괄평가를 실시할 것이다.

2. 기업의 사례

M2사의 안전교육 프로그램은 혼합교육 형태로 운영될 예정이다. 직원들은 세계 도처에 분산되어 있으며, 안전 문제를 다루는 프로그램이 최근 새롭게 요구되고 있다. 안전 문제 중 첫 번째 레슨은 화제 안전에 관한 것이다. 조직 목적이 프로그램 내에 충분히 고려되고 있는 것을 확실히 해야 하기 때문에 Homer는 관리 지향 모형을 선택하였다.

CEO인 Bud Cattrell은 새로운 이 프로그램의 투자수익률(ROI)에 특히 관심을 가지고 있다. 비용과 교육의 관점에서, 이 프로그램의 성공은 분산된 형태로 일어나는 교육에 달려있다. Homer는 프로젝트의 효과성을 판단하기 위하여 Krathwohl 평가를 사용할 기획이다. 비용 절감은 중요한 고려사항이기 때문에 Homer는 지원들을 유심히 모니터링해야 한다. Homer가 입안한 형성 및 총괄평가 기획은 ROI 모형을 사용하여 프로젝트를 평가하는 데 적합한 데이터를 포착해야 한다.

Homer는 *교육 프로그램*을 WEI로 정의하면서, 평가 기획을 위한 질문을 다음과 같이 생성하였다.

- WEI로 교육을 받은 후 직원들의 수행이 향상되었는가?
- WEI가 교육 시간에 영향을 주었는가?
- WEI로 인하여 비용이 얼마나 지출되었는가?
- WEI로 인하여 비용이 얼마나 절감되었는가?
- 집합 교육과 WEI가 어떻게 상호작용하였는가?

Bud는 교육 프로그램을 정당화하는 최상의 방법은 안전 전문가인 외부 평가자를 고용하는 것이라고 판단하였다. 그는 Homer에게 이러한 사람을 찾도록 지시하였다. Homer는 계속해서 '형성평가 기획' 을 개발하고, 더불어 총괄평가 예비 기획을 고려하기 시작하였다.

3. 군의 사례

Feinstein 부함장은 첫 주에 Prentiss 함장에게 형성 및 총괄평가 기획과 관련된 진행사항 요약 보고를 하고 있다.

'형성평가 기획' 에 프로그램의 개발과정에 대한 평가가 나타나 있다. 팀이 프로그램을 개발하기 위하여 사용하는 WBID 모형은 동시적 평가와 설계를 요구한다. 세 개의 개발팀은 각각의 주제를 맡아 이를 개발하고 있다. Cole 대위와 Danielson 대위가 개발한 '형성평가 기획'의 일부분은 다른 개발팀에 의하여 정기적으로 검토되어야 한다. 각 팀은 학습 내용이 정확하고 명료하게 제시되는지, 그리고 계열화, 전달 및 평가 전략이 적절한지를 피드백할 정도로 충분한 기술 및 교육과 관련된 지식이 있다. 프로젝트 관리 계획에서 미리 정한 시점에서, 이들 팀은 LCMS에 자신의 산출물을 교환하고, 그에 대한 코멘트를 할 것이다. 이 시스템은 코멘트를 저장하여 문서화하고 로그를 남긴다. 또한 형성평가 기획에서 '동료 검토'를 통하여 팀은 유사한 스타일로 프레젠테이션을 할 수 있다.

'형성평가 기획'은 웹상에 프로그램을 처음으로 띄울 때 동시에 수행된다. LMS는 사전 · 사후 검사 점수, 교육 이수 시간, 학습자의 위치(함선, 육지, 집)를 제공한다. LMS는 학습을 종료하기 전 설문조사에 응답하도록 학습자에게 요구한다. 설문조사 항목은 온라인 학습 경험의 어떤 특징이 가장 매력적이고, 최악이었는지를 물어보는 것이다. Cole 대위와 Danielson 대위는 교육 프로그램이 해군 이러닝으로 운영되는 처음 두 달 동안 형성평가를 실시할 계획이다. 데이터 결과는 분석과 수정을 맡은 팀에게 제공될 것이다.

총괄평가 예비 기획은 형성평가 기획과 함께 고안된다. 최종적으로 실시한 총괄평가 결과는 의사결정표의 형태로 Feinstein 부함장과 그녀의 참모에게 제공할 것이다. 이 표의 데이터는 두 달간 시범 집단(시험 점수, 교육 시간, 교육 환경, 만족도 조사)으로부터 수집되고, 운영 후 일 년 이상의 기간 동안 수집된 것들이다. 그 외에 추가된 데이터로는 조직의 미션을 달성하는 데 해당 프로그램이 얼마나 유익했는지를 정하기 위하여 함대의 부함장과 상급자들을 대상으로 실시된 설문조사와 인터뷰 자료가 있다. 이것의 목표는 잘 훈련된 수병은 높은 성과를 내고, 이들의 상관은 이를 인지하고 있는지를 알아보는 것이다. Prentiss 함장은 이 정보를 수집하여 집합 교육을 WBI로 전환하는 프로젝트 방향에 대해 정교화된 가이드를 제공할 것이다.

4. 대학의 사례

Shawn 교수와 그의 조교인 Brian은 학부생들을 대상으로 하는 *경영학 개론* 코스를 WEI로 쇄신하고자 한다.

대학에 개설된 모든 코스마다 학생 평가를 실시하는 것은 필수 사항이다. 그러나 이러한 유형의 평가는 WEI의 효과성, 효율성, 매력성에 대한 적절한 정보를 제공하지 않는다. Shawn 교수는 WEI 코스의 초 · 중 · 후반부에 학생들을 대상으로 한 설문조사를 계획하고 있다. 그는 이전에 사용한 적이 있는 질문지들을 바탕으로, 코스 내용과 추가되는 웹 활동 등에 대한 학생들의 견해에 초점을 둔 질문지를 개발할 것이다. 그는 특히 교실 수업과 온라인 활동의 통합에 관한 학생들의 관점이 어떠한지에 관심을 가지고 있다. 설문조사에 제시될 또 다른 질문은 그가 사용할 채팅과 게시판과 같은 웹 활동을 위해 필요한 시간과 노력에 관한 것이다. 그는 온라인 활동을 촉진하는데 소요하는 시간의 양을 추적할 필요가 있는지를 결정할 것이다.

Shawn 교수는 연구자이자 교수이기 때문에, WEI로 제공되는 코스에 또 다른 부가가치적 요소가 있는지를 궁금해하고 있다. 유사한 자기보고 질문지를 사용하여, 현재 캠퍼스에서 제공하는 코스와 WEI에서 데이터를 수집하기로 하였다. 또한 특정 교실 수업에서 일어난 토론을 녹화하여 후에 온라인상에서 일어난 채팅과 게시판 글과 비교할 것이다. Shawn 교수는 지난 학기에 가르쳤던 코스에서 나온 점수와 WEI에서 나온 점수를 비교할 계획이다.

이것들은 단지 예비 수준의 아이디어일 뿐이고, Shawn 교수는 좀 더 상세하게 연구하기 위하여 경영대학에서의 온라인 교수에 대한 문헌을 검토해야 할 것이다. 그는 자신의 진행 사항을 진척시키기 위하여 저술을 계획하고 있다. 데이터를 수집하기 전에 연구 동의서 양식을 대학의 연구 위원회에 제출할 것이다.

다음 질문은 이 네 가지 사례 모두에게 공통적으로 적용된다. 교수설계자로서 여러분이 이 각각의 사례 상황에 대해 어떤 행동을 취하거나 반응할 것인지 생각해 보라.

- 평가가 WBID 모형과 제시된 사례들에 어떻게 조화를 이루는가?
- 이 장에서 제시한 평가 절차가 WBI의 설계 및 개발에 어떻게 영향을 주는가? 이 절차가 각 사례마다 어떻게 다른가?
- 여러분은 각 사례 연구에서 나온 각 중심인물들과 다르게 무엇을 할 것인가?

제 6 장

동시적 설계: 사전 기획

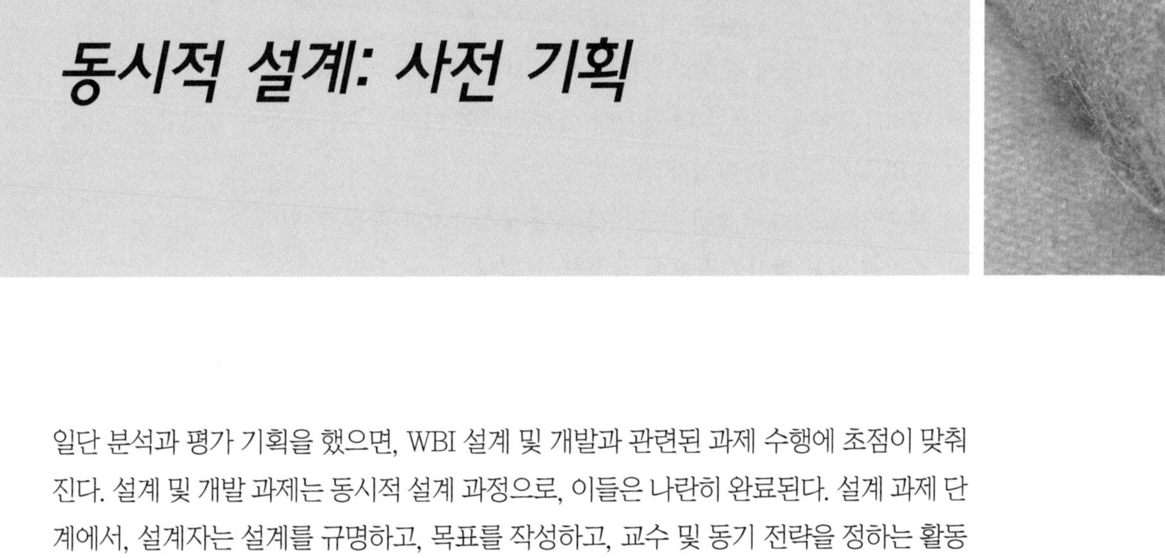

일단 분석과 평가 기획을 했으면, WBI 설계 및 개발과 관련된 과제 수행에 초점이 맞춰진다. 설계 및 개발 과제는 동시적 설계 과정으로, 이들은 나란히 완료된다. 설계 과제 단계에서, 설계자는 설계를 규명하고, 목표를 작성하고, 교수 및 동기 전략을 정하는 활동을 한다. 그 후 개발 과제 단계에서는, 설계 기획 활동에서 WBI 프로토타이핑으로 넘어간다. 형성평가 과정을 통하여, 이렇게 만들어진 WBI 설계 기획과 프로토타입을 정교화한다.

위와 같은 동시적 설계 단계를 세 장으로 나누어 설명하고자 한다. 6장에서는 사전 기획하기부터 목표 군집하기까지를 포함하는 설계 과제에 대하여 다룬다. 7장에서는 마지막 설계 과제인 교수 및 동기 전략을 정하는 데 필요한 여러 전략들을 살펴보고, 'WBI 전략 워크시트' 라는 새로운 도구를 소개하고, WBI 설계에 영향을 끼치는 요소에 대하여 살펴보고자 한다. 8장에서는 스토리보드, 플로차트, 프로토타입 개발 및 평가와 같은 개발 과제를 중심으로 살펴보고자 한다.

6장은 '설계과제 규명하기 및 팀 구성원 정하기, 설계 및 개발을 위한 타임라인 정하기' 로 구성되어 있는 사전 기획 활동을 설명하면서 시작된다. 그러고 난 후 목표 진술, 평가 전략의 다양한 유형을 살펴보고, 목표와 평가 항목으로 어떻게 TOAB를 완성할 수 있는지를 논하고자 한다. 마지막으로 목표를 군집화하는 방법에 대하여 논하고자 한다.

학습 목표

이 장의 구체적인 학습 목표는 다음과 같다.

- 동시적 설계 단계에서 일어나는 과정을 설명할 수 있다.
- 사전 기획의 주요 활동 세 가지를 언급할 수 있다.
- WBI 프로젝트에 필요한 특정 설계 방식을 고려할 수 있다.
- WBID 모형을 사용할 때 동시적 설계 과제와 이에 필요한 활동을 확인할 수 있다.
- WBI 설계를 위한 타임라인을 설정할 수 있다.
- 세 가지 요소로 구성된 목표에서 해당 구성요소를 찾을 수 있다.
- WBI를 위한 적절한 목표를 작성할 수 있다.
- WBI를 위한 평가 전략이 적절한지 판단할 수 있다.
- 목표와 결과에 일치하는 평가를 개발할 수 있다.
- 목표를 적절하게 분류하고, 계열화하여 군집화할 수 있다.

시작하기

이 시점에서, 교수설계자는 웹기반 학습 환경을 위한 파라미터를 설정하고, 교수 구성요소인 목표, 학습자, 맥락, 내용과 관련된 데이터를 수집 및 분석했을 것이다. 또한 형성평가 기획과 총괄평가 예비 기획을 개발하였을 것이다. 동시적 설계 단계에서 설계자는 설계 및 개발 활동에 형성평가를 통합시킨다. 우선 설계 과제를 사전에 기획한 후, 목표를 진술하고, 평가 유형을 결정하고, 교수 및 동기 전략을 상세화하는 것과 같은 설계 활동에 초점을 둔다. 세 번째로, 개발 과제에 초점을 두는데, 설계와 관련된 결정이 막바지에 이르면 이 과제는 점점 더 중요해진다.

설계 기획은 형성평가 결과에서 찾아낸 예측하지 못한 난제에도 부합되어야 하기 때문에 융통적이다. WBI 모형의 각 단계가 진행되면서, WBI의 진화와 변화가 가능한 순환 과정으로 교수설계를 설명했던 2장을 떠올려보자. 래피드 프로토타이핑 기법과 유사한 이 순환 과정은 설계 및 개발, 형성평가가 동시적으로 수행되도록 하나로 연결된 것으로 볼 수 있다(Davidson-Shivers & Rasmussen, 1999; Nixon & Lee, 2001). Wakefield, Frasciello, Tatnall과 Conover(2001)는 이는 “동시적 또는 함께” 일어난다고 하였다(p. 2).

래피드 프로토타이핑(rapid prototyping) 기법은 질에 대한 요구와 교수설계 및 개발 간의 균형을 이루게 한다(Danielson, Lockee, & Burton, 2000; Fisher & Peratino,

▶ 그림 6.1 WBID 모형의 동시적 설계 단계에서 설계 과정

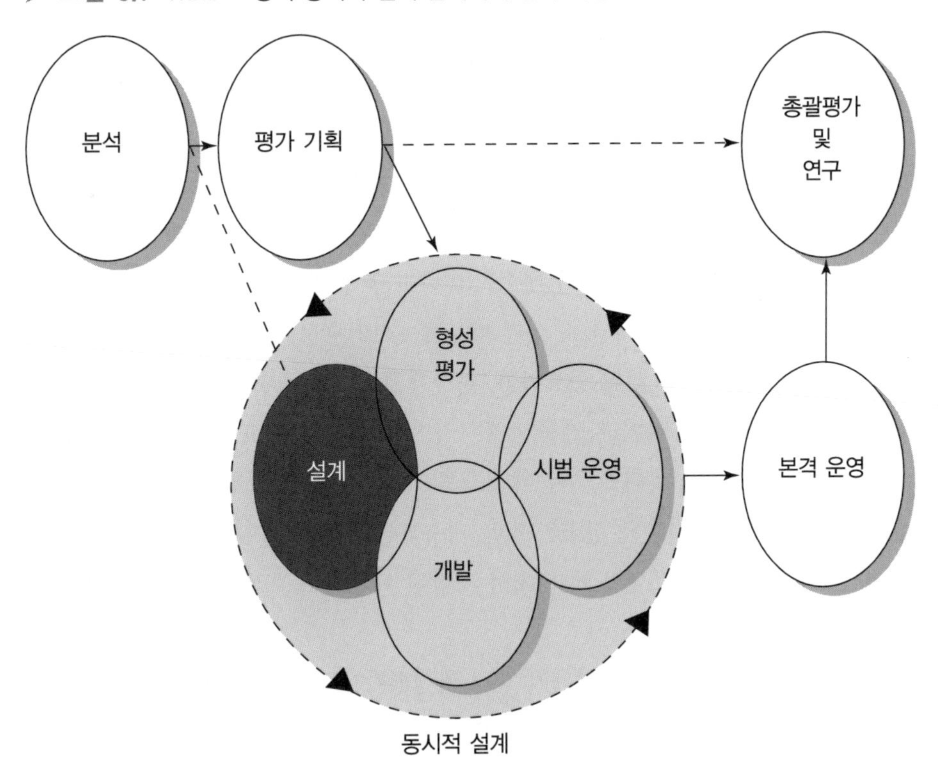

2001). 그러나 성공에 있어서 중요한 점은 교수 상황을 충분히 분석 또는 요구 사정하는 것이다(Kraushaar & Shirland, 1985; Nixon & Lee, 2001). 래피드 프로토타이핑은 최종 설계 명세표를 기다리는 지체함 없이, 검토를 위한 최종 교수 산출물의 셀 또는 일부분을 빠르게 개발하는 것을 포함한다(Tripp & Bicklemeyer, 1990).

WBID 모형에서 래피드 프로토타이핑을 사용하는 방법들은 다음과 같다. 첫째, 먼저 설계 명세서를 자세하게 개발한 후 WBI를 순환적으로 개발하는 고전적 방법이다. 둘째, WBI 프로젝트 내에서 순환적으로 유닛이나 레슨을 설계 및 개발하는 것이다. 예를 들어, WBI가 여러 개의 교수 세그먼트(유닛, 레슨, 모듈 등)로 이루어져 있을 때, 전통적 교수설계 모형(맨 처음 모든 세그먼트를 설계하고 난 후 개발하고, 마지막에 가서 전체를 평가함)과 달리 하나의 세그먼트를 위한 목표, 평가, 교수 및 동기 전략을 프로토타입(예: 강의, 토론방의 질문, 읽을거리 등)으로 설계 및 개발하고, 평가한다(Davidson-Shivers & Rasmussen, 1999; Nixon & Lee, 2001). 하나의 교수 세그먼트(유닛, 레슨)가 프로토타입으로 개발될 때 또 다른 세그먼트는 설계 단계로 들어가는 것을 '단계적 도입(phasing in)' 이라 한다. 각 세그먼트 프로토타입은 최종 WBI 산출

물이 만들어질 때까지 평가되고, 수정된다. 래피드 프로토타이핑의 또 다른 측면인 초기 피드백은 전 과정에 걸쳐 일어난다(Jones & Richey, 2000; Nixon & Lee).

WBID 모형에서 설계 활동 또는 과제는 다른 과제와 무관하게 일어나지 *않는다*. 예를 들면, 설계 단계에서 교수 전략을 생성하는 것은 종종 그 전략이 어떻게 웹페이지에서 실행되는지를 평가하는 것으로 이어진다. 평가 도구의 설계는 일관성을 위해 목표와 LTM 항목의 검토로 이어진다. 이렇게 각 과제 간의 경계가 명확하지 않으면, 동시적 활동들로 인하여 형성평가가 계속 일어나고, 이는 재설계로 이어진다.

동시적 설계는 무한정 일어날 수 있기 때문에, WBI 수정 횟수에 제한을 두거나 고객과 비상계획을 설정하는 것이 중요하다. 비상계획에는 정해진 횟수 외의 추가 수정은 고객에게 비용 손실과 납기 지연을 발생시키거나, 그렇지 않고 납기 내에 프로젝트를 종료하려면 프로젝트에 다른 자원이 요구될 수 있다는 것이 진술되어 있다. WBI 설계 전 협정서와 같은 것을 설정하는 것은 계속되는 이러한 변경이나 지연을 최소화한다. 마찬가지로 프로젝트 전반에 걸쳐서 지정된 시점과 프로젝트 말미에 고객의 승인을 받는 것은 중요하다.

두 번째 주의할 점은 동시적 설계가 WBI 형성평가를 거의 일어나지 않게 할 수 있으며, 오류투성이의 WBI를 만들어 낼 수 있다는 것이다. WBI 프로젝트의 각 구성요소를 세심하게 기획하는 것과 과도하게 분석하는 것 간에는 미세한 차이가 있다. 설계자는 설계와 평가에 너무 *적거나* 너무 *많은* 시간을 쓰지 않도록 주의해야 한다. 설계자의 경험과 숙련이 이러한 미세한 차이를 결정짓게 한다.

WBI 사전 기획 활동

동시적 설계 단계는 다음 세 가지 사전 기획 활동으로 시작한다(그림 6.2). 첫 번째 활동은 WBI의 설계 방식을 정하는 것이다. 두 번째 활동은 각각의 동시적 설계 과정에 연관된 특정 과제를 규명하여, 프로젝트팀 구성원에게 과제를 할당하는 것으로, 이는 프로젝트 관리자(또는 교수설계자)를 위한 프레임워크가 된다. 세 번째 활동은 WBI 프로젝트의 타임라인을 세우는 것이다.

WBI 설계 방식 정하기

결정된 설계 방식은 WBI 프로토타입에 반영된다(Davidson-Shivers & Rasmussen, 1999). WBID 모형은 이러한 실질적인, 그러나 근거 있는 교수설계 방식을 사용한다.

▶ 그림 6.2 동시적 설계 단계에서 사전 기획 활동

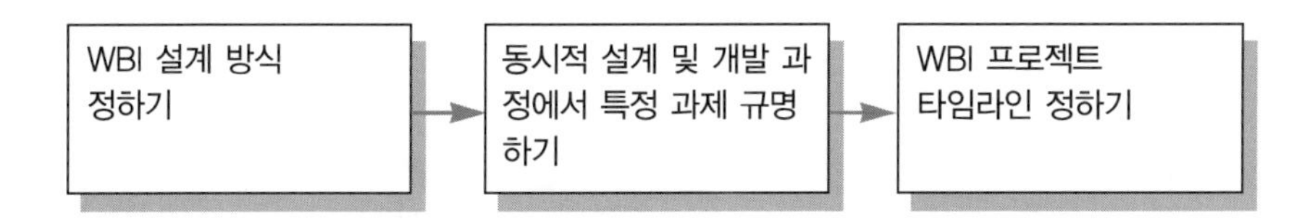

많은 WBI 프로젝트, 특히 복잡한 프로젝트일 때, 개발을 시작하기 전까지 전체 프로젝트에서의 모든 설계 활동을 완성하는 것은 불가능하다. 자원, 시간, 비용의 제한, 고객의 요구를 고려하여 설계하는 데에는 동시적 설계가 적합한 설계 방식이다. 최종 동시적 설계는 또한 WBI가 완성되기 전에 예측하지 못한 기술적 어려움을 잘 해결해준다.

과제와 팀 구성원 정하기

복잡한 WBI 프로젝트를 수행하는 프로젝트 매니저(PM) 또는 교수설계자들은 종종 특정 설계 및 개발 과제를 개략적으로 세워본다. 설계 과제에는 목표 진술하기, 평가방법 정하기, 적절한 교수 전략 정하기, 미디어 선정하기가 있다. 개발 과제에는 기획을 전달가능한 산출물(플로차트, 스토리보드, 프로토타입, 교수, 웹사이트)로 전환하기가 있다. 표 6.1은 특정 과제의 개요와 이 과제를 책임질 팀원들에 대한 개략적 정보를 제공한다. 팀원들은 자신들의 능력과 프로젝트 타임프레임에 근거하여 과제에 할당된다. 이 할당 차트는 이해관계자(또는 고객)의 승인 양식으로 활용할 수 있다.

설계자는 설계 인력 요건을 사전 기획할 때 다음의 질문을 고려한다.

- 설계자는 프로젝트 전반에 걸쳐 설계 방식을 가이드로 사용할 수 있는가?
- 과제를 수행하는 데 필요한 기능은 무엇인가?
- 누가 설계팀 구성원이 되어야 하고, 이들은 어떤 역할을 맡아야 하는가?
- 과제와 설계 인력이 서로 조화를 이루는가?

설계자는 '설계 문서' 를 완성하기 위한 가이드라인으로 위의 또는 다른 질문들을 사용한다; 이 질문들은 WBI 프로젝트에서 가정하고 있는 설계 팀원들의 전문성 또는 역량, 의무(또는 과제)에 대해 충분한 설명을 제공한다.

표 6.1 동시적 설계 단계를 위한 과제와 팀 구성원

과제	팀 구성원	의무 활동
WBID 초기 단계에서의 과제 요약		
분석	PM 또는 교수설계자	교수 상황을 분석한다. WBI가 적합한 해결책인지 정한다. 네 개의 교수 구성요소를 분석한다.
평가 기획		형성평가를 기획한다. 총괄평가의 예비 기획한다.
	고객 또는 교수자	형성 및 총괄평가 기획 단계에 필요한 데이터와 설계 인력에 접근할 수 있다. 기획을 승인한다.
동시적 설계 단계: 사전 기획 과제		
팀을 모집하기 필요한 예산, 시간, 자원 등을 수립하기 프로젝트 승인하기	PM 또는 교수설계자	WBI 설계 방식을 정한다. 팀, 예산, 자원을 조합한다. 팀을 관리한다. 완성된 과제를 검토한다. 승인한다.
	고객 또는 교수자	설계 요구와 바람을 설명한다. 요건(시간, 예산, 자원 등)을 설명한다. 요건에 근거한 결과물을 검토한다. 협정서와 완성된 과제를 승인한다. 결과물에 대한 지급을 승인한다.
동시적 설계 단계: 설계 과제		
목표를 작성하기	교수설계자	LTM으로부터 목표를 개발한다. 필요하면 SME의 피드백을 받아 목표를 수정한다.
	전문가 검토자 또는 교수자	학습 내용과 목표의 적절성을 컨설팅한다. 목표를 검토하고 승인한다.
평가 항목과 도구를 작성하기	교수설계자	평가 도구가 필요한지 정한다. 평가 항목을 개발한다.
	전문가 검토자 또는 교수자	일관성 측면에서 평가 항목을 평가하여 컨설팅한다. 평가 기획을 승인한다.
목표를 교수단위에 맞게 군집화하기	교수설계자	WBI 개발을 위하여 목표를 교수단위로 조직한다.
	전문가 검토자 또는 교수자	목표를 군집화한 것을 컨설팅한다. 교수단위를 승인한다.
WBI 전략 워크시트(교수 전략과 동기 전략을 계획)를 만들기	교수설계자	WBI에 적절한 교수 및 동기 전략을 정한다. WBI에 적합한 미디어를 선정한다. 일관성 측면에서 교수 전략을 평가한다.
	전문가 검토자(기술)	웹으로 전달되는 WBI 사양을 확인한다. 웹 학습 환경을 검토한다.

표 6.1 동시적 설계 단계를 위한 과제와 팀 구성원 (계속)

과제	팀 구성원	의무 활동
	전문가 검토자 최종 사용자 검토자 교수자	일관성 측면에서 교수 및 동기 전략을 평가한다. 교수 전략을 검토한다. 워크시트를 검토한 후 승인한다.
동시적 설계 단계: 개발 과제		
플로차트 만들기	교수설계자	구조와 계열을 위하여 설계 계획을 검토한다.
LMS에서 사용하기 위하여 플로차트를 구조화하기		
스토리보드 만들기	교수설계자	WBI 전략 워크시트에 있는 교수 전략과 동기 전략을 스토리보드에 반영한다. 스토리보드를 WBI 프로토타입으로 변환한다.
	교수자	스토리보드를 검토하고, 승인한다.
웹사이트 설계하기	교수설계자	인터페이스와 프로토타입 설계를 도와준다.
	기술 전문가	필요하면 기술 지원을 제공한다.
교수 내용을 웹기반 문서로 전환하기	교수설계자	스토리보드를 웹 교수로 변경하는 것을 완성한다.
	기술 전문가	기술 지원과 프로그래밍을 제공한다.
	교수자	검토하고 승인한다.
적합한 미디어에 통합하기	교수설계자	미디어를 교수에 통합한다.
	기술 전문가	기술 지원과 프로그래밍을 제공한다.
웹사이트를 테스트하기(형성평가)	PM 또는 교수설계자	웹사이트에서 질 관리를 수행한다; 링크, 내비게이션, 로드 속도를 테스트한다; 여러 브라우저로, 버전, 컴퓨터 시스템에서 사이트를 테스트한다.
	SME/교수자 최종 사용자 검토자	테스트를 수행하고, 참여한다. 에러가 수정되었는지 확인한다.
기술 문제 해결하기 (형성평가)	교수설계자	웹사이트 테스트 시 발견된 문제를 수정한다.
	기술 전문가	
교수 질 검사하기 (형성평가)	교수설계자	시범 운영해보고, 평가 결과를 포함한 피드백을 제공한다.
	교수자 최종 사용자 검토자	WBI에 참여 및 검토하고, WBI 강약점에 대한 정보를 제공한다.
이행 전 단계		
주요 계획 승인하기	PM 또는 교수설계자	팀과 고객을 컨설팅한다. WBI를 승인한다.
	교수자 또는 고객	WBI를 승인한다.

GardenScapes 사례

*GardenScapes*의 설계 및 개발을 시작할 때, Elliot과 Kally는 동시적 설계 방식이 자신들의 촉박하게 짜여져있는 설계 타임프레임을 해결해 준다고 정하였다. 이 방식은 이들이 사전 기획 과제를 완료함과 동시에 설계-개발-평가 사이클을 시작하게 한다.

설계팀은 교수설계자(Elliott), 교수자(Kally), 내용 및 기술 전문가들로 구성되어 있다. 각 구성원은 팀에 성공적으로 참여하는 데 필요한 능력을 가지고 있다. TLDC장인 Carlos Duartes는 프로젝트를 승인하였고 Chauncy 박사와 Elliott의 지도교수도 그렇게 하였다. Nikko Tamura 박사는 내용 전문가로 도움을 제공할 것이다. Elliott은 Kally의 도움을 받아 교수설계를 진행할 것이다. TLDC 직원들은 Laila Gunnarson씨를 통해서 기술 지원을 제공받는다. 더불어 대상학습자들은 최종 검토자로 모집될 것인데, 이들은 Kally의 '조경학 기초' 코스를 이전에 수강한 적이 있는 사람들로 확인되었다.

Elliott과 Kally는 과제, 팀 구성원, 이들의 의무를 나타내는 매트릭스를 만들었다.

완성된 표를 보려면 자매 사이트
(http://www.prenhall.com/davidson-shivers)를 참고하자.

생각해보기

여러분의 프로젝트에서 사용할 설계 방식을 확인하고, 여러분의 '설계 문서' 에 이것을 명료화시켜 보자.

분석 결과와 평가 기획의 함축적 의미를 재검토하고, WBI 프로젝트의 과제 목록을 개발하자. 그 다음 그러한 과제를 완료하는 데 필요한 기술을 확인하자. 특정 의무를 가정하고 있는 기술과 역량을 가진 팀원들을 지정하자. 여러분의 '설계 문서' 에 팀원에 대한 기술서를 반드시 제공하자. WBI 설계와 프로토타입이 개발될 때 전문가와 최종 사용자로 참가할 사람들을 확인하자. 이에 대한 가이드로 표 6.1을 활용하자.

(다른 교수설계자들이 동일한 문제들을 어떻게 해결하고 있는가를 알아보기 위해 이 장의 후반부에 제시된 사례 연구를 살펴보기 바란다.)

과제/팀 구성원 매트릭스 템플릿을 인쇄하려면 자매 사이트
(http://www.prenhall.com/davidson-shivers)를 참고하자.

GardenScapes 프로젝트에서 동시적 설계 단계를 위한 과제와 팀 구성원

과제	팀 구성원	의무 활동
동시적 설계 단계: 사전 기획 과제		
사전 기획 활동	Carlos: 모든 TLDC 프로젝트를 승인한다.(지정된 PM 없음)	TLDC의 WBI 프로젝트에 필요한 팀과 과제를 승인한다. 설계 기획을 승인하고, Elliott의 인턴십을 감독한다.
	Chauncy 박사(Myers 대학)	Elliott을 위한 인턴십 프로젝트로 WBI 기획을 승인한다.
	Elliott, 교수설계자	WBI 타임라인과 전체 기획을 개발한다.
	Kally, 내용 전문가 겸 교수자 (고객으로 고려할 수 있음)	교수설계 관점에서 프로젝트 범위를 전체적으로 기획할 수 있도록 도와준다.
동시적 설계 단계: 개발 과제		
목표를 작성하기	Elliott	LTM으로부터 목표를 개발한다. 필요하면 교수자와 SME의 피드백을 받아 목표를 수정한다.
	Kally, Nikko 박사, SME	학습 내용과 목표의 적절성에 대하여 교수설계자에게 컨설팅해준다.
평가문항과 도구 작성하기	Elliott	필요한 평가 도구를 정한다. 평가 항목을 개발한다.
	Kally	교수설계자에게 컨설팅해주고, 일관성 측면에서 평가 항목을 평가한다.
목표 군집화하기	Elliott	WBI 개발을 위하여 목표를 교수단위로 조직한다.
	Kally	목표를 교수단위로 조직하는 것에 대하여 교수설계자에게 컨설팅해준다.
WBI 전략 워크시트 생성하기	Elliott	WBI에 적절한 교수 및 동기 전략을 정한다. WBI에 적합한 미디어를 선정한다. TOAB와의 일관성 측면에서 교수 전략을 평가한다.
	Laila, 기술 전문가	웹으로 전달되는 WBI 사양을 확인한다. 웹 학습 환경을 검토한다.
	Kally	일관성 측면에서 교수 전략을 평가한다.
	전문가와 최종 사용자 검토자	교수 전략을 검토하여, 피드백을 한다.
미디어 확인하기	Elliott	그래픽 또는 비디오 전문가와 함께 일할 수 있는 적절한 미디어를 결정한다.
	Laila와 TLDC 직원	WBI에서 사용가능한 미디어를 교수설계자에게 컨설팅해준다.

WBI 프로젝트 타임라인 설정하기

마지막 사전 기획 활동은 WBI 프로젝트 타임라인을 정하는 것이다. 타임라인은 PM이 과제를 계열화하고, 과제를 끝내도록 팀원을 가이드하고, WBI 프로젝트가 납기와 예산에 맞추어 졌는지를 평가하도록 해준다.

타임라인은 확인된 과제와 이에 할당된 팀원으로 이루어진다. PM은 현실적인 타임라인을 설정하기 위하여 팀원에게 해당 프로젝트 외에 수행하는 다른 의무가 있는지, 프로젝트가 가진 또 다른 제약점이 있는지를 고려해야 한다. 타임라인은 뜻하지 않은 일들을 대비할 수 있도록 융통적이어야 한다.

프로젝트 이정표로 불리는 주요 최종 기한은 복잡한 WBI 프로젝트에 포함된다. **이정표(milestones)**는 프로젝트가 일정대로 진행되고, 타임프레임이 조정될 필요가 있는지 결정하기 위하여 언제 중요 과제가 완료되어야 하는지를 최종 기한으로 나타낸다. 이정표는 납기와 정해진 예산 내에서 프로젝트의 성공을 측정하는데 사용된다. 어떤 프로젝트에서는 이정표의 달성이 고객의 계약 완료 사인과 비용지불을 이끌어내기도 한다.

갠트 차트(Gantt charts)는 프로젝트 과제의 순서와 과제를 완료하는 데 소요되는 예상 시간과 실제 시간을 시각적으로 나타낸다. 프로젝트 기간에 따라서 갠트 차트는 기간을 시간, 일, 달, 연으로 표시할 수 있다. 차트는 PM이 자원과 노력이 어디에서 사용되고 있는지 확인하도록 하고, 이것들이 빈틈 없이 사용되고 있는지를 결정하도록 도움을 준다. 갠트 차트는 워드 프로세서, 스프레드시트, 또는 *Inspiration*®, Microsoft *Visio*®와 같은 프로그램, Microsoft *Project*®로 쉽게 만들 수 있다. 표 6.2는 소규모 WBI 프로젝트를 위한 갠트 차트 샘플이다. 이 예는 동시적 설계 과제를 나타낸다. 음영으로 표시된 시간은 각 과제의 예산 시간을 나타낸다.

*퍼트 차트(PERT charts)*는 프로젝트 과제의 순서와 과제가 끝나는 예상 시간과 실제 시간을 나타내는 또 다른 방법이다. 퍼트 차트는 종종 복잡한 WBI 프로젝트에 사용된다. 퍼트 차트를 만드는 데는 Microsoft *Project*®와 같은 응용 소프트웨어를 사용해야 한다. 여기에서는 갠트 차트만 사용할 것이다.

표 6.2 소규모 WBI 프로젝트를 위한 갠트 차트 샘플

과제		1주	2주	3주	4주	N*주
사전 기획 활동을 한다	계획					
	실제					
목표를 작성한다	계획					
	실제					
평가 항목과 도구를 작성한다	계획					
	실제					
목표와 평가 항목을 평가한다	계획					
	실제					
목표를 군집화하고 계열화한다	계획					
	실제					
WBI 전략 워크시트를 만든다	계획					
	실제					
미디어를 정한다	계획					
	실제					
교수 전략과 미디어 선정을 평가한다	계획					
	실제					
플로차트와 스토리보드 레슨	계획					
	실제					
플로차트와 스토리보드를 평가한다	계획					
	실제					
웹사이트를 설계한다	계획					
	실제					
스토리보드를 웹페이지로 전환한다	계획					
	실제					
(WBI의 교수 질과 웹사이트와 테스트) 평가를 실시한다	계획					
	실제					

N* = 프로젝트 타임프레임이 완료될 때까지 추가될 수 있다.

GardenScapes 사례

Carlos와 상담하여, Kally와 Elliott은 설계 및 개발 과제, 평가 활동을 위한 타임라인을 만든다. 그러고 난 후, 프로젝트가 진척될 때 시기를 수정할 수 있음을 감안하여 각 과제를 완료하는 데 걸리는 시간을 예상해 보았다. 각 과제에 소요되는 실제 시간을 확인하기 위하여 공백으로 놔두었다. 전체 WBI 프로젝트는 다음 기간 동안 이행될 수 있게 하기 위하여 단기간의 타임프레임을 가지고 있다. 다음은 이들의 승인된 갠트 차트이다.

GardenScapes 타임라인

과제	책임자	1주	2주	3주	4주	5주	6주	7주	8주
WBI의 정확한 프레임워크를 확인하기 위하여 분석을 검토한다.	Kally, Elliot, Carlos								
목표를 작성한다.	Kally, Elliot								
평가 항목과 도구를 작성한다.	Elliot								
목표와 형성평가 도구를 검토한다.	Kally, Carlos								
목표를 군집화하고, WBI전략 워크시트를 만든다.	Elliott, Kally								
WBI 전략을 평가한다.	Nikko, 최종 사용자								
미디어를 정한다.	Elliott, Kally								
미디어 선정을 평가한다.	Laila								
플로차트와 스토리보드	Elliott								
플로차트와 스토리보드를 검토한다.	Kally, Carlos								
프로토타입을 WBI로 전환한다.	Kally, Elliot								
웹사이트와 WBI를 검토한다.	Nikko, Carlos, 최종 사용자								
WBI와 사이트를 테스트해보고, 문제를 해결해본다.	Elliott, Laila								
최종 프로젝트 만기	Kally, Elliot, Carlos, Judith								

기울임체는 검토 과정을, 음영은 각 과제의 프로젝트 시간을 나타낸다.

*GardenScapes*의 '설계 문서'에 관해서는 자매 사이트 (http://www.prenhall.com/davidson-shivers)를 참고하자.

생각해보기

여러분의 템플릿으로 표 6.2에 나와 있는 갠트 차트를 사용하여 WBI 프로젝트 타임라인을 만들어보자. 각 과제를 완료하는 데 필요한 시간을 예측해보고, 실제 소요될 시간은 공백으로 두자(시간, 일, 주 등 적절하게 분류하자). 가능하다면, 각기 다른 과제를 완료하는 데 책임을 진 사람이 누구인지(이름 또는 직책으로)를 규명하자. 만일 여러분의 프로젝트가 주요한 결과물을 포함하고 있다면, 프로젝트 이정표를 확인해보자. 여러분의 설계 문서의 타임라인에 과제, 팀원, 프로젝트 기간에 대한 설명을 포함시키도록 하자.

(다른 교수설계자들이 동일한 문제들을 어떻게 해결하고 있는가를 알아보기 위해 이 장의 후반부에 제시된 사례 연구를 살펴보기 바란다.)

갠트 차트 템플릿을 인쇄하려면 자매 사이트
(http://www.prenhall.com/davidson-shivers)를 참고하자.

핵심 설계 과제

WBI 설계 계획에 있어 기초적인 부분은 다음의 사전 기획 활동을 따른다. 다음은 WBI 설계에 있어서 핵심적으로 고려되는 여섯 가지 설계 과제이다.

- 목표 작성하기
- 평가 작성하기
- 목표 군집화하기
- 'WBI 전략 워크시트' 로 WBI 교수 전략 생성하기
- 'WBI 전략 워크시트' 로 WBI 동기 전략 생성하기
- 미디어 선정하기

앞의 세 가지 과제는 이 장에서, 나머지 과제는 7장에서 다룰 것이다.

목표 작성하기

분석 단계에서, 교수 내용의 주요 단계와 하위기능 간의 관계는 LTM을 통하여 나타내어진다. 각 과제는 번호 체제에 의하여 숫자가 붙게 된다. 이 LTM 항목은 교수 목표의 기본이 된다.

Mager(1997)에 따르면, "목표는 여러분의 학생들이 달성하길 바라는 것을 다른 이들도 알 수 있도록 하기 위하여 단어, 그림, 다이어그램으로 표현된 것들의 집합이다. 이것은 결과를 달성하는 과정보다 의도된 결과와 관련되어 있다; 이것은 광범위하기보다 구체적이며, 막연하기보다 측정이 가능하다; 그리고 교수자가 아닌 학습자와 관련되어 있다" (p. 3)고 하였다. Gronlund(2004)는 "교수 목표를 잘 진술하는 방법은 의도한 교수 결과의 관점에서 보는 것이다. 이것은 학습자에게 기대되는 것을 학습자가 학습했다는 증거로 받아들일 수 있는 수행의 유형을 명확하게 해준다" (p. 4)고 하였다.

일반적으로, 목표는 구성주의보다 행동주의나 인지주의 학습 원리에 기반을 둔다. 겉으로 보기에 목표는 구성주의에 정반대되는 것처럼 보인다. 그러나 Jonassen(1992, 1999)은 구성주의적 학습을 평가하는 방법으로 대안 평가를 언급하였는데, 이 때 목표는 탐색하기, 명료화하기, 성찰하기와 같은 학습 활동과 관련되어 있고, 이는 구성주의적 학습 환경에 적합함을 알 수 있다. Jonassen(1999)은 목표는 "학습자가 소유해야" 한다고 하였다(p. 216). 마찬가지로, Riesbeck(1996)도 사실보다 기능을 배우는 코스는 목표에 기반을 두거나 목표 기반 시나리오를 이용한다고 하였다. 그는 두 가지 유형의 기능을 제안하였는데, 첫째는 과정 기능(process skills)으로, 이는 "다단계적이면서 상호 연계된 절차" 에 초점을 둔다(p. 53). 둘째는 최종 목표 기능(outcome achievement skills)으로, 이는 "결과와 그 결과를 달성하기 위한 기법" 에 초점을 둔다(p. 54). 그러나 가장 구성주의적인 학습 환경에서는 목표가 비교적 느슨하게 정의되어 있어 구체적 학습 목표는 개발되지 않는다.

그러나 행동주의, 인지주의, 또는 통합적, 복합이론 학습 환경에서 구체적 목표는 유용하다. 대부분의 유치원과 초·중등학교에서는 구체적 목표 또는 커리큘럼의 핵심 요소들을 진술하고, 가르쳐야 한다. 목표를 작성하는 목적은 학습에 대한 기대를 기술하는 것이다; 목표를 진술하는 것은 하루, 한 학기, 일 년의 코스 동안 무엇을 배우는지를 학습자, 학부모, 공동체의 또 다른 이들이 이해할 수 있도록 해준다.

목표를 만들 때, 설계자는 학습자에게 초점을 둔다; **목표**는 WBI 또는 WBI의 유닛(또는 레슨)을 마친 후에, 교수자가 무엇을 '할 것이다' 가 아닌 학습자가 무엇을 '할 수 있다' 에 대한 것이다. 다시 말하면, 목표는 학습되어야 하는 특정 기능뿐만 아니라 사실, 개념, 원리를 규명한다. 게다가 이것들은 학습을 마친 후, 학습자로부터 얻어지는 정보를 고려한 형태로 작성될 수 있다.

교수 목표 및 결과와 웹

설계자가 교수 목표를 진술할 때, 이 목표의 학습 결과 또한 규명한다는 것을 상기하도록 하자. 마찬가지로 설계자가 목표를 분석할 때, LTM 단계와 하위기능을 결과 수준과 맞추어야 한다. 예를 들면, '미국 50개 주 정부의 수도의 이름을 댈 수 있다' 라는 LTM 과제 항목은 (Gagné([1985])의 학습의 범주에 따르면) 언어적 정보 또는 (Bloom 등[1956]에 따르면) 알기에 해당한다. 수도의 이름을 대는 것은 저차원의 인지적 과제인데, 그러한 지식은 후에 고차원적 사고 능력을 형성하는 데 디딤돌의 역할을 한다. 비교해보면, LTM 과제로 '브로슈어를 만드는 것' 은 (Gagné [1985])의 학습의 범주에 따르면) 지적 능력 중 문제 해결 또는 (Bloom 등[1956]에 따르면) 종합에 해당한다. 이 예에서, 학습자로부터 얻어지는 정보는 학습자가 브로슈어의 종류와 스타일, 내용을 선택하는 활동이며, 과정 기능은 적절한 브로슈어를 만드는 데 창의적 해결책을 찾는 활동이다.

설계자는 학습 결과와 일치하는 LTM 단계와 하위기능에 기반하여 목표를 진술한다. LTM 과제 항목에서 이미 확인된 행동 동사(즉 수행)로 목표를 진술하더라도, 이는 쉬운 일이 아니다. WBI의 목적을 전달하고 학습자 수행의 기대치를 강조하는 제대로 된 목표를 만드는 데는 시간과 노력이 든다(Gagné et al., 2005; Popham, 2002). 설계자는 목표와 과제 항목이 서로 일치하도록 LTM 단계와 하위기능을 검토하고 수정해야 한다.

목표 진술을 위한 두 가지 형태에는 다섯 가지 구성요소 목표와 세 가지 구성요소 목표가 있다. 전자는 잘 알려지지 않았지만 Gagné의 모형을 따르는 설계자들에 의하여 사용되고 있다. 후자는 일반적으로 Mager(1997)의 영향을 받았고, 널리 알려져 있으며, 커리큘럼 개발자들에 의하여 사용되고 있다. Neely(2000)에 따르면, Mager식의 목표 유형은 유치원과 초·중등 교육 환경에서 종종 선택된다고 한다.

다섯 가지 구성요소로 이루어진 목표

Gagné 등(2005)은 학습된 능력 동사(LCV: Learned Capability Verb)를 포함한 다섯 가지 구성요소로 이루어진 목표를 사용하는 것을 옹호한다. 첫 번째 구성요소인 LCV는 학습자 수행(또는 학습자 행동)이 아닌 학습의 범주를 나타낸다는 점에서 독특하다(3장에서 논의된 Gagné의 학습의 범주와 LCV를 상기하자). 두 번째 구성요소인 행동 동사는 학습자 수행을 나타낸다. 나머지 구성요소에는 수행이 일어나는 조건을 기술한 상황, 수행의 내용 또는 대상을 기술한 행동의 대상, 수행에 적용되는 도구, 제

표 6.3 다양한 주제를 가진 WBI 프로젝트에서 다섯 가지 구성요소 목표의 예

목표	학습 결과
주제: 역사 ***워털루 전투를 이끈 사건들에 대한 서술형 질문이 주어지면,*** 학생은 *책을 보지 않고* 치르는 시험에서 워털루 전투를 이끈 주요 사건들을 **설명함**으로써 **분류할 수 있다.**	지적 기능: 정의된 개념(Gagné) 이해(Bloom)
주제: 지리 ***미국 지도와 주 정부 목록이 주어지면,*** 학생은 최소한 *50개 중 42개를 올바르게* 주와 수도를 **연결**함으로 **진술할 수 있다.**	언어적 정보(Gagné) 알기(Bloom)
주제: 잎 ***서로 다른 나뭇잎 그림이 10개가 주어지면,*** 학생은 *나뭇잎 그림 옆의 빈칸에,* 해당하는 나무의 종류를 **명명**함으로 **찾아 낼 수 있다.**	지적 기능: 구체적 개념(Gagné) 이해(Bloom)
주제: 이력서 ***적절한 그리고 부적절한 정보를 가진 이력서 샘플이 주어지면,*** 참가자는 적절한 *정보만을 사용하여 기업 환경에 맞는* 이력서를 **작성**함으로써 **시연할 수 있다.**	지적 기능: 규칙 사용(Gagné) 적용(Bloom)
주제: 탁상 출판 ***웹사이트와 다른 부가적 정보가 주어지면,*** 직원은 *출판 소프트웨어를 사용하여* 독특하게 설계된 관광 브로슈어를 **출판**함으로써 **만들 수 있다.**	지적 기능: 문제 해결(Gagné) 종합(Bloom)

참고: 진하게/밑줄 = LCV; 굵음 = 행동 동사; *진하게/기울임 = 상황;* 밑줄 = 목표; *기울임 = 도구, 특별한 조건 또는 제약*

약, 또는 특별한 조건이 있다. 이렇게 다섯 가지 구성요소로 구성된 목표는 도구, 제약, 또는 특별한 조건이 수용 가능한 행동을 나타냄에도 불구하고 학습자가 목표를 달성했는지 여부를 정하는 준거를 꼭 포함하고 있지는 않다. 표 6.3에 다양한 WBI 프로젝트의 다섯 가지 구성요소 목표의 예를 제시하였다.

다섯 가지 구성요소 목표를 진술함으로써 얻을 수 있는 것은 학습 결과와 LCV가 일치하는지를 명확히 확인할 수 있으나 반면 성가신 일이 될 수도 있다.

세 가지 구성요소로 이루어진 목표

세 가지 구성요소로 이루어진 목표는 조건, 수행, 하나 이상의 준거로 구성되어 있다(Mager, 1997). 다른 용어로 조건은 *상황(situation)*, 수행은 *행동(behavior)*, 준거는 *기준(standards)*으로 사용되기도 한다(Dick et al., 2005; Smith & Ragan, 2005).

조건 구성요소. **조건** 구성요소는 목표를 위한 프레임워크를 설정하고, 학습이 일어나는 또는 평가되는 상황을 말한다. 또한 조건은 목표를 수행하는 데 필요한 도구의 유형을 제시하고, 웹기반 환경에서 실제적이면서 적절한 상황을 규명한다.

수행 구성요소. **수행** 구성요소는 학습 과제 항목과 학습 결과 수준에서 나온다. 이는 행동 동사로 진술되고, 학습자가 달성해야 하는 것이 무엇인지를 규명한다. 수행은 측정 가능하고, 관찰 가능해야 한다. 계산하다, 생성하다 등과 같은 인지 과정을 의도한다면, 그런 수행이 일어났음을 의미하는 학습자의 반응으로 표현해 주어야 한다. 적용하다, *계산하다, 개발하다, 설명하다, 뒤어넘다, 나열하다, 명명하다, 선택하다, 분류하다* 등의 적절한 동사가 수없이 많이 사용될 수 있다. Smith와 Ragan(2005)은 *인식하다, 알다, 이해하다, 배우다*와 같은 '애매모호한 동사'는 사용되어서는 안 된다고 하였다(4장 참고).

준거 구성요소. 목표의 마지막 구성요소는 수행을 판단하는 준거 또는 기준이다. 이것 없이는, 학습자의 숙달 또는 수행 수준을 명확하게 정할 수 없다. Neely(2000)는 교사가 학습 기준을 설정하는 방법으로 퍼센트를 사용할 것을 권장한다. 준거 유형에는 과제의 질, 과제를 완료하는 데 걸린 시간, 올바르게 반응한 횟수, 최종 산출물 또는 그 밖의 준거가 있다(Dick et al., 2005; Smith & Ragan, 2005). 표 6.4에 다양한 WBI 상황에서의 세 가지 구성요소 목표와 결과 수준의 예를 보였다.

세 가지 구성요소 목표는 학습자의 수행을 판단하는 기준을 나타내지만, 항상 결

표 6.4 다양한 주제를 가진 WBI 프로젝트에서 세 가지 구성요소 목표의 예

목표	학습 결과
주제: 역사 ***워털루 전투를 이끈 사건들에 대한 서술형 질문이 주어지면,*** 학생은 교과서에 따라 워털루 전투를 이끈 주요 사건들을 **설명**할 수 있다.	지적 기능: 정의된 개념(Gagné) 이해(Bloom)
주제: 지리 ***미국 지도와 주 정부 목록이 주어지면,*** 학생은 *최소한 50개 중 42개를* 올바르게 주와 수도를 **연결할** 수 있다.	언어적 정보(Gagné) 알기(Bloom)
주제: 잎 ***서로 다른 나뭇잎 그림이 10개가 주어지면,*** 학생은 *80% 정확성으로* 나무의 종류를 **명명**할 수 있다.	지적 기능: 구체적 개념(Gagné) 이해(Bloom)
주제: 이력서 ***적절한 그리고 부적절한 정보를 가진 이력서 샘플이 주어지면,*** 참가자는 *거의 오류가 없는* 적절한 정보만을 사용하여 기업 환경에 맞는 이력서를 **형식에 맞게 작성**할 수 있다.	지적 기능: 규칙 사용(Gagné) 적용(Bloom)
주제: 탁상 출판 ***웹사이트, 다른 부가적 정보, 출판 소프트웨어가 주어지면,*** 직원은 독특한 디자인을 *가지고 해변 관련 사업의 10% 시장 점유율을 증가시킬* 관광 브로슈어를 **출판**할 수 있다.	지적 기능: 문제 해결(Gagné) 종합(Bloom)

참고: ***진하게/기울임 = 조건***; **굵음 = 수행**; *기울임 = 준거*

과 수준을 나타내는 행동 동사를 사용하는 것은 아니다. 그 예로, 나뭇잎을 찾아내는 예에서 학습 결과 수준은 지적 기능(구체적 개념 또는 이해)이다. 그러나 명명하다라는 수행(또는 행동 동사)은 언어적 정보 또는 알기 수준의 결과와 관련된 목표로 사용될 수 있다. 학습에 대한 기대를 명확히 하기 위하여, 세 가지 구성요소 목표와 학습 결과 수준의 일치가 중요하다.

TOAB로 목표 작성하기

어떤 유형의 목표(다섯 가지 또는 세 가지 구성요소)이든 작성된 목표는 기존의 학습 과제 항목 및 결과 수준과 일관적이어야 한다. 또한 목표는 수행하는 행동, 내용, 결과가 일치해야 한다. 설계자는 이 요소들이 서로 일치하도록 하기 위하여 많은 시간과 노력을 쏟는다. 4장에서 소개된 TOAB 도구는 이 작업을 단순하게 해준다. 표 6.5에

표 6.5 다양한 주제를 가진 다양한 WBI 프로젝트에서 TOAB로 목표를 작성한 세 가지 구성요소 목표의 예

학습 과제 항목과 번호	목표	학습 결과	평가 항목
주제: 역사			
5.0 워털루 사건을 설명한다.	워털루 전투를 이끈 사건들에 대한 질문이 주어지면, 학생은 교과서에 따라 워털루 전투를 이끈 주요 사건들을 설명할 수 있다.	지적 기능: 정의된 개념 SWBAT(Student Will Be Able To)	
주제: 지리			
1.1 주 정부 수도를 나열한다.	미국 지도와 주 정부 목록이 주어지면, 학생은 최소한 50개 중 42개를 올바르게 주와 수도를 연결할 수 있다.	언어적 정보	
주제: 잎			
2.6 단풍나무 잎을 찾아낸다.	서로 다른 나뭇잎 그림이 10개 주어지면, 학생은 80% 정확성으로 나무의 종류를 명명할 수 있다.	지적 기능: 구체적 개념	
주제: 이력서			
4.2 이력서를 형식에 맞게 작성한다.	적절한 그리고 부적절한 정보를 가진 이력서 샘플이 주어지면, 참가자는 거의 오류가 없는 적절한 정보만을 사용하여 기업 환경에 맞는 이력서를 형식에 맞게 작성할 수 있다.	지적 기능: 규칙 사용	
주제: 관광 마케팅			
9.1 관광 브로슈어를 만든다.	웹사이트, 다른 부가적 정보, 출판 소프트웨어가 주어지면, 직원은 독특한 디자인을 가지고, 해변 관련 사업의 10% 시장 점유율을 증가시킬 관광 브로슈어를 출판할 수 있다.	지적 기능: 문제 해결	

다양한 WBI 상황에서 TOAB로 학습 과제 항목과 결과 수준이 일치하는 세 가지 구성요소 목표의 예를 제시하였다.

일단 TOAB 목표 열이 완성되면, 이는 명료성, 정확성, 일관성 측면에서 검토된다. TOAB의 어느 부분이 주요하게 수정되면, 설계자는 이 변경을 '설계 문서' 에 기록하고, 그 이유에 대하여 설명한다. 다시 한 번 강조하지만, WBID 모형에서 기억해 두어야 할 것은 설계는 선형적이지 않고 순환적이며, 변경은 동시적 설계에서 수시로 일어날 수 있다는 것이다. 이러한 변경은 앞으로의 절차와 결정뿐만 아니라 결과와 이전 단계에서의 결과와 결정에도 종종 영향을 끼친다. 어떠한 것이 변경되었고, 왜 변경이 일어났는지에 대하여 설명하는 것은 WBI 설계팀 모두와 심지어 1인 설계자나 교수자에게도 명료함을 준다.

GardenScapes 사례

Elliott과 Kally는 Gagné의 학습 범주에 따라 *GardenScapes* 목표를 진술한다. 다음 표는 TOAB로 목표를 작성한 세 가지 구성요소 목표의 일부를 발췌된 것이다. 이들은 최

GardenScapes 코스를 위한 TOAB (발췌)

학습 과제 항목과 번호	목표	결과 수준	평가 항목
정원을 설계한다. 정원 설계 기획을 개발한다.(*최종 **목표** 진술에서 도출됨*)	정원 부지가 주어지면, 학습자는 위치와 조건에 맞는 정원 계획을 개발할 수 있다.	지적 기능: 문제 해결	
1.0 정원 테마를 선택한다.(*LTM으로부터 나온 주요 **단계***)	다섯 가지 테마가 주어지면, 학습자는 위치와 조건에 맞는 정원 계획을 선택할 수 있다.	지적 기능: 정의된 개념	
1.1 색조 테마를 진술한다.(*LTM으로부터 나온 **하위기능***)	정원 테마의 여러 유형에는 무엇이 있는지에 대한 질문이 주어지면, 학습자는 그들 중 하나인 색조 테마를 진술할 수 있다.	언어적 정보	
1.2 정원 시설물 테마를 진술한다.	정원 테마의 여러 유형에는 무엇이 있는지에 대한 질문이 주어지면, 학습자는 그들 중 하나로 정원시설물을 진술할 수 있다.	언어적 정보	
	이 과정은 모든 기능과 하위기능이 나열될 때까지 계속된다.		

참고: Elliott과 Kally가 작성한 가운데 줄 표시(취소선)와 변경은 최종 목표 진술문에 기반한다.

종 교수 목표 진술(4장을 참고)을 변경하였기 때문에 학습 과제 항목과 이에 해당하는 결과를 TOAB에 반영하였다. 시간 제약 때문에 이들은 새로 만들기보다 기존에 만든 초안에 있는 항목을 지우고 수정하였다.

*GardenScapes*의 모든 목표 목록과 TOAB 전체 문서를 보려면 자매 사이트 (http://www.prenhall.com/davidson-shivers)를 참고하자.

생각해보기

LTM을 사용하여 여러분의 WBI의 목표를 진술해보자. 각 LTM 항목은 하나의 목표를 가지고 있어야 한다. 각 목표는 학습 결과와 학습과제 항목에 일치해야 한다. 적당한 형식은 표 6.3부터 6.5를 참고하자. 각 목표는 조건, 수행(행동 동사), 조건을 포함해야 함을 염두에 두자. 목표를 TOAB 열에 맞게 작성하고, 평가 항목은 빈칸으로 남겨두자.

WBI 설계를 검토하고 수정할 때 TOAB의 모든 변경에 대하여 유의하자. 이러한 변경이 중요한 것이라면, 여러분은 새로운 TOAB를 만들고 그 변경에 대한 이유를 설명할 필요가 있다.

(다른 교수설계자들이 동일한 문제들을 어떻게 해결하고 있는가를 알아보기 위해 이 장의 후반부에 제시된 사례 연구를 살펴보기 바란다.)

TOAB 템플릿을 인쇄하려면 자매 사이트 (http://www.prenhall.com/davidson-shivers)를 참고하자.

평가 항목 작성

평가(assessment)란 정보를 수집하는 과정(Shrock & Coscarelli, 2000)으로, 이것은 설계자와 교수자가 학습자의 성공, 궁극적으로 WBI 성공 여부를 정하도록 한다(Berge et al., 2000). 학습자의 성공뿐만 아니라 학습자의 진행사항을 진단하고 모니터링할 수 있다(Popham, 2002; Stiggins, 2005). 평가는 WBI의 신뢰성과 타당성을 정하는 데 사용할 수 있다.

평가 목적

학생을 평가하는 세 가지 이유는 진단적, 형성적, 총괄적 목적을 가지고 있다(Johnson & Johnson, 2002; Linn & Gronlund, 1995). **진단 평가(diagnostic assessment)**는 새로운 교수 활동에 참여하는 학습자의 준비도를 정한다. 이 평가는 학습 결과에 가치를 부여하는(등급을 매기는) 데 사용되지 않는다. 이러한 유형의 평가는 교수 전이나 초기에 일어난다.

형성평가는 교수 목표에 맞게 학습자가 나아가고 있는지를 측정하여, 피드백을 제공한다(그림 6.3). 피드백은 학습자의 교수 목표 달성의 가능성을 높이는 데 필요한 개선을 교수자와 학습자가 할 수 있도록 해준다. 이러한 유형의 평가는 대개 총괄평가까지 WBI 전반에 걸쳐 일어난다.

최종 또는 **총괄평가**는 교수자가 학습자의 학습 결과의 질을 판단하고, 학습자가 교수 목표를 달성했는지 여부를 정하도록 한다(그림 6.4). 이러한 유형의 평가는 학습자의 수행 수준의 가치를 부여하는데, 이는 성적 산출에 사용된다.

전통적 평가

전통적 평가 항목에는 선다형, 단답형, 완성형, 진위형, 제한형 또는 확장형 서술형이 있는데, 이것은 대부분의 학습자, 교수자, 설계자에게 친숙하다. 이들은 객관식 또는 주관식으로 불리기도 한다(Kubiszyn & Borich, 1987; Shrock & Coscarelli, 2000; Smith & Ragan, 2005). 전통적 평가에서, 답은 (답이 이미 정해져 있는 경우) 해답지 또는 (확장형 또는 제한형 서술형일 경우) 점수 기준표로 채점된다.

LMS에 평가 도구와 답안을 업로드하여 WBI를 이러한 전통적 평가로 구성할 수 있다. 답이 이미 정해져 있는 경우 LMS는 학습자에게 제공되는 피드백을 자동화하여, 교수자의 시간을 줄여준다(Berge et al., 2000; Popham, 2002). 어떤 LMS는 빈칸 채우기나 단답형 또는 제한형 서술형과 같은 단어 기반의 자동화된 평가가 가능하다. 그러나 컴퓨터가 해석한 결과는 채점 알고리즘이 정확하게 학습자의 반응을 평가했는지 검토해야 한다.

대안 평가

대안 평가는 웹기반 환경에서 사용할 수 있다(Brualdi, 2001; Dvidson-Shivers & Rasmussen, 1999; Rasmussen & Northrup, 2000). *수행* 평가와 *참* 평가가 *대안 평가(alternative assessment)*와 병행되어 사용된다. Popham(2002)은 '참(authentic)' 이라는 용어를 사용하는 것은 다른 유형의 평가는 진짜가 아니거나 유효하지 않다고 여겨질 수 있기 때문에 이 용어의 사용을 반대한다. Popham은, 대안 평가를 "일반 검사를 사용하는 것보다 학습자를 더 타당하게 추론하기 위하여 장애 학생이나 다른 점에서 제한을 가진 학생을 위한 용도인 유의미하게 다른 검사" (p. 363)라고 정의한다. 그러나 다른 이들(예: Fisher, 2000; Gronlund, 2003; Johnson & Johnson, 2002; Kubisyn

▶ 그림 6.3 형성평가 도구의 예

연습

1. 평가는 의사결정권자들이 자신의 조직을 개선하는 방법 중 하나이다.

❑ 참
❑ 거짓

2. 평가의 두 가지 유형은 : ______________ 와 ______________

3. 의사결정권자는 다음을 점검하기 위하여 데이터를 필요로 한다(다음에 해당하는 것을 모두 고르시오).

❑ 프로그램 지속여부에 대한 의사를 결정하기 위해서
❑ 조직에서 하는 일이 무엇인지 결정하기 위해서
❑ 그들의 조직에서 잘 돌아가지 않은 것이 무엇인지 결정하기 위해서
❑ 프로그램의 가치를 정하기 위해서

4. 평가 목적관은 교육 행정 표준 위원회에서 개발한 프로그램 평가 기준에 의하여 만들어졌다.

❑ 참
❑ 거짓

체 크

연습

질문 번호	질문	정답	학습자 답	피드백
1	평가는 의사 결정권자들이 자신의 조직을 개선하는 방법 중 하나이다.	1	1	
2	평가의 두 가지 유형은 : ___________ 와 ___________.	형성 또는 총괄 또는 형식 또는 비형식	형식과 비형식	평가 유형은 형성, 총괄 또는 형식과 비형식
3	의사결정자는 ( )하기 위하여 데이터를 필요로 한다.	1, 2, 3, 4	2, 3, 4	
4	평가 목적관은 교육행정 표준 위원회가 개발한 프로그램 평가 기준에 의하여 만들어졌다.	2	2	

점수: 50

▶ 그림 6.4 LMS에서 총괄평가 개발 옵션

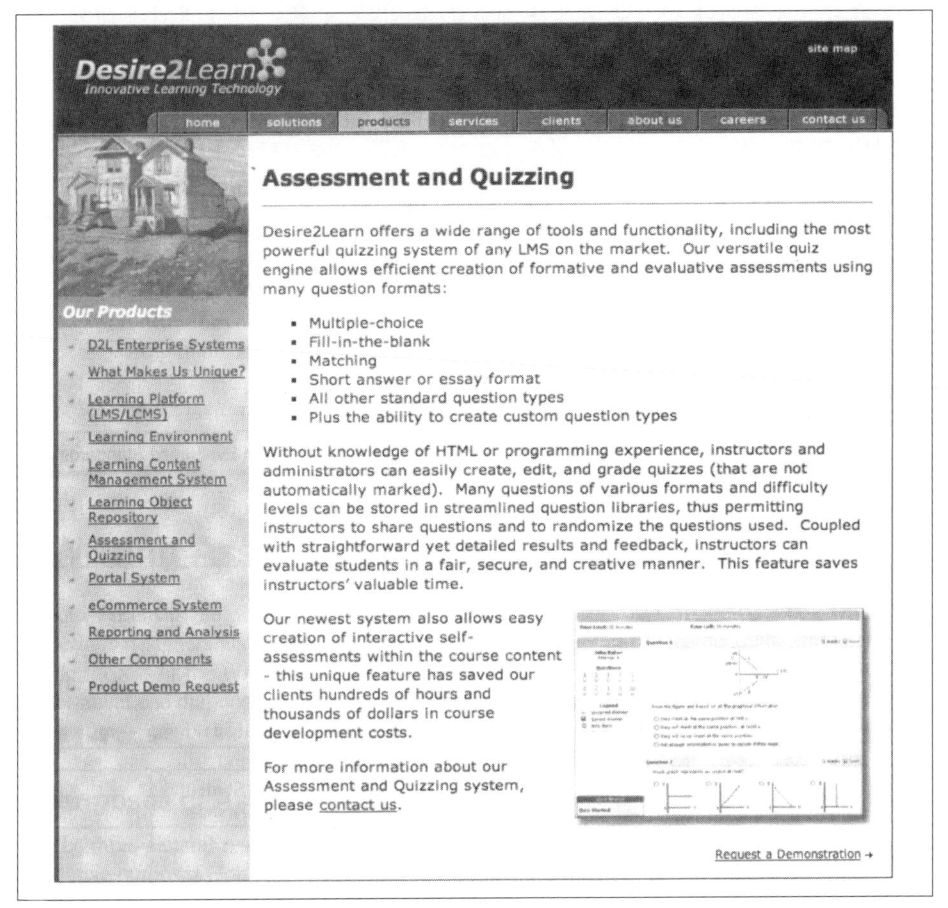

출처: http://www.Desire2Learn.com. Desire2Learn사의 허락하에 게재

& Borich, 1987; Rasmussen & Northrup, 1999)은 특별한 요구가 있는 학생에게만 대안이라는 용어를 제한하지 않고, 그 정의의 초점을 전통으로 범주화되지 않은 평가에 두고 싶어한다.

대안 평가는 학습자가 목표에 어떻게 부합하는지를 정하는 것에 대한 가능성을 확장시키고, 수행 시연, 포트폴리오, 프로젝트, 페이퍼와 저널과 같은 산출물을 포함한다(Stiggins, 2005). Fisher(2000)는 이러한 유형의 평가는 학습자가 산출한 하나 이상의 결과물이나 그 유형, 그리고 이를 평가하는 방법으로는 루브릭 또는 체크리스트를 가정한다. 대안 평가는 학습을 인지주의 또는 구성주의적으로 보는 관점과 잘 맞지만(Jonassen, 1999; Ormrod, 2004), 두 이론에만 국한되지는 않다.

LMS는 대안 평가를 용이하게 한다. 학습자는 과제(문서와 멀티미디어 산출물을 포함한)와 이메일, 웹, 다른 LMS 기능(과제함, 문서공유)을 사용하여 교수자에게 다른 과제를 제출할 수 있다(eCollege.com, 1999). 필요하다면, 전자적 제출이 불가능한 경우 학습자는 우편이나 팩스로 과제를 제출할 수 있다. 교수자 역시 과제에 대한 피드백과 평가를 제공할 때 동일한 수단을 사용할 수 있다.

평가의 양과 질

평가의 양과 질을 고려할 때 학습자의 요구는 충족되어야 한다. Johnson과 Johnson (2002)에 따르면, 평가는 의미가 있어야 한다. 평가는 학습 과제와 목표가 일직선상에 있어야 한다; 평가는 학습자, 교수 내용, 결과(또는 학습에 대한 학습자의 기대)와 관련되어야 한다.

WBI의 특성상 학습자를 보지 않고, 수행을 평가하는 것이 어려울 수 있다. 따라서 목표에 도달했는지를 확인하는 것 이상의 좀 더 많은 측정 방법이 필요하다. 예를 들면 WBI 교수자는 검토가 가능하다는 이유로 모든 학습자의 반응을 평가하려고 한다; 학습자 또한 자신이 제출한 모든 것이 평가되어야 한다고 기대한다. 그러나 면대면 교실에서의 토론, 소집단 활동, 강의에서 일어나는 학습자의 모든 반응이나 활동은 평가되지 않는다. 개별 활동 또는 개별 목표를 학습자의 전체 목표 달성 여부를 정하기 위하여 형식적으로 평가할 필요는 없다. 대신 목표들의 한 묶음과 코스 주제가 그 평가의 대상이 된다. 온라인 평가는 이러한 면대면 학습 환경을 반영한다.

WBI 내에서 모든 평가, 활동, 과제를 공식적으로 점수화할 필요는 없다. 구체화된 목표에 대한 학습자 시연 또는 최종 수행을 검토하는 총괄평가를 위하여 점수화하거나 피드백하는 것이 최선이다. 교수자와 학습자는 과도한 평가에 쉽게 압도당할 수 있다. 설계자는 매번 평가가 학습자에게 필요할 때마다, 교수자는 WBI에 참여한 각 개인에게, 피드백과 강화를 제공해야 함을 기억해야 한다.

평가의 양과 질을 정할 때 고려해야 하는 그 밖의 두 가지 요인으로는 등록한 학습자의 수와 평가 유형이 있다. 대규모의 학습자가 등록한 코스인 경우 서술형 또는 개발 프로젝트를 1인 교수자가 평가하기에는 너무 많은 시간이 소요된다. 대신 선다형과 같은 객관식 유형의 평가를 가능한, 그리고 적합한 대안으로 선택할 수 있다. 대안 평가가 이루어지는 대규모 강의에서 점수를 매기는 데 교육 조교의 도움을 받을 수 있다. 그러나 선택된 평가 유형은 WBI 목적과 목표와의 일관성을 유지해야 한다.

또한 설계자는 WBI 내에서 평가의 최적의 위치를 세심하게 고려해야 한다. 정규 코스는 학업의 가치를 평가하기 위하여 중간 고사와 기말 고사 또는 기말 과제를 내준다. WBI 내에서 학습자의 수행을 측정하는 것은 학습자가 최종 교수 목표로 향해 가고 있다는 것을 보장하기 위하여 교수 과제 내의 주요 단계마다 일어난다.

평가 보안

평가와 관련된 주요 이슈 중 하나는 평가 과정의 보안과 관련되어 있다(Alagumalai et al., 2000; Zhang , Khan, Gibbons, & Ni, 2001). 대안 평가(에세이, 문헌 검토, 논문, 보고서, 프로젝트 등)가 사용될 때, 표절, 커닝과 같은 **부정행위**는 쉽게 일어날 수 있다. 웹의 출현으로 다른 이가 작업한 것에 접근하고, 이를 부당하게 사용하는 것은 비교적 최근에 널리 퍼진 현상이다(*20/20*, 2004; CNN News, 2004; Fox News, 2004). 이는 대학과 유치원, 초 · 중등학교에서도 예외가 아니다. 대학과 유치원, 초 · 중등학교에서 학습자들의 행동 지침을 업그레이드하고, 다른 이의 산출물에 대한 정당/부당한 사용에 관한 지시사항을 제공하고, iThenticate.com과 Turnitin.com(iParadigms LLC, 2005a, 2005b)에서 다운로드할 수 있는 개인이나 기관이 무료 또는 상용 표절 검토 소프트웨어를 소유함으로써 이와 같은 부정행위에 대하여 사전경고를 취하는 것이 필요하다.

대부분의 경우 교수자는 '저 반대편 끝' 에 있는 학습자가 과제를 수행하는 실제로 등록된 학습자인지 절대적으로 확신할 수 없다. 그러나 면대면 교실 상황에서 교수자도 유사한 어려움(집에서 해오는 시험, 프로젝트 기반 평가 등)을 겪을 수 있다.

평가에서 보안의 틈새를 막기 위하여 설계자 또는 교수자는 다음과 같은 질문을 해보아야 한다.

- 개인의 수행이 어느 정도로 중요한가?
- 집 또는 다른 거주 장소에서 온라인 학습자가 평가를 완료할 수 있을 것인가?
- 어떠한 평가 유형(전통적 또는 대안, 형식적 또는 비형식적)을 사용할 것인가?

이 질문에 대한 답은 WBI 유형에 따라 어느 정도 다르다. 각각의 상황에 맞게 설계자는 가장 적합한 평가 유형을 정해야 한다. 예를 들면, 평가가 중요할 때에는 학습자에게 신원 확인을 의무화하는 시험 감독관이 있는 시험을 보도록 하고, 비교적 덜 중요할 때에는 오픈북 또는 시간이 정해진 시험을 보도록 할 수 있다.

웹기반 평가에 있어서 보안을 강화한 새로운 기술은 웹캠이다. 이 새로운 기술은 자의든 타의든 원격에 있는 학습자가 WBI의 요구가 있을 때 제공된다(Schouten, 2004). 웹캠은 추가적인 보안 수준이 요구될 때 사용된다.

평가 보안 관련 웹사이트는 자매 사이트 (http://www.prenhall.com/davidson-shivers)를 참고하자.

평가 항목으로 TOAB를 완성하기

설계자는 TOAB에 해당하는 마지막 열에 평가 항목의 일부 또는 어떻게 목표와 학습자 수행이 평가될지에 대한 설명을 삽입한다. 다시 한 번 말하지만, 평가 항목 또는 도구는 TOAB의 다른 부분과 일관적이어야 한다. 설계자는 최종 평가 도구를 만드는 사람을 지원하기 위하여 기술 지침서를 포함시킨다. 평가 도구는 대안 평가가 사용될 때 또는 루브릭, 점수 기준 또는 체크리스트가 학습자 반응을 평가하는 데 중요하다. 표 6.6에 이전에 제시한 학습과제와 목표의 샘플에 해당하는 평가 항목의 일부를 제시하였다.

표 6.6 다양한 주제를 가진 다양한 WBI 프로젝트에서 TOAB를 완성한 예

과제 항목	목표	학습 결과	평가 항목
주제: 역사 5.0 워털루 사건을 설명한다.	워털루 전투를 이끈 사건들에 대한 질문이 주어지면, 학생은 교과서에 따라 워털루 전투를 이끈 주요 사건들을 설명할 수 있다.	지적 기능: 정의된 개념	게시판에서, 워털루 전투를 이끈 사건 하나를 선택하자. 그 사건이 어떻게 전투를 이끌었는지 설명하자. 게시판 링크를 삽입한다
주제: 지리 1.1 주 정부 수도를 나열한다.	미국 지도와 주 정부 목록이 주어지면, 학생은 최소한 50개 중 42개를 올바르게 주와 수도를 맞출 수 있다.	언어적 정보	다음 그래픽에서, 주의 이름과 그 주 정부의 수도를 연결하자. 미국 그래픽을 삽입한다
주제: 잎 2.6 단풍나무 잎을 찾아낸다.	서로 다른 나뭇잎 그림이 10개 주어지면, 학생은 80% 정확성으로 나무의 종류를 명명할 수 있다.	지적 기능: 구체적 개념	다음 그림에서, 단풍나무에서 나오는 잎을 선택하자. 잎의 예를 삽입한다. 올바른 반응과 틀린 반응을 프로그램한다.
주제: 이력서 4.2 이력서를 형식에 맞게 작성한다.	적절한 그리고 부적절한 정보를 가진 이력서 샘플이 주어지면, 참가자는 거의 오류가 없는 적절한 정보만을 사용하여 기업 환경에 맞는 이력서를 형식에 맞게 작성할 수 있다.	지적 기능: 규칙 사용	여러분은 마케팅 회사의 회계 이사로 새로운 자리에 지원할 것이다. 형식에 맞게 여러분의 능력을 보여주는 이력서를 작성하자. 완성하면, 피드백받기 위하여, 여러분의 동료에게 이 초안을 이메일로 보내자. 변경한 후, 최종 이력서는 과제함으로 전송하자.
주제: 관광 마케팅 9.1 관광 브로슈어를 만든다.	웹사이트, 다른 부가적 정보, 출판 소프트웨어가 주어 직원은 독특한 디자인을 가지고, 해변 관련 사업의 10% 시장 점유율을 증가시킬 관광 브로슈어를 출판할 수 있다.	지적 기능: 문제 해결	여러분은 여러분의 도시의 관광을 장려하는 브로슈어를 만들기 위하여 고용되어 있다. 브로슈어를 만들기 위하여 웹과 마케팅 자료를 사용하자. 피드백을 받기 위하여, 최소한 학급 동료 두 명과 여러분이 만든 브로슈어를 공유하자. 이들의 제안을 가능한 한 반영하자. 브로슈어를 완성하면, 이를 교수자에게 이메일로 보내자.

GardenScapes 사례

Kally와 Elliott은 *GardenScapes*를 위하여 수행에 기반한, 대안 평가를 하기로 정한다. 참가자들은 자신의 정원 설계 계획을 개발하기 때문에 이 수행을 입증하기 위하여 참가자들의 목표 달성을 평가하는 것이 필요하다. 형성평가에는 차트, 게시판, 이메일을 사용한다.

학습자가 목표를 달성하는 데 있어서 자신의 진도를 측정하는 연속된 형성평가에 참여하도 한다. 총괄평가는 학습자가 자신의 정원 계획을 제출하는 코스 후반부에 실시한다(코스의 요구사항은 아닐지라도 참여자 위치에 따라서 어떤 이는 자신의 정원을 실제로 만들 수 있다). *GardenScapes*는 평생교육 코스이자 학위 프로그램의 필수 교과가 아니기 때문에 개인별 평가 보안은 문제 되지 않는다.

Elliott과 Kally는 TOAB를 끝냈다; 다음 표는 이들이 작성한 평가 항목의 일부이다.

*GardenScapes*의 완성된 TOAB의 항목 일부

과제 항목과 번호	목표	학습 결과	평가 항목
정원 설계 계획을 개발한다. 최종 코스 목표	정원 부지가 주어지면, 학습자는 위치와 조건에 적합한 정원 설계 계획을 개발할 수 있다.	지적 기능: 문제 해결	정원 계획 체크리스트 정원수가 선정된 테마와 사이트에 적합한가? 초점이 있는가? 제안한 정원수가 설계 계획의 요건사항을 충족시키는가? 제안한 꽃 또는 잎의 색상, 크기, 모양이 서로 보완되는가? 설계가 균형을 이루고 있고, 사이트, 위치, 조건 등이 적절한가? 계획이 적절한 범례를 제공하는가?
1.0 정원 테마를 선정한다.	테마가 주어지면, 학생은 위치와 조건에 적절한 정원 테마를 선택할 수 있다.	지적 기능: 정의된 개념	여러분의 정원 설계 계획에 맞게 어떤 정원 테마를 선택할 것인가? 왜? (정원 테마 목록을 삽입한다) 게시판에 링크를 삽입한다.
1.1 색상 테마를 진술한다.	정원 테마에는 무엇이 있는가라는 질문이 주어지면, 학습자는 여러 종류의 정원 테마 중 색상 테마 정원을 진술할 수 있다.	언어적 정보	정원 테마의 종류에는 무엇이 있는가? 때까지 지속된다. (해답에 테마를 나열해놓는다. 학생들은 자신의 저널에 기재한다)

이 과정은 모든 기능과 하위기능이 나열될 때까지 계속된다.

완성된 TOAB와 평가 체크리스트는 자매 사이트 (http://www.prenhall.com/davidson-shivers)를 참고하자.

Elliott과 Kally는 학습자가 목표를 달성하도록 하고, 이를 평가하기 위하여 아래와 같이 각 득점 분류에 점수 설명이 되어있는 체크리스트와 루브릭을 만들었다.

최종 코스 목표를 위한 체크리스트 항목	점수
정원수가 선택한 테마와 사이트에 적합한가? 점수 설명: 5 = 테마와 사이트가 훌륭하게 정의되어 있고, 모든 정원수가 테마와 사이트에 적합하다. 4 = 테마와 사이트가 훌륭하게 정의되어 있고, 대부분의 정원수가 테마와 사이트에 적합하다. 3 = 테마와 사이트가 양호하게 정의되어 있고, 대부분의 정원수가 테마와 사이트에 적합하다. 2 = 테마와 사이트가 부적절하게 정의되어 있고, 일부 정원수만 테마와 사이트에 적합하다. 1 = 테마와 사이트가 최소한으로 또는 엉성하게 정의되어 있고, 거의 모든 정원수가 테마와 사이트에 적합하지 않다.	5 4 3 2 1 코멘트:
초점 구역이 있는가? 점수 설명: 5 = 초점 구역이 계획에 훌륭하게 정의되고 있고, 완벽한 위치에 있다. 4 = 초점 구역이 계획에 훌륭하게 정의되고 있고, 좋은 위치에 있다. 3 = 초점 구역이 계획에 양호하게 정의되어 있고, 위치해 있다. 2 = 초점 구역이 계획에 그만그만하게 정의되어 있고, 위치해 있다. 1 = 초점 구역이 계획에 최소한으로 또는 엉성하게 정의되어 있고, 위치해 있다.	5 4 3 2 1 코멘트:

이 과정은 완벽한 목표 체크리스트가 만들어질 때까지 계속된다.

생각해보기

WBI에서 학습자 수행 평가의 유형과 일정을 정하자. 참 평가 도구를 위한 체크리스트나 루브릭을 만드는 것을 고려해보자. 루브릭을 만들 때 점수에 대한 설명을 정의해야 한다. 만일 주관식(서술형과 단답형)으로 평가할 때에는 질문과 점수 기준표를 개발해야 한다.

TOAB의 마지막 열을 완성하자. 마지막 열에 각 목표에 해당하는 평가 항목 샘플을 만들거나 대안 평가가 각 목표에 어떻게 사용되는지를 나타내자. 진술한 목표, 학습 결과, 학습 과제 항목과 일관성 있는 평가 항목 샘플을 검토하기 위하여 반드시 TOAB를 사용하자. 모든 TOAB 요소들이 서로 일관성을 가지려면 조정이 필요하다.

(다른 교수설계자들이 동일한 문제들을 어떻게 해결하고 있는가를 알아보기 위해 이 장의 후반부에 제시된 사례 연구를 살펴보기 바란다.)

TOAB 템플릿을 인쇄하려면 자매 사이트 (http://www.prenhall.com/davidson-shivers)를 참고하자.

목표 군집화하기

동시적 설계 단계에서 세 번째 설계 과제는 목표 *군집화(cluster)*이다. 설계자는 교수 전략(교수 내용이 어떻게 제시되고, 가르쳐지는지) 설계를 준비하기 위하여 목표들을 군집화한다(Smith & Ragan, 2005). 군집화하는 과정은 목표들과 교수 내용을 교수단위로 묶는 방법이다(Ormrod, 2004). 목표를 *교수단위(chunk)*로 조직할 때, Miller(1956)가 일정 시간에 사람이 작동기억고에 보유할 수 있는 정보의 양은 7±2이라고 한 것을 주목하자. 이와 유사하게 Mayer(2003)도 "한 번에 서로 다른 것을 다섯 개쯤 기억에 활성화할 수 있다"고 하였다(p. 16). 그러나 교수단위의 크기는 과제 또는 내용의 복합도와 난이도, 학습자의 전문성과 사전 지식, WBI에 할당된 시간과 같은 맥락 요소, 사용된 미디어 유형(텍스트, 그래픽, 비디오 등)에 따라 다르다.

일단 그룹으로 묶으면, 설계자는 군집화된 목표를 논리적 제시 순서에 맞게 구성한다. 군집화된 목표를 조직하는 전략 중 하나는 다양한 관점에서 이들을 분석하는 것이다. 군집은 다음 기준에 의하여 이루어진다.

- 공통 주제
- 과정적 또는 절차적 관계(예: 하나의 목표는 또 다른 목표 전에 나타난다)
- 내용과 학습자에게 적합한 전략(예: WBI 전반에 걸쳐 새로운 용어를 제시하기보다 교수단위가 시작되는 부분에 새로운 용어를 언급하는 것 또는 그 반대)

각 교수단위는 학습 과제 번호에 의하여, 후에 유닛 제목이 되는 설명적 명칭(descriptive name)에 의하여 또는 둘 다에 의하여 분류될 수 있다. 교수단위 내에서 설계자는 최고의 학습을 위하여 목표를 계열화한다. 실제 계열은 내용의 복잡성, 목표들 간의 관계, 그리고 학습자의 요구와 능력에 달려있다.

과제 항목번호는 군집화된 목표를 구체화하고, 형성평가 중 소집단 평가 또는 현장 평가를 할 때 유용하다. 설계자는 WBI의 조직 또는 계열에 문제를 끄집어내기 위하여 태그 달린 목표/과제 항목번호와 LTM을 비교한다(Dick et al., 2005; Smith,

1990; Smith & Ragan, 2005). 예를 들면, 교수 계열 또는 점선에서 뒤에 오는 목표 또는 군집화된 목표에서 교수 내용과 활동은 너무 높거나 낮게 설정된다(4장에서 언급한 점선의 의미를 상기하자).

'설계 문서' 에서 설계자는 교수 전략 개발을 시작하기 위하여 목표가 어떻게 명칭과(또는) 과제 항목번호에 의하여 군집화되는지를 설명한다. 어떤 경우에 설계자는 LTM 계열에서 현재의 목표 군집화로 변경한 것에 대한 설명을 '설계 문서' 에 포함시켜야 한다. 예를 들면, 설계자는 WBI 전반에 걸쳐 용어의 정의를 제공하기보다 WBI 초반부에 새 용어와 이들의 정의를 군집화한 결정에 대하여 설명해야 한다.

GardenScapes 사례

*GardenScapes*의 교수 내용 과제 분석을 통하여 Elliott은 LTM에서 규명되고, TOAB에 나열된 네 개의 주요 단계에 근거하여 네 개의 일반적 주제를 정한다. 그러고 나서 Elliott은 목표를 네 개의 세트로 군집화하였는데, 이 세트는 다시 네 개의 주요 레슨이 된다. 네 개의 주요 레슨에 두 개의 레슨을 추가하였는데, 하나는 개요/시작 정보를 제공하는 것이고, 나머지 하나는 코스 마무리와 결론에 관한 것이다. Kally는 목표 군집을 검토한 후 승인하였다.

Elliott은 주요 단계에서 사용한 표현에 근거하여 레슨명을 붙이고자 한다. 반면 Kally는 각 레슨에 테마가 있으면서, 재미난 이름을 붙이고자 한다. 그녀가 조경학 기초 과목에 재미난 이름을 붙이고자 하는 이유는 성인 학습자가 잘 받아들이기 때문이다. 그녀는 Elliott에게 몇몇 방송과 케이블 TV에서 익살스럽게 '재미있어 외우기 쉬운' 타이틀을 사용하는 주거 환경 개선 프로그램을 봤다고 설명한다. Elliott은 레슨명이 '너무 귀엽다고' 생각했지만 그녀의 의견에 따르기로 한다. 그러나 형성평가를 할 때 레슨명에 대하여 최종 사용자에게 물어보도록 하였다.

Elliott은 다음과 같이 레슨명을 6개의 주요 교수 섹션에 사용하였다.

1. 정원가꾸기: 시작하기 (코스 개요)
2. 어떻게 정원을 가꿀까? 정원 테마를 선택하기 (목표 1.0~1.5)
3. 본론으로 들어가기: 정원수 유형 정하기 (목표 2.0-2.1.1~2.3)
4. 눈길을 끄는 사이트: 정원 스케치하기 (목표 3.0~3.9)
5. 잡초에 관한 모든 것: 유지보수 계획 (목표 4.0~4.5)

6. 정원사로서 정원을 가꾸는 방법! (정원 프로젝트 완성을 위한 제언이 담긴 코스 마무리)

각 유닛 내에서 Elliott은 고차원의 하위기능을 이끄는 저차원의 하위기능을 가지는 각각의 목표를 위계적으로 조직한다. 코스 목표는 어느 정도 절차적이기 때문에 목표 군집은 LTM에서 찾아볼 수 있는 계열과 유사하다.

*GardenScapes*의 군집화된 목표는 자매 사이트를 (http://www.prenhall.com/davidson-shivers)를 참고하자.

생각해보기

LTM 순서를 개의치 말고, 목표를 주요 주제로 군집화해 봄으로써 여러분의 WBI의 구성을 완성해보자. 각 군집 내에서 논리적으로 목표를 교수단위로 묶고, 계열화하자. 각 군집의 이름은 이후 유닛 타이틀로 사용하도록 하다. 목표를 군집화할 때 명료성을 위하여 여러분의 '설계 문서' 에 있는 TOAB에 나타나있는 과제 항목과 번호 체계를 준수하자.

(다른 교수설계자들이 동일한 문제들을 어떻게 해결하고 있는가를 알아보기 위해 이 장의 후반부에 제시된 사례 연구를 살펴보기 바란다.)

마무리하기

이 장에서는 동시적 설계 단계와 관련된 과제에는 무엇이 있는지 살펴보았고, 사전 기획 활동으로 세 가지, 즉 설계 방식 규명하기, 설계 과제와 팀 구성원 정하기, 타임라인 설정하기를 다루었다. 핵심적인 설계 과제에는 목표 작성하기, 평가 항목 및 도구 작성하기, 목표 군집화하기가 있었다. 이 중 목표 작성하기에서, 목표는 세 가지 또는 다섯 가지 구성요소로 작성할 수 있다. WBI에는 전통적 평가 도구(예: 객관식 검사와 서술형)와 대안 평가(프로젝트, 페이퍼, 저널 등)가 사용된다. 학습과제 항목, 목표 · 결과 · 평가 항목은 일관적이어야 하며, TOAB가 이를 돕는다. 7장에서는 동시적 설계 단계에서 교수 전략과 동기 전략 설계를 살펴보면서, 6장에서 다루었던 설계 과제를 계속한다. 8장에서는 동시적 설계 단계에서의 개발 과제에 초점을 둔다.

토론 과제

1. 분석과 평가를 통하여 나온 데이터가 WBI 설계에 어떠한 영향을 주는가?
2. 다음 진술문을 생각해보자: "나는 어떤 종류의 WBI라도 만들 수 있다" 여러분은 동의하는가, 그렇지 않은가? 그 이유는 무엇인가?
3. WBI 주요 설계 과제에는 무엇이 있는가? 프로젝트 팀에서 누가 이 과제에 책임을 지어야 하는가? 프로젝트 구성원이 처리하기 위하여 어떤 종류의 능력이 필요하다고 생각하는가?
4. 평가는 학습 환경에 있어서 중요한 부분을 차지한다. 웹기반 학습 환경에서 평가는 전통적 평가와 어떻게 다른가?
5. LTM에서 그리고 TOAB에서 목표가 설명됨에도 불구하고, 목표를 군집화하는 것이 중요한가? 왜 중요한지 또는 왜 그렇지 않은지를 설명해보자.
6. 여러분은 이 장에서 동시적 설계 단계에서의 과제들에 대하여 논의된 것 외에 이들을 능률적으로 하는 방법을 찾을 수 있는가? 이 부분에 있어서 좀 더 효율적인 방법을 제시하는 교수설계 절차에 관한 문헌을 검토해보자.

사례 연구

1. 초 · 중 · 고등학교의 사례

Megan은 초등학교 과학 교과를 대상으로 동시적 설계 단계를 시작하였다. 그녀의 설계팀은 그녀를 포함하여, 5학년을 맡고 있는 교사인 Rhoda Cameron과 Buzz Garrison, 그리고 과학 담당 장학사인 Cassie로 이루어져 있다. SME의 역할을 하고 있는 교사들은 자신의 교실에서 WSI를 현장 테스트할 예정이다. 인터넷과 웹이 사용되기 때문에 레슨에 접근하려면, 인터넷에 접속할 수 있음을 나타내는 망 이용목적 제한 방침(AUP: Acceptable Use Policy)을 파일에 가지고 있는 학생들만 가능하다.

AUP는 기술을 사용할 때 학교, 교사, 학생의 책임을 설명하고 있으며, 인터넷 허용에 관한 부분을 포함한다. 학부모와 그 자녀들은 AUP에 서명하고, 그 양식은 미디어 센터에 보관된다. Rhoda와 Buzz는 학부모들에게 매주 수업 뉴스레터를 통하여 새로운 유닛에 관한 정보를 통지하면서, AUP가 이들 자녀의 인터넷 접근에 관한 학부모의 의견을 정확하게 반영하고 있는지를 확인 · 검토하기를 요청한다.

Megan은 두 명의 SME들과 함께 밀접히 일하는 프로젝트의 설계자 겸 평가자이다.

그녀는 학습자들이 성취해야 할 주요 과제의 윤곽을 잡았다. 그녀는 소규모팀에 속해 있기 때문에 WSI와 교실 수업을 일관성 있게 하기 위한 자원으로 SME를 활용한다. 웹에서의 수업은 교실에서의 다음 성적 산출 기간의 중반부이며, 현장 시범 형태로 제공된다.

교사로부터 얻은 반응으로, Megan은 WSI 유닛을 위한 TOAB에서 목표와 평가를 완성하였다. Cassie는 5학년 과학 교육 커리큘럼의 핵심 요소들이 반영되었는지를 확인하기 위하여 목표와 평가를 검토하였다. Rhoda와 Buzz는 커리큘럼 계획에 어떻게 부합되는지를 검토하기 위하여 목표와 평가를 검토하였다. Megan, Rhoda, Buzz는 함께 목표를 군집화하고, 커리큘럼 프레임워크에 일관성이 있는지를 점검한다. TOAB에서 WSI에 부합하는 목표를 규명할 것이다. 이들은 피드백과 조언을 얻기 위하여 Cassie와 TOAB를 공유한다.

2. 기업의 사례

Homer는 분석 단계에서 수합된 모든 정보에 중압감을 느끼고 있다. 그의 CEO인 Bud Cattrell은 곧장 설계 기획을 보고 싶어한다. Homer는 동시적 설계 단계와 평가 단계의 타임프레임을 나타내는 갠트 차트를 수정한다. 그는 타임라인을 만들기 위하여 초기에 확인된 과제를 사용한다. 동시에 그가 책임을 맡게 될 과제와 교육부서의 직원이 완료해야 할 과제를 규명한다. Homer는 IDT 인턴인 Stacey의 지원을 받을 것이다. 그녀는 프로젝트 전반에 걸쳐 Homer와 일하게 될 것이다. SME인 Greta Dottman은 오프라인 교육을 담당할 사내 교육 담당자와 함께 일하게 될 것이다.

Homer는 프로젝트 타임라인을 완성하였다. 그는 TOAB를 위하여 면대면 상황에서 제공되는 목표들을 포함하여, 해당 코스가 모든 목표를 포함하고 있는지 확실히 하기 위하여 Stacey에게 목표, 결과, 평가를 상세하게 하도록 요청한다. 교육 프로그램에서 차지하는 WEI 부분을 개발하기 위하여 그는 웹으로 전달되는 목표를 강조한다. 교육훈련의 두 부분(WEI와 면대면 상황)이 서로를 지원해주는 것이 가장 중요하다. 초안이 끝나면, 그와 Stacey는 Greta와 만나는데, Greta는 목표의 타당성을 확증해준다. 목표를 군집화한 후에 Homer는 이 목표들을 검토하고 실행하기 위하여 사내교육 담당자들에게 보낸다.

3. 군의 사례

E2C2 개발팀은 세 개의 주요 주제 중 하나씩 내용 설계에 각각 책임을 지고 있는 세 팀으로 이루어져 있다. 각 팀에서 핵심은 선임 교관 겸 SME(선임하사관)와 민간인 교수설계자이다. 그래픽 전문가와 애니메이터들은 이들을 지원한다.

Danielson 대위, Cole 대위, Carroll 대위는 자신들의 팀이 WBI 프로젝트를 시작하도록 지원하기 위하여 과제와 역할을 포함한 타임라인의 개요를 함께 구성한다. 몇몇 과제는 금방 시작된다. 각 팀의 SME는 관련 주제를 포함하고 있는 현재 운영되고 있는 코스로부터 교수 자료를 수집하기 시작한다. 교수설계자는 승인된 LTM에 근거하여 초기 목표를 생성한다. SME와 함께 이들은 목표를 평가하고, 각 목표를 위한 평가 항목을 생성하기 위하여 브레인스토밍을 한다.

4. 대학의 사례

Shawn 교수는 그의 조교 Brian과 경영학 개론의 강의계획서를 WEI에서의 목표와 평가를 수정하는 데 기반으로 사용한다. 강의계획서는 이들이 해당 프로젝트에 필요할 정도로 광범위하지는 않다. 이들은 목표를 상세화하고, 이 목표에 부합하는 구체적인 평가를 개발하였다. 일단 이들이 목표를 마무리지으면, Brian은 정보를 조직하는 데 도움을 주는 TOAB를 개발한다. 대학교 인가에 따라 일정이 잡히고, 코스의 목표는 과, 단대, 대학의 목표와 일치해야 한다. TOAB는 코스 문서에 포함된다. 목표와 수업에 사용되는 교과서에 근거하여 목표를 10개로 군집화하였다. 또한 각 목표에 붙여진 이름은 교과서의 각 장의 제목을 그대로 사용하였다.

Shawn 교수는 이름이 붙여진 군집화된 목표를 가지고, 수업을 하는 16주 학기(타임프레임)에 따라 코스 일정을 개발하였다. 그는 주제들이 어떻게 전달되는지를 나타내기 위하여 코스 과제를 안내한 용지에 해당 내용을 추가하였다. 그는 각각의 목표가 웹을 통하여 전달되는 것이 적절한지를 검토하였다. 어떤 경우에는, 교실에서 강의를 하고, LMS에서 토론과 평가를 하도록 하거나 또 다른 경우에는 모든 것이 LMS에서 전적으로 일어나도록 계획하였다. Shawn 교수는 교실 출석에 대한 혼란을 최소화하기 위하여 수업 일정과 장소를 정확히 알도록 하는 것이 가장 중요하다고 생각한다. 그는 시작하는 데 있어서 다음 양식을 사용한다.

전달 방법 (웹 또는 교실)	코스 주제	장	교실 과제	과제 제출 기한
	도입			
	역동적 세계에서의 경영학			
	경영의 진화			
	글로벌 환경에서의 경영			
	경영과 기업문화			
	조직 플래닝: 목표 설정, 전략 이행, 의사결정			
	조직 구조 설계			
	HRM			
	행동하는 리더십: 동기, 커뮤니케이션, 갈등 해결			
	권한 이양 전략으로 팀워크 개발하기			
	정보기술, e-비즈니스, 운영, 서비스 경영			

다음 질문은 이 네 가지 사례 모두에게 공통적으로 적용된다. 교수설계자로서 여러분이 이 각각의 사례 상황에 대해 어떤 행동을 취하거나 반응할 것인지 생각해 보라.

- 여러분이 손에 넣고 싶어하는 정보 중 제공되지 않은 것은 무엇인가? 이 정보를 어떻게 수집할 것인가?
- WBID 모형의 초기 단계는 TOAB 생성에 어떻게 영향을 주는가? 이 절차가 각 사례마다 어떻게 다른가?
- 여러분은 각 사례 연구에서 나온 각 중심인물들과 다르게 무엇을 할 것인가?

제 7 장

동시적 설계: 교수 및 동기 전략 기획

일단 목표가 군집화되면, 그 다음의 핵심 설계 과제는 WBI의 교수 전략과 동기 전략을 정하는 것이다. 교수 전략이 기술될 때에도 형성평가는 지속된다. 설계자는 교수 전략과 동기 전략을 기술하기 위하여 개념적 프레임워크를 사용한다. WBID 모형은 이러한 전략들을 틀을 잡고, 문서화하기 위한 방법으로 'WBI 전략 워크시트' 를 제공한다. 이 전략들을 생성할 때, 설계자는 WBI와 WBI의 전달에 영향을 줄 수 있는 다른 요소들(학급 규모, 내비게이션, 학습자 통제, 피드백)도 염두에 두어야 한다. 또한 설계자는 (미리 지정되어 있지 않았다면,) WBI에 통합할 미디어 유형을 정해야 한다.

7장은 선택될 교수 전략과 동기 전략의 유형에 영향을 끼치는 LMS의 주요 특징을 개관적으로 살펴보는 것으로 시작한다. 그런 다음, 설계 기획을 안내해주는 개념적 프레임워크에 대한 설명으로 이어진다. 그 다음에는 'WBI 전략 워크시트' 를 설명할 것이다. 이 워크시트는 프레임워크를 개괄적으로 설명하고, 어떻게 이것을 사용하는지에 대한 예를 제공한다. 그 다음에는 두 개의 서로 다른 동기 모형과 WBI 동기 전략 설명을 제시할 것이다. 마지막에는 WBI 설계에 영향을 끼치는 여러 요소들을 살펴볼 것이다. 동시적 설계의 마지막 단계인 개발 과제는 8장에 해당한다.

학습 목표

이 장의 구체적인 학습 목표는 다음과 같다.

- LMS의 주요 특징을 규명할 수 있다.
- 교수 전략과 동기 전략을 위한 개념적 프레임워크를 규명할 수 있다.
- WBI 전략 워크시트 목적을 설명할 수 있다.
- 전체 WBI 프로젝트를 위한 전략 개요를 제공하는 목적을 진술할 수 있다.
- 교수 전략의 주요 구성요소 네 가지를 규명할 수 있다.
- 프레임워크인 WBI 전략 워크시트를 사용하여 군집화된 목표 세트를 위한 적절한 교수 전략을 짤 수 있다.
- 프레임워크인 WBI 전략 워크시트를 사용하여 군집화된 목표 세트를 위한 적절한 동기 전략을 짤 수 있다.
- 학급 규모, 내비게이션, 학습자 통제, 피드백과 같은 요소들이 어떻게 교수 전략과 동기 전략에 영향을 주는지를 설명할 수 있다.
- WBI 프로젝트에 적합한 미디어를 정할 수 있다.

시작하기

이 장에서는 WBI 설계 과제의 일부인 교수 전략과 동기 전략을 선택하는 데 초점을 둔다(그림 7.1). 이 전략을 선택하는 데 주요한 영향을 끼치는 요인으로 WBI에서 사용하는 LMS가 있다. 각 LMS는 서로 다른 특징과 기능을 가지고 있지만, 공통적으로 가지고 있는 특징은 다음과 같다.

- *토론방*은 비실시간 토론을 위한 것이다. LMS 또는 무료 온라인 토론 서비스는 개인 간 일어나는 토론을 기록으로 남기고, 올린 글은 스레드 형태로 게시되고, 코스가 진행되는 기간동안 학습자 활동과 다른 교수적 특징이 연결되도록 할 수 있다.
- *대화방*은 실시간 토론을 위한 것이다. 여기에 포함된 기능에는 예를 보여줄 수 있는 화이트보드, 모니터링과 토론, 그리고 대화 내용 저장 기능 등이 있다.
- *그룹핑 기능*은 교수자가 한 학급을 소집단으로 나누도록 해준다. 전체 학급을 대상으로 하는 것이 아닌 소집단 내 구성원들끼리 토론하고, 채팅하고, 첨부파일을 공유할 수 있다. 교수자는 일반적으로 이 기능을 집단 활동을 모니터링하

▶ 그림 7.1 WBID 모형의 동시적 설계단계에서 설계 과정

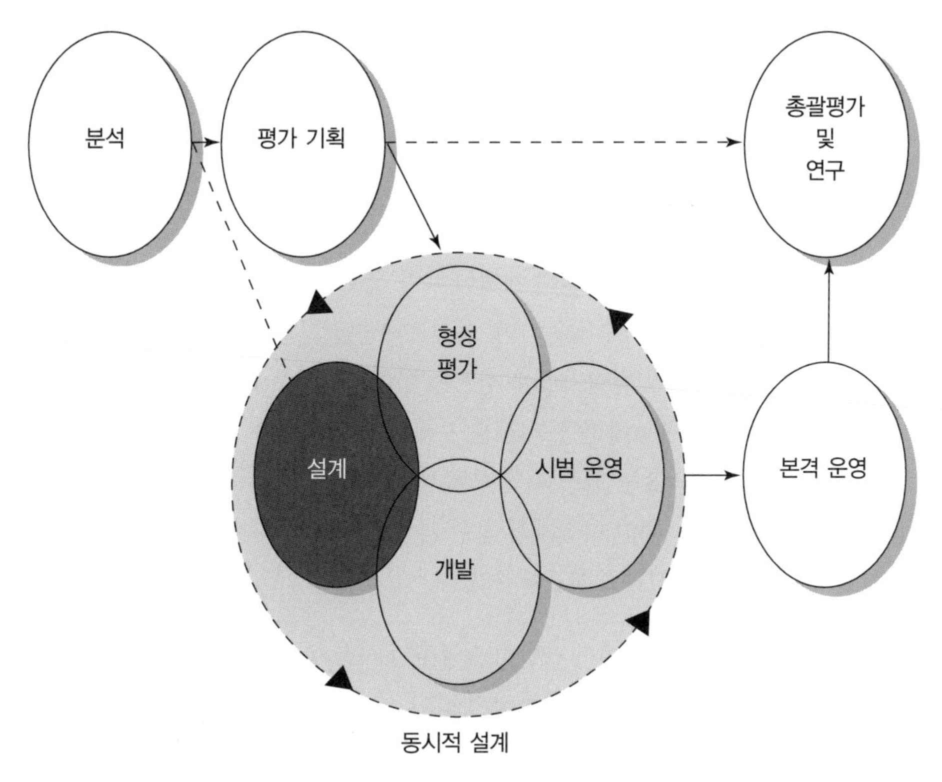

는 데 사용한다.

- LMS 내에 있는 *이메일 기능*은 참여자 간(학습자-학습자, 학습자-소집단, 학습자-교수자) 커뮤니케이션을 하도록 한다. 대부분의 시스템은 발신자가 파일을 첨부할 수 있도록 한다.
- *강의 기능*은 교수 정보를 텍스트, 오디오, 비디오로 제공하도록 한다. LMS에 파워포인트 또는 데이터베이스 문서와 같은 보충 자료를 첨부시킬 수 있다. 강의 자료는 전형적으로 워드 프로세서나 HTML 저작도구를 사용하여 개발하거나 첨부파일로 추가할 수 있다.
- *문서 공유 기능*은 교수자와 학급 참여자들에게 읽을거리, 페이퍼, 비디오 등과 같은 것을 공유하도록 해준다. 일반적으로 학습자와 교수자 둘 다 웹사이트에 문서를 업로드/다운로드할 수 있다.
- *저널*은 학습자가 스스로 내용, 활동 등에 대한 성찰을 작성하도록 한다. 이 내용은 교수자와 저널을 작상한 사람 외에는 보지 못한다. 의례 교수자는 개인이 저널에 올린 성찰에 대하여 코멘트를 덧붙인다.

- *웹사이트 링크*는 외부사이트와의 연결을 가능하게 한다. 교수자와 학습자는 외부 사이트를 연결하고, 이에 대한 설명을 붙일 수 있다.
- *과제 제출*은 학습자의 과제와 평가가 교수자에게 송부되도록 한다. 이 기능에는 과제함에 파일 첨부하기가 있다. 개인 학습자 또는 교수자는 과제에 대한 단문을 작성할 수 있고, 교수자는 이에 대한 피드백을 제공하고, 성적표에 점수를 매기고, 이는 개인 학습자에게 다시 제공된다.
- *평가 기능*은 퀴즈와 시험이 점수 체계에 따라 설계 및 개발될 수 있도록 해준다. LMS는 교수자가 접근할 수 있는 시험 타임프레임을 지정할 수 있게 해준다.
- *성적표*는 교수자가 각 학습자에게 성적을 부여 · 기록 · 배분하고, 사용자 활동을 문서화하고, 각 활동에 쏟는 시간을 기록한다. 교수자가 개인 과제에 대한 점수를 게시하면, 성적표는 최종 총 점수에 대한 백분율 또는 득점을 계산한다. 일반적으로, 교수자는 개인 학습자의 점수 기록의 보안이 유지될 때 전체 또는 각 학급의 학생별로 성적표에 접근할 수 있다.

그 외 LMS 특징으로는 1장에서 간단히 언급했던 사용자 등록 관리와 기술 지원 등이 있다. LMS의 특징과 이 특징들의 설정 방법이 서로 다르기 때문에 설계자는 LMS 기능을 평가해야 하고, 이 기능들이 어떻게 교수 전략 설계를 촉진하는지 알아보아야 한다. 더군다나 LMS는 새로운 버전이 나오거나 업그레이드가 지속적으로 일어난다. 이런 LMS를 가지고 있지 않으면, 위에서 살펴본 기능들을 WBI에 통합시키는 것은 성가실 수 있다. 그러나 설계자/교수자는 그런 기능들을 WBI에 통합하는 것을 막지 않는다. 이러한 대부분의 기능들은 *QuizStar*와 같이 온라인에서 무료로 사용가능한 도구를 사용함으로써 LMS 없이도 가능하다(4Teachers.org, 2004).

WBID 모형의 개념적 프레임워크

지금까지, 교수의 'what' (예: 교수 내용, 학습과제항목, 목표, 평가)이 강조되었다. 지금부터, 설계자는 WBI의 'how' 인 교수 전략에 초점을 두어야 한다. 설계자는 WBI가 어떻게 개발되고, 전달되는지 설명하기 위하여 교수 전략과 동기 전략을 사용한다. 적절한 교수(동기) 전략은 학습자가 WBI의 하나의 섹션을 끝내고 다른 섹션으로 진행할 때 이어지는 느낌을 높여주며, 제공되는 정보가 읽히거나 듣기 쉽고, 명쾌하게 되도록 보증한다(Khan, 2001).

WBI에 통합되는 전략의 종류는 교수 목표, 의도에 달려있다. Bloom의 평가 수준과 같은 학습 분류의 높은 수준에 있는 목적은 구성주의적 학습 환경에서 문제 해결 기법을 요한다. 예를 들면, 학습자에게 사례 연구 또는 해결해야 하는 비구조화된 문제가 제공된다. 추가 전략으로 Vygotsky 이론(이 이론의 개요는 Kozulin, 2003에 설명되어 있음)에 따라 WBI의 사회적 학습 측면을 높이기 위하여 학습자와 함께 학습하는 전문가와 동료를 활용할 수 있다.

WBID 모형에서 사용된 개념적 프레임워크는 몇 개의 이론과 모형에 기반을 둔다. 교수 전략은 Gagné의 9가지 교수 사태, Dick 등(2005), Gagné 등(1992), Smith와 Ragan(2005)의 전략에 기반을 둔다. 교수 전략은 어떻게 교수 정보를 제시하고, 일관된 구조에 WBI를 설계할지에 대한 가이드라인이다. 교수 전략은 학습공동체의 구조로 특징지어질 수 있다(Fisher, 2000). 전통적 교육/훈련 상황에 사용되는 대부분의 교수 전략인 강의, 토론, 질문과 답, 읽기 과제는 WBI에서도 사용될 수 있다. Hall과 Gottfredson(2001)은 선행조직자나 개념도/사이트맵과 같은 다른 전략이 포함될 수 있다고 제안한다. 웹의 기술적 요건에 부합하는 이러한 전략들의 혁신적 사용은 설계자와 교수자의 학습에 대한 관점(행동, 인지, 구성 또는 복합 이론), WBI의 목적(교수 목표), 그리고 어느 정도는 이들의 능력과 상상력에 달려있다.

Pintrich와 Schunk(2002)는, "동기는 목적 지향적인 활동이 유발되고 유지되는 과정이다" (p. 3)라고 정의하였다. Alderman(1999)은 인지적, 동기적 변인은 학습자의 성취도에 영향을 주며, 동기는 행동을 활성화하고, 이끌고, 조절하는 세 가지 기능을 가지고 있다고 덧붙였다. 동기 전략은 이 세 가지 기능과 관련된 방법이고, 학습에 학습자들이 참여하고, 꾸준히 지속하고, 만족감을 느낄 수 있도록 장려하기 위한 것이다. Keller(1987, 1999)의 ARCS 모형과 Wlodkowski와 Ginsberg(Wlodkowski, 1997; Wlodkowski & Ginsberg, 1995)의 동기이론은 WBID 모형의 개념적 프레임워크에 기본이 된다.

WBID 모형을 위한 교수 전략과 동기 전략은 각각 네 가지 구성요소를 가지고 있다. 일반적으로 설계자는 교수 전략을 규명할 때 동기 전략도 염두에 두지만, 교수 전략을 가장 먼저 고려한다. 명료성을 위하여, 이 두 가지 유형의 전략을 설명하는 데 있어서 동일한 순서를 따를 것이다; 우선 'WBI 전략 워크시트' 의 설명으로 시작하자.

WBI 전략 워크시트

WBID 모형은 교수 전략과 동기 전략을 설명하기 위하여 또 다른 템플릿인 'WBI 전략 워크시트' 를 제공한다; 이 워크시트는 또한 '설계 문서' 의 일부이다. 워크시트는 전체 WBI 프로젝트에서 교수 전략과 동기 전략의 개요를 제공하는 데 사용되고, 각 군집화된 목표 세트 또는 교수 유닛(레슨, 유닛, 모듈 등)을 위한 설계 기획을 좀 더 상세화하는 데 사용된다.

첫째, 'WBI 전략 워크시트' 는 설계자가 고객/교수자와 다른 설계팀원들에게 어떻게 네 가지 교수 전략 구성요소들이 생성되고, 조직화되는지, LMS나 웹의 어떤 특징들이 이용될 것인지, 이것들이 언제 사용될 것인지에 대한 개요를 제공할 수 있도록 해준다. 이와 마찬가지로 워크시트는 동기 전략의 개요를 제공하고, WBI가 어떻게 학습자 동기를 이끌 것인지를 설명한다. 이러한 개요를 초기에 제공하는 것은 고객/교수자와 설계팀이 WBI 프로젝트의 개념적 이해를 하도록 돕는다. 게다가 이러한 접근은 WBI 설계에서, 궁극적으로는 프로젝트 설계 승인에서 발생할 수 있는 문제점을 제거하도록 해준다.

둘째, 'WBI 전략 워크시트' 는 각 군집화된 목표 세트(교수 유닛)를 위한 상세화된 설계 기획을 설명하는 데 사용된다. 일단 개요가 제공되고 승인되면, 설계팀은 각 목표에 포함된 전략을 선택하고 설명하기 위하여 워크시트에서 언급된 개념적 프레임워크를 사용한다.

그러나 'WBI 전략 워크시트' 는 융통성이 없는 문서도 아니고, 개념적 프레임워크에 바탕을 두지도 않았다. 설계자 또는 교수자의 학습 이론에 따라 구성요소(와 하위 구성요소)를 포함시키거나 제외시킬 수 있다. 표 7.1은 'WBI 전략 워크시트' 를 위한 템플릿이다.

두 가지 구성요소—학습 안내와 내용—제시-는 각 군집화된 목표(또는 교수 유닛)마다 설명된다. 학습 결과 측정의 구성요소는 평가가 일어날 때 또는 해당 유닛이 끝날 때에만 설명된다; 그렇지 않을 경우 WBI 개요에서 설명된다. 마찬가지로 모든 유닛마다 마지막 구성요소인 요약 및 종결이 필요하지 않다. 왜냐하면 내용 제시에서 하위 구성요소에도 모듈의 검토 및 종결을 제공하기 때문이다(표 7.1의 5를 참고하자). 그러나 간략한 요약은 학습자가 레슨을 이해하는 데 도움을 주고, 자신의 생각을 다음에 오는 교수 섹션에 연결시킬 수 있도록 하는 데 적절하다.

여러 군집화된 목표 세트들을 가진 WBI 프로젝트를 진행할 때에는, 다음 유닛을 위한 전략을 설명하기 전 하나의 교수 유닛을 위한 전략을 상세하게 하는 것이 덜 혼란스럽다. 그럼에도 불구하고 몇 명의 설계자들이 프로젝트를 진행한다면, 여러 유닛이 동시에 설계될 수 있다. 군집화된 목표 각각에 대한 전략을 개발하는 것은 순환적 과정이며, 이러한 전략 개발 과제는 일단 목표를 위한 설계 기획이 임시로 생성되면 시작됨을 유념해야 한다.

표 7.1 WBI 전략 워크시트에서 규명된 개념적 프레임워크의 교수 전략 구성요소와 그 하위요소

학습 안내 1. 개요를 제공한다. 2. 목표를 진술한다. 3. 교수와의 관련성을 설명한다. 4. 학습자가 자신의 사전 지식, 기능, 경험을 회상하도록 지원한다. 5. 교수 유닛을 어떻게 시작하고, 내비게이션하고, 진행할지에 대한 디렉션을 제공한다.	**교수 전략**
내용 제시 1. 학습 내용을 제시한다. 2. 학습 단서를 제공한다. 3. 연습 기회를 제공한다. 4. 연습에 대한 피드백을 제공한다. 5. 유닛 검토 및 종결을 제공한다.	**교수 전략**
학습 결과 측정 1. 교수 목표 달성 대비 학습자 수행 또는 진도를 평가한다. 2. 학습자의 진도 또는 수행 점수를 학습자에게 알려준다.	**교수 전략**
요약 및 종결 1. 파지 기회를 제공한다. 2. 달성하지 못한 목표에 재도전해볼 수 있도록 한다. 3. 수행을 강화하면서 질을 높일 수 있는 기회를 제공한다.	**교수 전략**

WBI 교수 전략

WBID 모형 내에서 교수 전략을 위한 개념적 프레임워크는 네 가지 요소로 구성되어 있다. 이 요소는 학습 안내, 내용 제시, 학습 결과 측정, 그리고 요약 및 종결이다. 이 각각의 요소들은 표 7.1에 제시된 것처럼 몇 개의 하위요소들로 이루어져 있다. 설계자는 설계팀이 WBI 프로토타입 개발과 WBI 전달을 명확하게 이해할 수 있도록 각 구성요소를 규명하고 설명한다.

그러나 'WBI 전략 워크시트' 에 포함된 내용을 어느 정도로 상세하게 할지는 설계팀, 그리고 설계 과정이 어떻게 기능하는지에 달려있다. 예를 들면, 설계가 협력적이고 통합적인 노력일 때, 모든 구성원들이 서로의 활동과 의사결정을 인식하고 설계팀원들 간의 커뮤니케이션은 개방적이기 때문에 워크시트의 상세화 정도가 낮다. 그러나 설계팀 구성원들이 프로젝트의 서로 다른 부분에서 개별적으로 일을 한다면, 설계 기획대로 WBI가 개발되기 위한 꼼꼼한 문서화가 필요하다. 즉 'WBI 전략 워크시트' 는 설계팀의 누구나가 그것을 보고 WBI를 개발할 수 있고, 고객/교수자는 설명되어

있는 WBI를 개념화할 수 있을 정도로 충분한 설명을 제공해야 한다. 다시 말하자면 WBI 워크시트는 1인 설계자/교수자가 사용할 때 내용과 활동에 대한 정보 또는 주요 개념의 개요가 될 수 있다.

네 가지 구성요소는 어느 정도 명확하게 지정된 순서(즉 안내는 시작을 의미하고, 요약 및 종결을 끝을 의미한다)를 가지고 있지만 이들 각각의 하위요소들은 어떤 순서로도 제시될 수 있고, 병합될 수 있고, 어떤 경우에는 생략될 수 있다.

다음에 제시되는 내용은, WBI의 개요라기보다 군집화된 목표 세트 또는 교수 유닛이 될 수 있는 교수 전략 구성요소와 그 하위요소에 대한 설명이다.

학습 안내

학습 안내는 각 교수 유닛에 해당하는 도입부로, 교수 유닛에 대한 단계를 설정하고, 교수 목표를 약술하고, 학습자가 활동과 과제를 완성하고 내용을 학습하도록 장려한다. 덧붙여서 이 안내는 활동과 과제를 완료하는 순서를 제안하거나 요구함으로써 유닛을 진행할 수 있는 일반적인 방향을 제공한다.

유닛의 개요로서 학습 안내는 다른 세 가지 구성요소들과 비교해봤을 때 학습자가 소비하는 시간이 상대적으로 적다. 학습 안내의 다섯 가지 하위 구성요소는 다음과 같다.

1. *개요* 또는 선행조직자를 제공한다.
2. 유닛 *목표*와 바람직한 수행 결과를 진술한다.
3. 유닛의 학습자와의 *관련성*을 설명한다.
4. 사전 지식, 기능, 경험을 *회상*하도록 학습자를 지원한다.
5. 유닛 활동을 어떻게 시작하고 내비게이션할지에 대한 *안내*를 제공한다.

가장 처음에 나오는 유닛, 특히 WBI 코스를 도입하는 부분이라면 이 하위 구성요소들은 전체 WBI의 중요한 측면에서 학습자의 주의를 이끌어야 한다. 초보 온라인 학습자는 WBI를 어떻게 시작해야 하는지에 대한 디렉션이 필요하나, 온라인 경험이 있는 이들의 경우 디렉션은 간결하고 선택적으로 진술되어야 한다. 주요부 유닛에서, 학습 안내의 목적은 학습자로 하여금 교수 내용과 목표에 주의를 기울이도록 하고, 사전 지식과 새로운 내용을 연결하도록 하는 데 있다(Gagné & Medsker, 1996; Jonassen & Grabowksi, 1993; Mayer, 2003).

학습 안내 전략을 설계할 때, 군집화된 목표의 계열(예: 절차적, 위계적, 또는 둘 다)에 따라 유닛의 배치를 고려해야 한다. 예를 들면, 절차적 계열인 경우 WBI 초반부에 나오는 유닛은 웹사이트를 정확하게 사용하는 방법에 대한 방대한 안내를 필요로 한다. 앞에서 제공된 정보를 토대로 하는 후반부에 나오는 유닛은 기존의 디렉션과 절차를 반복해서는 안 된다. 임의적 순서를 가진 유닛의 경우 유닛은 개방되어 있어서, 특정 순서에 상관없이 사용될 수 있다; 이런 경우의 예로, 디렉션과 안내는 WBI를 진행하는 방법에 대해 학습자가 혼동하지 않도록 WBI 홈페이지와 최소한 각 유닛에서 설명되어야 한다.

학습 안내에서 선택된 교수 전략은 학습자에게 유닛의 내용과 목표에 내적 주의를 기울이도록 의미 있고, 흥미로워야 한다. 내용이나 목표와 관련되지 않은, 단순히 학습자의 주의만 끄는 플래시 사이트를 설계하는 것은 시간 낭비이다(Bonk, 2004; Davidson-Shivers, 1998, 2001). 다음의 교수 전략은 학습 안내 구성요소로 적합하다.

- 토픽을 설명하는 관련 비디오나 오디오 클립, 또는 그래픽
- 담고 있는 교수 목표와 내용과 관련된 오프닝 질문 또는 문제
- 유닛에 걸쳐 토론되는 관련 시나리오나 상황
- 유닛 목표를 설명하는 관련된 스토리텔링

표 7.2 WBI 전략 워크시트에서 학습 안내 구성요소를 위한 교수 전략

학습 안내 하위 구성요소	교수 전략
1. 개요를 제공한다.	레슨이나 코스를 설명하는 텍스트; 개념도; 그래픽 또는 텍스트 조직자; 코스 설명; 스토리; 시나리오 등 결과 시연; 환영인사와 서문
2. 목표와 바람직한 수행 결과를 진술한다.	코스 강의계획서나 정보; 아이스브레이커; 목적 리스트; 기대되는 수행 목록; 오프닝 질문하기; 결과 시연하기 등
3. 교수와의 관련성을 설명한다.	시나리오; 예; 게임; 아이스브레이커; 스토리 등
4. 사전 지식, 기능, 경험을 회상하도록 학습자를 지원한다.	선행 조직자; 사전 검사; 체크리스트; 관련 경험을 공유하거나 회상하기 등
5. 교수 유닛을 어떻게 시작하고, 내비게이션하고, 진행할지에 대한 방향을 제공한다.	튜터리얼; 환영 편지; 사이트맵; 사이트 검색; 과제 완료에 관한 구체적인 안내 등

출처: 표 안의 데이터는 Bonk(2004), Davidson-Shiver(1998), Davidson-Shiver, Salazar, & Hamilton(2002;in press), Fisher(2000), Gagné(1985), Hall & Gottfredson(2001), Keller(1987), Khan(2001), Palloff & Pratt(1999), Rasmussen(2002), Smith & Ragan(2005)을 참고하였다.

- (텍스트나 그래픽으로) 레슨 미리 보기
- 선행조직자

이러한 교수 전략들은 학습자의 주의를 끌고, 학습에 대한 기대를 하게 함으로 레슨에 대한 인식을 이끈다. 전략들은 친숙감, 자신감을 불러일으키거나 학습자 개인의 목표에 연결짓도록 함으로써 관련성을 제공한다(Jonassen & Grabowski, 1993; Mayer, 2003; Ormrod, 2004). 표 7.2는 각각의 다섯 가지 하위 구성요소에 해당하는 교수 전략의 예이다; 전략의 중복은 교수 전략이 하나 이상의 하위 구성요소와 관련되어 있다는 점에서 다분히 의도적이다.

GardenScapes 사례

Elliott은 'WBI 전략 워크시트'를 사용하여 WBI 전체 개요를 제공한다. Kally는 전략을 검토하고 자신의 교수 스타일을 감안하여, 몇 가지 제안을 하였다. Elliott과 Kally는 Kally의 제안에 따른 변화에 대하여 토론하였다. 이들이 토론한 결과는 다음과 같다.

GardenScapes WBI 전략 워크시트

학습 안내	*GardenScapes*를 위한 교수 전략 개요
1. 전체 코스의 개요를 제공한다.	학습자는 다음과 같이 WBI에 대하여 안내받을 것이다. • 환영 인사로, 정원과 자연(새, 나비 등)을 보면서 봄, 여름, 가을 저녁을 보낼 수 있는 아름다운 옥외 정원의 장점이 설명된다. (가능한 한 시각적으로 제시하면서, 짧은 오디오 클립을 보여준다) • 학습자는 아름다운 현관 또는 아치를 통하여 옥외 정원으로 초대된다. 그래픽으로 표현된 생생한 정원이 다양한 테마를 가진 다양한 정원으로 제시된다. • 환영 인사 후 두 개의 그래픽–방대한 도움이 필요한 정원과 생생한 풍경(그림은 사진, 선화, 또는 클립아트)–을 제시한다.
1. 전체 코스의 개요를 제공한다.	• 주요 목표를 제시한 후 유닛이 담고 있는 내용에 대한 간략한 개요를 제공한다. • 코스의 교수자와 또 다른 직원의 사진을 포함시킨다.
2. 주요 목표를 진술한다.	• 테마가 있는 정원을 왜 만들게 되었는지에 대하여 짧은 비디오로 제공한다. • WBI의 목적과 교수 목표를 나열한다.

GardenScapes WBI 전략 워크시트 (계속)

학습 안내	*GardenScapes*를 위한 교수 전략 개요
3. WBI의 관련성을 설명한다.	• 개요 내의 그림에서 누구나 정원을 만들 수 있다는 아이디어를 제공한다. • 학습자를 오프닝 아이스브레이커에 참여하도록 초대한다.
4. 사전 지식, 기능, 경험을 회상하도록 학습자를 지원한다.	• 오프닝 아이스브레이커에서 학습자는 이전에 정원을 가꿔본 경험이 있는지에 대한 질문을 받는다. • 토론은 서로를 알게 하는 데 도움이 된다. • 참가자는 서로의 사진, 간략한 신상정보, 정원가꾸기 경력을 공유한다.
5. WBI 진행 방법에 대한 디렉션을 제공한다.	• 웹사이트를 사용하는 방법에 대한 디렉션을 포함한다. • 사이트맵을 제공한다. • 온라인 학습과 LMS 사용 방법에 관한 튜터리얼을 링크로 제공한다.
레슨을 위한 학습 안내 **각 레슨 초반에 반복되는 전략**	**레슨 1-6의 교수 전략 개요** • (시각 자료를 수반한 오디오 클립으로 교수자가) 환영 인사를 한다. • 지난 레슨을 회상하고, 현재의 레슨과 연결짓도록 하는 질문을 제공한다. • 시나리오는 내용에 있는 토픽을 강조한다(그림이나 짧은 비디오 클립). • 레슨 목표를 제시한다. • 레슨 시작에 관한 디렉션을 제공한다.

참고: 여기에서는 모든 개요를 보여주기보다, 나머지 섹션에서 차례대로 해당하는 교수 전략 구성요소를 제공할 것이다.

일단 전체 WBI를 위한 전략이 검토되고, 승인받으면, Elliott과 Kally는 *GardenScapes* 각 유닛을 상세하게 설명하는 작업을 시작한다. 첫 번째 레슨은 WBI 도입부이기 때문에 이들은 코스 개요 내에 요약되어 있는 대부분의 교수 전략을 첫 번째 레슨에 통합시키기로 하였다. Elliott은 코스 내용과 목표를 바탕으로 나머지 유닛의 교수 전략을 다양하게 하였다. *GardenScapes*의 두 번째 레슨의 상세 교수 전략은 다음과 같다.

GardenScapes WBI 전략 워크시트

학습 안내	레슨 2의 구체화된 교수 전략: *여러분의 정원을 어떻게 가꿀 것인가? 정원 테마 선정하기*
1. 개요를 제공한다.	• 레슨 2에서 환영 인사와 도입부를 제시한다. • (테마가 있는 정원 사진 위에 교수자의 1분 또는 2분가량의 오디오 클립을 입힌다)

GardenScapes WBI 전략 워크시트 (계속)

학습 안내	레슨 2의 구체화된 교수 전략: *여러분의 정원을 어떻게 가꿀 것인가? 정원 테마 선정하기*
2. 목표와 바람직한 수행 결과를 진술한다.	• 레슨 2의 주요 목표: 다섯 가지 정원 유형에서 정원 테마를 선택하는 것 • 다른 목표는 정원 유형의 이름을 말하는 것과 관련되어 있다. • 오디오를 통하여 교수자는 주요 목표를 진술한다. • 모든 목표는 대화체로 된 텍스트 기반 강의 노트의 앞부분에 나열된다.
3. 교수와의 관련성을 설명한다.	• 참가자들은 환영 페이지에 보이는 정원이 그들이 가장 좋아하는 정원인지를 확인한다. • 저널에 게시, 문서를 공유하거나, 교수자에게 이메일을 전송함으로써 반응이 나타난다.
4. 사전 지식, 기능, 경험을 회상하도록 학습자를 지원한다.	• 참가자들에게 좋아하는 정원을 회상하도록 질문한다. • 이후에 토론을 통하여 공유하거나 저널에 올린다.
5. 교수 유닛을 어떻게 시작하고, 내비게이션하고, 진행할지에 대한 방향을 제공한다.	• 레슨 2 과제를 위한 디렉션은 텍스트 기반 강의 말미에 제공된다. • 학습자들은 일반적인 디렉션과 튜토리얼을 보기 위하여 레슨 1을 참고할 수 있다. • *기술적 문제나 질문이 생기면, 동료나 멘토는 토론 사이트를 사용할 수 있다. 심각한 문제가 일어나면 학습자들은 멘토에게 이메일을 보내도록 한다.

* 부분은 *GardenScapes* 레슨의 내용을 구성하는 부분은 아니지만 이렇게 기술적인 문제를 언급하는 것은 학습을 촉진한다.

Elliott이 레슨 2를 진행하는 동안 Kally는 레슨 1을 평가하고 코멘트하는 데 시간을 쓴다. Elliott은 *GardenScapes*의 다른 레슨에서 사용할 전략들을 생각하기만 할 뿐 레슨 1과 2에 해당하는 개발 과제로 이동할 때까지 실제 이를 시작하지는 않는다. 그는 이 프로젝트에서 유일한 설계자이기 때문에 모든 레슨을 동시에 작업하는 것은 너무 혼돈스러울 수 있다. 그는 훌륭한 아이디어는 적어놓지 않으면 이것들이 어떻게 되는지 즉 '허공으로 흩어진다' 는 것을 알고 있다; 그는 이러한 아이디어를 위하여 파일을 준비하고 디스크에 저장한다; 그는 Kally에게 동일한 일을 하도록 부탁했다.

GardenScapes '설계 문서' 는 자매 사이트 (www.prenhall.com/davidson-shivers)를 참고하자.

생각해보기

여러분의 프로젝트에서 전체 WBI 설계 개요를 제공하는 'WBI 전략 워크시트'를 사용하자(표 7.1 참고). 일단 워크시트가 완료되면 (가능하다면 검토되고, 승인되면), 이것은 각각의 군집화된 목표에 해당하는 상세 계획을 제공한다. 워크시트는 여러분의 '설계 문서'의 일부분이며, 설계팀의 누구라도 이것으로 WBI를 개발할 수 있을 정도로 충분한 설명을 제공해야 한다. 여러분의 설계 기획은 필요하다면 반드시 평가되고, 승인되어야 한다.

첫 번째 유닛을 위하여 학습 안내를 위한 교수 전략 개발을 시작하자. 표 7.2에 제시한 템플릿에 따라 'WBI 전략 워크시트'를 사용하여 전략을 상세화하고, 문서화하자. 교수 목표, 학습자, 내용, 학습 과제에 적합한 전략을 생성하자. 또한 여러분의 안내 전략이 여러분의 학습에 대한 이론적 접근을 반영하고 있는지 확인하자. 결과 웹 화면에서 개발될 수 있는 그러한 전략을 기술하자. 동시적 설계에서 이 부분은 계획의 실제 개발이 아닌, 어떻게 학습 내용을 제시할 것인지에 대한 설명임을 기억하자.

각 유닛에서, 학습 안내를 위한 교수 전략을 계획하도록 하자. 여러분이 1인 설계자/교수자라면 다른 유닛을 시작하기 전에 하나의 유닛의 상세한 설명을 완료하는 것이 가장 손쉽다는 것을 알 수 있을 것이다. 한 명 이상 설계자가 프로젝트에 소속되어 있다면, 여러 유닛을 동시에 시작할 수 있다. 상세한 유닛 설계 기획은 형성평가 기획에서 지정된 대로, 그리고 여러분의 프로젝트 타임라인에 따라서 평가된다.

(다른 교수설계자들이 동일한 문제들을 어떻게 해결하고 있는가를 알아보기 위해 이 장의 후반부에 제시된 사례 연구를 살펴보기 바란다.)

WBI '전략 워크시트' 템플릿을 인쇄하려면 자매 사이트 (www.prenhall.com/davidson-shivers)를 참고하자.

내용 제시

두 번째 교수 전략 구성요소인 내용 제시는 내용 또는 정보 제시, 학습 단서, 연습과 피드백 제공이라는 하위 구성요소를 담고 있다. 내용 제시는 교수와 학습이 일어나는 주요한 부분이고, WBI에서 가장 중요한 부분이기도 하다. 일반적으로 학습자가 이 구성요소에 가장 많은 시간을 할애하기 때문에 상당한 설계 시간이 이 전략을 계획하고, 개발하는 데 소요되어야 한다.

교수 내용은 하나의 큰 섹션으로 제시되지 않는다; 오히려 군집화된 목표에 기반을 두어 적절한 크기의 교수단위로 쪼개진다(Mager, 1997; Mayer, 2003; Ormrod,

2004). 다섯 개의 하위요소는 각 유닛 또는 레슨에 나타난다. 이 하위요소는 모든 군집화된 목표와 이와 관련된 목표들이 제시되고 연습될 때까지 반복된다.

1. *학습 내용*을 제시한다.
2. *학습 단서*를 제공한다.
3. *연습* 기회를 제공한다.
4. 연습에 대한 *피드백*을 제공한다.
5. 유닛 *검토* 및 종결을 제공한다.

학습 안내와 유사하게, 이 다섯 가지 하위요소들은 순서가 없고, 병합되기도 하고, 생략되기도 한다. 표 7.3은 각 하위요소의 교수 전략의 예이다. 다시 말하지만, 전략의 중복은 교수 전략이 하나 이상의 하위 구성요소와 관련되어 있다는 점에서 다분히 의도적이다.

표 7.3 WBI 전략 워크시트에서 내용 제시 구성요소를 위한 교수 전략

내용 제시 하위 구성요소	교수 전략
1. 학습 내용을 제시한다.	• 텍스트, 오디오, 멀티미디어, 스트리밍 오디오/비디오 강의 등을 사용하여 직접 교수한다. • 다음을 사용하여 내용을 정교화한다. – 설명 – 바른 사례와 잘못된 사례 – 그래픽 – 텍스트기반 설명 • 사례 연구 또는 문제 • 프로젝트 기반 학습, 탐구기반 학습, 튜터리얼 등 • 시뮬레이션과 게임 • 전문가와의 상호작용, 발견학습 • 협력적, 협동적, 경쟁적, 또는 독립적 학습 상황 • 시연 • 모델링 • 읽기 과제 또는 웹사이트 검토하기 • 도서관과 웹 검색 • 학습자 주도의 프레젠테이션 또는 토론
2. 학습 단서를 제공한다.	• 소크라테스식 대화 또는 방법 • 주요 질문은 이메일, 게시판, 채팅을 통하여 또는 강의 내에서 물어본다. • 유닛 또는 WBI를 걸쳐 학습자를 안내하는 데 그래픽 또는 오디오를 사용한다. • 적절한 학습 전략을 제안한다.

표 7.3 WBI 전략 워크시트에서 내용 제시 구성요소를 위한 교수 전략 (계속)

내용 제시 하위 구성요소	교수 전략
2. 학습 단서를 제공한다.	• (파워포인트 등을 사용하여) 시각적 또는 청각적으로 주요 정보를 강조한다. • (하이퍼링크 표시로 사용되는 밑줄은 제외하고, 진하게, 기울임으로) 텍스트를 강조한다. • 도제나 멘토링을 사용한다.
3. 연습 기회를 제공한다.	• 게임, 시뮬레이션, 실험실 • 역할극 • 웹퀘스트(Dodge, 1997) 또는 웹 리서치 • 가상의 필드 트립 • 상호적 교수 • 토론 그룹, 세미나 • 집단 또는 개인 탐구 • 토론 • 반복연습 • 연습(해결해야 하는 문제, 응답해야 하는 질문, 성찰적 사고 연습 등) • 성찰 페이퍼 또는 저널 • 프로젝트, 포트폴리오, 페이퍼 • 사례 연구
4. 연습에 대한 피드백을 제공한다.	• 동료 검토 • 토론 • 컨퍼런스 • 학습자의 실행에 응답해주는 교수자 또는 멘토
5. 유닛 검토 및 종결을 제공한다.	• 유닛 또는 레슨에 걸쳐 이전의 학습했던 것을 검토한다. • 교수나 또는 학습자들에 의하여 토픽 또는 레슨을 요약한다. • 텍스트, 비디오, 오디오를 활용한다.

출처: 표 안의 데이터는 Bonk, Daytner, Daytner, Dennen, & Malikowski(2001), Cheney, Warner, & Laing(2001), Chi-Yung & Shing-Chi(2000), Davidson-Shivers(1998;2001), Davidson-Shivers, Salazar, & Hamilton(2002; in press), Dodge(1997), Gagné(1985), Gibbsons, Lawless, Anderson & Duffin(2001), Hughes & Hewson(2001), Kemery(2001), Khan(2001), Northrup & Rasmussen(2001), Smith & Ragan(2005), Trentin(2001)을 참고하였다.

GardenScapes 사례

Elliott과 Kally가 작성한 전체 WBI 프로젝트 개요는 내용 제시 전략의 윤곽을 담고 있으며 이것은 다음의 'WBI 전략 워크시트' 에서 볼 수 있다.

내용 제시	*GardenScapes* 교수 전략 개요
1. 학습 내용을 제시한다.	각 레슨마다 내용이 구조화되어 있어서 참가자들은 (LTM에 기초한) 특정 순서로 내용을 이동하면서 학습할 수 있다. 레슨은 다음을 포함한다. • 단문의 텍스트 기반의 강의 • 대화체로 설명과 묘사 • 개념과 원리와 관련된 정원의 바른 사례와 잘못된 사례 (예: 정원 테마, 정원을 위한 특정 계획 워크시트 등) • 바른 사례와 잘못된 사례에서 그림, 차트 등과 같은 그래픽 • 정보를 제공하는 정원 전문가 • 부가적 정보를 제공하는 다른 웹사이트와 연결 • 정원과 조경계획에 관한 추천 자료나 도서를 추후 연구를 위하여 지정한다.
2. 학습 단서를 제공한다.	• 강의의 주요 포인트를 지원하는 시각 정보 • 다양한 임시 지대와 관련된 예를 제공한다. • 새로운 내용과 관련하여 기초 정원가꾸기 사전 지식을 활용한다. • 참여자들의 매주 과제를 추적할 수 있는 체크리스트(직무도우미)를 제공한다. • 과제를 위한 워크시트(계획시트 등)를 제공한다.
3. 연습 기회를 제공한다.	• 학습자는 파트너와 협력하면서 활동을 연습해본다. • 서로 아이디어를 공유한다(선택된 테마, 색, 정원수 선택). • (모든 유닛에서는 아니지만) 이따금 채팅이나 게시판을 통한 Q&A 세션을 갖는다.
4. 연습에 대한 피드백을 제공한다.	• 동료, 교수자, 멘토는 Q&A 세션을 통하여 피드백을 제공한다. • 특정 질문에는 교수자나 멘토가 이메일로 답한다. • 교수자는 문서 공유나 과제함에 제출된 과제를 검토하고 피드백을 준다.
5. 유닛 검토 및 종결을 제공한다.	• 교수자는 (이메일이나 게시판을 통하여) 각 레슨의 말미에 내용과 활동의 주요 포인트를 강조하는 요약을 만든다.

Carlos와 Chauncy가 교수 전략 개요를 승인하면, Elliott과 Kally는 레슨 1과 2의 내용 제시를 위한 교수 전략을 설계한다. 레슨 2의 전략은 다음과 같다(첫 번째 테마만 여기에 제시한다).

GardenScapes '설계 문서' 에 있는 완성된 WBI '전략 워크시트' 는 자매 사이트 (http://www.prenhall.com/davidson-shivers)를 참고하자.

WBI 전략 워크시트

내용 제시	레슨 2의 구체화된 교수 전략: *여러분의 정원을 어떻게 가꿀 것인가? 정원 테마 선택하기*
1. 학습 내용을 제시한다.	(오디오로) 주요 목표가 진술된 뒤에, 정원 테마를 위한 텍스트 기반 강의 노트는 • 정원 테마라는 용어를 정의한다. • 다섯 가지 테마를 규명하고 설명한다: 색조, 시설물, 지어리스케이프, 야생, 전정 • 학습자들이 자신의 선택에 의한 순서로 정원 테마를 연습해보도록 한다(LTM은 해당 정보가 위계적임을 나타낸다). 대화체로 다섯 가지 각각의 정원 테마의 특징을 설명한다. **정원 색조**는 (텍스트와 그래픽을 통하여 다음 개념을 포함한다): • 단색 또는 통일된 색 테마 • 개인의 성향에 따른 또는 특정 분위기를 만들기 위한 색의 선택(분홍이나 파랑은 차분함, 빨강과 노랑, 오렌지는 자극적) • 백색 정원은 정원수가 야간에 보이며, 이를 미드나잇 정원이라고 부른다. • 꽃 또는 잎의 색조, 모양, 크기를 다양화하여 변화를 준다. • 정원수 길이와 향의 다양화는 호기심을 더해준다. 리스트는 모든 정원 주제가 제시될 때까지 나열된다.
2. 학습 단서를 제공한다.	• 학습자에게 지정된 사이트의 임시 지대, 조건이 어떻게 정원 테마 선택에 영향을 주는지를 일깨워준다. • 정원의 다섯 가지 유형의 차이점을 강조하는 정원의 바른 사례와 잘못된 사례를 사용한다. • 필요하다면, 추가적 정보를 위하여 학습자는 지역 정원 센터, 식물원, 농업 진흥원에 확인해보길 권장한다.
3. 연습 기회를 제공한다.	• 참여자들이 자신이 선호하고, 자신의 위치와 기후에 가장 적합한 정원, 테마, 정원수를 웹사이트에서 선택하도록 한다(저널을 사용한다). • 참여자들은 테마를 선택하고, 그 이유(성향, 사이트 위치, 조건 등)에 대하여 설명한다. 이들은 서로가 선택한 정원 테마를 공유하고, 그 이유에 대하여 설명한다. 이를 게시판에서 공유한다. • 웹사이트와 저널에 올리는 과제에 대한 최종 기한을 정한다. • 게시판에 올리는 과제에 대한 최종 기한을 정한다. • *학습자들에게 기술 문제에 대하여 토론할 수 있는 사이트가 있음을 상기시키자. 만일 심각한 문제가 발생하면 멘토에게 이메일을 보내도록 상기시키자.
4. 연습에 대한 피드백을 제공한다.	• 학습자들끼리 서로의 선택에 대한 피드백을 제공한다. • 교수자는 첫 번째 주에 참여자들이 제공한 정보(정원 사이트, 임시 지대 등)를 참고하여 이들의 선택에 대한 피드백을 제공한다. • *멘토(또는 기술지원 팀원)는 기술적 문제에 대한 답을 해준다.
5. 유닛 검토 및 종결을 제공한다.	주요 개념을 검토하기 위하여 교수자는 요약을 제공한다: • 다섯 가지 유형의 정원 테마의 주요 특징을 강조한다. • 집단의 활동 및 일반적인 진행사항에 대하여 코멘트한다. • 정원 계획에 있어서 다음 레슨의 주제와 다음 단계를 제시한다.

* 부분은 *GardenScapes* 레슨의 내용을 구성하는 부분은 아니지만 이렇게 기술적인 문제를 언급하는 것은 학습을 촉진한다.

Kally와 Elliott은 레슨 1과 2의 교수 전략을 가지고, 스토리보드를 개발하기 시작하였다. 일단 두 개의 레슨에 대한 프로토타입이 처음 만들어지면, 이에 대하여 전문가 검토자와 졸업생 또는 최종 사용자들에게 검토를 요청한다. Elliott은 자신의 파일 중 일부에, 졸업생 또는 최종 사용자에게 레슨 제목에 대한 이들의 생각을 물어보도록 하는 리마인더(reminder)를 포함시켰다.

그러고 난 후 Kally와 Elliott은 나머지 네 가지 레슨의 설계와 개발을 지속한다.

생각해보기

표 7.3을 템플릿으로 사용하여, 여러분의 WBI 각 유닛의 '내용 제시' 하위요소 교수 전략을 정하자. 여러분은 각 레슨마다 서로 다른 전략을 선택하거나 학습 이론, 교수 목표, 설계 경험에 바탕을 두고 표준적인 전략을 생성할 수 있다. '설계 문서' 에서 여기에 해당하는 부분이 구체화될수록, WBI 개발이 수월해진다.

(다른 교수설계자들이 동일한 문제들을 어떻게 해결하고 있는가를 알아보기 위해 이 장의 후반부에 제시된 사례 연구를 살펴보기 바란다.)

WBI '전략 워크시트' 템플릿을 인쇄하려면 자매 사이트 (www.prenhall.com/davidson-shivers)를 참고하자.

학습 결과 측정

설계자는 이미 견본이 되는 평가 문항 또는 도구를 생성해 두었다(6장의 TOAB 참고). 그러나 설계자는 WBI에서 평가 도구와 평가 시기가 적절한지를 확신하기 위하여 평가 도구를 현재 검토 중이다. 'WBI 전략 워크시트' 에서 문서화한 것 중 일부분인 '학습 결과 측정' 구성요소는 언제, 어떻게 학습자가 평가되는지를 명확히 나타냄으로써 평가가 WBI에 통합되는 방법을 개략적으로 설명하고 있다. 전통적인 평가 도구가 WBI에서 항상 가능한 것이 아니기 때문에 학습자의 수행을 평가하기 위한 혁신적인 접근과 도구는 필요하다(6장 참고). '학습 결과 측정' 의 두 개의 하위 구성요소는 다음과 같다.

1. 교수 목표 달성 대비 *학습자 수행* 또는 진도를 평가한다.
2. 학습자의 진도 또는 수행 점수를 *학습자에게 알려준다.*

표 7.4는 학습자를 평가하고, 이들의 진도를 알려주는 것에 대한 전략의 일부 목록을 제공한다. 자세한 내용은 6장을 참고하자.

표 7.4 WBI 전략 워크시트에서 '학습 결과 측정' 구성요소를 위한 교수 전략

학습 결과 측정 하위 구성요소	교수 전략
1. 목표 대비 수행 또는 진도를 평가한다.	• 선다형, 완성형, 진위형, 연결형 문항이 있는 퀴즈나 검사를 사용한다. • 서술형을 사용한다(몇 개의 제한형 서술형 또는 한 개의 확장형 서술형). • 목표와 관련된 프로젝트 또는 학기말 보고서의 완성을 요구한다. • 검사 루틴을 만들기 위하여 LMS와 다른 상업적 프로그래밍 도구(예: 자바, CGI, C, 파스칼)를 사용한다. • 검사와 점수기준표를 개발하는 데 모범 답안을 사용한다.
2. 학습자에게 점수 또는 진도를 알려준다.	• 서술형 검사, 프로젝트, 페이퍼에서 점수를 매기기 위한 체크리스트와 루브릭을 제공한다. • LMS의 기능인 성적표와 같은 성적 보고를 위한 상업적 도구를 사용한다. • 피드백을 위하여 이메일, 파일 공유, 채팅, 메일을 사용한다. • 필요하면, 학습자 스스로 교정할 수 있도록 장려한다. • 학습자가 자신의 수행을 스스로 체크할 수 있도록 프로젝트 가이드라인과 루브릭을 제공한다.

출처: 표 안의 데이터는 Alagumalai, Toh, & Wong(2000), Cucchiarelli, Panti, & Vanenti(2000), Davidson-Shivers(1998), Fisher(2000), Gagné(1985), Smith & Ragan(2005), Stiggins(2005)을 참고하였다

진단, 형성, 총괄평가를 조합하여 사용하는 것이 학습 상황에 적합할 수 있다(Johnson & Johnson, 202; Linn & Gronlund, 1995). 진단 평가와 형성평가는 WBI의 다른 구성요소-(진단 평가를 위한) '학습 안내' 구성요소 또는 (형성평가를 위한) '내용 제시' 구성요소에서 유닛 후반부에 있는 연습 평가-에 구조적으로 포함되어 있다. 총괄평가는 일반적으로 모든 유닛이 완료되는 WBI 후반부 또는 학기 내 주요한 시간 간격(중간고사나 기말고사)을 두고 일어난다; 결과적으로 '학습 결과 측정' 구성요소는 전체 WBI 프로젝트의 개요에 포함되어 있다.

평가 유형(진단, 형성, 총괄)의 선택은 교수 목표에서 정의한 결과 수준, 교수 맥락, 하위 목표(TOAB를 참고하자)에 따라 달라진다. 예를 들면, 내용의 복잡성과 난이도, 목표가 어떻게 진술되어 있고 군집화되어 있는지에 따라 학습자들은 전체 학습 내용이 끝났을 때보다 WBI 전반에 걸쳐 정기적으로 평가될 필요가 있다. 이런 경우 설계자는 군집화된 목표에 근거하여 연습 평가를 어디에 두어야 하는지를 결정할 것이다. 매우 복잡하고 어려운 내용의 경우 연습 평가는 매 유닛 끝에 두어야 한다. 다른 내용의 경우, 전통적인 중간고사와 기말고사는 수행 평가로 충분할 수도 있다. 비교적 간단한 내용인 경우 WBI 후반부에서 내용과 목적을 평가하는 것이 충분할 수 있다.

표 7.5 평가 시기 정하기

평가 시기	목적과 내용의 복잡성
코스 초반	진단 또는 형성평가 목적
매 유닛이 종료된 후	매우 복잡한 목표
코스 중반부와 후반	덜 복잡하면서, 덜 어려운 목표 또는 내용
코스 후반	수월한, 비교적 간단한 목표 또는 내용

마지막으로, 형식적 평가는 진단적 평가도 요한다. 표 7.5는 형식적 평가의 시기에 대한 루브릭을 제공한다.

복잡한 WBI 프로젝트에서는 'WBI 전략 워크시트' 에서 '학습 결과 측정' 구성요소를 위한 교수 전략이 매 유닛이 종료된 후 상세하게 설명되어야 한다. 덜 복잡한 WBI 코스인 경우, 이 구성요소의 전략은 유닛 중반 이후와 WBI 코스 후반에 다시 한 번 설명된다. 마지막으로, 간단한 목표, 또는 내용의 코스인 경우, '학습 안내' 와 '내용 제시' 구성요소가 합해져 모든 유닛에 상세하게 설명되어 'WBI 전략 워크시트' 에 포함된다.

형식적 평가는 점수에 대한 판단을 필요로 하기 때문에 학습자는 지정된 웹사이트에 접속하거나 기관에서 정한 원격지에서 시험을 치러야 한다. 평가 과정을 통제하는 다른 방법으로는 학습자들이 있는 곳에 교수자의 대리로 시험 감독관이 방문하도록 하는 것이다. 또, 웹캠을 사용하는 것은 평가 보안을 강화한 방법이다. 학습자에게 자신의 점수나 등급을 알려주려면, 형식적 평가의 지침이 타임프레임에 따라 명확하게 진술되어야 한다.

수행보다 학습자 진도를 평가하는 비형식적 평가는 실전 연습을 사용한다. 이 실습(예: 워크시트, 동료 검토 활동, 게시판에서 응답)은 형성평가로 간주된다(Johnson & Johnson, 2002; Linn & Gronlund, 1995). '내용 제시' 에서 언급하였듯이, 이런 실습에 대한 피드백은 필요하지만, 시험 감독관의 존재를 요하지 않는 웹사이트 또는 지정된 원격지에서의 실전 연습은 성적 또는 점수 관리가 필요하지 않다.

GardenScapes 사례

대부분의 평생교육 코스는 학교 상황에서 요구되는 형식적, 총괄평가 또는 '점수 매기기' 를 하지 않는다. CJC에서의 평생교육 코스, 특히 취미를 위한 코스는 형성평가를 한다. 그러나 Elliott과 Kally는 평가 기획에 형식적, 총괄평가를 포함시켰다(5장 참고).

형성평가 기획의 목적이 *GardenScapes* 코스의 효과성 향상이기 때문에 Elliott은 목표와 주요 목표를 포괄하는 사전검사와 사후검사를 간략한 선다형으로 구성하였다; 이 평가는 레슨 1 도입부와 WBI 코스의 후반부에 참여자들에게 제공된다. 레슨 6 후반부에 코스가 마무리되면 Elliott은 학습자에게 검사의 목적이 학습자의 정원에 대한 지식과 기술을 평가하는 것이 아닌 코스의 효과성을 평가하기 위한 것이었음을 알려줄 것이다; 그렇지만 Elliott은 학습자가 요청하면 그들의 점수를 알려줄 수 있다.

Elliott은 WBI 전체 프로젝트의 개요에 '학습 결과 측정' 의 하위 구성요소를 위한 교수 전략을 포함시켰다.

WBI 전략 워크시트

학습 결과 측정	*GardenScapes* 교수 전략 개요
1. 수행 또는 진도를 평가한다.	정원을 계획하는 것에 대한 개념과 절차를 물어보는 선다형 퀴즈 형태의 사전 검사는 (참여자의 현재 정원가꾸는 기술을 평가하는 진단 목적과 형성평가 목적을 위하여) 오리엔테이션의 일부분이 될 수 있다. 이는 레슨 1에서 실시된다. 나머지 레슨에서의 비형식적 평가 도구는 형성적 목적으로 사용된다. • 학습자가 자신이 설계한 정원을 개발하는 것에 관한 결정을 요하는 질문이 제공된다. 이 질문은 학습자가 자신의 진도에 대하여 자기보고(self-report)하는 저널에 통합되어 있다. • 학습자가 자신의 정원을 계획하면서 학습자가 완성한 일련의 체크리스트가 사용된다. 코스 후반부에서 학습자는 자신의 정원 설계 계획을 제출할 것이다. *GardenScapes* 개념에 대한 사후 검사는 코스 후반부(레슨 6의 결론)에 제공될 것이다.
2. 학습자에게 점수를 알려준다.	• 학습자가 작성한 체크리스트와 자가보고 문서, 동료 학습자, 멘토와 교수자는 학습자의 진도에 대한 피드백을 제공하나, 점수화되지는 않는다. • 정원 계획은 TOAB에서 개발된 체크리스트와 루브릭을 사용하여 점수화된다. 정원계획 점수는 마지막 수업의 일주일 내로 이메일을 통하여 학습자에게 보내진다. • 형성평가로 실시된 퀴즈는 WBI 효과성을 측정하는 데 사용된다. Elliott은 사전검사와 사후검사 점수를 분석한다. 학습자들은 원하면 점수를 알 수 있다.

GardenScapes '설계 문서' 에 있는 완성된 WBI '전략 워크숍' 은 자매 사이트 (http://www.prenhall.com/davidson-shivers)를 참고하자.

생각해보기

표 7.4를 템플릿으로 하여, 여러분의 WBI 프로젝트를 위하여 '학습 결과 측정' 을 위한 교수 전략을 정하자. 언제, 얼마나 자주 평가가 시행되는지를 규명하자. 간략히 제시된 전략은 어떻게 개발팀이 전략을 만들어 나갈지에 관한 안내사항을 제공한다는 것을 염두에 두자. 여러분의 'WBI 전략 워크시트' 에 정보를 추가하고 이를 '설계 문서' 에 포함시키자.

(다른 교수설계자들이 동일한 문제들을 어떻게 해결하고 있는가를 알아보기 위해 이 장의 후반부에 제시된 사례 연구를 살펴보기 바란다.)

WBI 전략 워크시트를 인쇄하려면 자매 사이트 (http://www.prenhall.com/davidson-shivers)를 참고하자.

요약 및 종결

'요약 및 종결' 구성요소는 개념적 프레임워크와 'WBI 전략 워크시트' 에 포함되는 교수 전략의 마지막 부분이다. '요약 및 종결' 교수 전략은 종결에 대한 학습자의 기대를 충족시키고, 이들의 관심을 교수의 주요 포인트로 다시 이끌도록 설계된다. 이 전략은 학습자가 자신의 수행을 검토하고, 재학습(relearning)을 위하여 틀린 것을 살펴보고, 파지와 전이를 촉진하는 것을 가능하게 해준다(Dick et al., 2005; Gagné, 1985). '요약 및 종결' 은 다음의 세 가지 하위 구성요소로 이루어진다.

1. *파지* 기회를 제공한다.
2. 달성하지 못한 목표를 *재도전해*볼 수 있도록 한다.
3. *수행을 강화하면서 질을 높일 수 있는* 기회를 제공한다.

각 유닛 또는 레슨의 상세한 설계는 이미 (내용 제시 구성요소에서 교수 전략 중 하나인) '유닛 검토 및 종결' 이라는 하위 구성요소를 포함하고 있기 때문에 '요약 및 종결' 교수 전략은 전체 WBI 프로젝트 개요에 포함된다. WBI 후반부에서 주요 포인트를 요약하는 것은 파지와 전이를 촉진한다(Gagné, 1985; Gagné et al., 2005). 이 구성요소는 달성하지 못한 목표를 검토할 수 있는 기회를 제공한다(Dick et al., 2005; Smith & Ragan, 2005).

어떤 LMS는 코스가 종결되고, 성적이 게시된 후 학습자의 WBI와 웹사이트 접근

표 7.6 WBI 전략 워크시트에서 요약 및 종결 구성요소를 위한 교수 전략

요약 및 종결 하위 구성요소	교수 전략
1. 파지 기회를 제공한다.	• 그래픽과 텍스트로 레슨을 요약하고 검토한다. • 레슨 또는 WBI 코스의 주요 포인트에 관하여 마무리짓는 말을 제공한다. • 학습을 강화시키기 위하여 추가적 사례나 예를 제공한다.
2. 달성하지 못한 목표에 재도전 해볼 수 있도록 한다.	• 그래픽과 텍스트로 레슨을 요약하고 검토한다. • 학습자들이 자신이 틀린 것을 이해할 수 있도록 평가와 응답한 것을 검토할 수 있도록 한다. • 달성하지 못한 목표에 근거하여 이와 관련된 교수 자료를 검토하도록 디렉션을 제공한다. • 전체 WBI 코스의 후반부를 요약하거나 레슨을 끝내는 것에 대한 마무리짓는 말을 제공한다.
3. 학습을 강화한다.	• 레슨 범위를 확장하는 추가적 연습, 사례 연구, 시나리오를 제안한다. • 현재 레슨 또는 WBI 코스 이상의 다음 단계, 활동 등을 규명한다. • 해당 WBI 코스 또는 레슨을 어떻게 서로 또는 앞으로의 코스와 연관시켜야 하는지 토론한다. • 레슨 또는 WBI 코스를 마무리하는 것에 대하여 마무리짓는 말을 제공한다.

출처: Dick et al.(2005), Gagné(1985), Gagné et al.(2005), Khan(2001), Milheim & Bannan-Ritland(2001), Smith & Ragan(2005); Villalba & Romiszowki(2001).

을 거부하기도 한다. 만약 그럴 가능성이 있다면, 설계자는 코스 웹사이트 접근이 가능한 기간을 언급하기 전에, 자신의 점수를 확인해보고 코스 정보를 검토해보라는 주의 사항을 학습자들에게 제공해야 한다.

다시 한 번 말하지만, '요약 및 종결' 의 하위 구성요소들은 서로 연결되어 있고, 어떤 순서에 의하여 제시된다. 어떤 교수 상황에서는 모든 전략을 반드시 사용할 필요가 없을 수 있다. '요약 및 종결' 에서 교수 전략은 표 7.6에 제시되어 있다. 전략의 중복은 교수 전략이 하나 이상의 하위 구성요소와 관련되어 있다는 점에서 다분히 의도적이다.

GardenScapes 사례

Elliott과 Kally는 '요약 및 종결' 구성요소를 위한 교수 전략을 설계하고, 'WBI 전략 워크시트' 에 이것들을 포함시킨다.

WBI 전략 워크시트

요약 및 종결	*GardenScapes* 교수 전략 개요
1. 파지 기회를 제공한다.	• 코스 후반부의 요약에서 주요 목표를 강조한다. • 학습자는 LMS 문서 공유 기능으로 동료와 정원계획을 공유한다.
2. 달성하지 못한 목표를 재도전해볼 수 있도록 한다.	• 학습자가 달성하지 못한 레슨 목표를 위하여 강의 노트와 추가적 웹사이트를 검토하도록 이들을 북돋아준다. • 참여자들의 정원계획 점수를 이들에게 전송한다. • 향상이 필요한 부분에 대하여, 참여자들의 WBI 접속이 뜸해지기 전에 코스 요약을 검토하도록 북돋아준다.
3. 학습을 강화한다.	• 조경 기능장이 되는 것과 같은 것을 제안함으로써 WBI 후반부에도 학습을 지속할 수 있도록 북돋아준다; CJC 등에서 가능한 다른 정원과 조경 코스를 나열한다. • 학습자가 정원을 사진 찍은 것을 학습자들끼리, 그리고 교수자에게 메일로 보낼 수 있도록 북돋아준다. 이에 대한 인센티브로, *GardenScapes*의 장래성 있는 작품으로 저장되고, 웹사이트에 포함시킨다.

GardenScapes '설계 문서' 에 있는 완성된 WBI '전략 워크숍' 은 자매 사이트 (http://www.prenhall.com/davidson-shivers)를 참고하자.

생각해보기

표 7.6을 템플릿으로 사용하여 여러분의 프로젝트의 'WBI 전략 워크시트' 에서 '요약 및 종결' 구성요소를 위한 교수 전략을 정하자. '설계 문서' 에 상세한 내용을 포함시키자. 설계팀구성원 누구라도 WBI의 교수 전략을 개발할 수 있도록 교수 전략을 명료화하자.

(다른 교수설계자들이 동일한 문제들을 어떻게 해결하고 있는가를 알아보기 위해 이 장의 후반부에 제시된 사례 연구를 살펴보기 바란다.)

WBI '전략 워크시트' 템플릿을 인쇄하려면 자매 사이트 (www.prenhall.com/davidson-shivers)를 참고하자.

WBI 동기 전략

동기에 대한 이론적 접근

학습자의 성취와 성공적 학습과 관련된 수많은 동기 이론이 있으며(예: Alderman,

1999; Eggen & Kauchak, 2003; Keller, 1987, 1999; Maslow, 1987; Slavin, 1991; Weiner, 1992; Wlodkowski, 1997, 1999), 이들은 학습 심리학과 교수 심리학 문헌에 자주 논의되고 있다. 각 이론가들은 철학적 또는 심리학적 인식에 기반하여 동기를 정의하고 있다. Pintrich와 Schunk(2002)는 **동기**를 "목적 지향적 행동이 유발되고, 유지되게 하는 과정"으로 정의한다(p. 5). Weiner(1992)는 "사고와 행동을 결정짓는 것에 관한 연구－이 연구는 행동이 일어나고, 유지되고, 중단되는 이유와 무엇인가를 선택하는 것에 대하여 언급한다"(p. 17)로 정의하고 있다. 인지심리학 관점에서 Ormrod (2004)는 동기를 "우리를 행동하게 하고, 특정 방향으로 이끌고, 어떤 행동에 계속 참여하게끔 하는 내적 상태"로 정의하고 있다(p. 425).

대부분의 이론가들은 동기의 기본 유형에 내재적 동기와 외재적 동기가 있다는 것에 동의한다. Ormrod(2004)는 *내재적 동기*는 개인이 노력을 하게 만드는 원천이 개인이나 과제에 있다고 설명하고 있다. 내재적으로 동기화된 사람은 그(또는 그녀)의 성취에 대한 보상이나 처벌 없이 과제나 목적을 추구할 수 있다; 성취는 개인이 느끼는 만족감으로 강화된다. 몇 가지 요소들(인격; 과거의 경험; 니즈, 욕구, 성향; 불안수준; 기대; 귀인)이 내재적 동기에 영향을 끼친다(Slavin, 1991; Weiner, 1992).

*외재적 동기*는 개인이 수행을 하게 만드는 원천이 개인과 과제의 외부에 있다 (Ormord, 2004). Alderman(1999)은 외재적으로 동기화된 사람은 보상이나 인센티브 (성적, 칭찬, 특권, 물질적인 것)를 받기 위하여 과제를 한다고 한다.

내재적, 외재적 동기 둘 다 성공적 학습을 이끈다. 그러나 Ormrod(2004)는 대부분의 동기 이론가들은 내재적으로 동기화된 사람들이 외재적으로 동기화된 사람보다 과제에 좀 더 오래 참여하고, 좀 더 노력을 쏟으려 하고, 과제를 더 오래 지속하려 한다는 장점이 있다고 주장한다고 한다. Alderman(1999)은 "내재적 동기와 외재적 동기가 양극으로 보일지 모르지만 현재 받아들여지는 관점으로는 이 둘을 연속선상(가장 외재적인 것부터 가장 외재적이지 않은 것까지)으로 나타내는 것이다"라고 진술함으로 양극이라는 주장에 대하여 반대의 입장을 제시하였다(p. 218). 그녀는 개인은 외재적인 것에서 내재적인 것으로 또는 동시에 두 개의 동기에 의하여 동기화된다고 하였다.

Driscoll(2005)은 동기 이론은 설계자가 적합한 동기 유형(외재적, 내재적 또는 둘 다)을 교수에 통합하는 것을 고려하는 데 도움을 준다고 한다. 이것은 학습자와 교수가 간의 물리적 거리가 존재할 때 잘 적용된다. 다른 이들을 정기적으로 보지 못하는 학습자는 학습공동체에서 고립감을 느낄 수 있고, WBI에 효과적으로 참여하거나 이를 지속하지 못할 수 있다(Sriwongkol, 2002). 학습자를 동기화하고 고무시키는 다양한 전략은 학습자의 참여(Hazari, 2000; Khan, 2001)와 파지(Miller & Miller, 2000; Powers & Guan, 2000)를 높일 수 있다.

다양한 동기 이론들 중 모든 교수 유형에 잘 맞고 WBI 설계에 적합한 두 가지 동기 이론이 있다. 첫 번째는 Keller(1987, 1999)의 동기 설계 전략(ARCS 모형으로 알려져 있는)이고, 두 번째는 Wlodkowski와 Ginsberg의 동기 프레임워크(Wlodkowski, 1997, 1999; Wlodkowski & Ginsberg, 1995)이다.

Keller의 ARCS 모형. Keller(1987, 1999)의 ARCS 모형은 학습자의 동기를 높이는 네 가지 유형의 전략—주의집중(attention), 관련성(relevance), 자신감(confidence), 만족감(satisfaction)—을 제안한다. 이 네 가지 유형은 각각 여러 개의 하위범주로 나눠진다.

우선, *주의 집중하기* 전략은 교수 목표와 교수 자료에 학습자의 주의를 획득하고 유지하는 데 있다(Keller, 1987). WBI 설계에 있어서 이 전략은 주제와 관련된 재미있는 이야기 또는 학습자가 내용에 흥미를 가질 수 있도록 시각을 자극하는 사진이나 비디오와 같은 새롭거나 보기 드물거나 흥미로운 것을 제공하는 것이다. Driscoll(2005)은 호기심을 더 오래 유지하기 위하여 Keller가 말한 탐구하는 태도를 야기할 필요가 있다고 하였다. 이 전략은 호기심 또는 학습자 참여에 의하여 완성될 수 있다.

둘째, *관련성 짓기* 전략은 개인으로 하여금 WBI가 자신의 니즈를 충족시키는 데 유용하고, 개인의 목적을 달성하도록 한다고 보게 한다. WBI에서 관련성을 촉진하는 기법에는 학습자 스스로 목적을 설정해 보도록 하거나 자신의 진도를 평가하는 방법을 선택하도록 하는 것이 있다. Driscoll(2005)은 "학습자가 학습 활동의 관련성을 알고 있는지 여부와는 별개로, 이들이 학습에 참여하게 하는 방법을 찾는 것은 이들을 동기화하는 효과적인 수단이 될 수 있다" (p. 336)고 하였다. WBI에서 이러한 것들에는 경쟁적 또는 협동적 집단 활동 또는 자습 활동을 통하여 학습자들이 도전해보게 하는 방법을 찾는 것이 있다.

셋째, *자신감 주입* 전략은 학습자가 도전적인 과제를 성공적으로 완수할 때 자신의 능력에 자신감을 형성하도록 해준다. 이 과제는 Vygotsky의 근접발달영역(ZPD: Zone of Proximal Development) 내에 있어야 한다(Driscoll, 2005). Ormrod(2004)는 ZPD가 개인이 개인의 힘으로 할 수 없는 과제와 다른 이의 도움으로 할 수 있는 과제 간의 범위라고 하였다. 학습자들은 그러한 과제를 동료와(일반적으로 자신보다 뛰어나고 유능한 학습자와) 협력함으로써 완수한다. Driscoll과 Ormrod는 학습자가 자신감을 얻고, 독립적으로 무엇인가를 할 수 있게 될 때 도움은 줄어들 수 있다고 하였다. 예를 들면 학습자는 WBI 후반부보다 초반부에 과제를 시작하고 진행할 때 교수자 또는 멘토의 도움을 많이 필요로 한다.

마지막으로, *만족감 증진* 전략은 획득한 지식과 기술을 유의미하게 또는 자연스러운 결과를 통하여 사용해보게 한다(Keller, 1987, 1999). WBI에서 학습자는 프로젝트 중심 또는 문제해결 과제에서 새로 획득한 기술을 사용해 봄으로써 만족감을 얻는다. Driscoll(2005)은 교수에서 자연스러운 결과를 이용할 수 없을 때, 대신 긍정적인 결과(칭찬이나 다른 보상 또는 인센티브와 같은 것)를 사용할 수 있다. 여기에서 WBI 설계 전략은 피드백을 제공하는 것이다.

Wlodkowski와 Ginsberg의 동기 프레임워크. 교수설계자에게 비교적 덜 알려진 두 번째 동기 이론은 Wlodkowski와 Ginsberg의 동기 프레임워크이다(Wlodkowski, 1997, 1999; Wlodkowski& Ginsberg, 1995). 이것은 모든 학습자와 영역에서 학습을 위한 동기에 초점을 두며, Keller의 분류와 유사한 네 개의 요소를 가지고 있다. 표 7.7에 Wlodkowski와 Ginsberg의 동기 요소를 설명하였다.

첫 번째 동기 요소는 *관계 성립하기로*, 교수자와 학습자가 서로 존중하고, 이들이

표 7.7 Wlodkowski와 Ginsberg의 동기 프레임워크 요소

요소	전략
관계 성립하기: 교수자와 학습자가 서로 존중하고, 이들이 상호 연결되어 있는 학습공동체와 분위기를 만들기	• 학습자들이 서로 알 수 있도록 해주는 딱딱한 분위기를 깨는(아이스브레이커) 활동을 하게 한다. • 교수자는 코스와 사전 경험을 이야기하도록 공개적인 채팅 또는 토론을 주재한다.
학습자의 태도 형성하기: 관련성과 선택을 강조하여 학습 경험을 촉진하기	• 학습자들이 가능한 목표, 내용, 평가를 포함하고 있는 수업 경로를 정하면서 참여하도록 한다. • 학습자의 개인적 또는 전문적 관심과 관련된 프로젝트 주제를 이들이 선택해 보도록 한다.
학습자의 이해 높이기: 도전적이고, 성찰적인 학습 환경을 구성하기	• 고도의 비판적 사고와 문제 해결 기법을 요하는 복잡한 문제를 제시하는 사례 연구를 활용한다. • 학습자의 성찰과 더불어 실세계의 문제를 이론적 틀에 적용하는 것을 장려한다.
능력 높이기: 학습자가 중요시하는 내용, 기술, 능력에 있어서 계속된 성공을 경험하게 하기	• 다양한 수준의 학습 범주에서 연습할 수 있도록 길을 제공한다. • 연습 활동과 학습자의 개인적 관심과 전문적 관심을 일직선상에 있게 한다.

출처: 표 안의 데이터는 Wlodkowski(1997, 1999); Wlodkowski & Ginsberg(1995)을 참고하였다.

상호 연결되어 있는 학습공동체와 분위기를 만드는 것이다(Wlodkowski, 1997; Wlodkowski& Ginsberg, 1995). 이 요소를 적용하는 것은 원격 교육의 부정적인 면–고립감(Sriwongkol, 2002)–을 피할 수 있게 한다. 사회문화적 관점으로 알려진 비고츠키 이론에 따르면 인지 발달은 사회와 문화에 영향을 받기 때문에, 독립적으로 이루어지지 않는다(M. P. Driscoll, 2005; Ormrod, 2004). Ormrod는 지식 구성(이것을 어떤 이론가들은 구성주의로 보고, 어떤 이론가들은 정보 처리 이론으로 본다)은 개인의 독립적 활동으로 일어나거나 또는 개인이 누군가와 함께 학습할 때 (*사회적 구성*으로) 일어난다고 주장한다. 더군다나 그녀는 사람들은 본질적으로 사회적 동물이기 때문에 학습의 일부분은 다른 이들(동료나 성인)과 상호작용을 하면서 일어난다고 하였다. 그녀는 '피아제와 비고츠키는 학습과 인지 발달에 있어서 동료 간 상호작용의 중요성을 주장하였다' (p. 403)고 하였다. WBI에서 학습자가 학습공동체의 일원이 되도록 하기 위하여 '관계 성립하기' 요소를 적용한 동기 전략에는 학습자 상호작용을 촉진하는 오프닝 아이스브레이커 제공, 공통 목표 만들어보기, 협력 활동하기가 있다. 학습자의 자기소개 또는 개인 웹페이지를 작성하게 하는 것은 학습자의 이름과 얼굴을 연결할 수 있도록 해준다. 또 다른 동기 전략으로 학습자들이 서로 기술적 문제를 도와주거나 내용에 관하여 질문할 수 있도록 토론방을 만들어 보도록 하는 것이다. 이 WBI 토론방은 때로 학생 휴게실, 로비, 열린 토론, 카페로 불리기도 한다.

두 번째 동기 요소는 *[학습자의] 태도 형성*하기로, 관련성과 선택을 강조함으로써 학습 경험을 촉진한다(Wlodkowski, 1997; Wlodkowski & Ginsberg, 1995). 이 요소는 학습자가 개인적으로 유의미한 학습을 하도록 촉진하고, 개인의 선택이 가능하도록 강조하는 데 있어서 Keller의 관련성 짓기 전략과 유사하다. WBI에서 '태도 형성하기' 요소를 적용한 동기 전략에는 학습자에게 WBI가 자신의 니즈, 능력, 목적과 관련됨을 확인할 수 있도록, 예를 들어 실전연습 등을 제공하는 것이 있다. 또 다른 동기 전략으로 학습자들에게 학습 경험 전반에 걸쳐 선택할 수 있는 기회를 제공하는 것이 있다.

세 번째 동기 요소는 *[학습자의] 이해 높이기*로, 도전적이면서 성찰적인 학습 경험을 만드는 것이다(Wlodkowski, 1997; Wlodkowski & Ginsberg, 1995). 이 요소는 학습자에게 도전감을 주고, 내용의 이해를 구축하거나 높이는 것과 관련되어 있다는 점에서 Keller의 자신감 전략과 유사하다. 집단 상호작용(토론, 집단 프로젝트 등)을 통한 경험의 공유와 개별 활동(성찰 저널 작성하기, 웹 검색 등)으로 학습자는 집단과 개인의 관점에 기반을 두고 WBI를 이해할 수 있게 된다. 이해를 증진하고 이들을 격려하는 피드백을 제공하는 것 또한 이들의 이해를 촉진한다.

마지막 동기 요소는 *역량 높이기*로, 학습자가 중시하는 내용, 기술, 능력에 있어서 지속적으로 학습자가 성공하도록 하는 것이다(Wlodkowski, 1997; Wlodkowski & Ginsberg, 1995). 이 요소는 Keller의 자신감과 만족감 전략과 유사하다. 이 교수 전략은 교수 활동을 통하여 연습과 시현할 수 있는 기회를 제공한다. 또 다른 전략으로 레슨 초반부에 비교적 단순하고 쉬운 연습을 제공하고, 학습자가 성공할 때 난이도를 높임으로써 WBI가 진행될수록 학습자의 자신감이 높아지도록 한다.

Driscoll(2005)은 "[학습자] 동기는 이들의 기대가 충족되고, 자신의 성공을 노력과 효과적 학습 전략으로 귀인시킬 때 높아진다"(p. 331)고 주장한다. 또한 설계자는 교수에 포함시킬 동기 이론을 이해하고 있어야 한다고 하였다. Keller와 Wlodkowski와 Ginsberg의 동기 이론은 WBI 설계자에게 학습자의 관여, 참여, 파지를 촉진하는 전략을 제공한다.

GardenScapes 사례

Elliott과 Kally는 이 동기 전략을 교수 전략 섹션 뒤에 나오는 WBI 프로젝트 개요의 오른쪽에 추가하면서, *GardenScapes* 동기 전략을 규명하였다. 이것은 동기 전략이 참여자들을 어떻게 동기화하는지에 대하여 설명한다.

WBI 전략 워크시트

GardenScapes 동기 전략 개요

학습 안내

- *GardenScapes*의 첫 번째 활동 중 하나로 아이스브레이커를 사용한다.
- 참여자의 간략한 자기소개와 사진을 포함시킨다.
  (학습공동체 내 관계를 성립하는 데 도움이 된다)

내용 제시

- 학습자가 자신의 정원 테마를 선택하도록 한다.
- 각 레슨의 내용은 개인의 관심이기 때문에 학습자와의 관련성이 높다.
  (관련성과 선택으로 학습자의 태도를 계발한다)
- 학습자들은 서로 경험을 공유하고, 자신의 정원 계획에 정원수 선택을 반영하도록 하게 한다.
- 학습자는 채팅, 게시판, 이메일을 통하여 아이디어를 공유할 수 있다.
  (학습공동체 내 관계를 성립하는 데 도움이 된다)
- 레슨 내용은 대화체이다.
  (자신감을 높인다)

WBI 전략 워크시트 (계속)

GardenScapes 동기 전략 개요

- 예와 시나리오는 학습자들의 정원 설계에 아이디어와 힌트를 제공한다.
  (학습자들의 이해를 높이기 위하여 도전적인 문제를 생성한다)
- 학습자는 교수자의 이메일을 통하여 레슨에 개략적으로 설명되어 있는 기술을 연습한다.
  (역량을 높인다)
- 교수자는 적극적 참여와 긍정적 태도의 본을 보여준다.
  (학습공동체 내 관계를 성립하는 데 도움을 주고, 학습자의 태도를 계발한다)

학습 결과 측정

- 교수자는 구성적 피드백과 긍정적 이메일 메시지를 제공한다.
  (학습공동체 내 관계를 성립하도록 한다)
- 피드백은 레슨에 걸쳐 제공되고, 코스 후반부에 정원 설계 계획의 점수가 매겨진다.
  (역량을 높이고, 학습자 태도를 계발한다)

요약 및 종결

- 학습자는 미래에 있을 정원에 대한 성공적 경험을 공유하기 위하여 학습공동체와 지속적으로 연락을 취하도록 장려된다.
- 정원 설계와 만들어진 정원의 사진이 담겨있는 아카이브 웹사이트가 만들어진다.
  (역량을 높이고 학습자 태도를 계발한다)

Elliott과 Kally는 WBI 프로젝트 개요에 언급한 모든 전략들을 각 레슨에 통합시켜야 함을 인식하고 있다.

GardenScapes 설계 문서 내의 WBI '전략 워크숍' 은 자매 사이트 (http://www.prenhall.com/davidson-shivers)를 참고하자.

생각해보기

여러분의 WBI 프로젝트에서 어떤 동기 프레임워크를 사용하고 있는지 진술하자. 네 개의 교수 전략 구성요소를 위한 동기 전략을 규명하고, 이것들이 어떻게 학습자 동기를 촉진하는지 설명해보자. 동기 전략을 '설계 문서' 중 일부에 이미 작성한 'WBI 전략 워크시트' 에 통합시키거나 분리된 워크시트에 추가하자.

(다른 교수설계자들이 동일한 문제들을 어떻게 해결하고 있는가를 알아보기 위해 이 장의 후반부에 제시된 사례 연구를 살펴보기 바란다.)

WBI '전략 워크시트' 템플릿을 인쇄하려면 자매 사이트 (www.prenhall.com/davidson-shivers)를 참고하자.

WBI 설계에서 고려해야 하는 기타 요소

전달 시스템과 관계 없이, 훌륭한 교수는 학습 상황에 적합한 교수 전략과 동기 전략을 혁신적으로 사용하는 데 달려있다. 웹기반 환경에서 문제는 진술된 교수 목표에 맞는 학습자 능력을 키울 수 있도록 장려하는 적합한 전략을 선택하는 것이다. 그런데 훌륭한 교수 전략과 동기 전략을 설계하는 것은 독립된 활동이 아니어서 동시에 고려되어야 하는 다른 요소들이 있다. WBI 설계에 영향을 주는 요소들을 규명해보자. WBI 설계에서 고려해야 하는 주요 요소로는 학급 규모, 내비게이션, 학습자 통제, 피드백, 상호작용이 있다. 고려해야 하는 또 다른 요소에는 미디어 선정이 있는데, 이는 이 장의 마지막에서 다룬다.

학급 규모

WBI 설계에 있어서 실질적인 문제는 얼마나 많은 학습자가 WBI에 등록할 것인가이다. 적절한 학급 규모를 정하기 위하여 설계자는 학급 규모, 코스 요구사항과 계열화, 웹기반 환경을 위한 지원과 기술 인프라에 관한 조직 정책을 검토한다. WBI와 학습공동체 내에서 설계자는 내용의 복잡성과 학습공동체 팀 구성원(교수자, 멘토, 학습자)의 이용가능성과 경험 수준을 고려한다. 예를 들면, WBI 전달을 계획할 때, 교수자의 전체 업무 부담(교수 활동 제외)과 온라인 교수 경험, 학습자의 온라인 학습 경험과 동기를 고려해야 한다(Collison, Elbaum, Haavind, & Tinker, 2000). 온라인 교수 유형(즉, WBI, WEI 또는 WSI), 상호작용 수준, 코스 과제의 난이도 또한 등록하는 학습자의 수에 영향을 끼친다.

이러한 요소들의 조합은 적절한 학급 규모를 결정한다. 예를 들면, 코스가 강력한 지원, 낮은 수준의 상호작용, 숙련되지 않은 학습자를 가정한다면, 교수자는 숙련된 학습자가 있는 코스보다 교수자와 학습자의 비율을 더 낮춘다. 또 다른 예로, 코스가 개론 수준의 내용이고, 단순한 과제, 객관식 유형의 평가와 낮은 수준의 상호작용을 요구한다면, 더 큰 규모의 학생 등록이 가능하다. 복잡한 내용과 어려운 과제를 포함한 높은 상호작용을 가진 코스에는 소규모의 학급 규모가 적당하다.

대부분의 경우, WBI 학급 규모는 전통적 교육과 훈련 코스에서의 크기를 반영한다. 앞의 예 중 첫 번째 시나리오는 세미나 유형의 코스와 유사하다. 두 번째 시나리오는 대규모의 강의, 세 번째 시나리오는 프로젝트 기반 또는 문제기반 코스와 유사하다.

숙련된 온라인 교수자는 10~25명 규모의 학급 규모, 그리고 중간 정도의 상호작용을 가진 WBI 코스를 별 어려움 없이 운영할 수 있다. 내용과 과제의 복잡함 정도가 낮고, 상호작용 수준이 중간 정도이고, 학습자가 온라인 학습 경험을 가지고 있는 경우 멘토를 추가하면, 학급 규모의 증가는 가능하다. 학급 규모 또는 조직의 정책을 정하는 일은 온라인 교수자가 부딪히는 문제 중 하나이다(1장 참고).

내비게이션과 학습자 통제

WBI 설계 및 전달을 둘러싼 두 번째 요소로 내비게이션과 학습자 통제가 있는데, 이는 WBI에서 학습자들이 행동하는 방법을 결정한다. **내비게이션(navigation)**은 최종 사용자가 교수 웹사이트를 돌아다니는 경로이다. 내비게이션 경로는 다양한 활동에 어떻게 도달해야 하는지를 정하는 것과 같은 추가 활동을 하지 않게 하기 위하여 학습자가 이해하고, 위치를 알아내기 쉬워야 한다(Hannum, 2001; Khan, 2001). 내비게이션 요소(예: 사이트맵, 인덱스, 버튼이나 아이콘)는 웹사이트에 두드러지게 제시되어야 하고, 인지적 부담을 최소화하도록 직관적이거나 논리적이어야 한다(Berry, 2000; Nielsen, 2000). 내비게이션하는 것이 어려워지면, 학습자는 학습보다 부딪힌 내비게이션 문제를 해결하는 데 초점을 두게 된다.

학습자 통제(learner control)는 개인이 학습 환경에 쏟는 조절의 양을 말한다. 학습자 통제는 무엇을 배울지, 어떻게 그것을 배울지, 언제 그것을 배울지를 선택하고 통제하도록 한다(Lin & Davidson, 1996; Rasmussen & Davidson, 1996). 학습자 통제는 순서, 속도, 디스플레이 모드, 내용, 교수 전략, 종료 시점, 연습량, 난이도 수준과 같은 변인들에 의하여 정의될 수 있다(Hannafin & Peck, 1988; Yoon, 1993-1994).

내비게이션과 학습자 통제에 관한 추가 내용은 부록 B를 참고하자.

피드백

피드백을 교수 전략과 동기 전략에서 언급하였지만 여기에서 다시 강조하고자 한다. 피드백은 WBI 설계 및 전달에 지대한 영향을 끼친다. 피드백은 학습자가 자신에게 할당된 WBI 활동을 하면서 생긴 질문이나 코멘트를 하고, 그에 대한 응답을 받는 과정이다(그림 7.2). 피드백 니즈를 규명하는 것은 학습공동체가 교수자에게 요구할 수 있는 것을 미리 준비하는 하나의 방법이다(Persichitte, 2000).

학습자가 바라는 피드백과 이에 대하여 시의적절한 방법으로 응답해주는 교수자의 능력은 균형을 이루어야 한다. 대규모의 학습자에게 개별적, 즉시적인 응답 유형은 교수자의 업무 부담을 가중시킨다; 능동적인 학습공동체는 부담을 줄여주는 다른 유

▶ 그림 7.2 이메일 피드백의 예

예 1: 전체에게 제공되는 피드백

수신자: 학급
참조:
비밀참조:
제목: 도구에 관한 토론

여러분 모두가 열심히 노력하고, 서로가 서로의 도구에 대하여 피드백을 주는 것에 대하여 제가 너무 고마워하고 있다는 것을 모든 분들이 알아주기를 바랍니다. 이러한 연습을 거치면서, 어떻게 피드백이 점점 상세화되고 효과적인지를 확인할 수 있게 되어 매우 행복하고 기쁩니다.
여러분의 수고에 감사드립니다.

예 2: 개별 학습자에게 제공되는 자동화된 피드백

수신자: 학생
참조: 교수자
비밀참조:
제목: 여러분의 과제

여러분은 성공적으로 과제함에 파일을 업로드하였습니다. 여러분은 다음 레슨으로 넘어갈 준비가 되었습니다.

형의 피드백을 사용할 필요가 있다.

참가자들과 이들의 동료, 멘토는 이메일, 대화방, 게시판을 통하여 피드백을 제공할 수 있다. WBI도 자동 응답을 하는 이메일, FAQ 웹페이지, 등록된 이들 모두에게 응답하는 리스트서브, 정확한 답을 제공하는 웹페이지를 연결한 링크와 같은 자동화된 피드백을 사용할 수 있다. 피드백은 LMS를 통하여 프로그램화될 수 있으며 (Darbyshire, 2000), 이러한 유형의 기술적 지원은 학습자의 걱정과 교수자의 업무 부담을 경감시켜 준다.

상호작용

상호작용도 'WBI 전략' 섹션에서 다루었지만 여기에서 다시 강조할 필요가 있다. 학습공동체와 WBI에 있는 참여자 간 또는 참여자들끼리 트랜스액션(transaction)으로서의 상호작용은 상호작용의 구조와 초점에 따라 다양한 방법으로 정의된다(Wagner, 2001)(1장 참고). 상호작용 수준과 학습공동체 유형은 WBI에서 어떤 교수 전략과 동기 전략을 사용할지를 정하는 데 도움이 된다.

▶ 그림 7.3 전향적 상호작용 토론

전향적 상호작용의 예: 학습자에게 문제가 주어지고, 이에 대해 동료와 토론하면서 상황을 이해하게 된다.

사례 연구에 있는 정보와 보충 자료를 검토해보자. 여러분의 데이터를 이해당사자들 중 한 명의 관점에서 취해보자. 여러분의 관점에 근거하여 데이터를 해석하고, 그러한 해석에 따라 권고사항을 개발한다. 여러분의 해석과 권고사항을 여러분의 집단과 공유하도록 한다. 집단적으로, 학급과 공유하기 위하여 집단의 해석과 권고사항을 개발한다. 개별적으로, 다른 집단이 요약한 내용에 대하여 최소한 하나를 비평한다. 여러분의 코멘트에서, 강약점을 규명하고, 그 이유를 설명한다.

〈토론방〉
- 〈응답〉
- 〈응답〉
  - 〈응답〉
- 〈응답〉
  - 〈응답〉

〈토론방〉
- 〈응답〉
  - 〈응답〉
  - 〈응답〉
    - 〈응답〉
- 〈응답〉
  - 〈응답〉
- 〈응답〉

〈기타〉

Schwier와 Misanchuk(1993)은 상호작용의 유형을 후향적, 전향적, 상호적 유형으로 나누었다. *후향적 상호작용(reactive interaction)*은 학습자들의 자극에 반응 또는 질문에 답할 때 일어난다. *전향적 상호작용(proactive interaction)*은 설계자나 교수자의 기대 이상으로 학습자들이 자신의 지식을 구성할 때 일어난다(그림 7.3). *상호적 상호작용(mutual interaction)*은 학습자가 학습 환경의 일부분이 될 수 있는 인공지능 또는 가상현실에 중심을 둔다. 학습공동체에서 가장 잘 적용할 수 있는 상호작용 유형은 수동적 학습보다 능동적 학습에 초점을 둔 전향적 상호작용이다.

이와 더불어, 토론과 관련된 상호작용 유형은 학습자-학습자, 학습자-교수자, 학습자-학습 내용으로 나눌 수 있다(Beer, 2000; Davidson-Shivers et al., 2001; Davidson-Shivers, Morris, & Sriwongkol, 2003; M. Driscoll, 1998; Fisher, 2000; Horton, 2000; Moore, 1989; Rasmussen & Northrup, 2000). Rasmussen과 Northrup(2000)은 학습자-LMS라는 네 번째 유형의 상호작용을 제안하였다. 이러한 네 가지 유형의 상호작용

전략은 'WBI 전략 워크시트' 에 통합될 수 있다. 표 7.8은 네 개의 각 유형에 해당하는 상호작용을 활성화하는 전략 샘플을 제시한다. 이러한 전략을 혼합하여 사용하는 것은 WBI의 학습자 경험을 강화시켜 준다. 상호작용 수준을 계획하는 것은 WBI 내에서 개별 활동과 학습공동체 개발을 활성화한다.

설계자는 WBI 설계 및 전달 전략을 계획할 때, 표 7.8과 7.9에서 살펴본 요소들을 고려한다. 이상적인 설계 상황일 때, WBI 설계 전략은 이 요소들에 영향을 주는 원동력이 된다(Smith & Ragan, 2005). 종종 설계 상황에 의하여 전략이 규명되면서 이 요소들도 함께 고려되기도 한다. 그러나 다른 상황에서는 요소들이 이미 정해져 있으며, 이 요소들이 교수 전략과 동기 전략을 이끌어 내기도 한다. '설계 문서' 는 'WBI 전략 워크시트' 내에 있는 상호작용 요소를 확인하는 곳이다(표 7.9).

표 7.8 상호작용 유형에서 가능한 전략

학습자-학습 내용	학습자-학습자	학습자-권위자	학습자-LMS
• 텍스트와 오디오 기반의 내용을 제시함 • 내용을 명확하게 조직함 • 선행조직자를 사용함 • 강조, 요점, 질문과 같은 내재된(embedded) 학습 전략을 사용함 • 목차에 하이퍼링크를 사용함 • 관련된 많은 예를 사용함	• 그룹 프로젝트를 부여함 • 동료 피드백을 요구함 • 공부 친구를 만듦 • 게시판의 내용을 공유하고 성찰을 요구함 • 수업 초기에 아이스브레이커를 사용함 • 수업 안팎에서 사회적 상호작용을 장려함	• 개인이 노트를 전체 학급에 이메일로 보냄 • 온라인 수업시간에 대화방을 사용함 • 학급에서 집중 토론을 위하여 대화방을 사용함 • 채팅하기 전에 의제 또는 질문을 배포함 • 도움을 줄 수 있는 멘토를 둠 • 게시판을 요약함 • 학습자의 진도를 모니터링하는 데 저널을 사용함	• LMS 기능인 성적표를 사용함 • 과제 기한이 다가오면 학습자에게 알려줌 • 점수가 매겨지면, 학습자에게 알려줌 • 등급을 매기기 위한 파일을 올리고 이를 개인에게 배포함 • 코스 공지사항, 정보와 기한일을 어디에서나 접근할 수 있도록 함

출처: 표 안의 데이터는 Brooks(1997), Cecez-Kecmanovic & Webb(2000), Hedberg et al.(2001), MacKnight(2001), Malaga(2000), Moore(1989), Norman(2000), Rasmussen & Northrup(2000); Palloff & Pratt(1999), Spector & Davidsen(2000)을 참고하였다.

표 7.9 WBI 설계 및 전달에 영향을 주는 요소

WBI 설계에 영향을 주는 요소
학급 규모: 학급 규모와 관련된 계획이나 실재를 규명하자.
내비게이션과 학습자 통제: 내비게이션과 학습자 통제를 다루기 위한 계획과 실재를 규명하자.
피드백: 피드백 전략과 관련된 계획이나 실재를 규명하자
상호작용: 상호작용과 관련된 계획이나 실제를 규명하자.
기타 요소: 영향을 주는 기타 요소와 관련된 계획이나 실재를 규명하자.

GardenScapes 사례

Elliott과 Kally는 *GardenScapes* 코스와 관련하여 내비게이션, 학습자 통제, 피드백, 상호작용을 고려하고 있다. 이들의 계획은 다음 표와 같다.

WBI 프로젝트와 관련된 요소들을 다루기 위한 계획

학급 규모

- 학급 규모는 코스에 설계된 상호작용 수준과 Kally와 대상 학습자의 경험 수준을 고려하여 25명으로 제한한다.
- 성적이 부여되는 긴장을 주는 과제가 없지만, Kally와 해당 학급을 맡고 있는 멘토는 실제 정원 설계와 최종 계획으로 이어지는 참여자의 과제에 대해 피드백을 제공한다.
- 온라인으로 코스가 처음 운영되고 교수 전략이 형성평가를 통하여 검증되고 있을 때, 학급 규모를 최종적으로 고려한다. 학급 규모는 Kally가 온라인 교수에 대한 경험이 늘어나고 학습자들이 웹과 온라인 학습에 친근해졌을 때 늘어날 수 있다.
- 방침 안내서에 있는 CDE는 평생학습 코스의 학급 규모를 최대 35명으로 정한다. 이 제한은 상호작용이 낮고, 평균적인 온라인 학습 기술을 가진 교수자와 학습자, 학습공동체의 일부인 멘토가 포함되어 있는 WBI 코스를 위하여 정해졌다.

내비게이션과 학습자 통제

- 학습자 통제가 많이 사용된다. LMS 내의 서로 다른 영역에 임의로 접근할 수 있도록 개방형 내비게이션 시스템을 사용한다.
- 버튼과 링크는 쉽게 내비게이션할 수 있도록 각 페이지의 동일한 위치에 있다.
- 동일한 아이콘과 그래픽으로 버튼과 링크를 나타낸다.

피드백

- 웹페이지는 공통적으로 하는 질문의 답을 가지고 있다.
- 질문과 답이 내재되어 있다.
- 교수자와 전문가 데이터베이스에 링크로 접속한다.
- 24시간 내로 교수자가 또는 자동 메시지가 담긴 이메일(주말인 경우 사용)이 메시지를 제공한다.
- 교수자는 피드백을 제공하기 위하여 주 1회 채팅을 한다.
- 멘토는 24시간 내에 질문에 응답한다.
- 멘토는 피드백을 제공하기 위하여 주 1회 채팅을 한다.

상호작용

- 참여는 장기간동안 일어난다. 레슨은 높은 수준의 상호작용이 일어날 수 있는 가능성을 가지고 있다.
- 학습자는 사전 경험, 교수적 · 기술적 문제, 질문을 공유한다. 여기에는 이메일, 대화방, 게시판이 사용된다.
- 내용과의 상호작용은 선행조직자와 리스트 작성하기, 질문하기와 같은 내용 조직 전략을 통하여 일어난다.
- 성적은 LMS에 게시되고 피드백은 LMS를 통하여 제공된다.

Elliott과 Kally는 승인을 받고자 Carlos에게 '설계 문서' 를 제출하였다. 이들은 설계 기획을 계속 진행하고, '미디어 선정' 이라는 최종적인 고려를 하게 된다.

GardenScapes 설계 문서의 WBI '전략 워크숍' 은 자매 사이트 (http://www.prenhall.com/davidson-shivers)를 참고하자.

생각해보기

여러분의 WBI 설계에 영향을 주는 내비게이션, 학습자 통제, 피드백, 상호작용과 같은 요소를 다루는 계획을 설계하자. 여러분의 '설계 문서' 에 이 계획을 구성하고 있는 요소들에 대하여 기술해보자.

(다른 교수설계자들이 동일한 문제들을 어떻게 해결하고 있는가를 알아보기 위해 이 장의 후반부에 제시된 사례 연구를 살펴보기 바란다.)

WBI '전략 워크시트' 는 자매 사이트 (http://www.prenhall.com/davidson-shivers)를 참고하자.

WBI 미디어 선정

웹은 WBI 학습 환경의 확장이라는 가능성을 가지고 있다(1장과 2장 참고). 온라인 환경 초기 즉, 웹이 출현할 때까지 인터넷은 주로 하이퍼링크로 연결된 텍스트 기반이었으며, 그래픽이나 오디오, 비디오는 없었다(Crumlish, 1998; Smaldino et al., 2005). 향상된 컴퓨터 시스템과 서버, 향상된 액세스(정보의 입출력), 증가된 대역폭을 가진 다양한 미디어가 WBI에 통합될 가능성이 있으며, 또 이는 계속하여 발전하고 있다. 미디어의 주요 옵션은 텍스트, 그래픽, 오디오, 비디오와 관련되어 있다(Microsoft의 *PowerPoint*와 Macromedia의 *Flash*, *Director*와 같은 제품을 포함).

다음 요소들은 WBI에 사용할 미디어의 선정에 영향을 준다.

- 'WBI 전략 워크시트' 에 설명되어 있는 교수 및 동기 전략
- 학습자와 교수자를 위한 웹 환경의 기술적 측면(대역폭과 컴퓨터 용량)과 조직에서의 WBI 호스팅 여부
- 미디어 개발에 있어서 설계자의 전문성 또는 설계팀에서 미디어 전문가(그래픽 디자이너, 비디오 예술가 등)를 확보하거나 활용하는지의 여부

종종 이러한 요소들과 적절한 미디어를 선정하는 것은 매우 상보적 관계를 가지고

표 7.10 WBI 미디어 유형을 규명하는 데 고려해야 하는 질문들

교수적 질문	기술적 질문
• 미디어가 학습자가 내용을 이해하는 데 도움을 주는가? • 미디어가 학습자를 동기화시켜 주는가? • 미디어가 WBI 환경을 지원하는가 방해하는가? • 학습자 또는 교수자가 미디어를 사용하는 데 훈련을 받아야 하는가? • 미디어는 목표, 내용, 전략과 어우러지는가?	• 미디어에 접속하기 쉬운가? • 미디어에 접속하고 사용하는 데 부가적 지원이 필요한가?(예: 플러그인, 특정 프로그램) • 학습자에게 어느 정도의 대역폭이 가능한가? • 누가 미디어를 만들 것인가?

있다. 때때로 설계자 또는 설계팀은 전략을 설계하고 난 후 미디어를 선정한다. 또 어떤 경우에는 미디어 선정을 교수 전략과 동기 전략을 계획하기 전에 결정하기도 한다. 어떤 경우이든 웹기반 학습 환경의 주목적은 학습자가 목표를 달성하도록 지원하는 것이기 때문에, 선정된 미디어 유형은 WBI에 가치를 더해주어야 한다. 표 7.10에 WBI에서 미디어를 선정할 때 설계자가 고려해야 할 교수적 · 기술적 질문을 규명하였다.

GardenScapes 사례

이전에, Elliott은 미디어 선정과 관련하여 몇몇 질문에 봉착하였다; 그와 Kally는 *GardenScapes*에 통합할 미디어 유형을 정하기 위하여 다음과 같은 질문을 해보았다.

- 미디어가 내용과 관련성이 있는가?
- 미디어가 내용을 지원하는가?
- 학습자가 미디어를 사용하는 데 어떤 종류의 훈련이 필요한가?
- 누가 미디어를 제작할 것인가?

이들은 미디어를 선정하기 위한 위의 질문에 답하기 위하여 'WBI 전략 워크시트'에서 제공하는 정보, 웹사이트 내 사용가능한 기술, TDLC 직원들의 미디어 개발 전문성을 고려한다.

GardenScapes에서 사용할 미디어 유형 정하기

- 정원 견본에 단막의 비디오 클립과 사진을 사용할 것이다.
- 홈페이지와 각 레슨을 소개하는 페이지에 오디오와 스틸 사진을 사용할 것이다.

- 콘텐츠는 텍스트와 그래픽으로 구현되어 전달된다.
- TDLC 직원은 TDLC 웹 미디어 서버에서 제공할 예정인 미디어를 개발할 것이다.
- 학습자가 플러그인을 다운로드받을 필요가 없도록 제작된 미디어는 LMS를 통하여 활성화될 것이다. 이렇게 LMS에 연결된 객체는 학습자가 추가적으로 미디어 사용에 대해 훈련받아야 할 필요성을 줄여준다.

GardenScapes 설계 문서 내의 WBI '전략 워크숍' 은 자매 사이트 (http://www.prenhall.com/davidson-shivers)를 참고하자.

생각해보기

미디어 선정을 위하여 언급해야할 질문을 규명하고 난 후, 이 질문을 여러분의 WBI에 적합한 미디어 유형을 규명하는 데 사용해보자. 어떤 근거에 의하여 미디어를 선정하였는가? 이 아이디어를 구체화하고, 이를 'WBI 전략 워크시트' 에서 설명해보자.

(다른 교수설계자들이 동일한 문제들을 어떻게 해결하고 있는가를 알아보기 위해 이 장의 후반부에 제시된 사례 연구를 살펴보기 바란다.)

WBI '전략 워크시트' 템플릿을 인쇄하려면 자매 사이트 (www.prenhall.com/davidson-shivers)를 참고하자.

마무리하기

이 장은 6장에 이어서 동시적 설계 단계에서 수행되는 핵심 설계 과제의 나머지 부분에 대하여 다루었다. 우선 LMS 특징을 간단히 살펴보았다; LMS는 중요한 도구이지만, 살펴본 특징들 중 대부분은 설계자가 LMS를 사용하지 않을 때조차 가능하다. 둘째, WBI에서 사용되는 적절한 교수 전략과 동기 전략을 확인하고, 이를 문서화하는 방법인 'WBI 전략 워크시트' 를 소개하였다. 셋째, 교수 전략을 설계하는 개념적 프레임워크—학습 안내, 내용 제시, 학습 결과 측정, 요약 및 종결—를 살펴보았다. 넷째, 동기 전략도 살펴보았다. 이 동기 전략들은 Keller(1987, 1999)의 ARCS 모형, Wlodkowski와 Ginsberg의 동기 프레임워크(Wlodkowski, 1997, 1999; Wlodkowski & Ginsberg, 1995), 또는 또 다른 동기 이론에 기반을 두고 있다. 다섯째, 교수 및 동기 전략 외에 학급 규모, 내비게이션, 학습자 통제, 피드백, 상호작용과 같은 요소들을 WBI 설계 및 전달에 영향을 줄 수 있는 기타 고려사항으로 다루었다. 마지막으로 미디어 선정에 대하여 다루었는데, 이는 교수 전략 및 동기 전략의 규명과 상보적 관계를 가진다.

토론 과제

1. 설계에 대한 종합적 전략 계획을 세우는 것이 중요한가? 여러분의 답을 정당화해 보자.
2. ('WBI 전략 워크시트' 에서 설명하고 있는) 교수 전략의 개념적 프레임워크를 만들 때 유연성을 고려해보자. 구성주의자(또는 행동주의자 또는 인지주의자)가 웹기반 학습 환경을 구축할 때 어떻게 이 프레임워크를 사용할 수 있는가?
3. 두 개의 동기 이론을 이 장에서 다루었다. WBI 설계(또는 그 문제를 위한 교수 혁신)에 사용할 수 있는 또 다른 동기 이론이나 프레임워크가 있는가? 다른 동기 이론을 검색하여, 해당 문헌을 검토해보자.
4. 동기 전략은 교수 전략과 밀접히 연계되어 있는데, 설계 기획과 분리하여 설명할 필요가 있는가?
5. 학습자에게 제공되는 피드백은 어느 정도가 충분한 것인가? 어떤 요소가 피드백의 양과 시기를 다양하게 만드는가? 그 이유를 설명해보자.
6. 웹기반 학습에서 상호작용은 학습자가 공동체에 지속적으로 참여하도록 도와준다. WBI 설계에서 고려해야 하는 가장 중요한 상호작용 전략은 무엇인가? 다양한 유형의 상호작용 전략을 설명해보자.
7. 상호작용이 비교적 덜 일어나는 환경에서, 개별 학습자가 목표를 달성하도록 하는 WBI를 설계하는 데 중요한 교수 전략에는 무엇이 있는가?
8. 학급 규모, 내비게이션, 학습자 통제, 피드백, 상호작용 요소들이 교수 및 동기 전략 설계를 결정짓는가 아니면 그 반대인가? 이를 설명해보고, 그 근거를 제시해 보자.

사례 연구

1. 초 · 중 · 고등학교의 사례

Megan은 WSI를 설계하는 데 필요한 교수 전략의 구체화 작업을 시작하였다. 지금까지 그녀가 설계한 전체 교수 전략은 Dodge(1997)가 제안한 웹퀘스트에 바탕을 두고 있다.

웹퀘스트는 'WBI 전략 워크시트' 에 있는 구성요소와 일치한다. 탐구 능력은 학습 경험의 중심이기 때문에, 이 능력을 개발하는 의도를 가지고 학생들에게 주제를 탐색

웹 퀘스트	구조 전략
도입	레슨 프레임워크를 만들어보자; 부합하는 목표를 강조한다. 교실 수업에서 달성할 목표와 웹퀘스트 활동을 엮어보자.
과제	최종 프로젝트 설명을 포함하여, 완료해야 하는 과제를 제시하자.
과정	지시사항, 웹 링크, 내용, 워크시트, 활동의 일반적 구조를 제공하자.
평가	개발할 산출물의 기대사항을 구체적으로 설명한 루브릭을 제공하자.
결론	레슨을 요약하자. 교실 활동에 연계할 활동을 만들자.

하도록 하는 웹퀘스트는 적절한 프레임워크를 가지고 있다.

Megan은 웹퀘스트 전략을 살펴본 후, 이 전략이 굉장히 많은 양의 학습자 통제를 제공하도록 설계되었다는 것을 알게 되었다. 학생은 제시된 문제를 해결하기 위하여 인터넷에 접속한다. 과제와 안내를 제공받기는 하지만 학생들은 자신의 경로를 만들 수 있다. 탐구 능력을 개발하는 데 주 초점이 맞춰진 웹퀘스트에서 학생들은 과제 해결에 도움을 주는 워크시트를 제공받는다. 이러한 WSI에서의 활동에 대하여 교실에 있는 교사가 피드백을 제공한다.

Megan, Rhoda, Buzz는 WSI에 사용할 모든 전략들을 'WBI 전략 워크시트' 에 상세화한다. 아이디어가 정해지면 그들은 Cassie에게 피드백을 받기 위하여 Cassie와 공유한다.

Megan은 지역의 컴퓨터 센터를 책임지고 있는 직원인 Victor Gracie를 만났다. 이들은 미디어 선정의 기술 세분화—특히 지역 관할 네트워크 밖에서 학생들이 웹사이트에 접속하는 것—에 대하여 토론한다.

Rhoda와 Buzz는 자신들의 학생이 WSI에 대한 동기 수준이 매우 높다고 믿고 있다. 5학년 학생들은 교실에서 기술을 사용하는 것을 좋아하며, 협동 학습을 좋아하기 때문에 프로젝트 전반에 걸쳐 서로가 서로를 북돋아준다. 동기를 높이기 위하여 이 두 명의 교사들은 Keller의 ARCS 모형을 교실과 온라인 수업에 적용한다.

2. 기업의 사례

인턴 Stacey는 WBI에 적절한 교수 전략을 브레인스토밍하기 위해 TOAB를 검토한다. Homer와 Stacey는 전략에 대한 회의를 하고자 만난다.

'학습 안내' 전략의 일부분으로 Homer는 화재 안전의 중요성을 깨닫고 성취가 낮은 행동이 변화되는 데 임직원들이 동기화되는 것이 매우 중요하다고 Stacey에게 강조한다. 코스의 특성상 임직원들은 학습자 통제의 수준이 낮아, 이들 모두 유사한 방법으로 레슨을 거쳐 갈 수 있도록 내비게이션이 매우 구조화되어 있다. 자동 피드백은 온라인 강의에서, 특화된 피드백은 집합교육에서 제공된다.

내용 영역에 있어서, 임직원들은 안전 절차를 재빨리 수행할 수 있어야 한다. 웹기반 수업에서 집합 교육에서의 활동들과 밀접히 연결되어 있어야 하고, 또 이를 지원해야 한다. 평가는 두 가지 과정으로 일어나는데, 우선 임직원들은 온라인상에서 치러질 인지 검사를 통과해야 하고, 아울러 실제 적용 능력에 대한 검사를 받는다.

공장 관리자들, 특히 Bud Cattrell은 임직원들이 성공적으로 프로그램을 완수한 것을 문서화할 수 있어야 한다. 결국, 학습 진행은 모니터링되고, 추적될 예정이다.

3. 군의 사례

미 해군 교육 및 훈련 사령부 부함장의 지시하에, 설계 전략으로 재사용 학습객체(RLO: Reusable Learning Object) 기술을 사용하고자 한다. 텍스트, 그래픽, 애니메이션, 비디오, 오디오로 이루어진 설계의 각 구성요소는 공유할 수 있도록 데이터베이스에 저장된다. 서로 다른 이 요소들은 학습 자료로 묶을 수 있다. RLO의 가장 작은 객체 단위인 재사용 정보객체(RIO: Reusable Information Objects)는 교수 및 동기 전략을 규명한 메타데이터로 코딩되어 있다. RLO를 전략에 따라 만들고, 상용 LCMS를 통하여 데이터베이스에 저장한다.

각 팀이 교수 및 동기 전략을 제안한 후에, Feinstein 부함장과 Cole, Danielson, Carroll 대위들은 각 팀 진행사항을 검토하고자 만난다. 각 팀마다 사용하는 전략이 모두 동일해야 하는 것은 아니지만 상호보완적이어야 한다. 전략이 부대별로 검토된 후 승인되면, 부함장은 함장에게 업데이트된 내용을 브리핑할 예정이다.

Feinstein 부함장은 학급 규모에 대한 방침을 검토하고, 교수 전략 관점에서 서로 다른 학급 규모에 대한 함의를 개발하는 데에 관한 지시사항을 각 팀에게 제공한다. 게다가 내비게이션, 학습자 통제, 피드백을 위한 전략을 제안할 것이다.

Carroll 대위는 E2C2 코스에 사용될 미디어를 선택하고자 미디어 풀에 있는 그래픽 전문가들과 함께 일하기 시작한다. 그는 지금까지 개발된 학습 자료와 모든 팀들이 모여 미디어와 관련된 회의 일정을 그래픽 전문가들에게 제공하였다.

4. 대학의 사례

Shawn 교수는 그가 어떤 교수 전략을 하든지 간에 교수 전략이 코스, 궁극적으로는 학부 경영 프로그램의 성공에 가장 중요하다고 생각한다. 그의 조교인 Brian은 WEI 설계를 위한 교수 및 동기 전략을 브레인스토밍하는 데 많은 시간을 할애하고 있다. 이들은 학습자가 학습 자료를 어떻게 사용할 수 있는지 명확하게 규명하고, 내용이 학습자와 이들의 경력에 어떻게 관련되어 있는지를 깨달을 수 있도록 해야 한다. 또 학습자들이 연습해보고, 목표 달성의 수준을 평가받을 수 있는 기회를 가질 수 있도록 계획을 짠다.

이들은 전략을 브레인스토밍하고 조직하기 위하여 수정된 과제 페이지를 사용한다. Shawn 교수는 대부분의 군집화된 목표에 해당하는 내용을 이미 가지고 있다. 이 내용을 오디오 내레이션의 형태로 제시할 계획이어서, 개발해야 할 텍스트의 양은 많지 않다. 그러나 WEI에서 일부분을 차지하고 있는 온라인 수업에 맞게 변경해야 하는 활동들은 많이 있다.

WEI이기 때문에 웹기반 학습 환경과 강의실에서의 학급 규모는 동일하다. 이를 염두에 두고 있는 Shawn 교수는 만일 교육 조교가 게시판에서 일어나는 학습자 활동을 모니터링하고 촉진할 수 있도록 학과장을 설득하지 못한다면, 학습자-교수자 상호작용의 수준을 제한해야 한다는 것을 알고 있다.

다음 질문은 이 네 가지 사례 모두에게 공통적으로 적용된다. 교수설계자로서 여러분이 이 각각의 사례 상황에 대해 어떤 행동을 취하거나 반응할 것인지 생각해 보라.

- 여러분이 손에 넣고 싶어하는 정보 중 제공되지 않은 것은 무엇인가? 이 정보를 어떻게 수집할 것인가?
- WBID 모형의 초기 단계는 교수 전략 생성에 어떻게 영향을 주는가? 웹기반 학습 환경에서 학급 규모, 내비게이션, 학습자 통제, 피드백이 주는 함의는 무엇인가?
- 각 사례에서 미디어가 주는 함의는 무엇인가?
- 여러분은 각 사례 연구에서 나온 각 중심인물들과 다르게 무엇을 할 것인가? 각 사례에 참여한 사람들에게 해줄 조언은 무엇인가?

제 8 장

동시적 설계: 설계와 개발의 동시화

WBID 모형에서는 설계와 개발 단계가 구별되지 않고 동시에 이루어진다. 앞서 제시한 바와 같이, WBI 전략 워크시트에 기술한 설계 기획서는 WBI 및 프로토타입 개발에 바탕이 된다. 또한 내용에 의한 메시지 설계 원리와 화면 구성을 위한 시각적 설계 원리는 웹페이지 및 웹사이트 개발의 지침이 될 수 있다. 동시적 설계 모형에 따른다면, 최초 개발 작업으로는 인터페이스 프로토타입 개발, 플로차트, 스토리보드 개발이 있다. 그 다음 개발 작업은 웹사이트 개발, 프로토타입의 웹페이지로 전환, 다양한 멀티미디어 자료를 하나의 웹페이지로 통합하는 일 등이다. 개발된 WBI 프로그램이 최초의 설계 기획을 얼마나 충족시키는가를 알아보기 위해 형성평가를 실시해야 한다.

8장에서는 WBI 개발에 필요한 메시지 및 시각적 설계에 대한 기초적 원리에 대하여 먼저 설명하고 나서, 시각적 메타포와 유추에 의한 제시를 이용한 인터페이스에 대하여 간단하게 살펴보고자 한다. 여기에서의 주된 내용은 하나의 인터페이스를 구상하고, 구상된 인터페이스 프로토타입을 메시지 설계와 비교하여 수정해 나가는 것이다. WBI 개발에 사용될 플로차트의 유형과 두 가지 유형의 스토리보드를 알아볼 것이다. 그리고 웹사이트를 개발하는 과정에서 발생할 수 있는 기술적 문제에 대해 논의할 것이다. 끝으로 형성평가에 관련된 개발 과제의 전반적인 과정을 살펴본다.

학습 목표

이 장의 구체적인 학습 목표는 다음과 같다.

- WBI 개발 과정에서 사용할 메시지 및 시각적 설계 원리를 찾을 수 있다.
- 인터페이스를 정의할 수 있다.
- WBI에서 시각적 메타포 혹은 유추에 의한 제시를 언제 사용해야 하는지를 설명할 수 있다.
- 인터페이스 프로토타입을 구상할 수 있다.
- WBI 플로차트를 개발할 수 있다.
- 스토리보드의 유형 두 가지와 그 사용 목적을 설명할 수 있다.
- WBI 최초 프로토타입으로 스토리보드를 개발할 수 있다.
- WBI 프로토타입을 개발할 수 있다.
- WBI가 가지는 기술적 문제점을 밝힐 수 있다.
- WBI 개발에 필요한 각종 파라미터를 정할 수 있다.
- WBI프로토타입을 개발하는 과정에서 형성평가를 할 수 있다.

시작하기

동시적 설계의 마지막 단계는 개발 단계이다(그림 8.1). 사전 기획에서의 개발 과제를 구체적으로 명시한 6장의 내용을 상기해보자. 개발 과제는 WBI 설계를 바탕으로 웹페이지와 웹사이트를 생성하고 학습 내용을 구성하는 데 있다. McClelland, Eisman, Stone(2000)에 따르면, 웹사이트는 "관련 없는 문서들의 무선적 종합(p. 23)" 에 불과하기 때문에, 설계자가 다양한 기술의 이점을 충분히 활용해야만 성공적인 웹사이트를 잘 개발할 수 있다. 즉, WBI와 그 웹사이트를 하나의 환경으로 통합하는 일이 개발 과정의 한 부분이 되어야 한다.

웹페이지와 웹사이트 개발이 중요하고 어떻게 그것을 개발하느냐가 WBI의 질에 영향을 미치지만, 이것이 이 장의 핵심은 아니다. 개발을 강조하지 않는 여러 가지 이유는 다음과 같다. 상당히 많은 교육기관이 LMS을 사용하고 있다. LMS를 사용하는 이유는 설계자들이 자신들의 웹페이지 혹은 웹사이트를 직접 개발하지 않아도 되고 또한 웹페이지 혹은 사이트 개발을 도와주는 웹 도구가 이미 많이 소개되고 있기 때문이다. 예를 들어, 설계자는 *컴포저(Composer)*, *드림위버(DreamWeaver)*, *프론트 페이지(FrontPage)*, *퓨전(Fusion)*, *고라이브(GoLive)*, *페이지밀(PageMill)* 등과 같은 웹

▶ 그림 8.1 WBID 모형의 동시적 설계 단계에서 개발 및 형성평가 과정

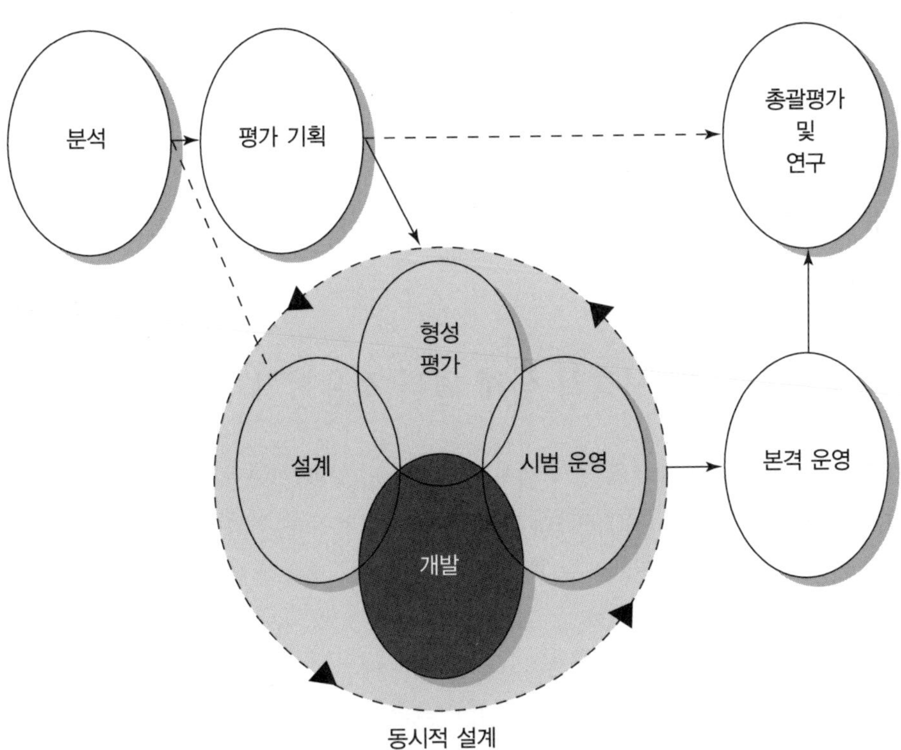

에디터와 WBI를 개발하기 위한 코스웨어 도구, 텍스트 에디터, 컨버전 유티릴티와 같은 도구들을 사용할 수 있다(Horton, 2000). 이 중 유명한 도구를 구매할 수도 있겠지만 또 어떤 도구들은 무료로도 구매할 수 있다. 마지막으로 설계자가 기술적 능력과 창의적 능력을 향상시키는 데 도움이 되는 다양한 학습자원이 있기 때문이다. 컴퓨터 혹은 비디오 기반의 프로그램, 튜토리얼 등을 이용해서 이런 기술적 기능을 익힐 수 있다. 그러나 창의적 능력은 배우기가 매우 어렵다. 설계자가 자신들이 설계한 메시지 및 시각적 설계안을 읽어 보고, 다른 웹사이트에서는 시각적 설계를 어떻게 했는가를 검토해보기를 제안한다. 이런 과정을 반복 연습하면 개발 기술 기능을 향상시키는 데 도움이 될 것이다. 창의적인 웹사이트를 개발해보고 싶다면, 웹 개발관련 전문가들이 판매하는 템플릿 혹은 웹사이트를 구매해서 사용할 수도 있다.

이러한 논의의 초점은 개발 과제의 전반적인 개관을 제공하는 데 있다. 그리고 이 과제의 목적은 학습자들이 지혜롭게 내비게이션을 할 수 있는, 혁신적이면서도 교육적으로 건전한 WBI를 개발하는 데 있다.

WBI 개발의 일반적인 절차는 인터페이스의 초안을 잡고, 플로차트와 스토리보드

를 개발한 후, 웹페이지와 웹사이트의 프로토타입을 개발하거나 혹은 프로토타입을 LMS에 통합한다. 동시에 형성평가를 통해서 WBI 프로토타입이 갖는 기술적 문제를 밝혀낸다. 그러나 이 절차는 설계자의 의사결정과 WBI 개발과정에 따라 다소 달라질 수 있다.

과제와 과제의 목적을 이해하려면, 설계자가 메시지 설계안이 WBI 과정에서 어떻게 나타나는지를 고려해야만 한다. 메시지 설계 원리와 시각적 설계 원리에 대한 논의로 시작하고자 한다.

WBI에 메시지 및 시각적 설계 원리 적용하기

WBI에서 학습 내용과 학습 활동의 제시 방법은 교수설계 이론과 커뮤니케이션 이론에 바탕을 둔다. Grabowski(1995)에 따르면, 교수설계안의 청사진(예: WBI 전략 워크시트에 작성한 기획안)을 만드는 데 이러한 원리들이 도움이 될 수 있다.

메시지 설계에서는 텍스트와 그래픽의 시각적 특징과 제시 방법을 모두 다루게 된다. 설계자는 메시지를 설계하여 학습자를 즐겁게 해줄 수 있는 웹페이지와 웹사이트의 레이아웃을 구성해야 하고, 버튼, 아이콘, 하이퍼미디어 링크와 함께 텍스트와 미디어(예: 오디오, 비디오, 멀티미디어)를 활용하여 학습자가 웹에서 쉽게 내비게이션을 할 수 있도록 한다. 교수설계자는 메시지 설계를 통해 교수자와 학습자 간에 좀 더 쉽게 정보를 교환할 수 있도록 도와주고, 효과적인 커뮤니케이션이 가능하도록 지원할 수 있다(Grabowski, 1995; Lohr, 2003; Ormrod, 2004; Richey, 1986; Seels & Richey, 1994).

메시지 설계

WBI는 학습 내용, 디렉션, 학습 활동, 기타 여러 가지 정보로 구성된다. 학습자와 교수자는 이메일, 도표, 게시판을 활용하여 커뮤니케이션을 할 수 있다. 그리고 텍스트 및 그래픽 요소(버튼, 아이콘, 차트, 표)와, 미디어(그래픽, 일러스트레이션, 사진, 비디오, 오디오)를 통합하여 프로그램을 개발할 수 있다.

WBI에서 메시지를 설계할 때 교수자와 학습자를 구분하여 고려해야 할 부분이 있다. 학습 목표는 명확하게 제시하고, 학습 내용은 체계적으로 정리해야만 한다. 따라서 학습 내용과 피드백은 사용자가 이해하기 쉽게 제공하고, 내비게이션은 쉽고 단순해야 한다(Nielson, 2000).

설계자는 텍스트와 그래픽, 미디어에 집중하여 노이즈를 줄임으로써 메시지를 명확하게 전달할 수 있다(Grabowski, 1995; Lohr, 2003; Ormrod, 2004; Richey, 1986). **노이즈(Noise)**에는 부적절한 배경, 읽기 쉽지 않은 폰트 유형 및 크기, 명확하게 구분되지 않는 색깔 사용과 같은 시각 요소, 분명하지 않은 지시사항, 시각적 정보, 텍스트, 엉성한 네비게이션 메타포 등이 있다. 표 8.1에 설계자가 WBI 개발의 초기과정에서 메시지를 설계하는 데 도움이 되는 가이드라인을 정리하였다.

메시지를 효과적으로 설계하는 데 있어서 학습자들에게 동기를 유발하는 것도 중요하다. 동기를 유발하는 WBI를 개발하려면 설계자는 우선 시각적 설계 원리를 이해해야 한다.

표 8.1 메시지 설계 원리

특징 요소	가이드라인
텍스트 요소	1. 명확하고 간결하게 기술한다. 2. WBI를 진행하는 방법, 연습문제를 해결하는 방법, 평가방법에 대한 방향을 제시한다. 3. 웹페이지에서 텍스트를 길게 나열하면 안 된다. 또한 글을 지루하게 작성하면 글을 계속 읽기가 쉽지 않다. 4. 스크롤 사용을 적게 한다. 5. 학습자의 읽기 능력을 고려하여 읽기 쉬운 폰트와 폰트 크기를 선택한다. 6. 핵심 정보는 표를 사용하여 전달할 수 있다. 7. 바탕화면 색깔을 하얀색으로 선택하면, 페이지가 꽉 차거나, 너무 복잡하다거나, 읽기 어렵다는 느낌을 줄일 수 있다.
그래픽 요소: 차트, 표, 이미지맵, 아이콘, 버튼	1. 웹페이지에서 버튼 간에는 일정한 간격을 둔다. 2. 학습 내용 및 툴의 기능에 관련된 아이콘을 사용한다. 3. 모든 링크들을 명확하게 제시한다. 4. 돌아오기 링크를 제시한다. 5. 디폴트값으로 정해진 색상을 사용하거나, 혹은 명확하게 구분되는 색상을 사용한다. 6. 내용을 조직화하기 위해 표와 차트를 사용한다.
미디어: 그래픽, 일러스트레이션, 그림, 비디오, 오디오, 동영상	1. 메시지와 연관되는 미디어를 사용한다. 2. 웹페이지에 맞추어서 그래픽의 크기를 일관성 있게 제시한다. 3. 그래픽에는 빈 공간을 충분히 남겨둔다. 4. 움직이는 그림 혹은 깜박거리는 텍스트 및 반복해서 제시되는 동영상의 사용을 제한한다. 5. 반복해서 제시되는 내용은 읽지 않아도 넘길 수 있도록 지원한다.

출처: 표 안의 데이터는 Boling & Frick(1997), Grabowski(1995), Hannum(2001), Jones & Farquhar(1997), Lynch & Horton(1999), Nielson(2000)을 참고하였다.

시각적 설계

시각적 설계는 웹페이지의 미적 감각과 기술적 기능을 모두 다룬다(Alexander & Tate, 1999; Clark & Mayer, 2003). WBI가 학습자의 주의를 끌고, 정교한 기술을 바탕으로 교육적으로 건전한 내용을 전달하기 위해서는 미적 감각과 기능성이 균형을 맞추어야 한다. 정보가 명확하고 선명하게 설계된다면 학습자가 학습 내용을 이해하는 데 도움이 된다. 그러나 화면이 '보기에 좋아 보인다!'를 결정하는 데 있어서 단지 눈에 멋있게만 보이면 되는 것이 아니라, 시각적 설계 원리를 고려해야 한다(Alexander & Tate, 1999; Grabowski, 1995; Simonson et al., 2000; Smaldino et al., 2005).

폰트와 스타일. 화면을 보기에 즐거우면서도 학습 내용을 명확하게 전달하게 하기 위해서는 텍스트의 폰트(*자형*이라고도 함)와 스타일을 활용할 수 있다. 폰트의 유형은 수만 개가 넘으며 설계자는 자신이 개발하고자 하는 WBI에 가장 적합한 폰트를 한두 가지 선택해야 한다. 그리고 설계자들은 폰트의 크기와 스타일(굵은 체, 이탤릭체) 등을 고려해서 읽기 쉬운 폰트를 선택하여 텍스트를 구성해야 한다(Lynch & Horton, 1999; Smaldino et al., 2005).

폰트에 의해서 텍스트가 선명하게 읽힌다거나 텍스트를 쉽게 이해할 수 있게 되는데, 이는 학습자와 전달 체제에 따라 달라질 수 있다(Lohr, 2003). 즉, 학습자들마다 관심을 갖는 화면은 다를 수 있다. 또한 책과 컴퓨터와 같은 전달 체제에 따라 폰트가 다르게 사용될 수 있다. Lynch, Horton, Lohr에 따르면 WBI 로드에 방해가 되지 않도록 일반적으로 많이 사용되는 폰트를 선택해야 한다. 그림 8.2는 일반적으로 많이 사용하는 폰트와 그렇지 않은 폰트를 비교하여 보여준다.

그림 8.2의 왼쪽에 제시된 폰트는 화면에서 선명하게 읽히고, 서체가 명확하여 자주 사용된다. 오른쪽에 제시된 폰트는 왼쪽에 있는 폰트와 동일한 크기인 데도 불구하고 선명하지 않고, 상대적으로 크기가 작거나 글씨 모양이 복잡하다. 이러한 폰트는 매력적으로 보일 수 있으나, 화면에서 읽기가 쉽지 않다.

차트, 표, 일러스트레이션. WBI에서 여러 가지 유형의 차트, 표, 일러스트레이션은 학습 내용을 쉽게 이해할 수 있도록 지원한다.

Lohr(2003)에 따르면 교수 활동에 추가된 그래픽은 학습자의 주의를 끌면서도 기능적이어야 한다. 교수 활동 목적에 부합하기보다 기술에 따라서 그래픽을 선정하게 되면 메시지를 의미 있게 전달할 수 있는 설계를 하기 어렵다. 그림 8.3은 WBI에 적합하지 않은 몇몇 그래픽을 보여주고 있다. 그래픽을 구분하기가 쉽지 않고, 보기에도

▶ 그림 8.2 WBI에서 일반적으로 많이 사용되는 폰트 종류와 사용되지 않는 폰트 종류

Suitable Font Styles for WBI
Verdana
Arial
Trebuchet
Georgia
Times New Roman
Courier New

Font Styles Not Suitable for WBI
Decorative styles:
Matisse itc
Curtz MT
Bernard Fashion
Script:
Bradley Hand ITC
Brush Script
Nimbus Script
Typo Upright

난잡하다.

궁극적으로 잘 설계된 그래픽은 제시되는 정보가 눈에 쉽게 들어오고, 실용적이며, 학습 내용을 쉽게 전달하는데 도움이 된다. 그림 8.4에서 제시된 그래픽은 그래픽들이 선명하게 구별되며, 정확하게 메시지를 전달할 수 있다.

그림 8.3과 8.4에서의 그래픽은 한 텍스트 내에서 그래픽의 명확함, 단순함, 대비를 강조하기 위해서 색깔을 회색으로 바꾼 것이다. 이 아이콘들의 원 색깔은 자매 사이트에서 찾아볼 수 있다.

▶ 그림 8.3 색감의 대비가 약하고, 그림자 효과를 적용하거나 선명하지 않은 색깔을 사용한 웹페이지 링크 아이콘

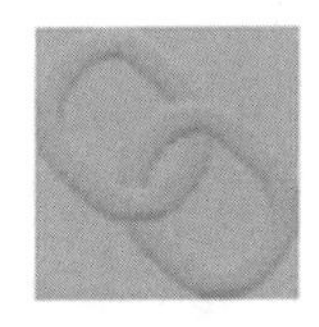

▶ 그림 8.4 이미지 효과는 적지만 선명한 색깔을 사용한 웹페이지 링크 아이콘

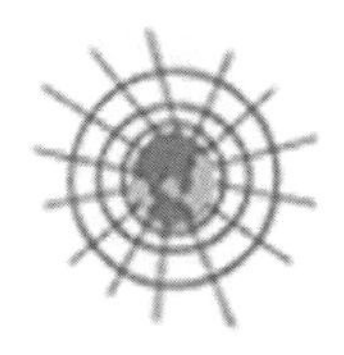

색깔. 적절한 색깔들을 매력적인 화면 설계를 위해 사용하는 데도 불구하고 그래픽은 메시지 내용을 강조하기 위해서 사용할 수도 있고 사용하지 않을 수도 있다. 어떤 학습자들은 그래픽으로 인해 시각적으로 주의가 분산할 수 있다. 예를 들어 학습자들이 그래픽들 간 선명한 차이를 파악하지 못하면 이미지에서 보여주고자 하였던 사소한 차이를 이해하지 못하게 된다. 마지막으로, 그래픽이 시각적으로 매력적이고, 선명하고, 학습 내용을 의미 있게 전달할 수 있을지라도, 설계자는 복잡한 이미지 효과(예: 물에 적시는 효과, 투명효과)가 추가되었는지를 확인해봐야 한다. 복잡한 이미지 효과는 파일 용량을 늘릴 수 있고, 이렇게 용량이 큰 파일은 파일을 첨부하고 다운로드하는 데 시간이 오래 걸린다(Nielson, 2000).

설계자들을 위한 일반적인 가이드라인으로 복잡한 시각적 효과로 인해 노이즈가 발생하지 않도록 하고 단순한 그래픽을 사용할 것을 권장한다. 파일 용량이 작고, 그래픽이 단순해지면 파일을 쉽게 다운로드할 수 있다. 이는 노이즈를 줄이고, 참여자들이 좌절하지 않도록 도와준다.

그림 8.3과 8.4의 실제 색깔을 보려면, 자매 사이트 (http://www.prenhall.com/davidson-shivers)를 참고하자.

그 밖의 커뮤니케이션 원리. 좋은 시각적 설계를 위한 그 밖의 커뮤니케이션 원리에는 단순함, 균형, 강조, 조화가 있다(Nielson, 2000; Savenye, Smith, & Davidson, 1989; Simonson et al., 2000). 이러한 원리들을 함께 사용하면 시각적으로 주의를 끄는 웹페이지 혹은 웹사이트를 만들 수 있다. 기타 시각적 설계 원리에 대한 설명은 이 장의 논의 범위를 벗어난다. 표 8.2에 설계할 때 고려해야 하는 주요 사항을 기술하였다.

메시지 및 시각적 설계 원리에 대한 추가정보는 부록 B를 참고하자.

일관성. WBI를 개발하는 데 있어 가장 기본적인 작업은 텍스트, 그래픽, 미디어를 일관성(consistency) 있게 사용하는 것이다. 그래픽과 텍스트를 일관성 있게 사용함으로써 불필요하게 복잡한 이미지를 제거하고, WBI를 쉽게 사용할 수 있도록 설계할 수 있다. 따라서 학습자들의 인지부담을 줄일 수 있게 된다(Berry, 2000; M. Hughes & Burke, 2000; Nielson, 2000; Zwaga, Boersema, & Hoonhout, 1999). 반대로 일관성 없이 개발된 WBI는 학습자들에게 혼란을 주고, 내비게이션을 어렵게 만든다. 각기 다른 유형의 폰트(스타일, 크기를 포함)와 링크를 설계 원리에 따르지 않고 일관성 없이 사용하게 되면 WBI는 조화롭지 않게 구성된다.

표 8.2 시각적 설계의 기본 원리: 원리 설명과 가이드라인

원리	원리 설명	가이드라인
단순함	학습 과정에서의 핵심 요소: 교수 내용과 관계없는 요소 제거	1. 각 페이지는 쉽게 읽힐 수 있도록 한다. 2. 일반적으로 책을 읽는 방향으로 메시지를 구성한다. (왼쪽에서 오른쪽, 위에서 아래로) 3. 적을수록 더 많은 것을 얻어갈 수 있다는 것을 명심한다. 4. 복잡한 설계는 피한다. 5. 텍스트와 그래픽은 일관성 있게 흐름을 유지한다. 예를 들어서, C, S, Z와 같이 대문자를 유지할 수 있다. 그리고 학습자가 텍스트를 읽을 때 일관성 있게 왼쪽에서 오른쪽으로, 위에서 아래로 읽도록 한다. 6. 전체 화면을 3×3, 7×7 표 모양으로 구성하여 본다. 3×3 표 모양은 페이지를 마음속으로 아홉 칸으로 나누어 보고, 페이지에 들어갈 내용을 이에 맞추어 균형 있게 배분하면, 학습자가 쉽게 페이지를 읽을 수 있다. 7×7 표의 모양은 페이지를 마음속으로 마흔아홉 칸으로 나누어 보는 것으로, 페이지가 복잡해 보이지 않기 위해 사용한다. 7. 텍스트와 테두리에는 여러 가지 색깔을 사용하지 않는다.
균형	그래픽 혹은 시각적 이미지가 균형을 이루어야 한다. 시각적 정보를 중심으로 왼편과 오른편에 각각 동일한 가중치의 정보를 담고, 동일한 크기의 공간을 활용한다. 비대칭인 경우: 크기가 큰 이미지는 작은 이미지보다 중앙으로 배치한다.	1. 시각적 정보가 균형 있게 설계되어야 한다. 그렇지 않은 경우 텍스트를 읽는 데 방해가 된다. 2. 비대칭 시각적 정보는 주의를 끌 수는 있으나 이를 설계하기가 쉽지 않다. 3. 시각적 정보를 균형 있게 설계하기 위해서는 색깔, 개체의 크기, 화면 배치를 적절하게 구상해야 한다.
강조	필수 정보는 중요하게 인식할 수 있도록 시각적으로 주의를 끌 수 있도록 설계한다.	1. 핵심 내용을 강조하기 위하여 색깔을 적절히 사용하고, 대비효과를 주고, 크기나 화면 배치를 적절하게 활용한다. 2. 핵심 내용을 강조하기 위하여 화살표 혹은 굵은 글씨체, 이탤릭체 등을 활용한다. 3. 핵심 내용은 두드러지게 표현한다.
조화	목적에 따라 핵심요소들을 조화롭게 구성한다.	1. 핵심내용은 반복적으로 제시한다. 2. 핵심요소들 간에 관계를 보여주기 위해 색깔을 단순하게 사용한다. 3. 동일한 모양, 크기, 개체, 색깔을 반복 사용하여 일관성 있게 제시한다. 4. 내용이 연관된 개체들 간에는 간격을 좁혀 제시하여 다른 개체들과 구분한다.

출처: 표 안의 데이터는 Boling & Frick(1997), Hall & Gottfredson(2001), Hannum(2001), Jones & Farquhar(1997), Khan(2001), Lohr(2003), Nielsen(2000), Rice et al(2001), Savenye, Smith, & Davidson(1989), Simonson et al.(2000)을 참고하였다.

마찬가지로 시각적 정보와 플래시 및 애니메이션, 텍스트 스크롤링이 일관성 없이 사용되고 색깔이 조화롭게 구성되지 않으면, WBI의 여러 장점들을 충분히 활용하지 못하게 된다. 이러한 요소들은 학습을 촉진시키기보다는 주의를 산만하게 만든다. 그러나 일관된 시각적 효과를 사용한 화면에서는 주의를 끌기 위한 다른 방법을 사용할 수 있을 것이다. Lohr(2003)에 따르면 일관성 있게 설계되었지만 아무런 시각적 효과가 없는 경우 학습자들은 지루해하고 추후 진행될 학습 내용을 쉽게 유추할 수 있게 된다. 따라서 웹페이지에 시각적 효과를 얼마만큼 사용해야 옳은 것인지에 대한 능력을 요하게 된다.

GardenScapes 사례

Elliott과 Kally는 WBI 프로토타입을 개발하기 위해서 일반적으로 사용하는 시각적 설계 가이드라인에 따를 것을 동의하였다. 그들은 폰트 유형 및 색깔을 선정하고, 이러한 시각적 효과를 언제 어느 위치에 사용할 것인지를 결정한 후, 이를 일관성 있게 사용하기 위한 가이드라인을 만들었다.

*GardenScapes*를 위한 메시지와 시각적 설계 가이드라인

특징 요소/ 원리	적용 방법
텍스트 요소	• 텍스트는 명확하게 기술되어야 한다. • 웹페이지의 텍스트는 간결하고, 초점이 명확해야 한다. • 스크롤이 필요한 경우, 스크롤의 길이는 최소화한다. • WBI, LMS와 학습 과제에 대한 명확한 가이드라인이 제공되어야 한다.
그래픽 요소: 차트, 표, 이미지 맵, 아이콘, 버튼	• 버튼과 링크는 각 웹페이지마다 같은 위치에 제시한다. • 프로젝트 주제와 메타포와 관련된 그래픽을 사용해야 한다. • 링크를 위한 디폴트 환경이 세팅되어야 한다. • 텍스트는 표를 활용하여 체계적으로 구성하여 보여준다.
미디어: 그래픽, 일러스트레이션, 사진, 비디오, 오디오, 애니메이션	• 그래픽 크기는 비교적으로 작아야 한다. • 전반적으로 웹사이트에 사용되는 그래픽의 크기는 비슷해야 한다. • 텍스트에 반짝이는 효과는 가능한 한 사용하지 말아야 한다. • 애니메이션을 함께 사용하는 경우, 학습자가 접근할 수 있어야 한다.
단순함	• 텍스트 색깔로는 주로 검정색, 초록색, 파란색을 사용한다. • 텍스트, 그래픽 요소, 미디어는 책을 읽는 것처럼 왼쪽에서 오른쪽으로 구성되어야 한다.

*GardenScapes*를 위한 내용과 시각 설계 가이드라인 (계속)

특징 요소/ 원리	적용 방법
	• 페이지가 길어지는 경우, 버튼과 링크로 나누어 다음 페이지로의 이동을 쉽게 만든다.
균형	• 각 페이지마다 일관성을 유지하면서도, 학습자의 주의를 끌기 위해 다양하게 구성할 수 있다. • 텍스트와 그림은 시각적 정보를 체계적으로 구성하기 위해 사용한다.
강조	• 새로운 용어, 과제(과제 일정), 핵심 정보들은 굵게, 이탤릭체를 사용하여 강조한다. • 새로운 항목은 빨간색을 사용하여 강조한다. • 학습자들에게 호기심을 주고, 웹페이지를 다양하게 구성하기 위해서 시각적 효과를 사용한다.
조화	• 색깔은 일관성 있게 사용한다. • 웹사이트 상에서 일관성 있게 동일한 아이콘 세트를 사용할 수 있다. • 객체들 중에 중요한 것을 강조하기 위해서 동그라미나 타원을 사용할 수 있다.

GardenScapes '설계 문서'는 자매 사이트
(http://www.prenhall.com/davidson-shivers)를 참고하자.

생각해보기

우리가 진행하는 WBI프로젝트에서 내용과 시각 설계 원리를 어떻게 적용할지 고민해보자. 어느 원리를 사용할 수 있는가? 표 8.1, 표 8.2, *GardenScapes*를 가이드라인으로 사용해보자. 결과는 설계 문서에 추가한다.

(다른 교수설계자들이 동일한 문제들을 어떻게 해결하고 있는가를 알아보기 위해 이 장의 후반부에 제시된 사례 연구를 살펴보기 바란다.)

설계 원리 템플릿을 인쇄하려면 자매 사이트
(http://www.prenhall.com/davidson-shivers)를 참조하자.

인터페이스

WBI에 '제시되는 모습'과 웹페이지의 내비게이션 및 구조적 특징은 WBI의 사용에 영향을 미친다(Nielsen, 2000).

인터페이스(interface)는 화면에 제시되는 정보와 정보의 계열로 구성된다. 설계자들은 학습자가 조직화된 정보를 어떻게 인식하고 경험해야 하는지를 결정해야 한다(Jones & Farquhar, 1997; McClelland et al., 2000). 다시 말하자면, 인터페이스는 학습자가 바라보는 웹페이지 화면을 말하며, 텍스트, 그래픽 요소, 미디어로 구성된다. 인터페이스는 학습자가 인터페이스 설계 구조를 파악하지 못하도록 구성해야 한다. 학습자가 직관적으로 내비게이션을 할 수 있도록 설계자는 인터페이스 요소들을 일관성 있게 설계한다(Khan, 1997; McClelland et. al.).

잘 구조화된 인터페이스는 학습자가 내비게이션을 의식하지 않아도 직관적으로 자연스럽게 사용할 수 있도록 해주며, 학습 과제를 성공적으로 수행할 수 있도록 이끌어준다.

메타포 및 유추 제시

인터페이스를 개발할 때 첫 번째로 고려해야 할 사항은 시각적 유추와 메타포의 사용 여부를 결정하는 일이다. **시각적 유추(visual analogies)**는 새로운 개념을 학습자들에게 익숙한 개념과 비교하여 제시하는 방법이다. **메타포(metaphor)**는 학습자가 새로운 개념을 이해하는 데 있어서 자신의 경험에 비추어 정신적으로 표상하는 방법이다(Driscoll, 2005; Lohr, 2003). 유추 혹은 메타포를 통해 제시하고자 하는 내용은 학습자에게 익숙한 개념이어야 하고, 동시에 WBI에 제시된 학습 내용과 관련이 있어야 한다. 이는 컴퓨터 기반 훈련 혹은 WBI에서 특정 학습 효과를 주기 위해 사용된다. 예를 들어, 이 책에서는 부록 혹은 자매 사이트에 있는 추가정보를 가르쳐주기 위해 아이콘을 사용하였다.

Nielson(2000)에 따르면, 웹페이지의 일관성을 유지하기 위해 메타포를 사용할 수 있다. 그리고 메타포를 통해 학습자는 사전 지식을 충분히 활용하여 과제를 수행해 나가게 된다.

메타포의 예시로 VCR 혹은 DVD 제어 기능을 표시하는 아이콘을 사용할 수 있다. 그림 8.5에 WBI에서 사용할 수 있는 아이콘을 보였다.

그러나 WBI에서의 메타포와 유추 제시에 대해서 많은 논의가 이루어지고 있다. 모든 사람들이 WBI에서 메타포와 유추가 필요하다고 생각하지 않는다. 적절한 메타포를 사용하지 않거나 잘못 사용하는 사례가 많기 때문이다(Nielson, 2000). Lohr(2003)에 따르면 설계자가 인터페이스를 단순하고 간단하게 설계하는 과정에서 메타포와 유의어를 제시하기 위해 너무 많은 시간과 노력을 낭비한다고 한다. 설계자는 메타포가 학습 내용과 맥락을 제대로 표상하는지를 신중히 살펴보아야 한다.

▶ 그림 8.5 메타포와 유추 제시에 사용된 아이콘

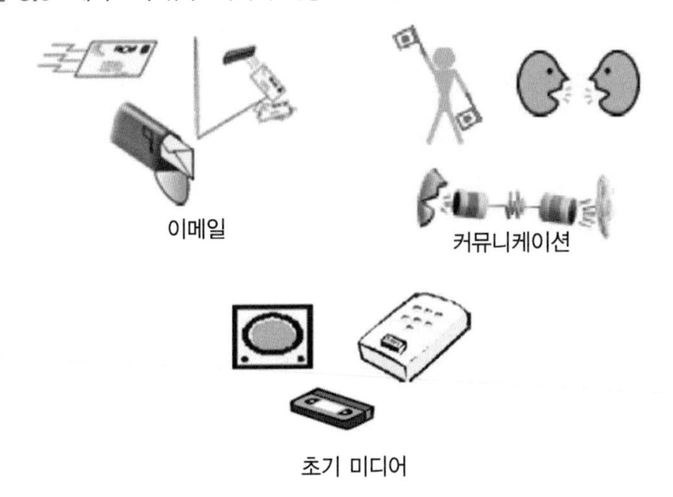

인터페이스의 초안 그리기

인터페이스의 기본 요소에는 유추(혹은 메타포), 텍스트, 그래픽, 미디어, 내비게이션이 있다. 설계자는 각 요소들의 특징을 정확히 알고 있어야 한다. 인터페이스의 초안을 구상할 때 설계자는 그래픽, 아이콘, 텍스트 등 우선 모든 요소들을 고려해본다. 그리고 각각의 요소를 정렬해 나간다.

Rudd, Stern, Isensee(1996)에 따르면, 프로토타입 개발은 처음부터 완벽하게 구성해 나가기보다는 종이에 초안을 그려보는 것이 좋다. 이는 설계자 및 다른 개발 참여자들이 시각적으로 생각을 발전시켜 나가는 데 도움이 되며, 이로써 프로토타입의 방향을 결정하는 데 있어 시간을 절약할 수 있다. 밑그림을 어느 정도 구상하고 나면 컴퓨터로 프로토타입을 실제 개발하면서 완성도를 높이게 된다. 프레젠테이션 혹은 그래픽 소프트웨어를 활용하여, 설계자는 래피드 프로토타입과 같이 인터페이스 요소들의 배열을 동시에 수정해 나갈 수 있다. LMS를 사용하고 나면 인터페이스는 거의 수정할 필요가 없게 된다. 이러한 경우 설계자는 자신이 통제 가능한 정보의 배열에만 초점을 두면 된다.

GardenScapes 사례

Elliott과 Kally는 인터페이스에 대한 논의를 하고 있다. Kally는 새롭게 정원을 꾸미는 일을 강조하기 위해서, 인터페이스에서 '정원 가꾸기' 주제를 함축하는 메타포를 만들기로 결정하였다. 그들은 6 회차의 WBI 정원 가꾸기 과정에서 어떤 교수 활동과 보조 자료를 구성할지를 다양한 측면에서 고민하였다. 그들은 학습자들이 다양한 교수 활동과 학습 자료를 쉽게 접속하여 찾을 수 있도록 버튼 모양의 아이콘을 설계하기로 계획하였다.

Elliott과 Kally는 원예 도구, 씨앗 주머니, 식물, 나비, 수반, 폰트와 스타일 등 다양한 그래픽을 수집하였다. Elliott은 초기 인터페이스를 구성해 나가기 시작하였다.

Elliott은 인터페이스를 개발하면서 학습 내용과 시각적 설계 기획안을 참고하였다. Elliott과 Kally는 다양한 프로토타입을 비교해보며 아이콘을 수정하고 결정해 나갔다. 그들이 최근에 작업한 결과물 중에 버튼, 링크와 관련된 그래픽은 웹페이지에 모두 사용할 예정이다. 이들은 학습 내용을 텍스트, 그래픽 요소, 그리고 미디어를 통

GardenScapes 코스의 메인페이지를 위한 초기 인터페이스 구성(정렬방법은 고려하지 않음)

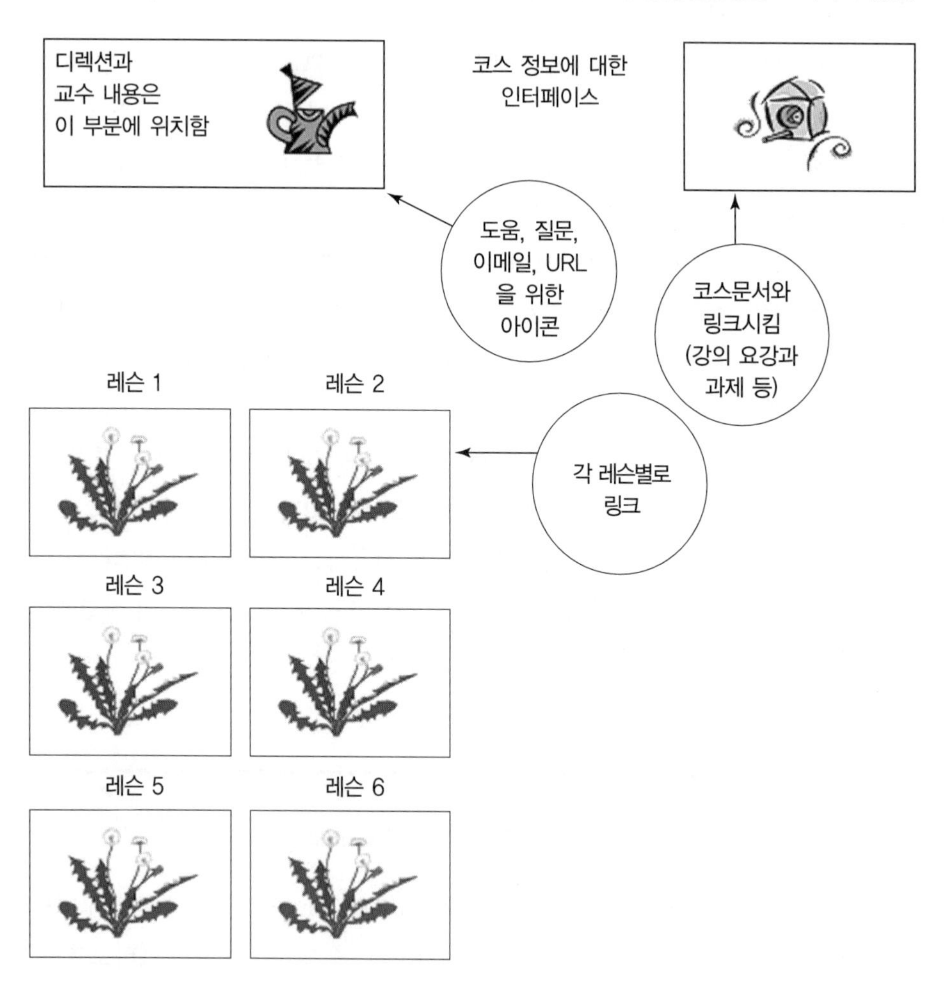

해 제시할 것을 계획하였다. 깜빡거리는 텍스트는 사용하지 않을 예정이다. 스크롤링의 사용은 최대한 제한하였다. 인터페이스 공간을 꽉 차게 구성하거나 복잡하게 구성하지 않기 위하여 빈 공간을 충분히 마련하였다.

Elliott은 그래픽과 내용을 일관성 있게 구성하기 위해 몇 가지 색깔만 사용하였다. 그는 텍스트 및 화면 경계 부분에 네 가지 색깔을 사용하였고, 앞으로 구성하는 웹페이지에도 동일한 색깔을 사용할 예정이다. 그들은 정원의 이미지를 보여주는 아이콘을 사용하였다. 예를 들어 괭이는 학습 활동을 의미하는 아이콘으로 사용할 수 있다. 버튼은 화면 왼편에 있는 메뉴에 배치하였다. 메뉴판의 오른쪽은 학습 내용, 학습 활동, 디렉션을 제시하기 위하여 사용할 것이다. Elliott의 수정된 인터페이스는 다음과 같다.

*GardenScapes*에서 인터페이스 프로토타입(메시지, 시각적 설계, 형성평가를 바탕으로 수정한 것임)

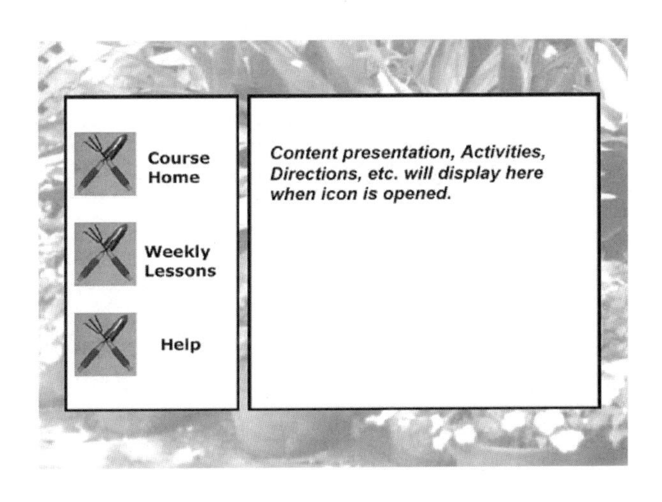

GardenScapes '설계 문서'는 자매 사이트 (http://www.prenhall.com/davidson-shivers)를 참고하자.

생각해보기

우리가 개발하고 있는 WBI에서는 시각적 유추 혹은 메타포 사용이 적합한지 생각해보자. 만약 그렇다면, 유추 혹은 메타포를 어떻게 사용할 것인지 짤막하게 설명해보자. 인터페이스에 대한 초안을 작성해보자. 수집한 자료 중에 어떤 것을 사용할 것인가? 웹페이지의 어느 공간에 버튼을 제시할 것인가? 색깔, 글씨 폰트, 스타일, 링크의 위치, 아이콘 등은 일관성 있게 사용하였는가? 여러분의 설계안은 매력적으로 구성되었는가?

(다른 교수설계자들이 동일한 문제들을 어떻게 해결하고 있는가를 알아보기 위해 이 장의 후반부에 제시된 사례 연구를 살펴보기 바란다.)

플로차트

플로차트(flowchart)는 전체 코스에서 하나의 레슨 혹은 모든 레슨이 어떻게 구성되어 있는지를 설명하고, 교수 활동의 전반적인 흐름을 보여준다. 플로차트에는 LTM 혹은 WBI 전략 워크시트에 적힌 텍스트가 포함되지 않는다. 플로차트는 오히려 웹사이트에서 구체적인 내비게이션 과정 및 코스의 흐름을 보여준다. Maddux와 Cummings (2000)에 따르면, WBI 개발과정에 필요한 모든 자료를 배치하기 이전에 플로차트를 먼저 작성해야 한다.

그림 8.6은 간단한 WBI 레슨에서 사용하는 플로차트를 보여준다. 이 계열에 따르면 학습자들은 하나의 디렉션에 따라서 단계적으로 학습해 나가게 된다.

WBI 전략시트에서 기획한 대로 프로그램에 대한 코스 개요, 주요 개념, 교수 활동이 학습자에게 제시된다. 학습자는 프로그램을 마치면서는 전체 코스에 대한 요약을 살펴보고 나서 시험을 치르게 된다.

플로차트는 웹사이트 내비게이션과 직접적으로 관련되어 있다. 플로차트는 코스의 최종 사용자인 학습자가 조직화된 교수 활동과 링크 구조의 흐름에 따라 어떤 유형의 의사결정을 해야 하는지 보여준다. 그림 8.6의 예시는 선형적인 내비게이션 과정을 보여준다. 부록 B에 비선형적으로 구성된 내비게이션 사례를 보였다.

더 많은 플로차트를 보려면 부록 B를 참고하자.

플로차트는 *파워포인트(Powerpoint)*, *인스피레이션(Inspiration)*, *비지오(Visio)*, *이미지 콤포저(Image Composer)* 혹은 일반적으로 많이 사용되고 있는 *워드프로세스(Wordprosessor)*와 같은 다양한 소프트웨어를 사용하여 만들 수 있다. 웹사이트는 크게 네 가지 방법 중 한 가지로 구성할 수 있다: 선형적인 방법, 위계적인 방법, 개념들 간에 연합하여 위계적으로 구성하는 방법, 임의적으로 구성하는 방법(Lin & Davidson, 1996; Rasmussen & Davidson, 1996).

설계자는 플로차트를 개발하는 과정에서 다음의 문제를 고려해봐야 한다.

▶ 그림 8.6 WBI에서 탐색 경로를 보여주는 플로차트

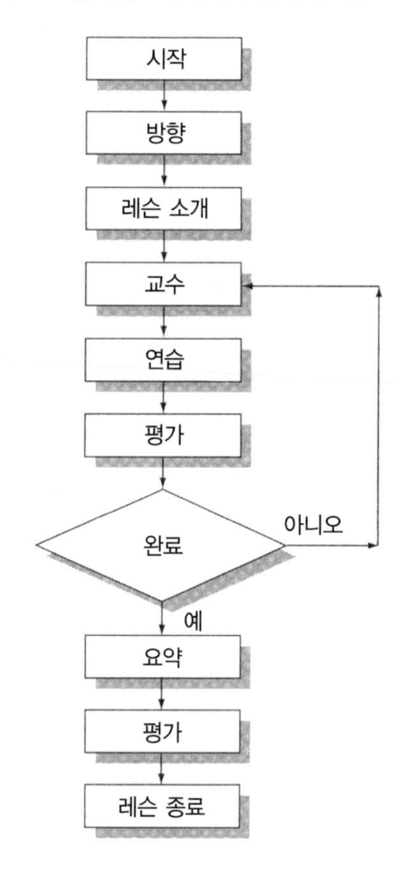

- 학습의 순서는 어떻게 계열화할 것인가?
- 학습자는 웹사이트를 어떤 방법으로 내비게이트션할 수 있는가?
- 학습자들은 교수 활동에 임의적으로 접근하는가 아니면 사전에 계획된 대로 진행하였는가?
- 학습자는 다양한 주제에 접근할 수 있는가? 아니면 이를 제한하는가?
- 학습 내용의 각 섹션마다 결론과 평가를 제시할 것인가? 아니면 전체 과정을 마친 후 결론과 평가를 제시할 것인가?

플로차트와 LMS

대부분의 LMS에서는 설계자가 교수 활동을 위한 웹사이트를 구성할 수 있도록 프레임워크를 제공한다. 일반적으로 LMS에서는 일관성 있는 구조를 제공하지만 설계자나 교수자가 새로운 정보를 추가적으로 웹사이트에 입력하기 쉽지 않기 때문에 창의적

인 설계를 하기 어렵다. 플로차트를 개발하면서 설계자는 전반적인 LMS 구조를 분석해야 한다. 예를 들어 LMS에서 내용이 어떻게 제시되고 있으며, 대화방 혹은 토론방과 같은 도구에 어떻게 접근 가능한지, WBI에서 제시된 구조와 LMS 조건 간의 차이를 최소화할 수 있는지를 살펴보아야 한다.

GardenScapes 사례

Elliott은 다양한 유형으로 계열화된 교수 활동을 평가하고 있었다. 코스의 핵심 주제와 관련된 가장 적합한 설계방법은 개념간의 연합을 통한 위계적으로 계열화된 구조이다(부록 B 참고). 코스의 흐름은 LMS 구조에 맞추어져야 한다. LMS의 구조를 활용하여 Elliott은 학습자에게 코스의 진행과정을 보여줄 수 있는 플로차트를 만들어냈다.

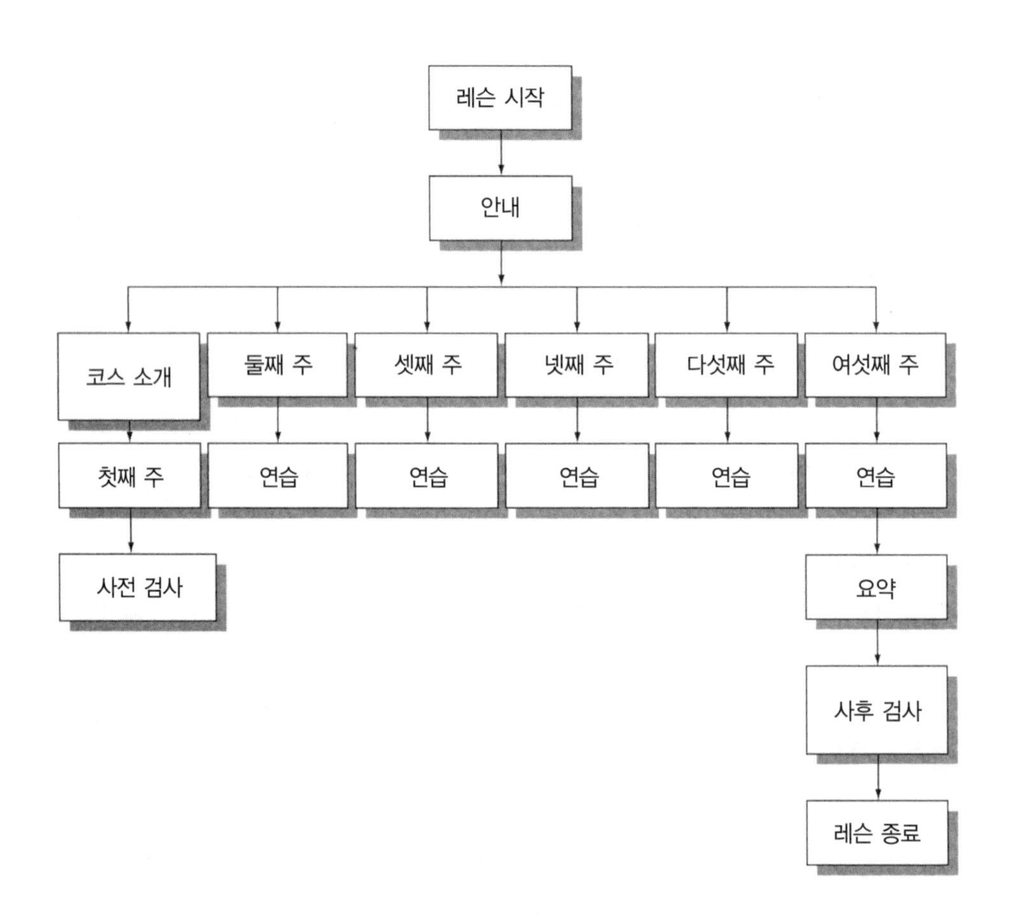

GardenScapes '설계 문서' 는 자매 사이트
(http://www.prenhall.com/davidson-shivers)를 참고하자.

생각해보기

WBI 프로젝트 진행을 위해서 플로차트를 만들어보자(만약 LMS를 사용할 수 있다면, 플로차트를 LMS 구조에 맞춘다). 학습자가 학습과정에서 레슨별로 어떻게 진행해야 할 지를 설명하고, 어떤 의사결정을 내릴지를 추측하여 설명해보자. 어떤 종류의 웹페이지를 구성할 수 있는가? 부록 B를 살펴보고, 플로차트는 어떤 설계 유형으로 구성할 것인지를 결정한다. 설계 문서에 플로차트와 이에 대한 간략한 설명을 추가하자.

(다른 교수설계자들이 동일한 문제들을 어떻게 해결하고 있는가를 알아보기 위해 이 장의 후반부에 제시된 사례 연구를 살펴보기 바란다.)

스토리보딩

스토리보드(storyboards)는 안내, 학습 내용, 기타 정보를 의미 있게 조직해 나간다(Maddux & Cummings, 2000). 설계자들은 새롭게 구성된 각 웹페이지가 어떻게 구성되는지를 파악하고, 결과적으로 웹페이지를 통해 어떤 프로토타입을 개발해 나갈 수 있는지 명확하게 예측하기 위해 스토리보드를 사용한다. 궁극적으로, 스토리보드의 주요 목적은 인터페이스의 형태를 갖추고, 모든 웹페이지 요소의 기능을 제시하는 데 있다.

스토리보딩은 교수 내용, 미디어, 그래픽 요소들이 웹페이지에 어떻게 나타나는지를 보여주는 단계이다. 텍스트는 WBI 전략 워크시트에 언급한 안내, 교수 내용, 연습, 피드백을 포함한다(7장 참고). 워크시트에 명시된 미디어에는 그래픽, 비디오, 오디오가 있고, 이 모두를 웹페이지에 활용할 것이다. 그래픽 요소로는 차트, 표, 이미지 맵, 아이콘, 버튼과 같은 항목이 있다.

스토리보딩은 프로그램 개발 기간을 줄여주고, 사전에 기획한 전략에 따라서 웹사이트를 개발하는 데 필요한 모든 의사결정 과정에 도움이 될 수 있다. 스토리보드 과정 중에 일어나는 의사결정 사항을 문서화함으로써 교수 내용을 일관성 있게 제공할 수 있고, 인터페이스에서 스타일, 색깔, 요소들을 통일성 있게 사용할 수 있도록 한다(Instructional Technology Research Center, 2004).

스타일 가이드는 스토리보딩에서도 사용가능하다. 스타일 가이드는 폰트, 스타일, 크기, 색깔, 장소, 위치 선정, 그래픽 크기, 커뮤니케이션의 유형(형식적, 비형식적 커뮤니케이션)을 결정할 때 큰 그림을 볼 수 있게 해준다. 또한 이는 WBI에서 개발된 요소들을 일관성 있게 제시할 수 있도록 지원한다. 스타일 가이드는 특히 설계팀에 참여하거나 WBI 프로젝트가 복잡할 때 유용하다. 이렇게 일관성 있는 설계를 하고 나면 다음 WBI를 개발할 때 아이콘, 버튼, 내용을 의미 있게 구성 및 제시하기 위해서 다시 고민하지 않도록 해준다.

스토리보드의 종류

스토리보드에는 다양한 형식이 있다. WBI 개발에 사용되는 스토리보드 형식으로는 상세한 스토리보드와 간결한 스토리보드가 있다.

상세한 스토리보드. **상세한 스토리보드**는 웹페이지에 사용된 모든 그래픽, 폰트, 스타일, 색깔, 크기, 바탕화면 색깔, 이미지 이름, 그리고 내비게이션 버튼을 상세하게 설명한다. 스토리보드는 이를 구성한 후 설계가 변할지라도, 결과적으로 나타나는 웹페이지와 유사해야만 한다. 그림 8.7에 상세한 스토리보드 방법을 사용한 사례를 보였다. 이는 여기서 사용된 폰트(돋움체)와 폰트 크기(제목: 14포인트, 텍스트: 12포인트)를 보여주고, 각 페이지별로 인터페이스 요소를 간의 관계를 보여준다. 어떤 그래픽이든 클립아트이든 간에 스토리보드에 그려낼 수 있다.

▶ 그림 8.7 상세한 스토리보드(크기는 원본과 차이가 있음)

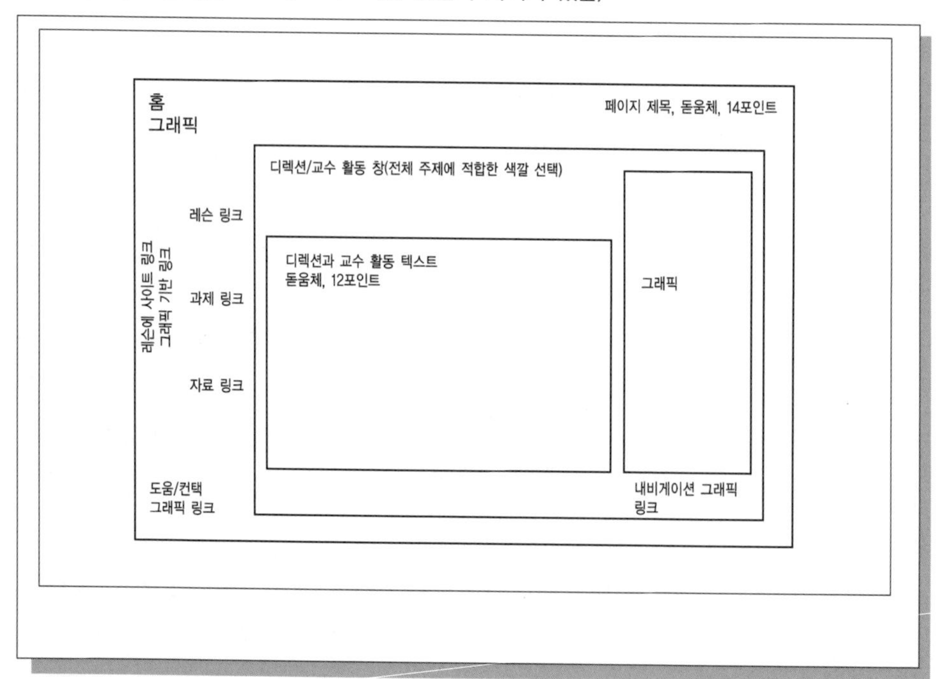

▶ 그림 8.8 상세한 스토리보드를 사용한 웹페이지

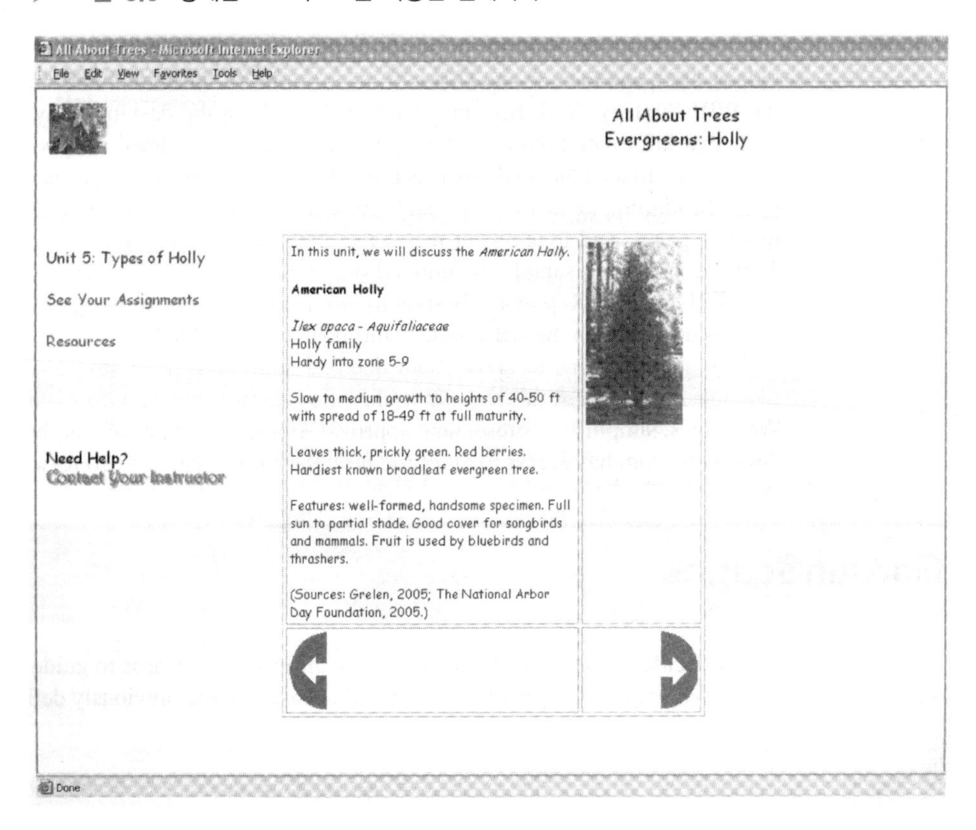

그림 8.8은 상세한 스토리보드 방법을 사용한 것이다. 스토리보드와 웹페이지가 어떤 부분에서 유사하고 다른지 살펴보자.

간결한 스토리보드. **간결한 스토리보드**는 표의 형태나 매트릭스 형식으로 화면을 제시하고 WBI에서 모든 웹페이지가 어떻게 구성되는지를 보여주는 데 도움이 된다. WBI 전략 워크시트에 기획한 학습 내용과 교수 전략을 바탕으로 하는 각 레슨별 교수 활동 페이지는 모든 웹페이지에서 확인할 수 있다. 각각의 웹페이지는 학습목표, 텍스트, 미디어(그래픽, 애니메이션, 비디오 등) 및 URL을 일관성 있게 보여준다.

WBI 전략 워크시트에 학습 내용과 전략에 대한 정보를 구체적으로 기술하였다면 설계자는 이를 바탕으로 간결한 스토리보드의 셀을 적절하게 구성하고 페이지 종류(학습목표/개념), 내비게이션/사이트와 같은 기타 정보를 적절한 공간에 배치한다. 추가적으로 코스의 제목 페이지, 안내 페이지, 과제 페이지도 WBI를 지원하기 때문에 새롭게 구성하여야 한다. 표 8.3에 웹페이지 유닛 내에 있는 각 개별 웹페이지의 간결

표 8.3 간결한 스토리보드 예

학습 목표/페이지 제목	텍스트 요약	내비게이션/사이트	기타
5.3.1 호랑가시나무를 구별할 수 있다. 유닛 5: 호랑가시나무의 종류	호랑가시나무는 라틴어로 *lLexopaca –Aquifoliaceae*라고 한다. 호랑가시나무에 대한 흥미로운 사실들을 진술한다. 표본을 보면서 호랑가시나무의 종류에 대해 논의한다. 환경조건에 따른 나무의 습성을 기술한다. 호랑가시나무가 다른 상록수와 달리 갖는 특성을 논의한다. 호랑가시나무에 관련된 다른 추가 자료를 탐색한다.	다음 사이트 연결시킴: • 과제를 살펴보자. • 학습자원을 살펴보자. 첫 페이지로 연결되는 그래픽을 사용한다. 오른쪽 방향 화살표는 다음 교수 활동 장면으로 넘겨준다. 왼쪽 방향 화살표는 프로그램 소개로 연결된다.	대단원과 링크에는 그래픽을 사용함.

한 스토리보드를 보였다. 앞서 본 그림 8.8은 레슨 5.1을 간결한 스토리보드(표 8.3 참고) 형태로 구성한 것이다.

상세한 스토리보드와 간결한 스토리보드를 동시에 작업하면 좋은 연습이 될 것이다. 왜냐하면 두 종류의 스토리보드를 모두 사용한다면, 고객이 웹페이지에 필요한 모든 정보를 구체적으로 확인할 수 있고, 결과적으로 앞으로 진행할 과제에 대한 전략을 간략하게 축약할 수도 있기 때문이다. 두 가지 유형의 스토리보드를 모두 활용함으로써 설계팀은 앞으로 진행하는 데 필요한 모든 종류의 정보를 확보했다는 확신을 가질 수 있을 것이다.

GardenScapes 사례

Elliott은 코스를 개발할 때 지표가 되는 두 가지 종류의 스토리보드, 즉 상세한 스토리보드와 간결한 스토리보드를 모두 사용하기로 결정했다. 상세한 스토리보드는 이전에 개발한 인터페이스를 바탕으로 하였다.

레슨 2를 위한 스토리보드: 정원을 어떻게 가꿀 것인가? 정원 주제를 선정한다.

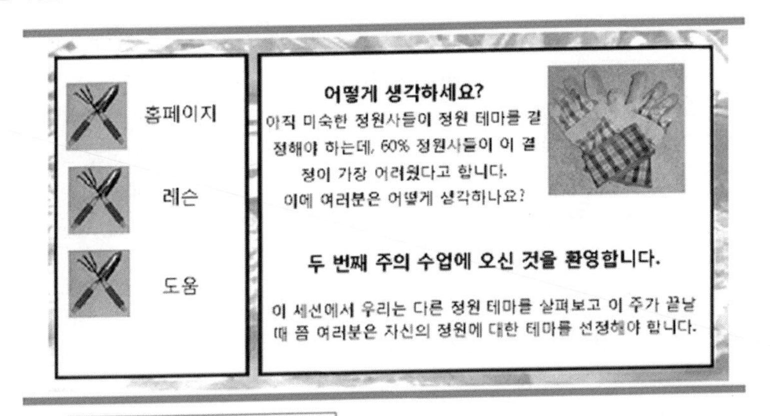

텍스트 : Arial 체
텍스트 색깔: 검정색
메시지 부분:
가로 줄: 녹색
뒤로/앞으로 아이콘: 녹색
다음 정보에 대한 아이콘: 파랑색

Elliott은 LTM을 바탕으로, 여러 학습 목표와 WBI 전략 워크시트를 활용하여 간결한 스토리보드를 개발하였다. 그는 학습 전략과 학습 내용이 웹페이지와 웹사이트에 어떻게 전환되는지를 Kally와 상의하여 진행하였다. 다음 표는 간결한 스토리보드의 일부이다.

실전 연습 스토리보드를 문서화한 작업을 보려면 자매 사이트 (http://www.prenhall.com/davidson-shivers)를 참고하자.

학습 목표/학습 내용	학습 내용 줄거리	내비게이션/사이트	기타
제목 페이지	코스에 참여한 것을 환영합니다. 레슨을 시작하기 전에, 프로그램 개요부터 읽어보고, 강의계획서를 살펴봅시다. 개요와 강의계획서를 다 읽었나요? 자! 여러분은 정원을 가꾸는 방법을 배우기 위한 모든 준비가 되었습니다! 첫 번째 레슨을 시작합니다.	다른 주요 사이트로 링크시킨다. (강의계획서, 레슨 소개, 각 주별 레슨 등)	정원에 대한 시각 정보–메인 사이트에 제시. 기술 지원을 받기 위해 메일을 발송한다. 교수자에게 메일을 발송한다.

학습 목표/학습 내용	학습 내용 줄거리	내비게이션/사이트	기타
코스에 대하여	이 코스는 초보자 혹은 이미 경험이 있는 사람들에게 정원을 꾸미는 데 필요한 기능을 가르쳐 주기 위해서 설계되었습니다. 여러분만의 정원을 꾸미고 설계하기 위한 준비가 되었다면 우리의 원예 클럽에 들어올 준비가 된 것입니다! 여러분이 만약 준비가 되었다면, 강의 요강을 살펴보고 첫 주 레슨을 시작합니다! 만약 기술적 문제를 갖고 있다면 기술지원팀에게 메일을 보내시기 바랍니다. 이 코스에 대해 질문이 있다면 교수자에게 메일을 보냅니다.	메인 페이지로 돌아간다.	정원에 대한 시각 정보–다른 화면에 제시. 기술 지원을 받기 위해 메일을 발송한다. 교수자에게 메일을 발송한다.
강의계획서	CJC 운영팀에 승인을 받은 과정 (추가될 예정임)	메인 페이지로 돌아간다.	정원에 대한 시각 정보–다른 화면에 제시. 기술 지원을 받기 위해 메일을 발송한다. 교수자에게 메일을 발송한다.
WBI 전략 워크시트의 네 가지 핵심 주제	완성된 간결한 스토리보드를 참고하기 위해서 자매 사이트를 참고한다.	메인 페이지로 돌아간다.	정원에 대한 시각 정보–다른 화면에 제시. 기술 지원을 받기 위해 메일을 발송한다. 교수자에게 메일을 발송한다.

생각해보기

WBI 프로젝트 과정에서 우리가 가장 유용하게 사용할 수 있는 스토리보드를 구성하자. 대부분의 경우, 두 가지 유형의 스토리보드를 모두 사용한다. 텍스트를 구성하고, 그래픽을 결정하고, 내비게이션을 표시하자. 우리가 이미 선정한 학습목표에 맞추어 학습 내용을 구성하자. 제목 페이지, 디렉션과 같은 내용을 위해서 간결한 스토리보드 방법을 활용하고, 학습자가 볼 수 있는 페이지 제목을 열거하고, 텍스트를 구성한다. 스토리보드를 설계 문서에 추가하자.

(다른 교수설계자들이 동일한 문제들을 어떻게 해결하고 있는가를 알아보기 위해

이 장의 후반부에 제시된 사례 연구를 살펴보기 바란다.)

웹페이지 및 웹사이트 개발

나이키라는 회사의 사업을 위한 구호인 '일단 시도해보자(Just do it)' (Nike, Inc., 2004)라는 정신은 웹 개발과정에서도 중요한 고려 사항이다. 설계자가 웹페이지에 나타날 학습을 위한 내용이나 화면의 다른 요소들을 실제로 만들기 시작하기 전에 이렇게 '일단 시작해보자' 는 방식을 적용하기는 어려울 것이다.

어떤 경우에 설계자들은 동시적 설계 방식의 설계와 개발과정에서 초기 단계에만 관심을 두고, 다음 단계인 구체적인 웹페이지 개발과정에는 별도로 많은 관심을 두지 않는다. 이들은 중요한 요소들이 스토리보드에 포함되어 있는지를 확인하고, 코스 개발에 필요한 대부분의 의사결정 사항들을 프로토타입 개발 이전에 결정한다. 그러나 이런 방식으로 개발 과제를 수행하면 동시적 설계 작업을 연장시키는 단점이 있다.

또 어떤 설계자들은 초기 설계 단계에서 충분한 시간을 들이지 않고 프로토타입 개발 혹은 실제 페이지 개발에 급하게 뛰어들기도 한다. 웹페이지 개발 단계에 지나치게 많은 시간을 투자하다 보면, WBI 프로젝트의 시작부터 문제가 발생하고, 너무나 많은 것을 수정하게 되며, 투자비용을 낭비하게 된다. 동시적 설계를 통해 초기 단계에 많은 시간을 소비했다면 이러한 문제점을 피할 수 있었을 것이다. 설계자가 한 사람이든 여러 사람이든 설계팀이 설계와 개발 방식에 대해서 동시에 고민하여 동시적 설계 단계에서 적절한 결정을 내리게 되면, WBI 프로젝트는 프로젝트에 따라서 학습 자원, 예산, 시간을 적절히 조절해 나갈 수 있게 된다.

다음 단계는 WBI 프로토타입을 개발하는 과정이다. 형성평가 과정을 동시적 설계에 적용하면서, WBI 개발에 의사결정 과정과 프로토타입 및 최종 WBI 개발물은 WBI 설계 단계에서 이루어진 평가항목과 유사한 내용으로 검토받게 된다. 기술 요소가 프로토타입 개발과정에 영향을 미치기 때문에, 설계자들은 이 부분을 반드시 고려해야만 한다.

웹사이트 개발과정에서 발생하는 기술 문제

웹사이트 개발과정에서 기술과 관련된 요소에는 다운로드 속도, 서버 용량, 크로스-브라우저 기능이 있다. 사용자 접근 용이성, 저작권, 유지 관리와 웹페이지 에디터 사용에 관련된 그 밖의 논의도 웹사이트 개발과정에서 다루어야 한다. Jones와 Farquhar

(1997)는 웹을 개방 체제라고 표현한다. 이 시스템에는 WBI 개발에 복잡한 요소들을 추가할 수 있다. 개발 단계에서 요점은, 분석 단계 중에서 기능 혹은 장비 부분에서 어떤 수정사항이 생겼는지를 확인하기 위하여 환경을 분석해야만 한다는 것이다. 어떤 조직들은 개발 단계에서 반드시 확인해야 할 기술적 문제점을 갖고 있다. 이 장에서는 구체적인 이슈를 다루기 위한 시작 단계라고 할 수 있다.

다운로드 속도

다운로드 속도는 다른 사이트에 어떻게 접근 가능한지와 웹의 복잡함 정도에 따라 영향을 받는다(예: 모뎀 혹은 직접 연결). 참여자들이 웹을 사용하면서 겪는 불편함을 줄이기 위해서는 각 페이지에서 가능한 한 다운로드가 빨리 진행되어야만 한다(Nielsen, 2000). Microsoft의 첫 화면에 보이는 것과 같은 에디터 기능은 페이지가 다운로드되는 시간을 보여준다. Nielsen에 따르면 설계가 단순할수록 빠른 시간 내에 웹페이지를 다운로드할 수 있다.

웹페이지를 구성하는 요소는 사용자의 컴퓨터 시스템에서 웹페이지가 나타나는 속도를 결정한다. 예를 들어, 일반적으로 텍스트 문서에 내용이 많을지라도 빠른 시간 내에 다운로드가 가능하다. 그러나 그림, 음악, 그래픽, 표, 플래시 애니메이션, 비디오와 같은 그래픽 장치들은 제시되는 시간을 지연한다. 용량이 큰 파일 혹은 그래픽(예: 표, 그림, 클립아트) 그리고 미디어(예: 비디오)는 페이지를 더 복잡하게 하고 다운로드 시간을 연장시킨다.

초보자 혹은 '기술에 행복한' 설계자들과 이해당사자(가끔 *테크노-로맨티스트*라고 불리는)들이 실제 웹페이지에 필요 이상으로 많은 미디어와 그래픽을 사용하는 경우가 많다. 설계자들은 각각의 항목들이 학습 환경과 관련이 되는지 혹은 반드시 필요한지를 신중하게 고려해봐야 한다(Berry, 2000; Clark & Mayer, 2003; Lynch & Horton, 1999).

서버

웹사이트를 개발하고 나면, 사이트가 사전에 기획한 대로 작동할 수 있는지의 여부에 따라 서버의 성능을 판가름할 수 있다. 모든 종류의 서버가 설계 단계에서 요구하는 대로 작동하는 것은 아니다. 다양한 웹기반 기능을 적용하기 위해 *익스텐션(extension)*이라 하는 특정 서버 소프트웨어를 반드시 설치해야만 한다(Dashti, Kim, Shahabi, & Zimmerman, 2003). 예를 들어 비디오를 사용하는 경우 Real Media *Server* 혹은 Microsoft *Media Player*와 같은 특별한 서버와 익스텐션을 필요로 한다

(Real Media, 2004).

또 다른 중요한 점은 WBI를 어느 서버에 저장하고 접근해야 하는지를 결정하는 일이다. 대부분의 많은 조직에서는 개발 단계에서 한 서버를 사용하고, 운영 단계에서 또 다른 서버를 사용한다. 웹사이트가 충분히 작동하는지 그리고 적절한 서버와 연결되어 있는지를 확인하기 위해서 조직 내 컴퓨터를 관리하는 기술 담당자들과 함께 일하는 것이 중요하다.

기술 담당자들은 웹사이트를 지속적으로 유지하기 위해서 사용하는 서버의 접근 용이성, 안정성 프로토콜 및 기타 정보들을 제공해야 한다. 이 정보들은 대부분의 설계자들이 잘 모르거나 반드시 알아야 할 필요가 없는 고급의 기술 지식이나 기능에 해당한다. 그러나 설계자들은 이러한 기술적 문제에 있어서 무엇이 필요한지를 알아야만 한다. 표 8.4에 설계자들이 기술적인 부분에서 염두에 두어야 할 사항을 기술하였다. 이 표에 담긴 내용뿐만 아니라 설계자가 있는 조직이나 상황에 따라서 다른 질문들을 추가할 수 있다.

크로스-브라우저 기능

각기 다른 종류의 브라우저와 브라우저의 업데이트 버전은 학습자와 교수자에 따라서 웹사이트에 접속하기 위해서 불가피하게 사용하게 한다. 모든 참여자들이 같은 시

표 8.4 기술 문제에 관련된 질문

서버에 대한 고려사항	웹사이트 지원에 관련 고려사항
1. 개발 서버에 어떻게 접근할 것인가?	1. 사이트는 어떻게 백업하는가?
2. 어느 서버에 개발할 것인가?	2. 사이트 백업은 언제 하는가?
3. 서버가 프로덕션 서버로 사용될 것인가?	3. 서버 접속 시간이 무엇인가?
4. 안정성을 위해서 어떤 점을 고려해야 하는가?	4. 미러서버(mirror sever) 사이트가 있는가?
5. 사이트를 개발하는 데 있어서 어떤 점을 보안해야 하는가?	5. 문제가 발생하였을 때 누구에게 도움을 요청할 수 있는가?
6. 나의 URL은 어떻게 되는가?	
7. 나의 학습자들은 특정 접근방법 및 보안을 필요로 하는가?	
8. 나는 웹 사이트 접근 시 혹은 보완관련 지침을 필요로 하는가?	
9. LMS는 어떻게 사용할 수 있는가?	
10. 파일 정리를 위한 프로토콜이 있는가?	
11. 대용량의 그래픽을 다운로드할 때에 시간 표시 기능이 있는가?	

기에 브라우저를 업데이트하지 않고 동일한 브라우저의 유형이나 버전을 사용하지 않기 때문에 프로그램이 쉽게 호환되지 않는다. 각 개인들은 안정된 브라우저를 선호하기 때문에 최신 버전의 브라우저가 항상 필요한 것은 아니다. 학습 활동을 하는 가운데 다른 여러 버전을 사용할 수 있다. 따라서 웹사이트는 학습 환경에 대한 사전 분석을 통해 공통으로 활용할 수 있는 기술을 결정해야 한다.

또한 HTML, XML과 다른 웹에디팅 언어는 *플랫폼에 기반을 두어* 웹페이지를 구성하는 데도 불구하고, 서로 다른 운영 시스템에 따라 서로 다른 규칙을 사용한다. 따라서 설계자들은 학습 내용을 제시할 때 이러한 문제들을 유의하여 웹사이트를 개발해야 한다. (예를 들어, 특히 윈도우 기반의 브라우저 형식을 위한 텍스트는 애플 맥사의 OS에서는 보이지 않을 정도로 작은 크기로 나타날 수 있다.)

ADA 요구사항

장애자들의 법령(American with Disabilities Act, ADA)(U.S. Department of Justice, 1900)과 웹 접근 발의권(Web Accessibility Initiative) [W3C] 2001)은 설계자들에게 굉장히 중요하다. 개발 단계에서 웹사이트는 ADA의 요구조건에 맞추어야 할 뿐만 아니라, 웹 접근 발의권의 첫 번째 항목도 고려해야 한다. 웹 접근 발의권은 세 가지 수준에서 제시되었고, 각 수준은 개발 과정 단계와 최종적 웹사이트의 성과에 대한 디렉션을 잡을 수 있도록 충분히 구체적으로 제안되어 있다.

저작권 문제

TEACH 법령(The Technology, Education, and Copyright Harmonization Act)(2002)에 따르면 1976년에 원격 교육에 대하여 제정한 저작권법을 확장하여, WBI 교수자도 전통적인 교실에서의 교사와 동일한 권리와 책임을 행사할 수 있다. 1976년 저작권법은 다음과 같다. "원문/원작에 대한 법적 권리는 어떤 미디어를 통해서든, 부분적으로 원문을 사용할 때와 원문 전체를 사용할 때 모두 원문/원작을 모방하는 경우라고 주장할 수 있다." (Smaldino et al., 2005, p. 11) "공평한 사용"에 대한 이의를 고려하여, Smaldino는 다음과 같이 진술한다. "학습 환경에서 공평한 사용이란 것이 무엇인지를 결정할 수 있는 완벽한 가이드라인은 존재하지 않는다. 법은 공평한 사용을 판단하기 위해 네 가지 기본이 되는 기준을 밝힌다." (p. 87).

그러나 '네 가지 기준'을 고려한다고 할지라도 교수자의 *무조건적인 자료 사용을 허용한다는 것*을 의미하는 것은 아니다. 합법화된 사용은 저작권이 있는 자료들을 사용할 수 있는 구체적인 조건이 기술된 성문법을 필요로 한다. 저작권 사용에 대해 의

문이 들 때마다 설계자들은 자료를 사용할 때 어떤 결과를 초래할 수 있는지 미리 살펴두어야 한다(Zobel, 1997).

이전에 개발된 WBI를 포함하여 저작권이 있는 자료들은 교수자와 학습자와 같은 특정 사용자에 한해서만 접근 가능하도록 비밀번호를 요구할 수 있다. 대부분의 LMS는 로그인에 필요한 비밀번호를 요구함으로써 WBI와 웹사이트 접속을 제한한다.

저작권 문제에 연루되는 것을 피하기 위해서 설계자들은 모든 사람들이 자유롭게 사용할 수 있는 공간에서 작업을 진행하여 자신만의 학습 내용을 구성하거나, 혹은 저작권이 있는 자료들을 사용하기 위해 합법적인 절차를 밟아야 한다(이는 아마도 저작권을 갖고 있는 사람에게 사례금을 지급해야 할 것이다). 추가로, 다른 여러 조직에서는 지적 재산권에 관련된 구체적인 정책을 갖고 있기 때문에 이 규정에 따라야 하는 경우도 있다. 원격 프로그램을 운영하는 도서관의 자료들은 대부분 저작권이 있는 자료들이다.

유지 관리 문제

WBI를 개발하는 가운데 겪는 또 다른 기술적 문제는 웹사이트를 유지하는 데 발생한다. 인터넷과 웹이 계속 바뀌기 때문에 개발과정에서 사용한 링크들이 실제 운영과정에서 작동하지 않을 수 있다. 학습 활동이 성공적으로 지속되기 위해서는 링크가 제대로 연결되는지, 사이트는 제대로 열리는지를 확인해야 한다. Microsoft사의 *프론트페이지(FrontPage®)*와 같은 에디터들은 링크를 자동적으로 검사하고, 설계자들에게 업데이트 결과를 가르쳐준다.

WBI란 개발을 마친 후에도 지속적으로 개발해야 하는 것이다. 프로그램 개발이란 완벽하게 끝나는 시점이 없기 때문에 고객의 입장에 있는 교수자 혹은 다른 참여자들은 WBI개발 이후에도 웹사이트를 계속 책임져야 한다. WBI를 운영할 때마다 웹사이트가 업데이트되었는지를 확인하기 위하여 웹사이트를 지속적으로 개발하기 위한 계획을 수립해야 한다. 이에 대해서는 9장에서 더 구체적으로 다루기로 하겠다.

웹 에디터 활용

*에디터*라고 불리기도 하는 **웹 에디터**는 웹페이지와 웹사이트 개발에서 설계자에게 도움을 줄 수 있다. 웹 에디터에는 프리웨어 혹은 셰어웨어 혹은 상업적으로 판매되는 에디터 등 다양하다. 상업적으로 판매되는 에디터로는 넷스케이프사에서 제공하는 *컴포저*, 마이크로소프트사에서 제공하는 *프론트페이지*, 매크로미디어에서 제공하는 *드림위버*가 있다. 어떤 LMS는 간단한 에디터를 지원하고 있어 개발자가 쉽게 웹페이

지를 개발할 수 있도록 하거나 혹은 LMS에 쉽게 접근할 수 있도록 만들어 프로그램을 간편하게 개발할 수 있도록 한다. 어떤 에디터 종류를 사용하든지 웹사이트와 페이지를 개발하는 복잡한 과정은 그들의 사용에 따라서 단순해질 수 있다. 에디터는 HTML 혹은 다른 종류의 언어 능력을 필요하지 않기 때문에, 초보자 혹은 설계 전문가들은 웹페이지와 웹사이트 개발하는 데 필요한 능력을 개발할 수 있다.

GardenScapes 사례

Elliott은 설계팀이 가질 기술적 문제들을 찾아보았다. 그는 이번 프로젝트에 함께 참여하고 있는 기술 지원담당인 Laila Gunnarson에게 물어볼 질문을 정리해 보았다.

서버에 대한 질문 문항	웹사이트 지원에 대한 질문 문항
• 나는 개발 서버에 접근하기 위해 비밀번호를 필요로 하는가? • 개발 사이트가 반드시 결과물 서버로 전달되어야 하는가? • 나의 URL은 무엇이 될 것인가? • 파일 정리에 필요한 것은 무엇인가? • 학습자들어 접속할 때 발생할 문제점에는 무엇이 있는가? • 학습자들은 어떻게 LMS에 들어가는가? • 반드시 내가 알아야 할 그 밖의 정책이 있는가?	• 사이트는 어떻게 백업하는가? • 사이트 백업은 언제 하는가? • 서버 접속 시간은 무엇인가? • 미러 서버 혹은 사이트가 있는가? • 문제가 발생하였을 때 누가 도움을 줄 것인가?

Elliott은 ADA, 저작권과 웹페이지 에디터의 사용에 관해서 걱정하였다. Elliott은 Laila와 그녀의 동료들과 함께 일하면서, 부딪힐 기술적인 혹은 다른 문제점들에 대한 가장 적절한 해결책을 정리해 보았다.

해결책 정리
기술에 관련된 일반적인 문제 • 학습자들은 집에 있는 컴퓨터를 통해 사이트에 접속할 수 있다. 학습자들은 56키로바이트에서 T-1과 DSL 접속이 가능해진다. 학습자들은 집에서 혹은 회사에서 접근할 수 없는 경우, CJC에 있는 컴퓨터를 사용할 수 있다. 다운로드 시간을 최대한 줄일 수 있도록 비주얼과 비디오를 가능한 한 적게 사용해야 한다. 시스템 접근은 매일 24시간 가능하다.

해결책 정리

서버 용량
- 학습자는 CDE를 통해 LMS에 들어갈 수 있다.
- TLDC는 초기 기술적인 지원에 책임을 맡아야 한다. 대학 내에 정보기술 및 컴퓨터 담당 지원팀은 TLDC가 해결하지 못 할 문제점을 해결해나갈 것이다.

크로스-브라우저 기능
- 학습자들은 코스를 듣기 위해 두 가지 주된 브라우저를 사용할 것이다. 넷스케이프의 *네비게이터* 혹은 인터넷 *익스플로러*의 브라우저에서 모두 교수 활동을 살펴볼 수 있다. 이러한 분석을 바탕으로 컴퓨터 지원 담당자의 도움을 얻어서 웹페이지 버전을 최소화하고자 할 것이다.

ADA 요구사항
- 모든 교육과정에서 필요한 CJC 권한은 ADA 요구에 맞추어야 한다. 또한 모든 사이트는 웹 접근 발의권의 두 번째 조항에 따라야 하고 가능한 한 세 번째 조항에도 맞추어야 한다.

저작권 문제
- TLDC 혹은 SME는 사이트에서 제공하는 모든 비주얼과 그림들을 제공한다. 저작권이 걸려있는 비주얼의 경우, 저작권자의 합의된 정보이용 동의 문구와 함께 교육과정을 제공한다.

웹에디터의 활용
- 개발팀은 WBI를 개발할 때 에디터를 사용할 것이다.

'설계 문서' 에 기술된 실전 연습의 스토리보드를 보려면 자매 사이트 (http://www.prenhall.com/davidson-shivers)를 참고하자.

생각해보기

우리의 프로젝트에 있는 기술적 문제점이나 다른 웹사이트의 문제점을 살펴보자. 기술지원 담당자에게 물어봐야 할 문제점들을 구체화해 보자. 이러한 문제점들에 대한 가능한 해결책들을 밝혀보자.

(다른 교수설계자들이 동일한 문제들을 어떻게 해결하고 있는가를 알아보기 위해 이 장의 후반부에 제시된 사례 연구를 살펴보기 바란다.)

실전 연습 '설계 문서' 를 보려면 자매 사이트 (http://www.prenhall.com/davidson-shivers)를 참고하자.

형성평가와 WBI 개발

형성평가 기획은 이미 마무리가 되어 설계 문서(5장 참고)에 기술되어 있다. 형성평가는 동시적 설계의 설계 과제와 개발 과제에서 실행된다. WBI는 설계 기획에서 프로토타입 개발, WBI를 최종적으로 개발해 나가면서, 최종 사용자인 학습자를 대상으로 형성평가를 시행한다.

여기에는 모든 시범대상이 참여하게 된다(일대일 시험적 적용, 소집단 시험적 적용, 현장 시범). 2장과 5장에서 논의한 대로, 본격 운영은 WBI를 처음으로 운영하는 과정이다. 설계자, 교수자, 전문 검토자와 학습자가 WBI를 실제 운영해 보면서 앞으로 발생할 수 있는 교수 문제 혹은 기술 문제들을 규명하는 데 그 목적이 있다.

WBI를 개선하기 위해서 필요한 안내, 학습 내용, 학습 활동에 수정해야 할 부분을 지적할 수 있다. 기술적 문제와 같은 지원 요소들은 학습 환경과 맞물릴 수 있다. 그리고 WBI와 학습 환경에 더 많은 신경을 쓸수록 WBI는 운영하기 쉬워진다.

GardenScapes 사례

Elliott은 Kally의 도움을 받아서 기획안과 전달 과제에 대한 형성평가를 실시하였다. 이는 모든 학습 효과가 초기 기획한 대로 나타나는지를 확인하기 위해서 시행되었다. 그들은 시범집단을 대상으로 평가를 시행하였다(일대일 평가와 현장평가).

형성평가 시범

일대일 평가를 실행하였다. 학습자들은 설계 초안과 스토리보드를 검토하였다.

- 인터넷 사용(초급), 조경 지식(초급)
- 인터넷 사용(고급), 조경 지식(초급)
- 인터넷 사용(고급), 조경 지식(중급)

현장평가는 17명으로 구성되었으며, 이들은 *GardenScapes*의 첫 운영에 참여하여 모든 레슨을 마쳤다.

*GardenScapes*의 설계 기획부터 WBI 프로토타입 개발과정은 현장평가 결과를 바탕으로 수정해 나간다. 예를 들어, 프로그램 검토자들은 인터페이스 설계의 수정방향을 제안하게 된다. Elliott은 각 코스별로 적절한 제목을 사용하였는가 검토되기를 기대하였다. 일대일 평가 혹은 여러 유형의 면담을 통해 제목은 현재 상태로 그대로 유지하기로 결정하였다. 형성평가는 현장평가를 통해 진행하였고, 여기서 대부분의 참여자들은 평가 기획 단계에서 작성한 구체적인 질문 문항에 응답하였다.

GardenScapes '설계 문서'는 자매 사이트
(http://www.prenhall.com/davidson-shivers)를 참고하자.

생각해보기

형성평가를 위한 여러분의 설계 문서를 검토하자. WBI 개발 활동을 살펴보면서, 형성평가의 마지막 단계를 실행하고, 필요하다면 WBI를 수정한다.

(다른 교수설계자들이 동일한 문제들을 어떻게 해결하고 있는가를 알아보기 위해 이 장의 후반부에 제시된 사례 연구를 살펴보기 바란다.)

마무리하기

이 장에서는 교수 활동 및 웹사이트를 구성하는 웹페이지를 개발할 때 고려해야 하는 요소들을 다루었다. 메시지 및 시각 설계와 연관된 WBI 전략 워크시트와 원리를 구체화하고, 동시적 설계 단계에서 웹 개발을 위한 과제들을 하나씩 살펴보았다. 인터페이스, 플로차트, 스토리보드는 WBI를 위한 초기 프로토타입 단계라고 볼 수 있다. 이들은 효과적이고 매력적인 웹페이지 및 웹사이트를 개발하고, 전문가에게 승인을 받고, 설계팀에게 프로젝트에 대한 개념적 이해를 돕기 위해서 사용된다. 설계자들은 WBI의 웹사이트 개발을 위해 프로토타입을 사용할 것이다. 프로그램 속도, 서버, 크로스-브라우저 기능에서 나타나는 기술 문제와 ADA에 필요한 사항, 저작권 문제, 웹에디터 사용에 관련된 문제에 관련된 질문을 확인해야 한다. 형성평가는 전체 웹 개발 과정에 포함되어야만 한다.

토론 과제

1. WBI 프로젝트에서 반드시 진행되어야 하는 주된 개발 과제는 무엇인가? 프로젝트 일원 중에 누가 이를 도맡아 할 것인가?
2. 프로젝트를 성공적으로 수행하는 데 가장 중요한 과제는 무엇인가?
3. 설계자들은 프로그램 설계에서 프로토타입으로 전환시키고, WBI를 운영하는 데 있어서 어떤 전략을 필요로 하는가?
4. 메타포와 유추를 사용하여 인터페이스를 개발하는 과정을 설명해보자. 실제로 어떻게 개발되었는가? 웹기반 인터페이스 개발은 어떻게 진행하였는가?
5. 시각적 메타포 혹은 유추를 반드시 사용해야 하는가? 이에 대한 자신의 생각을 다

른 문헌들을 참고하여 설명해보자.

6. WBI 개발 혹은 운영 과정에 고려해야 할 기술 문제 혹은 그 밖의 문제들이 있는가? 우리는 이러한 문제점들을 어떻게 해결해 나가는가?
7. 형성평가를 WBI 과정에 통합시켰는가?
8. WBI 개발과정에서 형성평가를 수행하는 것이 중요한가 혹은 중요하지 않은가? 여러분의 생각을 기술해보자.

사례 연구

1. 초·중·고등학교의 사례

Megan은 Dodge(1997)의 구조를 활용하여 웹기반 프로그램을 개발하기 시작하였다. 그리고 이 프로그램을 'WebQuest' 라고 불렀다. Cassie, Rohda, Buzz를 포함한 그의 학생들은 프로그램에 들어갈 내용을 마련하고 설계 문서에 기획한 형성평가를 실행할 때에 피드백을 주었다. 그는 'WebQuest' 를 '소개', '과제', '과정', '평가', '결론' 으로 간단하게 구분하여 인터페이스를 작업해 나갔다.

이 프로그램은 과학과 탐구를 주된 핵심으로 두고, 여기에서 사용하는 아이콘들은 과학자, 과학 도구, 물음표에 관련된 그래픽으로 구성하였다. 선정된 각 아이콘들은 프로그램의 개념과 연관성이 있어야 한다. 모든 프로그램에 들어가는 시각적 설계들은 인터페이스를 구성해 나가게 된다. 학습 활동 중에 'WebQuest' 를 사용하기 때문에 추가적인 학습 목표를 필요로 하지 않는다. 교사들은 학습 자료로서 WSI를 주로 사용하고 부분적으로 이 프로그램을 사용할 예정이다.

Megan은 웹사이트를 개발하기 위해 판매용 웹 에디터를 사용하였다. 웹사이트 서버로는 그녀가 근무하는 지역에서 제공하는 서버를 사용할 예정이다. 그는 자신이 근무하는 지역의 컴퓨터 지원 및 정보기술 담당자들과 회의를 갖고, 기술 문제나 서버 문제에 대해 논의할 예정이다.

이러한 개발과정을 통해, Megan은 프로그램에서 링크 연결이 잘 되어 있는지, 그래픽 및 웹페이지가 제대로 구현되는지 시험해볼 예정이다. Megan이 특히 관심을 두는 분야는 프로그램 언어 중 하나인 ADA이다. 학교에서 많은 학생들은 예상하지 못한 요구를 할 것이고, 그는 웹사이트상에서 이러한 요구에 맞추어 수정해 나가야 한다. 그는 프로토타입이 개발되고 나면 Cassie, Rhoda와 Buzz에게 피드백을 요청할 예정이다.

2. 기업의 사례

Stacey는 조교에게 도움을 받아 Homer Spotswood WBI 프로그램을 개발하고자 한다. Stacey는 TOAB을 완성하였다. Homer 프로젝트의 다음 과제는 인터페이스를 구상하고, 학습자가 온라인 과정에 참여할 때 이를 지원할 수 있는 적절한 그래픽을 선정하는 것이다. 컴퓨터 기능은 M2사에 있는 직원들에 의해서 결정되며, 인터페이스는 모든 조직원들이 직관적으로 판단할 수 있어야만 한다. 추가적으로, 몇몇 조직원들은 다이얼 호출식의 인터넷 연결을 통해 코스에 접속하기 때문에, 학습자들이 불편하지 않도록 웹사이트 다운로드 시간을 줄여야 한다. Homer 프로젝트는 직원들이 WBI와 WBI 오퍼레이션에 쉽게 링크할 수 있도록 메타포를 시각적 설계에 통합시키고자 하였다. Homer와 Stacey는 인터페이스를 어떻게 설계해야 할지 논의하였다. 그들은 웹프로그래머와 함께 일을 진행하였고, 고용된 그래픽 디자이너와 이를 공유하기 위하여 그들의 생각을 도안으로 그려보았다. 인터페이스와 교수설계를 바탕으로 Stacey는 플로차트와 스토리보드를 구성할 것이다.

Homer는 기술 지원팀과 회의 일정을 잡았고, 회의는 Nancy Wells가 이끌고 나갈 것이다. 이는 개발 팀과 공장 조직원들이 앞으로 부딪힐 문제에 대해서 논의하기 위한 회의였다. 웹프로그래머는 공장의 백업 서버에 웹사이트를 개발하고, 기술 지원에 접근이 가능해야 할 것이다. 그러나 프로그램을 운영할 때에는 웹사이트를 LMS가 있는 외부 업체의 서버에 호스트할 예정이다. 아웃소싱의 자금은 기술 지원팀에 지원되며 이는 CEO인 Bud Cattrell이 관심 있어 하는 ROI 계산에 일부로 들어간다. 웹프로그래머는 M2 프로그래머가 개발을 마친 후 웹사이트를 업데이트하는 데 도움을 주기 위해서 문서화 작업을 할 것이다. 그리고 Homer는 M2프로그래머들이 지속적인 지원에 필요한 정보를 위해 가이드라인을 요구할 것이다.

3. 군의 사례

훈련 지원센터의 담당자인 Prentiss 함장은 Feinstein 부함장의 팀이 계획한 프로그램에 깊은 인상을 받았다. Feinsein 부함장이 이끄는 이 팀은 해군 훈련 사령부와 해군 인사처에서 제시한 비전과 발전방향에 맞추어 요구분석을 하고, 평가를 계획하고, 설계 전략을 수립하였다.

E^2C^2에 소속된 세 팀은 각 팀원들이 개별적으로 참여한 프로토타입의 기능을 개발하는 데 참여하였다. 그들은 LCMS에 대단히 만족하였다. 이 시스템을 통해 학습 내용

을 만들고, 미디어를 사용하고, 외부 학습 자원에 연결하고, 평가 항목을 새로 만들고, 용어들을 정리하는 것이 가능하였다. 그리고 이러한 모든 작업은 협력 활동이 가능한 온라인 환경에서 이루어졌다. 추가적으로, 형성평가 계획에서 나오는 정기적인 동료 평가는 같은 LCMS에서 이루어졌다. 이와 같이 여러 가지 활동이 프로그램 설계단계와 개발 단계에서 동시에 일어나는 구조는 성과를 효율적으로 높일 수 있었다.

프로토타입 개발을 하면서 멀티미디어를 선정할 필요가 있다. 스토리보드와 스크립트는 교수 전략을 그래픽 및 애니메이션 디자이너에게 설명하기 위해 개발하였다. 이들은 애니메이션으로 제공되는 정보에 내레이션 효과를 주어 좀 더 설명을 추가하고, 내레이션은 이 분야의 전문가와 함께 진행하자고 제안하였다. 비주얼, 애니메이션, 비디오그래픽에서 사용되는 일반화된 표준에 따라 스토리보드에 적용하는 데에는 모두 동의하였다. 마지막으로, LCMS 개발 템플릿에는 인터페이스 기획안과 내비게이션 기획안을 포함시켰다.

동료 검토가 유용한 정보를 제공함에도 불구하고, 각 팀들은 프로토타입에서 참여한 학습자들이 실제 프로그램이 개발되기 전에는 유용한 정보를 제공하지 못할 수 있다고 생각하였다. 개발팀이 TSC의 A라는 학교와 함께 일해 왔기 때문에 Carroll 대위는 훈련을 시작하기 위해서 기다리는 21명의 해병을 목록화하였다. 이 해병들은 시각적 설계, 각 비주얼에 대한 정보량, 어떤 학습 활동이 자신들에게 매력적인지에 대해서 의미 있는 의견을 제공하였다. 제안된 아이디어들은 WBI에 반영되었다.

4. 대학의 사례

강의 요강에 따라 '경영입문' 과정의 교수 목표와 평가가 완성되었고 이에 따라 교수 및 동기 전략을 수립하였다. Shawn 교수와 Brain 조교는 새롭게 개설된 과목의 시간표를 사용하여 WEI의 각 섹션에 대한 순서도를 만들고 스토리보딩을 작업할 준비가 되어 있었다. 순서도와 스토리보딩 각각은 코스 소개, 학습 목표, 학습 자료(프레젠테이션 자료와 학습 활동), 실천 학습, 학습 내용 요약을 담고 있는 유사한 홈페이지를 개발할 것이다. 실제 학습 활동에서 도움이 될 웹페이지도 추가적으로 개발할 것이다.

웹사이트는 대학 내 LMS에서 개발할 것이며, 이는 인터페이스 설계를 최소화하기 위해서이다. 그러나 메시지 설계, 학습 내용, 교수 목표와 학습 과제는 매우 명확하고 간결해야 한다. 코스는 웹 기반으로 발전시켜야 하기 때문에, 학생들은 학습 활동과 마찬가지로, 섹션별 참여과정에서나 과제에서 Shawn 교수의 즉각적인 피드백을 받을 수 없다. 학생들이 온라인 과제를 마무리하기 위해서는 정확하고 명확한 피드백을 필요로 한다.

Brian 조교는 개발 과정에서 대학 내 정보기술 센터와 함께 진행하였다. 이는 Shawn 교수가 웹페이지를 개발하는 데 필요한 도구와 접속이 가능한지 확인하기 위해서였다. Brian 조교는 Shawn 교수의 발표 자료를 모두 LMS에 업로드하였다. 온라인 섹션으로 Shawn 교수는 각 발표 파일에 오디오 내레이션 효과를 넣었고, 이는 업로딩 이전에 완료되어야만 했다.

Shawn 교수는 웹페이지를 개발하기 전에 그의 학습 활동에 퍼블리셔(publisher)를 어떻게 활용할 것인지를 탐색하였다. 그의 퍼블리셔는 카트리지 형태로, 대학 내 LMS로 전환하여 전송시키는 것이 가능하다. 저작권법에 벗어나지 않으면서 그 자료들을 바탕으로 개발한 자료들은 초기에 계획한 것과는 다를 수 있다.

다음 질문은 이 네 가지 사례 모두에게 공통적으로 적용된다. 교수설계자로서 여러분이 이 각각의 사례 상황에 대해 어떤 행동을 취하거나 반응할 것인지 생각해 보라.

- WBID 모형에서 제시된 개발 단계와 다른 동시적 설계 단계는 어떤 관계가 있는가? WBID 모형에서 각 단계별 활동들은 어떻게 연결되는가?
- 설계 과정에서 결정된 부분들은 개발과정에 어떤 영향을 미치는가?
- 각 사례별로 WBI를 개발하기 위해서 어떤 과제를 더 완성해야 하는가?
- 여러분이 각 사례 연구에서 프로젝트 책임자라고 한다면 어떤 다른 방법으로 진행할 수 있을 것인가?

제 3 부

웹기반 학습의 운영과 평가

제 9 장

운영: 학습공동체 구축

WBID 모형에서 운영 단계는 이전 단계에서 진행한 결과들의 결실을 맺는 과정이다. 동시적 설계를 마친 후 운영 단계의 절차를 진행하게 된다. 운영 단계의 핵심은 비록 코스를 설계하였는 데도 불구하고 학습공동체를 새롭게 구축하는 데 있다. 성공적으로 운영하기 위해서는 학습공동체의 구성원들이 온라인 교수활동에 이해를 통해 적절한 학습 촉진 전략과 관리 전략을 실행해야 한다. 구성원, 예산, 시간을 조절하는 것은 운영 단계를 성공적으로 운영하기 위해 중요하다. 최종 준비 활동으로는 초기 운영 시 학습자에게 연락하는 것과 WBI 기술 안전성에 대한 검토, 온라인 교수 기능에 대한 참가자들의 훈련 등이 있다.

9장에서는 온라인 교수방법에 대해서 간략하게 언급한 후, 운영 단계를 성공적으로 진행하는 데 필요한 학습 활동과 사전 준비사항에 대해서 논의한다. 그리고 온라인 학습공동체를 지원하고 관리할 수 있는 전략에 대해서 살펴볼 것이다.

학습 목표

이 장의 구체적인 학습 목표는 다음과 같다.

- 온라인 교수 학습 과정을 설명할 수 있다.
- 운영 단계의 사전 기획 활동을 말할 수 있다.
- 운영팀 구성원을 밝힐 수 있다.
- WBI 운영하기 위한 예산과 시간의 할당방법을 밝힐 수 있다.
- WBI 운영하기 위한 마지막 준비활동을 설명할 수 있다.
- 운영 단계의 두 가지 측면을 구분할 수 있다.
- 웹기반 학습공동체를 지원하는 학습 촉진 전략을 설명할 수 있다.
- WBI 운영을 지원하는 관리 전략을 설명할 수 있다.

시작하기

WBI를 개발하여 형성평가를 실행한 후 운영 단계에 들어가게 된다(그림 9.1). 운영 단계의 핵심은 학습자들과 교수자 간의 상호작용과 이들 간에 공유된 목적을 바탕으로 온라인 학습공동체를 개발하는 데 있다. 운영을 성공적으로 진행하기 위해서는 활동적인 온라인 학습공동체를 구축해야 한다.

웹기반 학습공동체는 상호작용이 높은 학습 환경부터 상호작용 없이 독자적으로 진행되는 학습 활동 등 여러 가지 형태로 운영된다(1장에서도 논의한 바 있다). 학습공동체란 교수자와 학습자가 서로의 상호작용 수준에 상관없이 그들만의 독자적 성격이 만들어지게 되면 구축된다. 성공적인 공동체를 구축하기 위해서 교수자는 온라인 학습 환경에서의 학습 과정을 개념적으로 이해해야 한다.

온라인 교수-학습 과정에서는 다수의 학습 활동이 이루어진다. WBI 운영 중에 나타날 수 있는 모든 학습 활동을 한 장에서 다루기에는 한계가 있다. 그래서 이 장에서는 WBI 운영을 위한 가이드라인만 다루고자 한다.

온라인 환경에서 교수-학습 활동의 이해

잘 이루어진 교수활동은 전달 시스템에서 구현 가능하다. 온라인 학습 환경에서 잘 가르치는 교수자는 전통적인 수업 환경에서도 뛰어난 교수자의 역량을 동일하게 갖추고 있을 것이다(예: 참여자들 간에 의존할 수 있는 믿음, 명쾌한 규칙, 코스 준비, 해당

▶ 그림 9.1 WBID 모형의 운영 단계

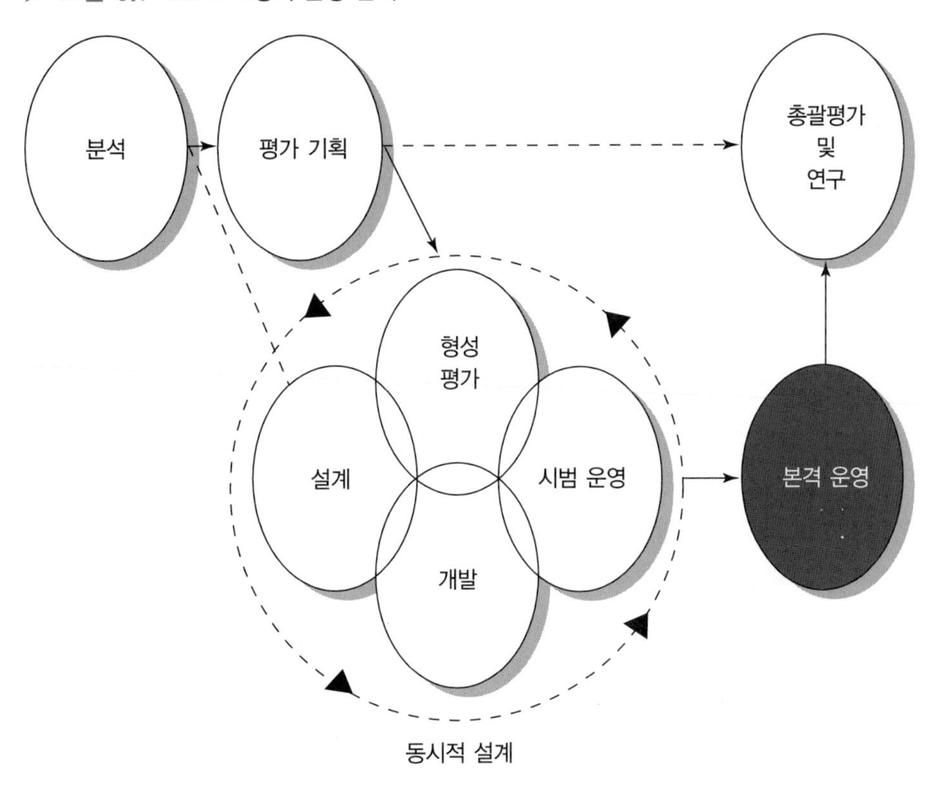

분야 관련 지식, 학습자 복리에 대한 관심, 교수-학습 활동에 대한 긍정적 태도, 코스 조정자로서의 적절한 기능, 명료하게 전달되는 강연 등). 많은 교수자들은 전통적인 수업 환경 교수 전략에 익숙해 있다. 그러나 WBI 환경에서는 전통적인 교수 전략과는 다른 대안적인 교수 전략이 필요하다(Spector & de la Teja, 2001).

온라인 교수-학습 활동은 교수자와 학습자 간 상호작용이 높거나 협력적일 때에 개인화될 수 있다. WBI 활동이 독립적으로 일어나고 협력적이지 않은 상황에서, 학습자는 다른 많은 학습자들 사이에서 잊혀지지 않는다. 온라인 학습자들은 서로서로 누구인지 모를 것 같지만 실제로 이미 교수자와 동료들 간에 서로 알고 있다. WBI 참여자들은 학습공동체의 과제와 학습 활동에 참여한 학습자와 참여하지 않은 학습자를 인식하고 있다(Collison et al., 2000).

온라인 학습 환경에서 학습자와 교수자 간의 관계는 상당히 친숙하고, 그룹 과제, 학습 활동, 상호작용에 독립적인 경향이 강하다(Spitzer, 2001). 전통적 수업인 경우 교실 안에 모든 학습자들이 있기 때문에 대부분의 상호작용은 서로의 개별적인 질문과 코멘트를 통해 이루어진다. 반대로 온라인 학습자-교수자 상호작용은 일반적으로 글을 통해서 이루어진다(예: 이메일, 토론, 피드백, 과제).

추가적으로, WBI 교수자들은 학습자들의 커뮤니케이션량을 압도적으로 많이 발견할 수 있을 것이다. 독립적으로 일어나는 대부분의 교수활동이라 할지라도 교수자는 어떠한 방식으로든 학습자와 개별적으로 상호작용을 하게 된다.

Dempsey(2002)와 Northrup(2002)에 따르면 온라인 코스는 상호작용에 기반해야 하며, 이는 즉각성, 즉 학습자와 교수자 간에 이루어지는 즉각적인 반응으로 설명할 수 있다. 자신이 편한 시간대에 수업을 청취하는 학습자들은 낮이든 밤이든 모든 시간대에 교수자들과 만날 수 있다. 이에 따라 학습자들은 초기에 교수자가 즉각적으로 응답해줄 것이라는 기대를 하게 된다. 동일하게 초보 교수자들은 모든 학습자들의 각각의 메시지에 즉각적으로 응답해야 한다는 부담을 갖게 된다.

대학에서 교수가 한 주에 한 개에서 서너 개 정도의 수업과정을 가르치거나 혹은 초등학교에서 교사가 다양한 수업을 동시에 가르치는 전통적인 수업 환경과는 반대로, 온라인 과정에서는 언제 어디에서는 접근할 수 있다. 이러한 특징은 교수자가 항상 교수활동이 가능하다는 것을 의미한다. 교수자는 학습자들의 학습시간을 관리하고 과제 부담을 줄이기 위해서 수업 초기에 이러한 잘못된 생각을 버려야 한다. Collison 등(2000)에 따르면 교수자는 학습자들에게 즉각적인 피드백을 하지 않음으로써 비현실적인 기대를 갖기 않도록 해주어야 한다고 충고한다.

온라인 코스에서 학습자가 경험을 쌓아가면서 그들의 기대가 변화할 것이고 교수자의 도움에 대한 요구는 줄어들 것이다. 온라인 코스를 경험하고 나면 학습자는 기술적 문제가 발생하였을 때 어떻게 해결해야 하는지에 대한 시스템을 파악하게 된다. 그러나 새로운 형태의 학습 활동이 개발되거나 LMS가 바뀌게 되면, 경험이 많은 학습자라고 할지라도 교수자의 추가적인 도움이 필요할 것이다.

교수자가 학습자들의 비현실적인 기대를 줄이는 또 다른 방법으로는 규칙적인 시간을 정해서 학습자에게 응답하거나, 이메일을 확인하는 방법이 있다(Davidson-Shivers, 1998, 2000). 우리는 교수자가 학습자로 하여금 그들만의 지원 시스템과 문제 해결을 위한 전략을 개발하도록 하는 것을 격려한다.

온라인 멘토링에 대한 이해

*멘토*란 시간제로 근무하면서 교수자를 지원하는 사람들을 가리킨다(그들 중에는 대학원 조교 혹은 튜터가 있을 수 있다). 만약 교수자가 멘토의 도움을 받을 수 있다면, 다른 참여자들에게 멘토의 역할을 설명해 주어야만 한다. 멘토는 교수자와 학습자를 지원하고 도와주는 역할을 하게 된다. 멘토는 WBI 학습공동체를 효과적으로 구축하

기 위한 핵심 구성원으로서 인식되어야 한다(Rasmussen, 2002). 교수자가 모든 참여자들에게 멘토의 역할과 의무를 명확하게 규정한다면 멘토는 자연스럽게 코스에 참여할 수 있다. 그리고 이는 참여자들 간의 갈등이나 이중부담을 줄여준다.

멘토들은 구체적으로 기술 문제를 해결하거나 온라인 토론을 조절하거나, 과제 점수를 내고 성적표에 점수를 기입하는 일을 주로 한다(Gilbert, 2001; Zacbary, 2000). 반드시 필요로 하는 기초 지식과 교수자의 경험을 가진 멘토는 학습 내용에 대한 튜터링이 필요할 때 혹은 학습자가 학습 내용에서 언급되는 새로운 개념을 이해하지 못할 때 도움을 줄 수 있다(Marable, 1999; Rasmussen, 2002).

운영: 사전 기획 활동

이 시점에서는 WBI와 웹사이트를 개발하고 있는 중일 것이다(혹은 WBI가 LMS에 입력된 상태). 여기에서 WBI 설계자는 온라인 코스가 실제로 운영가능한지를 확인하기 위하여 최종 준비 작업을 사전 기획해야 한다.

운영팀의 전문성에 따라서 WBI 성공 여부가 판가름나기 때문에 우선 사전 기획 활동 중 한 가지로 운영팀을 구성해야 한다. 이 팀은 설계팀과 동일한 구성원으로 조직될 수도 있지만, 팀을 구성하는 목적이 다르다. 구성원들은 WBI를 운영하고, 교수-학습 활동을 지원하는 데 목적을 둔 그룹이어야 한다. 교수자뿐만 아니라 이 팀에서는 멘토와 같이 교수활동을 지원할 수 있는 인원을 포함하고 있어야 한다. 교수설계자 혹은 평가자는 형성평가, 총괄평가, 혹은 연구 활동을 운영할 때 참여할 수도 있다. 관리 및 기술 업무를 지원하는 사람들은 일반적으로 운영팀에 참여할 수 있다. 이러한 구성원들은 행정조직을 관리하고 웹사이트를 운영하는 데 집중하게 된다.

운영팀

WBI 교수자. 온라인 교수자들은 학습자들과 가장 많은 상호작용을 하기 때문에 WBI의 성공에 많은 책임을 지게 된다. 교수자는 코스 목표와 과제에 대한 정보를 설명하고, 학습 활동의 디렉션을 제시한다. 운영 단계 과제의 일부로 교수자는 WBI뿐만 아니라 교수 내용의 재검토 과정을 거쳐서 이를 능숙하게 알고 있어야 하며, 커뮤니케이션, 확정된 업무시간(각 개인이 질문을 공유하고, 고민을 공유하는 시간), 토론, 그룹 미팅 및 다른 학습 활동을 통하여 학습자와의 관계를 형성하는 데 책임을 져야 한다.

교수자는 자신에 대한 정보(예: 자기소개와 사진, 자기소개 비디오), 코스 시간표와 학습자가 집에서 학습할 수 있는 문서를 개발할 필요가 있다(Collison et al., 2000; Davidson-Shivers, 1998, 2001; Davidson-Shivers & Rasmussen, 1999).

조직의 구조에 따라서 교수자는 학습 활동을 학습자들에게 위임하고, 멘토와 다른 지원팀(기술 지원팀, 관리 지원팀 등)을 모니터링하고, 교육 지원팀과의 관계를 활성화해야 한다.

WBI 멘토. 모든 온라인 교수과정에 멘토가 있지는 않지만, 멘토가 있는 경우 학습공동체를 구축하는 데 중요한 역할을 하게 된다. 실제로 학습자들의 등록수가 많거나 학습 도구가 복잡하고, 과제가 복잡한 경우, 멘토는 결정적인 도움을 제공한다. 멘토들은 교수자와 밀접하게 지내며 일하고, 대부분 '무대 뒤에서' 활동(기술 문제 해결, 시험 채점 등)을 하지만, 교수자의 필요에 따라서는 WBI 학습 활동(토론 중재, 튜터링 등)에 참여하기도 한다. 멘토들은 교수자나 학습자들이 도움을 필요로 할 때 접근하기 쉬워야 하며, 기술에서 발생하는 문제들을 해결할 수 있어야만 한다.

그들의 역할은 교수자와 온라인 코스에 따라서 다양해야 하고 시간이 지남에 따라 변화하게 된다(Salmon, 2000). 멘토 역할은 하루에 한 번 정도 시스템에 로그인하여 학습자가 문제와 기술적 문제가 있는지를 기록하는 과제를 수행하게 된다. 그들은 학습자와 친숙해지기 위하여 코스를 시작할 때 학습자들에게 개별적으로 연락을 할 수 있다. 특히 코스가 시작된 초기에 학습자들이 도움을 요청하면 이에 응답함으로써 멘토들은 학습자들이 코스를 포기하지 않도록 한다.

관리 및 기술 지원팀. WBI 운영은 조직 내 인프라에 따라서 다르게 지원된다. 인프라는 물리적 구조뿐만 아니라 조직 전체의 관리와 운영방식을 포괄하는 개념이고(Davidson-Shivers, 2002), 이를 지원하는 그룹은 세 분류로 나뉘는데 상위 관리팀, 관리 지원팀, 기술 지원팀이 있다.

관리자. 중간-상위 관리팀은 WBI 운영 및 교육을 전파하는 데 결정적 역할을 한다(Barker, 1999; Davidson-Shivers, 2002; Lee & Johnson, 1998; Ritchie & Hoffman, 1997). WBI 운영은 복잡하면서도 종합적이고, 체계적인 수준에서 진행되어야 하기 때문에 관리팀의 이러한 책임 없이는 이를 실행하기 힘들다. 관리자들은 WBI에서 매일같이 일어나는 모든 학습 활동에 직접적으로 참여할 필요는 없다. 대신에 그들은 체계적인 온라인 교육 혹은 훈련 프로그램을 운영하고 유지하는 데 필요한 인프라를 제공한다.

관리자는 운영 단계의 한 부분으로서 자금 및 다른 자원을 제공해야 한다. 예를 들어, 그들은 정보공학 혹은 컴퓨터 서비스 센터, 교실, 사무실, 도서관에 설치해야 하는 소프트웨어 및 장치(서버, 컴퓨터 등)에 필요한 자본 지출을 조달할 수 있는 자금을 구해야만 한다. 또한 기술 접근방식을 확장하고, 교육기관을 통해 지원을 늘릴 수 있도록 이러한 장치들을 개선해 나가야 한다. 더욱이 기술의 품질도 주기적으로 개선시켜야 한다. 마지막으로 관리자들은 직원들이 어떤 훈련을 필요로 하는지 미리 살펴보는 일에도 책임을 져야 한다(Candiotti & Clarke, 1998; Davidson-Shivers, 2002; Horgan, 1998; Microsoft Corporation, 1999; Morrisson, 1996; Saundres, 1997; Zastrow, 1997).

관리자가 이와 같은 의무를 이행하지 않는다면, WBI의 전달은 임시변통으로 혹은 제한적인 조건에서 시작된다.

관리 지원팀. 관리 지원팀은 코스 등록, 입학, 요금 및 기타 운영사항을 담당하는 '무대 뒤에서' 일하는 지원팀이다. 그들의 직위는 일반 직원, 비서에서부터 코디네이터, 관리자 역할을 담당하게 된다. 그들의 운영 업무 중 하나는 학습자에게 연락해서 웹기반 학습 환경에 접속하고, 수업에 등록하고, 참가비를 지불하는 방법을 가르쳐주고 이들의 성적을 관리하는 데 있다(Collis, 2001). 그 밖의 업무로는 학습 자료 배분, 성적 기록, 학습자들에게 성적 점수 공지, 교수자 및 코스에 대한 평가 방법 설명 및 결과 분석이 있다(Burgess, 2002; Davidson-Shivers & Rasmussen, 1999; Rasmussen, Northup & Lee, 1997).

기술 지원팀. 최종 관리 및 운영 지원팀은 기술 관련 일을 담당하는 지원팀으로 프로그래머, 기술자, 웹 개발자가 이에 속한다. 프로그래머들은 시스템 소프트웨어를 담당한다. 이들은 시스템이 제대로 작동하는지 확인하고 LMS 운영체제를 관리하게 된다. 기술자들은 네트워크 인프라와 인프라에 접속하는 컴퓨터 접근에 문제가 없는지를 살펴본다. 또한 코스 참여자들의 컴퓨터 장치와 소프트웨어, 소프트웨어 다운로드와 설치, 그리고 문제 발생 시 해결과 같은 기술적 지원이 필요한 업무에 책임을 맡고 있다(Collis, 2001; Hanuum, 2001; Khan, 2001). 웹 개발자와 웹 마스터들은 교수자와 친밀하게 일하면서 특히 웹사이트를 수정하고, 외부 웹사이트 자료들을 제공하고, 교수 활동에 필요한 소프트웨어를 개선한다(Collis, Robinson & Brokowski, 2000). 조직내 지원과 WBI와 그 운영과정의 복잡한 정도에 따라서 각 지원팀은 한 가지 혹은 그 이상의 기술적 업무를 담당한다.

대부분의 경우에 추가적인 일을 담당하게 되는 경우 교수자가 이를 맡아서 진행한다. 예를 들어, 이들은 기술적 문제를 해결하거나 각 개별 학습자가 가져오는 행정 업무를 맡게 된다. 그러나 교수자는 기술 및 관리의 도전적인 추가 업무를 수행하기 이전에 적절한 훈련을 받아야만 한다(Fisher & Peratino, 2001; Robinson & Borkowski, 2000).

운영에 필요한 지원팀을 선정하는 일은 운영 준비 단계에서 가장 기초적인 작업이다. 운영을 준비하는 사전 작업으로 예산과 시간 할당이 있다. 운영 단계에서 소요되는 비용은 시간 제한과 기술 인프라 및 WBI를 전달하는 데 필요한 요구조건에 따라서 측정된다.

운영 예산과 시간 할당

조직의 WBI 초기 운영에의 참여도는 예산과 시간 할당으로 평가된다. 충분한 예산과 시간은, 설계 및 개발 단계에서처럼, WBI를 성공적으로 운영하기 위하여 투입되어야 한다(Berge et al., 2001; Khan, 2001). 운영 단계에서 예산은 일반적으로 기술 인프라, 학습 자원 배분, 직원 인건비라는 세가지 영역에서 지출된다.

기술 인프라. 인프라는 조직 내에서 자체적으로 제공할 수도 있고, 다른 업체에 아웃소싱을 할 수도 있다. 기술 인프라에 할당되는 예산은 교수자와 학습자가 프로그램에 접근하는 데 필요한 서버, 컴퓨터, 네트워크 접속, 그리고 그 외 지원시스템과 같은 장치를 위해 지출된다. 또한 교수자와 학습자가 과제를 진행하면서, 웹에 접속하기 위해서, 혹은 커뮤니케이션을 하기 위해 필요한 소프트웨어들은 라이선 스프로그램에 해당한다. 입학 업무, 등록 업무, 학습자와 직원들에 대한 기록을 정리하는 업무에 관련된 예산도 측정해야 한다.

시간 할당. 기술 인프라에 해당하는 대부분의 구성요소는 장기간에 걸쳐 투자되어야 한다. 웹기반 학습 활동을 지원하는 데 필요한 인프라를 개발하는 데 많은 시간이 소요된다. 그러므로 조직의 종합적인 예산 계획에 따라서 기술 인프라와 관련된 시간을 할당한다.

학습 자원 배분. 전자 미디어(텍스트, 플래시 카드, DVD, CD 등) 혹은 출력물과 같은 학습자원은 학습공동체 구성원에게 배분되어야 한다. 학습 지원은 온라인 학습 환경과 도구를 어떻게 설계하였는지, 그리고 참여자들에게 배분할 학습자료를 제작하는 데 필요한 비용에 따라서 다르게 할당된다(Greer, 1992). 예를 들어, 어떤 WBI 과정에서는 학습자들에게 워크북 혹은 특정 소프트웨어를 배분할 수 있다. 이 경우에는 이에 대한 예산을 측정해야 한다.

조직은 교수자, 학습 촉진자, 멘토에게 텍스트북, 워크북, 혹은 소프트웨어를 보내게 된다. 온라인 학습자들은 전자 방식이 아닌 우편 혹은 운송을 통해 학습자원들을 다시 돌려주게 된다. 이와 같은 경우에 발생하는 비용은 조직에서 부담해야 하기 때문에 이에 대한 예산도 고려해야 한다.

시간 할당. 참여자들에게 학습자원을 배분하는 데 걸리는 시간은 학습자원을 포장하는 과정이 얼마나 복잡한지, 참여자 인원수, 이를 맡아 진행하는 직원에 의해 결정된다(Greer, 1992). 즉, 학습자원을 배분하는 데 필요한 인적, 물적 자원의 특성에 따라서 시간이 얼마나 소비되어야 하는지가 결정된다. 학습자원을 배분하는 직원이 많을수록 시간을 절약할 수 있다.

관리 지원팀. 예산을 기획하는 데 가장 중요한 부분은 실행하는 지원팀의 인건비에 있다. 운영 지원팀이 WBI 운영과정에 얼마나 참여했는가에 따라서 그 코스의 운영 기간과 코스의 복잡함 정도, 운영에 필요한 직원의 인원수가 달라진다. 예산은 지원팀이 운영 단계에 얼마나 많은 시간을 소요해야 하는지와 참여자의 인원수와 직접적으로 연관된다.

지원팀은 종종 새롭게 운영을 시작하는 다른 프로젝트에 참여하는 경우가 있다. 이러한 경우 조직은 추가 프로젝트에 대한 추가 예산을 제공할 필요는 없을 것이다. 그러나 이러한 운영 업무가 정규 업무의 한 가지라면, 이 프로젝트에 대한 다른 조직원들의 업무 및 예산 할당을 다시 재편성해야 할 것이다(Mourier & Smith 2001). 또 운영을 담당하고 있는 직원이 추가 업무를 해야 하는 경우 예산을 추가로 할당해야 한다. 그러나 실제 현실은 이러한 추가 업무에 대해서 보상이 잘 이루어지지 않는다. 특히 예산이 여유가 없는 경우나 직원이 부족한 경우에는 더더욱 추가 보상이 이루어지지 않는다.

현재 직원들에게 업무를 추가로 할당하지 않기 위해서 임시로 혹은 단기간 동안 새로운 직원을 채용하는 경우가 있다. 이러한 추가 직원 채용을 위한 시간과 예산 할당은 그들의 업무 정도에 따라 달라진다. 그리고 이에 관한 예산에는 인건비, 후생복지비, 오리엔테이션 및 훈련비가 포함되게 된다. 이 예산은 직원이 담당할 업무의 난이도와 그의 경력 수준에 따라 달라진다. 인건비와 후생복지비는 조직에 따라 혹은 조직이 속한 지역에 따라 달라진다. 또한 프로젝트 직원들에게 드는 비용은 그 해당 산업에서 통용되는 인건비 수준과 직원들의 역량에 따라 달라진다.

지원팀과 관련된 기타 예산 항목. 지원팀의 보상 및 교수자, 기술 지원팀, 관리 지원

팀의 인센티브 체계는 또 다른 방법으로 예산을 집행한다. 적절한 인센티브와 보상 체계는 프로젝트에 대한 참여자들의 기여도와 참여의지를 강화한다. 반대로 잘못된 인센티브 제공은 직원들의 사기와 프로젝트에의 참여의지를 저하시키는 원인이 된다(Esque, 2001; McLagan, 2002; Mourier & Smith, 2001). 만약 예산이 충분하지 않다면, 관리자들은 조직원들을 위해 새로운 시설을 제공하거나 개선된 작업환경을 구축하거나 혹은 프로젝트를 종료한 후 휴식을 취할 수 있는 여러 가지 방법을 생각해볼 수 있다(Esque; Mourier & Smith). 물론, 이 모든 인센티브에 대한 비용을 처리해야 하겠지만 인건비 지출을 늘리거나 특별 수당을 주는 것보다는 비용이 적게 든다.

시간 할당. 직원들의 업무시간은 상황에 따라서 크게 달라질 수 있다. 예를 들어 WBI에 대한 조직의 요구정도, 기술 시스템의 복잡한 정도, 각 개별 직원들이 관리해야 할 개수, 프로젝트에 참여한 교수자, 참여자 및 기타 직원들의 인원수에 따라 달라질 수 있다. WBI 활동에서 시간 할당은 과제의 복잡한 정도, 프로젝트 운영 기간, 운영에 참여하는 선정된 직원들의 역할에 따라 계획된다. 표 9.1에 직원, 시간, 예산 할당을 결정하는 데 있어 궁금할 수 있는 질문을 기술하였다.

WBI 1인 교수자인 경우에는 계획한 그대로 학습자에게 영향을 미치기 때문에 직원, 시간, 예산을 얼마만큼 할당해야 할지에 대해서 중요하지 않을 수 있다. 그러나 이러한 정보는 교수자가 WBI를 실행하는 데 필요한 구체적 활동, 역할, 업무를 명확하게 파악하는 데 도움이 될 수 있다. 더 나아가 시간제로 근무하는 교수자는 이러한 정보를 이해하고 나면 교수활동에 대한 적절한 보수를 결정할 수도 있게 된다.

표 9.1 직원들을 위한 시간할당과 예산 편성

직원과 업무	시간	비용
교수자		
교수자에게 기대하는 것은 무엇인가? 어떤 활동을 완성해야 하는가?	코스를 마무리하는 데 걸리는 시간을 어림잡아 보자: • 학습 환경은 얼마나 복잡한가? • 얼마나 많은 학습자가 있는가? • 교수자를 지원할 수 있는 직원들은 누구인가? • 교수자가 반드시 수행해야 하는 추가 업무에는 무엇이 있는가?	월급 예산서를 살펴보자. 다른 프로그램 혹은 코스의 교수자 봉급과 비교해 본다.

표 9.1 직원들을 위한 시간할당과 예산 편성 (계속)

직원과 업무	시간	비용
멘토		
만약 멘토가 있다면, 그의 업무는 무엇인가?	활동을 마무리하는 데 걸리는 시간을 어림잡아 보자: • 얼마나 많은 학습자가 참여하였는가? • 과제는 얼마나 복잡한가?	월급 예산서를 살펴보자. 다른 프로그램 혹은 코스의 멘토 봉급과 비교해 본다.
운영 관리자 혹은 관리 지원팀		
중간 관리자를 비롯하여 상위 관리자들은 어떤 종류의 지원을 제고해야만 하는가?	활동을 마무리하는 데 걸리는 시간을 어림잡아 보자: • 어떤 과제를 위임하여야 하는가?	후생복지비용을 포함한 월급 예산서를 살펴본다. 관리 서비스에 대한 추가 예산 계획이 있는지 살펴본다.
관리 지원팀		
관리 지원팀은 어떤 지원을 해 주어야 하는가?	프로젝트에 얼마나 많은 사람이 참여하는지, 과제가 얼마나 복잡한지, 제약된 시간은 어느 정도인지 고려한다.	후생복지비용을 포함한 월급 예산서를 살펴본다. 관리 지원팀 서비스를 위해서 필요한 추가 비용을 규명한다. 운영 단계에서 필요한 자원에 대한 추가 비용을 측정한다.
기술 지원팀		
기술 지원팀은 학습공동체들과 어떻게 함께 일하는가?	활동을 마무리하는 데 걸리는 시간을 어림잡아 보자: • 얼마나 많은 사람이 지원팀에 있어야 하는가? • 얼마나 많은 시스템이 지원팀을 지원해야 하는가?	후생복지비용을 포함한 월급 예산서를 살펴보자. 기술 지원에 대한 추가 비용을 측정한다.

GardenScapes 사례

*GardenScapes*를 운영해야 할 차례이다. 운영을 기획하는 과정 중 하나로 운영팀을 구성하고, 예산 및 시간 할당을 결정해야 한다. 운영팀은 *GardenScapes*와 사전에 기획한 학습 활동을 운영하기 전에 몇 가지 문제점을 논의해봐야 한다.

운영팀

운영팀은 설계팀과 유사하게 구성하였다. Deb Scarletti는 *GardenScapes*에 멘토로 일주일에 열 시간씩 일하게 되었다. 평생 원격 교육(CDE: Continuing and Distance Education) 연구소의 관리 지원팀에 있는 Lee Shallot은 코스 등록과 관련 관리기능을 담당할 것이다. 코스가 제공되는 동안에 관리 지원에 관련된 운영 과제는 CDE 직원의 업무 중 하나로 배정된다.

Kally와 Deb은 그들이 원할 때 CJC 사무실과 집에서 웹사이트에 쉽게 접속할 수 있도록 접근 가능한 컴퓨터를 가지고 있다.

운영 예산과 시간 할당

프로그램 예산은 CJC 안에서도 여러 방법으로 지원을 받을 수 있다. Lee, Kally, Deb과 같은 CDE 직원은 자사에서 지원을 받으며, Laila(기술 지원팀)는 부서 혹은 센터를 운영하는 지원비로서 TLDC에서 지원받는다. CJC 내에 있는 교육센터에서는 프로그램에 필요한 기술적 혹은 행정적 인프라에 대한 자금을 지원해줄 수 있다.

운영팀은 사전 경험과 앞으로 *GardenScapes*를 운영하는 데 필요한 시간을 추측하여 본다. 실제로 시간을 얼마나 소요해야 하는지는 직원(과 학습자)의 전문성 수준과 교수자에게 할당된 과제의 정도에 따라 달라질 수 있다.

*GardenScapes*를 위한 시간과 예산 할당

직원과 업무	시간	비용
교수자: Kally Le Rue		
• 교수활동	3시간	CJC의 방침에 따라 월급 결정:
• 이메일에 대한 답변	2시간	대학원생 장학금 지급
• 온라인 환경에서 업무 보기	2시간	
• 교수활동에서 발생하는 문제점 해결	2시간	
• 과제와 최종 설계 프로젝트를 살펴보고, 점수	3~6시간	
를 주고, 피드백 제공	2~5시간	
• 기타 교수 활동	합계: 매주 14~20시간	
멘토: Deb Scarletti		
기술 문제 해결(운영 이후 첫 두 주에 특히 더	2~4시간	CJC의 방침에 따라 월급 결정:
많은 시간이 소요됨)	3시간	대학원생 장학금 지급
• 이메일에 대한 답변		
• 필요하면 Kally와 Laila을 지원함(매주 링크가	3~5시간	CJC의 방침에 따라 월급 결정
활성화되었는지 확인함)	합계: 한 주에 8~12시간	

*GardenScapes*를 위한 시간과 예산 할당 (계속)

직원과 업무	시간	비용
TLDC 관리자: Carlos Duartes		
• 시스템 자금 제공과 자원 할당 • 전문적인 발전을 위해 계획하기	전반적인 경영 업무의 일부	CJC의 방침에 따라 월급 결정 이메일 송신 비용
관리 지원팀: Lee Shallot		복사 비용
• 자료 복사	3시간	
• 발송할 메일 내용 준비	3시간	CJC의 방침에 따라 월급 결정
• 등록 과정 관리	합계: 한 주에 9시간	TLDC에서 평가하여 기술 지원팀 월급 결정
기술 지원팀: Laila Gunnarson		
• 온라인 훈련자료 개발 (온라인 튜토리얼 개발)	(온라인 튜토리얼을 개발하는 데 걸리는 30~40시간)	
• 기술적 문제 해결	3~4시간	
• 필요한 경우 멘토, 교수자와 함께 업무	1~2시간	
	합계: 매 주 4~5시간	

Carlos는 TLDC에서 프로그램을 담당하는 직원과 예산 및 시간 할당을 결정해야 한다. CDE 대표자는 온라인 프로그램 할당에 대한 예산 편성을 승인하고, CJC 중앙 행정부는 대부분의 예산을 승인해 주어야 한다.

*GardenScapes*의 '운영 문서'를 보려면 자매 사이트 (http://www.prenhall.com/davidson-shivers)를 참고하자.

생각해보기

여러분의 운영팀원과 업무를 확인하자. 새로운 구성원이 추가되는 경우 그들이 진행해야 할 업무의 수준을 파악하고 직함을 결정하자. 과제를 수행하는 데 필요한 시간과 할당된 예산을 어림잡아 보자. 각 팀 구성원들의 월급과 다른 직원들에 대한 비용을 산정하자.

만약 여러분이 1인 교수자라면, 대부분의 업무는 여러분의 것이 될 것이다. 그러나 운영을 마치고 나면, 여러분은 WBI를 효과적으로 수행하는 데 누구에게 어떤 도움을 받을 수 있는지를 파악할 수 있을 것이다.

표 9.1을 활용하여 프로젝트 구성원의 업무 리스트를 만들어보자. 운영하는 데 필요한 기타 추가 비용(인쇄비, 우편 발송비 등)을 확인하자. 프로젝트를 완수하기 위해

필요한 시간을 산정하자. 할당된 예산과 시간을 문서에 작성하자.

(다른 교수설계자들이 동일한 문제들을 어떻게 해결하고 있는가를 알아보기 위해 이 장의 후반부에 제시된 사례 연구를 살펴보기 바란다.)

직원의 시간표와 예산안 템플릿을 인쇄하려면 자매 사이트 (http://www.prenhall.com/davidson-shivers)를 참고하자.

운영의 최종 사전준비

직원과 예산 및 시간 할당을 결정하고 나면 WBI와 웹사이트의 운영 준비를 위한 마지막 단계 즉 최종 사전준비 단계에 들어서게 된다. WBI를 원활하게 운영하기 위해서 다음과 같은 중요 질문을 생각해볼 수 있다.

1. 학습자는 프로그램을 처음에 어떻게 접하게 되는가?
2. WBI에 접근하고, 의사소통을 하고, 프로그램을 다운로드받기 위해 필요한 기술 요소는 무엇인가?
3. 참여자들을 위한 커뮤니케이션 도구는 적절한 위치에 설계되었는가?
4. 참여자들은 온라인 기능을 기르기 위한 훈련을 필요로 하는가?

학습자가 프로그램을 처음에 어떻게 접하는지 확인하기

학습자들이 프로그램에 처음 접하게 되는 계기는 WBI(또는 온라인 프로그램)에 대한 광고와 코스를 등록하는 과정에서 일어난다. 학습자들은 어느 곳에서나 정보를 접할 수 있기 때문에 광고와 코스 등록은 특정 장소에 얽매일 필요가 없다. 신문이나 잡지, 학술지와 같은 출판물이나 웹, 혹은 이메일, 우편을 통해서 코스 광고를 마무리지을 수 있다.

조직의 정책과 절차에 따라 온라인 코스 등록은 우편, 전화, 웹을 통해서 이루어질 수 있다. 등록 이후나 WBI를 시작하기 이전에, 학습자에게 연락을 취하고 코스와 코스를 시작하는 방법에 대해 자세한 정보를 제공해야 한다.

입학한 학습자들에게 환영인사를 보낼 때 WBI에 어떻게 접속하는지 가르쳐 줌으로써 온라인 코스에 접속하기 위한 준비가 완료되었음을 확신할 수 있게 된다 (Burgess, 2002. Davidson-Shivers, 1998, 2001).

학습자들은 자동화된 메시지나 이메일 혹은 WBI 초기 화면 및 코스 게시판, 강의 일정표를 통해 WBI를 처음 접하게 된다. 표 9.2에 학습자들이 프로그램을 처음 접할 때 고려해야 하는 것을 정리하였다.

운영팀의 다양한 구성원들은 여러 가지 이유로 학습자들을 만나게 되기 때문에(등록을 위한 지원 팀, 학습자들에게 환영인사를 보내는 교수자 등), 일관된 정보를 제공하는 것이 필요하다. 명확하지 않거나 상충되는 정보로 학습자들을 혼란스럽게 할 수 있다. 관리 직원이나 다른 지원팀은 운영을 책임을 지고, 준비하는 과정 혹은 운영이 진행되는 과정을 관리하기 위해 *tickler*라는 관리 프로그램을 활용할 수 있다. 학습자가 WBI를 처음 등록하는 경우에는 지원팀이 학습자들을 철저히 관리하는 것이 더더욱 중요하다(Simonson et al., 2003).

표 9.2 프로그램 접하기와 등록하기

초기 WBI 운영 시 학습자 연락과 프로그램 등록	가능한 응답
WBI를 어떻게 광고할 것인가?	이메일, 리스트서버, 게시판. 우편메일, 뉴스페이퍼, 브로슈어, TV 광고, 라디오광고, 저널, 잡지, 컨퍼런스를 사용한다.
언제 WBI를 시작하고 마치는가?	조직 내 코스 일정표를 사용한다. 준비 과제를 마무리하기 위해서 일정표를 만든다.
어느 팀이 학습자에게 처음으로 연락하는 업무를 담당할 것인가?	관리 지원팀, 교육 지원팀, 교수자에 대한 구체적인 업무를 결정한다.
학습자들과 초기에 어떻게 만나게 되는가?	환영 인사와 이메일을 보낸다. 전화로 학습자들과 대면한다. 공지사항을 보낸다.
학습자들은 어떻게/언제/어디서 등록하고 WBI에 접속하게 되는가?	코스 일정표, 브로슈어, 웹사이트, 환영인사, 이메일을 통해 정보를 받는다. WBI에 접속하기 위한 URL과 디렉션을 가르쳐준다.
학습자들은 필요한 소프트웨어나 플러그인이 무엇인지 어떻게 알 수 있는가?	필요한 플러그인을 명시한다, 예를 들어 아크로뱃 리더, 리얼 플레이어, 윈도우 미디어 플레이어, 플래시 플레이어가 있을 수 있다. 그리고 화면에서 다운로드받게 하거나 다운로드 사이트를 링크시킨다.
학습자들은 어떻게 그들의 역할과 책임을 알 수 있는가?	환영인사 혹은 웹사이트에 있는 온라인 튜토리얼, 강의계획서를 통해 교수자가 제공하는 정보를 받는다.
학습자들은 기술적 · 관리 지원은 어떻게 받을 수 있는가?	LMS 서비스를 사용한다. 조직 내 행정 및 기술 담당 직원, 교수자, 멘토를 명시한다.
학습자들은 학습자원을 어떻게 획득하게 되는가?	온라인 도서관 서비스를 명시한다. 온라인 서점, 웹사이트, 링크에 접속한다. 첨부파일 지원 자료를 이메일과 우편메일 주소를 확인한다.

최종 기술 지원 단계

WBI 운영 이전에 WBI 혹은 웹사이트에 관련된 모든 기술 지원 준비는 마무리되어야만 한다. 표 9.3에 WBI 최종 준비 단계에서 고려해야 하는 기술 요소들을 정리하였다.

추가로, 어떤 대학들은 문서를 보내고 받는 과정에서 호환이 제대로 되지 않는 경우를 줄이기 위해서 특정 소프트웨어를 사용하기도 한다(Microsoft *Office*®, Corel *WordPerfect*® 등). 만약 이러한 요구가 있다면 반드시 교수자와 WBI 운영에 참여하는 사람들 그리고 학습자들이 사용 가능한 컴퓨터 소프트웨어가 설치되어야 한다. 학습자들은 아마도 온라인 환경에 참여하기 위해서 소프트웨어에 접근하거나 구매를 해야 할 것이다. 이러한 필요조건은 코스 일정표, 카탈로그, 혹은 대학 및 조직 웹사이트, WBI 관련 문서들에 제시되어야만 한다.

WBI 참여자를 위한 커뮤니케이션 준비 단계

교수자, 멘토, 교육 지원팀, 그리고 학습자들 사이에서 커뮤니케이션을 위한 준비는 운영 이전에 고려해야 할 또 다른 과제이다. 필요한 커뮤니케이션 도구는 모두 준비되어 있어야 하며, 학습자원, 과제에 관련된 모든 도구는 운영 전에 모두 마련되어 있어야 한다. 표 9.4에 운영 과정에서 필요로 하는 커뮤니케이션 도구를 기술하였다.

표 9.3 커뮤니케이션과 할당을 위한 기술적 요소

기술 요소	가능한 응답
교수자는 어떻게 접근하는가?	LMS 접근, LMS에서의 교수자 지원, LMS 사용 절차를 명시한다.
WBI를 사용하기 위해서 어떤 소프트웨어와 플러그인이 필요한가?	필요한 플러그인을 명시한다, 예를 들어 아크로뱃 리더, 리얼 플레이어, 윈도우 미디어 플레이어, 플래시 플레이어가 있다. 그리고 화면에서 다운로드를 받거나 사이트를 링크시킨다.
교수자 및 학습자들은 온라인 기능 훈련에 어떻게 접속할 수 있는가?	온라인 교수자 및 학습자 훈련에 접속할 수 있는 링크를 제공한다. 교수자와 학습자의 FAQ와 커뮤니케이션 웹사이트를 구축한다.
WBI팀은 어떻게 지원 자원을 할당할 수 있는가?	온라인 도서관 서비스, 서점, 웹사이트, 외부 웹사이트에 필요한 링크를 제공한다. 이메일과 우편메일을 통해 서류를 받는다.
교수자 혹은 학습자는 기술적 문제들을 어떻게 보고할 수 있는가?	잘못된 링크나 그래픽이 깨진 경우와 같은 기술적 문제가 발생하였을 때 이를 보고할 수 있는 방법을 제공한다. 혹은 기술 담당 직원에게 자동적으로 메시지가 전달되도록 만든다.

학습자를 위한 온라인 기능 훈련

WBI 운영을 위해 최종적으로 준비해야 하는 것은 모든 참여자들을 위한 온라인 훈련 프로그램이다(교수자, 멘토, 교육 지원팀, 학습자 포함). 주기적으로 교수자와 기술 및 관리 지원팀은 온라인 기능을 향상시키고 해당 지식을 배워 나가야 한다. Spitzer (2001)에 따르면, 온라인 참여자들은 코스가 시스템과 어떻게 상호작용해야 하는지를 알아야 하고, 온라인 환경에서 필요로 하는 도구를 사용할 수 있어야만 한다. 조직 내 직원들의 전문적인 기능을 향상시키는 일은 관리자가 추가적으로 책임을 져야 하는 업무 중 하나이다.

온라인에서 교수활동은 대부분의 교수자가 일반적으로 소유하지 못하는 복잡한 기술에 대한 지식과 기능을 요한다(Davidson-Shivers, 2002; Young 1997). 더 나아가 교수자는 성인 교육과 교육학에 대해서도 전문적으로 알고 있어야 한다(Davidson-Shivers; Maxwell & Kazlauskas, 1992; Tsunoda, 1992). 마찬가지로 지원팀은 새로운 기술을 받아들이기 위해서 기능을 개발해 나가야 한다. 기술 지원팀은 교수자와 학습자들과 함께 학습할 때에는 온라인 교수방법에 익숙해져야 한다. 학습자를 위한 온라인 기능 훈련은 교수활동과는 큰 차이가 없지만, 배우는 측면을 더 강조하게 된다.

이상적으로는 온라인 교수활동에 참여하는 교수자, 멘토, 교육 지원팀이 온라인 코스 운영을 시작하기 전에 기능 훈련을 마치는 것이 좋다. 온라인 학습자, 특히 새로운 학습자들에게 최선의 선택은 WBI를 시작하기 이전에 훈련을 마무리 짓는 것이다. 그러나 등록 이전에 훈련을 제공하는 것이 가능하지 않을 수도 있다. 어떤 경우에는 코스에 어떤 학습자가 참여할지 혹은 어떤 종류의 훈련을 필요로 할지를 예상하지 못하는 경우도 있다. 이러한 경우 학습자들은 일단 프로그램에 등록하고 웹사이트에 접속하여 튜토리얼을 마무리 짓거나, 초기 수업 과제로서 튜토리얼을 배우는 것을 마칠 수 있다.

표 9.4 커뮤니케이션 도구

참여자	커뮤니케이션 도구
학습자, 교수자, 멘토는 어떻게 서로 연락을 하는가?	웹사이트, 이메일, 리스트서버, 이메일, 전화, 면대면 회의에서 대화방과 게시판의 위치를 명시한다.
코스 목표는 어떻게 공유할 수 있는가?	강의계획서에서 혹은 이메일, 대화방, 프레젠테이션(강의), 공지를 통해 수업에서 무엇을 요구하는지를 명시한다.
학습자과 교수자는 어떻게 파일을 공유할 수 있는가?	LMS 내에 교수자와 학생의 파일 교환을 도와주는 도구인 디지털 드롭 박스, 이메일 첨부파일, 파일 공유 시스템, 파일의 업로드와 다운로드가 가능한 FTP 사이트를 가르쳐준다.

훈련을 전달하는 여러 가지 방법. 온라인 기능 훈련을 전달하는 가장 일반적인 방법은 크게 네 가지로, (1) 면대면 워크숍 혹은 오리엔테이션, (2) 동료 튜터링, (3) 교과서 혹은 워크북, (4) 온라인 튜토리얼이 있다. *면대면 워크숍* 혹은 *오리엔테이션*은 웹사이트에 접속하거나 WBI에 사용되는 새로운 기술에 익숙해짐으로써 어떻게 온라인 참여자가 될 수 있는지를 파악하도록 하는 데 있다. 이러한 종류의 워크숍은 원격 프로그램으로 대체할 수도 있으며, 학생들은 오히려 원격 프로그램에 쉽게 참여할 수 있다. 면대면 워크숍 혹은 미팅은 참여자들이 코스를 듣는 과정에서 질문이 가능하며, 동료들과 함께 내용을 공유할 수 있다.

훈련의 두 번째 전달방법인 *동료 튜터링*은 전문가와 초보자가 함께 학습해 나가는 데 그 특징이 있다. 교수자가 초보인 경우에는 경험이 더 많은 전문 교수자가 초보 교수자의 학습 환경에 방문하여 WBI의 진행과정을 살펴볼 수 있다. 코스 내의 학습 활동, 학습 활동 진행속도, 상호작용을 관찰할 수 있을 것이다. 그는 개발된 온라인 코스를 '참관' 하면서, '새로운 교수자가 어떤 활동을 진행하는가? 학습자와 과제는 어떻게 관리하는가? 각 개별 학습자들은 서로 어떻게 피드백을 주고받는가? 이들 간에 어떤 커뮤니케이션 유형이 나타나는가?' 와 같은 결정적인 질문에 대한 답변을 찾을 수 있을 것이다(Davidson-Shivers, 1998, 2001; Salmon 2002).

초보 교수자들은 자신의 상황에 맞추어 전문 교수자들의 스타일을 받아들일 것이다. 초보 학습자는 초보 교수자와 유사한 방식으로 경험이 많은 온라인 학습자와 한 그룹이 되어 배워 나간다.

훈련을 전달하는 세 번째 방법은 *교과서와 워크북*을 통해 전달하는 방법이며, 다른 방법들과 비교하면 상호작용은 낮지만, 가장 쉽게 접할 수 있는 방법이다. 출력된 학습자원은 온라인 교수활동에서 일어나는 과정을 설명하고, 미디어를 사용하는 방법, 시간관리 방법에 대해서도 제안을 할 수 있지만, 온라인으로 개발되지 않기 때문에 여러 가지 문제가 발생하기도 한다. 물론 WBI 시뮬레이션과 같이, 지원 자원을 CD혹은 웹사이트로 개발하는 것이 좋다. 그렇지 않을 경우, 초보 교수자(그리고 그 외 참여자들)는 예시를 보거나 이러한 가상 환경이 어떻게 작동하는지를 알기 위해서 혹은 그 사례를 참고하기 위해서 교수활동 웹사이트를 방문해야 할 것이다.

마지막 전달방법인 *온라인 튜토리얼*은 참여자들에게 적절한 시간에 적합한 지원과 훈련을 제공한다(Blackboard, Inc., 2000; eCollege.com, 1999; Northrup, 2003). 훈련 프로그램의 모듈은 온라인 교수-학습 활동에 대한 모형을 제시하고, 모형에 따라서 학습 과정을 밟게 된다. 대부분의 LMS 참여자들은 온라인 튜토리얼을 받는다. 각기 다른 온라인 훈련 참여자들이 필요로 하는 것을 표 9.5에 정리하였다.

표 9.5 온라인 참여자를 위한 훈련 선택권

참여자	커뮤니케이션 도구
교수자	• F2F와 온라인 튜터링을 통해 실제 훈련 가능한 활동을 제공한다. • 교수자에게 교육내용과 웹사이트를 통합할 수 있는 기회를 제공한다. • 온라인 주제를 탐색하기 위해 튜토리얼을 사용한다(비디오, 텍스트, HTML, 업로드, 다운로드, FTP 등). • 전문 교수자와 함께 그룹을 만든다. • 워크숍과 책을 통해 교육학과 성인교육학에 대한 지식을 획득한다.
멘토	• 교수자와 학습자 간에 협력하여 학습하는 방법과 코스에서 기대하는 것에 대한 튜토리얼을 제공한다. • 동료 튜터링에 참여한다.
학습자	• 튜토리얼 학습을 완료한다(온라인 혹은 출력 가능한 학습자원). • 오리엔테이션에 참여한다(온라인). • 면대면 오리엔테이션에 참여한다. • 온라인 튜토리얼 혹은 워크북을 완성한다. • 예시가 될 수 있는 수업을 관찰하도록 한다.
교육 지원팀	• 워크숍과 책을 통해 교육학과 성인교육학에 대한 지식을 획득한다. • 워크숍 훈련, 기술 관련 책, 온라인 튜토리얼을 통해 기능을 향상시킨다.

출처: 표 안의 데이터는 Davidson-Shivers(1998, 2001), Ko & Rossen(2001), Simonson et al.(2003)을 참고하였다.

운영을 위한 WBI와 웹사이트를 꼼꼼하게 준비하는 것은 이후에 발생 가능한 문제를 최소화하여 프로그램을 운영한 후에는 코스에만 초점을 둘 수 있도록 한다. 기술에서 발생 가능한 문제에 대한 고민에서 벗어나 학습공동체의 구성원들이 온라인 교수학습 활동에 더 집중하고 숙달할 수 있도록 해주어야 한다.

GardenScapes 사례

프로젝트 팀은 WBI *GardenScapes*의 운영을 준비한다. *GardenScapes*는 정원을 가꾸는 기능을 개발하는 데 관심을 갖고 있는 성인학습자들을 대상으로 평생학습 경험을 쌓기 위해서 설계되었다. CDE 광고는 새로운 내용의 코스를 소개한다. 코스는 CDE 코스 일정표에 나와 있거나, CJC 홈페이지에 공지할 수 있으며, 지역 신문을 통해 *원격교육 강의 일정표* 게시판에 게재할 수도 있다.

학습자는 학교에서 코스를 선택하는 방식과 동일한 방식으로, 전화나 온라인으로 수에 등록한다. 학습자가 등록가간에 교수활동을 위한 웹사이트를 접속하기 위해서 어떻게 해야 하는 지에 대한 디렉션을 제시해야 한다. CJC 홈페이지를 통해 코스의 간단한 URL을 찾을 수 있다.

Lee의 책임하에 CDE 내 관리 지원팀은 학습자들에게 환영인사를 보내게 된다. 이메일에는 코스의 시작 날짜와 기간, 코스 URL, Kally의 환영인사를 언급하였다. 관리 지원팀은 코스 종료시점에 학습자들에게 온라인 코스와 교수자 평가에 대한 메일을 보내야 한다.

코스 참여자들은 서로 커뮤니케이션을 하기 위해서 LMS 도구와 이메일 시스템을 사용한다. Kally는 전체 학습자를 대상으로 주요 코스 가이드라인에 대해 반복하여 설명하고 학습자들에게 질문하는 것을 장려하기 위하여 이메일을 보낼 수 있다. Deb은 학습자들이 기술적 문제를 갖고 있는지를 확인하기 위하여 코스가 시작한 후 첫 두 주 동안 이메일을 발송한다. 다음 표는 팀의 WBI 시작 준비단계를 기술한 것이다.

운영을 위한 준비	가능한 학습
초기 학습자와 어떻게 만나는가?	
WBI를 어떻게 광고할 것인가?	광고는 CJC 웹사이트, 코스 일정표, 지역 신문에 지속적으로 광고할 수 있다.
코스는 언제 시작하고 종료하는가?	다가오는 학기에 시작하고 6주 안에 종료한다.
코스 시작 시점에 누가 그리고 어떻게 학습자를 만날 것인가? 어떤 정보를 나누어 줄 것인가?	Lee의 지원팀은 등록 자료와 환영인사를 보낼 예정이다. 등록 자료에는 LMS에 어떻게 등록하는지와 URL 주소, 코스 일정, 컴퓨터 시스템 종류, WBI에 접근하는 데 필요한 프로그램, 코스 URL이 있다.
교수자와 멘토의 역할은 무엇인가?	Kally는 수업 내용 질문과 답변에 초점을 맞출 수 있다. Deb은 WBI와 온라인 학습에 관련된 기술적 문제에 초점을 둘 것이다.
커뮤니케이션과 수업을 위해 필요한 기술적 자료들을 위한 준비는 되었는가?	
학습자들은 LMS를 통해 어떻게 접속할 것인가? 어떤 보조가 필요한가? 어떤 플러그인이 필요로 하는가?	LMS는 커뮤니케이션과 파일을 공유하기 위해서 필요하다. 어떤 자료들은 PDF 형식으로 되어 있다. *Acrobat Reader*에 접근할 수 있는 웹사이트를 추가한다.
코스는 언제 시작하고 종료하는가?	다가오는 학기에 시작하고 6주 안에 종료한다.
코스 시작 시점에 누가 그리고 어떻게 학습자를 만날 것인가? 어떤 정보를 나누어 줄 것인가?	Lee의 지원팀은 등록 자료와 환영인사를 보낼 예정이다. 등록 자료에는 LMS에 등록하는 방법, URL 주소, 수업 시간 프레임, 컴퓨터 시스템 종류, WBI에 접근하는 데 필

운영을 위한 준비	가능한 학습
	요한 프로그램, 코스 URL가 있다.
교수자와 멘토의 역할은 무엇인가?	Kally는 학습자들의 질문과 답변에 주요 관심을 갖고, Deb은 WBI와 기술 문제를 주로 다룬다.
학습자들에게 지원 자료들은 어떻게 배분할 것인가?	모든 자원들은 웹사이트에서 가능하도록 한다. 지원 자원들은 PDF와 HTML 형식으로 만든다.
참여자를 위한 커뮤니케이션 도구에는 무엇이 있는가?	
학습자들과 교수자는 어떤 커뮤니케이션을 해야만 하는가?	모든 참여자들은 인터넷과 웹, 이메일에 접속해야 한다. 커뮤니케이션은 이메일, 게시판, 대화방을 통해서 가능하다.
코스에서 기대하는 바는 어떻게 공유할 것인가?	Kally는 코스에 대한 질문에 응답하기 위해서 1주일에 세 번 정도 채팅을 할 것이다(어떤 내용들은 이메일을 통해서 공유가 가능할 것이다).
참여자들은 문서를 어떻게 보내고 공유할 것인가?	파일들은 LMS와 이메일을 통해서 공유할 수 있다.
참여자들은 온라인 기능 훈련을 필요로 하는가?	
교수자와 멘토는 어떤 훈련을 받게 되는가?	Kally는 기술적이고 학습 활동에 관련된 TLDC와 CJC의 LMS 훈련을 받았다. Deb은 LMS 훈련에 참여했었고, 이전에 온라인 수업에 참여한 적이 있다.
학습자들은 어떤 훈련을 받게 되는가?	CDE에서 운영하는 학습자 대상 훈련은 CJC 홈페이지에서 PDF 파일로 된 훈련자료를 쉽게 다운로드하거나 인쇄하여 제공받을 수 있다. 학습자들은 코스 시작 전에 안내받을 수 있다.

*GardenScapes*의 '운영 문서'를 보려면 자매 사이트 (http://www.prenhall.com/davidson-shivers)를 참고하자.

생각해보기

여러분의 프로젝트인 WBI 운영을 위해 고민해야 할 질문을 만들어 보자. 표 9.2~9.4를 활용하여 생각을 정리해보자. 프로젝트 문서에 이를 추가한다.

(다른 교수설계자들이 동일한 문제들을 어떻게 해결하고 있는가를 알아보기 위해 이 장의 후반부에 제시된 사례 연구를 살펴보기 바란다.)

운영을 위해 해결해야 하는 과제를 정리한 표가 있는 템플릿을 인쇄하려면 (http://www.prenhall.com/davidson-shivers)를 참고하자.

WBI를 운영하는 데 있어서 초기 사건들

학습자들은 코스를 등록하고 웹사이트에 접속하고 나면, 교수자와 학습자 간의 상호작용을 통해 학습자들 간에 공감적 이해를 형성하고 학습공동체에 대한 소속감을 느낄 수 있어야 한다. 이러한 활동은 동시적 설계 단계에서 기획하고 개발한 교수 전략 오리엔테이션에 기반한다(7장 참고). 학습자들이 WBI를 시작하는 시점에서는 정보에 접하지 않으면서도 WBI 목표와 학습 내용에 집중할 수 있도록 해주어야 한다. 또한 학습자가 교수자의 스타일에 익숙할 수 있도록 해주어야 한다.

강의 계획서에는 교수 목적과 학습 목표, 시간표, 과제 최종 기한, 기록 시스템에 대한 정보를 포괄적으로 담아야 한다. 추가적으로 교수자는 코스에 대한 절차를 설명하고, 온라인 학습기능 개발 방법에 대한 힌트를 제공하고, 커뮤니케이션 방법을 설명한 후 학습자들이 처음으로 수행할 과제를 설명할 것이다. 또한 참여자들의 역할과 책임을 설명한다(Burgess, 2002; Davidson-Shivers & Rasmussen, 1999; Simonson et al., 2003).

학습 촉진과 관리

학습자들에게 WBI를 소개하고, 참여자들이 서로간에 상호작용을 시작하게 되면, 운영을 위한 다음 절차는 학습 내용에 대한 학습 활동(7장 참고)을 제공하고, 동시에 학습공동체를 지속적으로 구축해 나가는 것이다. 온라인 학습 환경에서 학습공동체를 경험하도록 만들기 위해서는 두 가지가 자연스럽게 운영되어야 한다는 것을 의미한다. 두 가지란 학습 촉진과 관리를 일컫는다.

앞에서 논의하였듯이, **학습 촉진(facilitation)**은 WBI를 운영하고 학습공동체를 구축하는 일이고, **관리(management)**란 학습 환경을 지원한다는 것을 의미한다. 이 두 가지가 사실상 WBI 환경에서 시스템과 얽혀 있으나 좀 더 명확하게 설명하기 위하여 구분하여 논의하고자 한다.

학습 촉진

Spitzer(2001)에 따르면 학습 촉진은 학습자와 교사자 간에 주된 관계를 맺는 역할을 하고, 학습 촉진을 통해 학습자는 학습 내용에 대해서 고민하고, 성찰하고, 학습하게 된다(Ko & Rossen, 2001). 학습 촉진은 이슈를 탐색하고, 논제를 논의하고, 질문을 하는 교수 활동과 학습 결과로 구성된다. 참여자들 간에 자주 만나게 되면 학습공동체를 구축하는 데 도움이 될 수 있다.

Collison 등(2000)에 따르면 좋은 학습 촉진은 참여자들 간에 학습공동체에 대한 풍부한 경험을 갖도록 해준다. 교수자는 학습 목표, 교수 목적과 교수-학습 활동을 지속적으로 연관시키면서 모든 참여자들 간의 커뮤니케이션을 증진시켜야 한다(Davidson-Shivers & Rasmussen, 1999; Ko & Rossen, 2001; Northrup, 2003). 멘토는 자신이 맡은 역할에 따라 교수자에게 도움을 줄 수 있어야 한다. 표 9.6은 효과적인 온라인 교수-학습 활동을 위한 학습 촉진 전략을 강조하고 있다. 온라인 코스마다 전략을 달리 선택할 수 있다.

표 9.6 효과적인 학습 촉진을 위한 전략

학습 촉진 활동	가능한 전략
주제와 관련된 실시간 대화를 유지	• 토론 일정을 잡고, 논의를 언제 시작하고 마무리할지에 대한 일정표를 만든다. • 채팅 공간은 코스 참여자들 간에만 공유할 수 있도록 비밀번호를 사용하여 비공개로 설정해 놓는다. • 학습자와 교수자가 토론을 하기 전에 인사를 나누고 환영 메시지를 보내는 등 사람들 간에 상호작용을 함으로써 대화를 나눌 수 있도록 준비한다. • 대화를 중단하고 질문을 하기 위한 방법으로 물음표를 제시하는 것과 같은 구체적인 채팅 기능에 대한 에티켓을 결정한다. • 토론을 시작할 때 길잡이 역할을 한다. • 이모티콘(LOL, STS, BTW 등)을 통해 좀 더 쉽게 용어를 제시하는 방법을 제공하다. • 대화의 말투를 선정한다. • 예의가 없거나 달갑지 않은 방문자들은 대화방에서 나가게끔 만든다. • 제 시간에 맞추어 대화방에 들어오지 못하는 학생이 있는 경우, 대화방에 들어올 때와 나갈 때 조용히 하도록 한다. • 늦게 대화방에 들어오는 사람이 있는 경우, 지금까지 진행한 대화 내용을 개인적으로 정리해주고, 필요한 경우 대화에 어떻게 참여할 수 있는지 디렉션을 제시한다. • 채팅을 마치는 경우 중요한 부분을 강조하면서 논의 내용을 요약한다. 학습 촉진자는 참여자들에게 중요한 부분을 요약할 것을 강조할 수 있다. • 형식적인 섹션을 마치겠지만 학습자들이 그들의 생각을 정리하기 위해서 채팅을 지속할 수 있도록 해주어야 한다.
비실시간 대화를 통해 학습 활동에 의미 부여	• 대화를 언제 시작하고 마무리지을지에 대한 계획표를 작성한다. • 학습자들에게 참여할 것을 미리 공지하고, 만약 필요하다면 최소한의 상호작용을 위해 필요한 최소한의 참여자 수를 확인한다.

표 9.6 효과적인 학습 촉진을 위한 전략 (계속)

학습 촉진 활동	가능한 전략
	• 논의할 학습 내용에 대해서 질문을 던지고, 디렉션을 제시한다. • 학습 내용을 유지하면서 흥미와 변화를 이끌 수 있도록 논쟁을 시키거나, 질문을 던지고 답변을 하게 만들거나, 다른 여러 종류의 논의를 진행하도록 촉진한다. • 학습 활동 중 하나로 학습자가 토론 중재가가 되거나 리더가 될 수 있도록 한다. • 학습자가 학습 내용과 관련 없는 내용 혹은 사적인 내용에 대해서 논의할 수 있도록 한다. • 논의 흐름을 살펴보고, 필요하면 토론 중에 피드백을 줄 수 있으며 참여자들의 용기를 북돋아준다. • 교수자가 필요 이상으로 개입하거나(25% 이상의 개입) 반대로 방관하지 않도록(3% 미만) 한다. • 리스트서버, 대화방, 이메일과 같은 다른 커뮤니케이션 도구를 통해 논의를 지속할 수 있도록 도와준다. • 논의하는 과정에서 에티켓을 따른다. • 논의를 마치는 시점에서, 주요 내용과 아이디어를 요약한다. 오개념을 정정하고, 아직 다루지 못한 분야에 대해서 논의한다. 논의를 요약하고 이메일을 통해 공유한다. • 학습자들에게 수업과제로 논의한 내용을 정리하도록 한다.
그룹 시너지 구축	• 참여자들 간에 서로 알고, 도움을 받으며 서로 학습할 수 있도록 기회를 제공한다. 학습자를 위한 채팅 공간이나 게시판을 따로 개설한다. • 학습자들이 기술적 지원을 통해 서로 도울 수 있도록 하고, 일반적으로 사용하는 기술을 서로 공유할 수 있도록 기회를 제공한다. • 공동체를 형성하기 위하여 학습자들에게 사진을 첨부하여 자신에 대하여 소개하도록 요청한다. • 코스를 시작하는 시점에서 학습자들 간에 서먹한 분위기를 풀 수 있는 활동을 진행하여 서로 알아갈 수 있도록 한다. • 처음에 시작하는 학습 내용은 쉽겠지만 이에 대한 의미를 부여하고, 과제의 난이도를 높여 나간다. • 그룹 서술, 그룹 발표, 그룹 문제해결 과제와 같은 협력 활동을 위한 소그룹 혹은 전체 그룹 활동을 진행한다. • 개인학습자를 위한 개별 활동을 진행한다. • 코스를 시작하는 시점에서 학습자 스스로 그룹을 형성해 나가도록 한다. • 코스를 진행하면서 그룹을 새롭게 구성하여 흥미를 유발하고, 공동체 구성원들 간에 친목을 도모한다.

표 9.6 효과적인 학습 촉진을 위한 전략 (계속)

학습 촉진 활동	가능한 전략
	• 그룹으로 학습하는 학습자들에게 기대하는 바가 무엇인지 논의한다. • 학습자들에게 그룹으로 학습하는 방법을 훈련시킨다. 여러 가지 학습 활동을 통해 그룹 내 상호작용을 높여준다. • 핵심 프로젝트에서는 구성원을 유지하고, 학습자들이 함께 일할 수 있는 체계를 만들어 줌으로써 프로젝트를 마무리할 수 있도록 한다. • 각 그룹과 협력 전략을 공유한다. • 그룹 내에서 개별적으로 혹은 함께 책임져야 하는 역할을 결정한다. • 코스가 진행되면서 각각의 역할을 돌아가면서 맡는다(토론 중재자, 자료 수집가, 결과 검토자 등). 그룹 간에 동료 평가를 진행한다.
학습 활동, 학습 과제, 그리고 평가에 있어서 적절한 시기에 피드백을 제공	• 과제 제출기한을 정한 후 언제 피드백을 제공할지에 대해 논의한다. • 과제와 평가에 대한 디렉션을 제공한다. • 피드백을 제공할 시간을 결정한다. 피드백을 언제 제공해야 할지에 대해서 해당 담당 조직과 논의하여 결정한다. 교육 운영자가 정한 결정한 날짜에서 24시간 이내로 피드백이 주어지도록 한다. • 학습자들에게 배송하는 서류에는 피드백이 제공되었다는 것을 표시해둔다. • 각각 개별적으로 피드백을 제공하고 자신의 과제에서 문제점을 파악하도록 한다. • 개별적으로 피드백을 제공하고, 교수자와 학습자 사이에 피드백 내용을 계속 상기시키도록 한다(점수를 내야 하는 경우 이러한 작업이 필요하다). • 각 주별로 학습 활동, 참여, 성과물을 요약하여 이를 그룹 전체 피드백으로 사용한다. • 교수자가 이메일을 통해서 학습자들이 제출한 학습과제를 받았는지를 확인하기 위해서, 메일을 수락하면 자동적으로 답장 메시지가 갈 수 있도록 하는 시스템을 활용한다.
프로젝트에 대해 피드백 제공	• 학습 목표에 구체적으로 연관된 학습자 활동(참여, 성과 등등)에 초점을 맞춘다. • 대화창에서 잡담을 나누는 부분과 학습 내용을 이해하기 위한 대화내용 부분을 명확하게 구분해 주어야 한다.
학습자가 교수활동에 참여하도록 함	• 교수자나 멘토를 만나는 과제를 첫 과제로 부여한다. • 시간을 많이 소요하는 데도 불구하고 성과가 나지 않는 의미 없는 활동이나 상호작용은 피하도록 한다. • 첫 주 혹은 첫 섹션에서의 주된 학습 활동은 사이트 탐색 및 학습자가 필수로 사용해야 하는 도구를 활용하도록 한다. • 학습자들이 흥미를 유지할 수 있도록 주기적으로 이메일을 발송한다.

표 9.6 효과적인 학습 촉진을 위한 전략 (계속)

학습 촉진 활동	가능한 전략
	• 그룹 대화를 요약하고, 전반적인 질문에 응답하고, 학습자가 코스를 꾸준히 인식할 수 있도록 이끌어 주어야 한다(이메일을 사용하거나 공유하는 자료들은 문서화한다). • 학습자들이 레슨 공지사항에 항상 주의할 수 있도록 이끌어 주어야 한다(새로운 기능, 달력, 공지사항을 사용하게끔 한다). • 학습자들이 꾸준히 학습 활동에 적극적으로 참여하도록 일주일에 한 번씩 상호작용을 한다. • 초보자들은 코스를 시작할 시점에서 적극적으로 참여할 수 있도록 격려해 주도록 한다. 학습자가 자신감을 얻을수록 이러한 격려의 횟수를 줄여나간다. • 학습자가 도움을 요청하는 경우 멘토, 기술적 지원이나 도서관 서비스에 접할 수 있도록 격려한다.

출처: 표 안의 데이터는 Blackboard, Inc(2002), Bonk(2004), Brooks(1997), Burgess(2002), Collison et al.(2002), Davidson-Shivers(1998, 2001), Davidson-Shivers & Rasmussen(1998, 1999), Ko & Rossen(2001), Northrup, Rasmussen & Burgess(2001), Palloff & Pratt(1999), Salmon(2002), Simonson et al.,(2003) Southard(2001)을 참고하였다.

GardenScapes 사례

*GardenScapes*의 교수 전략은 학습공동체의 학습 촉진자를 맡은 Kally와 함께 학습공동체 구축하는 데 목적을 둔다. CJC와 CDE는 특히 기술적인 문제인 경우를 포함하여 학습자가 도움을 필요로 할 때 24시간 내에 응답하는 방침을 세웠다. 교수자의 상황에 따라서 자동적으로 응답이 갈 것이다('자리에 없습니다' 라는 응답 혹은 메시지를 받았다는 응답 등). 물론 실질적인 해결책에 대한 답변이 오기까지는 더 많은 시간이 걸리겠지만, 초기에 빠른 응답은 학습자들의 불만을 줄이는 데 도움이 될 수 있다.

대부분의 학습자가 웹기반 학습을 처음 접하기 때문에 첫 주에는 여러 가지 도전적인 과제가 발생한다. Kally와 Deb은 학습자의 이해를 돕고 불만을 줄이기 위해서 학습자들이 접한 문제를 가능한 한 융통성 있게, 빠른 시일 내에 응답해 주어야 한다고 생각하였다. Kally와 Deb은 학습자들이 기술에 익숙해지도록 학습자들과 함께 일하고, 생각을 공유하고, 긍정적인 시사점을 제공하고자 했다. Kally는 학습 내용에 대한 질문에 응답하였고, Deb은 기술적 문제에 응답하였다. 그들은 다른 수업의 학습자들이 갖는 동일한 질문과 이에 대한 답변을 학습자들에게 제공하였다.

Kally가 수행해야 하는 학습 촉진 활동은 활발한 토론을 이끄는 것뿐만 아니라 학습 목표를 달성할 수 있도록 학습자와 지속적으로 상호작용을 하는 것이다. 그는 학습자들이 전통적인 학습자들과 달리 오랜 시간 동안 교실에 있어 본 적이 없다는 것을 깨달았다. 이를 위해 그는 다음의 과제를 수행하였다.

- Lee와 그의 지원팀이 나누어준 학습자료 묶음에 환영인사를 포함시켜서 보낸다.
- 각 레슨마다 한 주가 시작하였다는 메일을 보내고, 과제 마감 일정을 함께 적어두고, 학습자들이 질문이 있으면 Kally 혹은 Deb과 만날 것을 제안한다.
- 매주 일하는 시간 중에 온라인 대화방 섹션을 책임진다.
- 이메일을 체크한 후 학습자들에게 개별적으로 응답하기 위해 규칙적인 일정표를 짠다.
- 한 주간 배운 핵심내용을 요약하여 주말에 이메일을 보내며, 학습자들이 숙제를 제출할 수 있게끔 격려한다.
- 매주 정원에 관련된 과제에 대해서 한 주 내에 피드백을 준다.

다음 표는 학습 촉진을 위한 그 밖의 전략을 보여준다.

학습 촉진 활동	전략
토론을 지속하면서 코스 일정에 맞추기	• 어떤 논의들은 LMS상에서 비동시적으로 발생한다. Kally는 질문을 하고, 참여자들은 이에 대해 답변을 하였다. 논의에 적극적으로 참여하도록 참여자들에게 그들의 아이디어를 제시하고, 다른 학생들의 아이디어에 대한 의견을 제시하도록 지시할 수 있다. • 정원 가꾸는 경험, 정원 가꾸는 경험 팁, 개선점을 공유하고 다른 사람들에게 질문할 수 있는 게시판을 활용한다. • 각각의 실시간 토론을 위해 Kally와 Deb은 일반적인 질문을 하고 학습자들은 이에 대해 비형식적으로 상호작용할 수 있었다. 형식적인 대화는 섹션에 참여하기 전에 로그인하는 방법을 가르쳐주기 위해서 이루어진다. • 참여자들이 늦게 들어온 경우, 그들은 다른 사람이 모르게 환영 메시지를 받았고 지금까지 진행한 대화에 대한 대략적인 내용을 제공받았다. 이러한 중재역할은 대화가 끊기지 않고 자연스럽게 진행되도록 해준다. • 주기적으로, 토론내용을 짧게 요약하였으며, Deb과 Kally는 더 많은 질문이 있는지 물어보았다. • 토론이 마무리 될 시점이면, Kally와 Deb은 섹션을 요약하면서 정리하거나 학습자들에게 무엇을 배웠는지, 무엇이 재미있었는지, 혹은 대화내용에서 가장 핵심은 무엇이었는지를 물어보면서 섹션을 마무리한다.

학습 촉진 활동	전략
그룹 시너지 만들기	• 그룹 논의는 대화방, 게시판, 혹은 이메일을 통해서 이루어진다. • Kally는 코스 시작 시점에서 학습자들의 질문 혹은 생각에 대한 답변을 통해 논의의 내용 구조에 대한 디렉션을 제시하거나 길잡이 질문을 던졌다. • 섹션이 진행되면서 소그룹으로 구성된 학습자들은 어떤 종류의 논의 방법을 선호하는지를 결정하고 그들의 논의할 내용의 구조를 잡아갔다. • 그룹은 정원 가꾸기에 대한 아이디어와 조언을 공유하기 위해 만들어졌고, 이 그룹은 전체 과정에서 그대로 유지되었다. • 학습자들은 수업 프로젝트에 함께 일하고자 하는 '정원 가꾸기 동료'를 결정해야 하고 정원을 함께 가꾸는 동료는 또한 다른 동료들의 정원 설계 기획안을 평가하였다.
적절한 피드백 제공하기	• 처음 섹션에서 Kally는 다른 교수자들의 과제 피드백을 5~7일 이내에 주도록 지시하였다. • Kally는 CDE의 가이드라인에 따라서 이메일을 통해 자신과 Deb의 답변은 24시간 이내에 보내질 것을 설명하였다. 만약 질문이 주말에 주어지면 자동 응답 메시지가 보내질 것이다. 실질적인 답변을 받기까지는 좀 더 많은 시간을 필요로 하지만 첫 답변은 24시간 이내에 이루어진다. • 그녀는 근무시간 중에 일주일에 두 번 정도 메일을 보낼 것을 계획하였다. • 점수가 부여되는 과제인 경우 과제를 학기가 끝날 시점에 제출하지만 않는다면, 피드백은 한 주 내로 전달되었다. 학생들의 기록을 담당하는 부서에 성적이 발송되면 학생들은 프로젝트 피드백을 받았다.
학습자들이 WBI에 참여하도록 격려하기	• 새로운 학습자들은 기술과 원격교육에 대한 추가적인 도움이 필요할 것이다. Deb은 이러한 문제를 줄이기 위해서 도움이 필요한 경우 바로 개별적으로 도움을 요청하였다. • 접근하는 데 도움이 필요한 학습자의 경우 Deb Scarletti 혹은 Laila Gunnarson이 웹사이트 사용법을 가르쳐 주었다. • Kally는 정기적으로 학습자들과 대화를 나누어서 이들의 참여를 격려하였으며, 학습자들은 소그룹을 만들거나 학습동료를 선정하도록 하였다. • Kally와 Deb은 질문에 답하기 위한 시간을 따로 배제해 두었다. 수업을 마칠 시점에는 그들이 수업에서 배웠던 내용을 요약하고 마무리 시간을 가졌다. • 접속문제가 지속되자 Deb은 학습자들과 직접 통화하면서 어떻게 해결해야 하는지를 가르쳐 주었다. Deb은 Laila와 함께 URL을 점검하고, 사용자 ID와 비밀번호를 확인하였다. • 문제가 계속 발생하거나 특히 참여자가 지방에 사는 경우, 그들은 TLDC에서 일대일 도움을 받을 수 있었다. 학습자들이 지방에 살지 않는 경우, NetMeeting을 활용하여 그들의 컴퓨터에 접속하고 절차대로 디렉션을 제시하였다.

학습 촉진 활동	전략
	• 학습자들은 브라우저와 필요로 하는 플러그인의 최신 버전을 다운로드하고 올바르게 설치하도록 하였다. 이러한 결과물에 대한 공지는 환영인사 혹은 LMS에 포함되도록 하였다. • 만약 학습자가 방화벽이 있는 네트워크 ISP를 사용할 경우, 멀티미디어나 대화창을 위한 기술은 제대로 작동하지 않을 것이다. 근무하는 네트워크 관리 지원팀이 이러한 접근을 허용할 수 있도록 사전에 연락을 취해야 한다.

*GardenScapes*의 '운영 문서'를 보려면 자매 사이트 (http://www.prenhall.com/davidson-shivers)를 참고하자.

생각해보기

지금은 WBI에서 학습 촉진 단계에 와 있다. 표 9.6을 참고하여 프로젝트를 운영하는 데 있어서 예상되는 학습 촉진 활동 목록을 작성해보자. 이 활동에 대해서 여러분은 어떻게 진행할 것인가? 가능하다면 교수자 혹은 멘토의 학습 촉진자의 역할을 기술하자. 여러분은 교수자와 학습자들에게 어떤 전략을 제시할 수 있겠는가?

(다른 교수설계자들이 동일한 문제들을 어떻게 해결하고 있는가를 알아보기 위해 이 장의 후반부에 제시된 사례 연구를 살펴보기 바란다.)

*GardenScapes*의 학습 촉진을 위한 교수 활동을 정리한 템플릿을 인쇄하려면, (http://www.prenhall.com/davidson-shivers)를 참고하자.

관리

운영에 대한 또 다른 측면은 웹기반 코스를 경영하고 운영하는 데 있다(Dabbagh, Bannan-Ritland, & Silc, 2001; Kahn, 2001). 관리에 해당하는 업무에는 하루도 빠짐없이 기술시스템의 운영, 정보 갱신, 학습자의 학습 과정을 쫓아가는 일이 생긴다 (Dabbagh et al.; Khan). Khan에 따르면, 관리 업무 중 하나는 기술을 보수 유지하는 것으로, 이에는 웹사이트와 서버 업데이트 유지, 소프트웨어 개선, 학습 내용 개선이 있다. 관리 활동은 학습 환경 내에 모든 참여자들에게 영향을 준다(Brooks, 1997). WBI와 웹사이트의 정상적인 운영은 WBI를 성공적으로 이끄는 데 절대 중요한 요소가 된다.

시스템이 복잡하든 단순하든 간에, 학습자와 교수자는 시스템의 일부 요소가 된다. WBI 설계 및 개발을 기획하는 과정에서 사용한 관리 도구는 학습 환경을 관리하고, 과제를 선정하고, 학습자와 교수자의 역할과 책임부분을 지속시키는 데 도움이 된다.

시스템. 웹사이트 관리의 복잡한 정도는 웹사이트와 네트워크 인프라에 달려있다. 시스템은 기본적으로 서버를 갖고 있고, 웹에 접근할 수 있어야 한다. 아무리 WBI 시스템의 규모가 작다고 하더라도 기술과 네트워킹 시스템이 제대로 통합되어야만 기능이 제대로 작동한다. 각 학습자의 인원수가 늘어나고 통합된 네트워크가 커질수록 시스템은 복잡해진다.

대부분의 운영팀은 시스템 관리업무를 다루기 때문에 교수자는 시스템에 관련된 일을 하지 않아도 된다. 그러나 다른 사람의 도움 없이 1인 교수자인 경우 시스템 관리 방법을 익혀 두어야 한다.

교수자. WBI를 운영할 때 교수자와 교육 지원팀은 기술 문제가 발생하면 해결할 수 있도록 항상 준비되어 있어야 한다. 기술 문제는 학습자들에게 '눈에 보이는' 문제이기 때문에 교수자는 관리하는 방법을 모른다고 할지라도 어떤 문제가 발생하는지에 대해서는 염두에 두어야 한다. 아니면, 교수자는 기술 문제를 해결하거나 시스템을 유지할 수 있는 기술 지원팀에 즉각 연락할 수 있다(Brooks, 1997. Darbyshire, 2000). 또한 이들은 서버 소프트웨어, 브라우저, LMS와 플러그인을 개선하는 업무에 책임을 지게 된다. 당장의 문제가 개선되고 나면, 참여자가 WBI를 사용하는 중에 프로그램 일부를 잘못 사용하여 새로운 문제가 발생할 수 있다. 기술 지원 팀은 이러한 새로운 문제나 시스템을 개선할 때 발생하는 문제점을 해결해 나가야 한다.

어떤 조직에서 교수자는 학습 촉진 역할도 담당하지만 웹사이트를 유지하는 업무도 담당해야 한다. 프로그램 운영과 기술 문제 해결 업무를 모두 맡게 된다면 교수자는 기술에 문제가 발생하였을 때 바로 해결해 주어야 한다. 이는 학습자들의 불만을 줄여주고 학습자들의 WBI 접근 가능성을 높여준다.

교수자는 WBI에서의 업무 시간을 제한하여 자신의 일정을 관리할 수 있어야 한다. 효율적인 시간 관리를 위한 방법으로는 컴퓨터에 폴더를 생성하여 학습자들의 학습과제와 이메일을 저장하고, 조직화하여 이를 관리할 수 있다(Northrup et al., 2001). 자료 관리를 위해서 LMS에 성적표 관리 메뉴를 제공할 수 있다(Darbyshire, 2000; Ko & Rossen, 2001; Simonson et al., 2003). 표 9.7은 교수자가 효율적인 업무 관리 방법을 보여주고 있다.

지금까지 논의한 이슈뿐만 아니라 교수자가 책임져야 하는 관리활동은 다양하다.

표 9.7 교수자의 관리 전략

활동	전략
링크 활성화 최종 마감시간 결정	• 링크가 언제 활성화되는지를 학습자들에게 알린다. • 과제 최종 마감기한을 공유한다.
탈락한 학습자와 연락	• 학습자가 정식 웹 환경을 구축하지 못한 경우, 이메일, 전화, 우편을 통해서 학습자들과 연락한다.
웹 접근	• 학습자가 안정적인 환경에서 접속하도록 한다. • 학습자들은 자신을 인증하기 위하여 LMS를 사용할 수 있다.
시스템 실패 혹은 기술적인 문제점 해결	• 기술적인 문제에 당황하지 말고 미리 백업을 해놓는다. • 단기간에 해결할 수 있는 문제가 발생하는 경우, 문제가 해결될 때까지는 이메일을 통해 의사소통을 하고 과제를 보내준다. • 장기적으로 서버에 문제가 발생하는 경우 백업 서버를 사용한다. 학습자들에게 이를 자세히 설명해준다.
학습자 참여과정, 학습자 과제해결과정, 평가를 추적	• 학습자들의 데이터를 조직화하기 위하여 LMS 혹은 웹-지원 도구를 사용할 수 있다(성적표 혹은 스프레드시트). • 코스 목적과 학습과제에 관련된 데이터를 추적해 나간다.
멘토 활동 관리	• 멘토의 역할을 확인하고 WBI 학습공동체 구축을 위해 필요한 업무를 구체화한다. • 과제 마무리를 위한 시간 로그를 작성한다. • 학습자는 멘토의 활동을 평가한다.

출처: 표 안의 데이터는 Barron & Lyskawa(2001), Cucchiarelli et al.(2000), Hazari(2001), Wagner(2001)를 참고하였다.

면대면 학습에서의 업무와 WBI에서 교수가 책임져야 하는 업무가 압도적으로 많아 보인다. 그러나 교수자가 이를 감당하기가 어려울 정도는 아니다. 교수자만이 성공적인 WBI 운영에 책임을 맡게 되는 것은 아니다. 학습자들은 자신의 학습에 책임을 질 수 있어야 하고, 학습공동체를 구축하는 데 있어서는 공동의 책임을 지게 된다. 이는 학습자들도 자신의 시간과 과제부담을 줄일 수 있도록 스스로 관리를 잘 해야지만 가능하다.

학습자. 학습자들은 WBI 학습 과정에서 다른 학습자들과 공유하는 시간 외에 남는 자신의 일정과 과제 부담을 줄일 수 있도록 스스로 관리할 수 있어야 한다(Gilbert, 2001). WBI는 시간에 제한을 받지 않고 언제든지 참여할 수 있기 때문에, 학습자들은 코스 혹은 과제에 배정된 시간 외에 남는 시간에 맞추어 자유롭게 WBI 학습 시간을 계획할 수 있다. 그러나 학습자들은 과제 기한과 수업 종료 날짜를 반드시 지켜야만

표 9.8 학습자의 관리 전략

활동	전략
코스 활동 확인	• 섹션에서 교수 활동을 살펴본다. • 강의일정표를 출력하고, 파일을 정리해둔다. 중요한 일정을 표시해둔다. • 마무리해야 하는 섹션 활동을 목록화한다. • 필요한 경우 교수자, 멘토, 기술 지원에 관련된 문제를 물어본다.
코스 활동 참여	• 대화창과 토론 게시판에서 참여하는 일정표를 짠다. • '공부를 함께할 동료'가 있는지 찾아본다.
코스 과제 마무리	• 과제를 따라갈 수 있도록 수업 달력을 만든다. • 여러 가지 도구를 활용한다(이메일, 이메일 정리 프로그램 등). • 기술 문제가 발생한 경우 교수자에게 연락을 취한다.

한다(Gilebert). 교수자가 강의 일정표를 확인하고 그들의 학습 과정을 관리한다고 할지라도, 학습자들은 자신의 시간을 잘 관리할 수 있어야 한다.

학습자들은 WBI에 참여하면서 WBI와 웹사이트에서 발생하는 기술 문제를 초기에 발견하게 된다. 학습자들은 링크가 잘못 연결되어 있거나, 그래픽이 깨지는 경우와 같은 기술 문제를 발견하는 경우 이를 보고해야 하며, 이러한 메카니즘은 LMS 안에서 이루어져야 한다. 이러한 접수된 기술 문제에 대한 내용은 자동적으로 기술 지원팀에게 전달된다. 표 9.8은 온라인 학습자들의 위한 관리 전략을 보여주고 있다.

멘토. 교수자가 멘토의 역할을 규정짓지만 멘토는 자신의 시간을 관리하여 업무 부담을 줄일 수 있어야 한다. 관리 방법 중 한 가지는 업무 일정표를 짜는 것으로, 이메일 확인시간, 교수자와 상담시간, 기술 지원을 받기 위한 시간에 대한 계획을 세울 수 있다. 멘토는 컴퓨터 폴더를 활용하여 학습자들이 작업한 파일을 조직화하고, 문서를 쉽게 찾을 수 있으며, 점수를 매기고, 피드백을 제공할 수 있다. 멘토는 지금까지 학습자들이 자주 물어보았던 질문과 이에 대한 해결책을 목록화하여 데이터베이스를 만들 수 있다.

멘토가 웹사이트에 잘못 링크된 기술적 문제를 수집하는 것뿐만 아니라 이를 해결하는 업무까지 맡아야 하는 경우, 문제 발생 시 기술 지원팀에게 연락할 수 있다. 그러나 멘토는 URL을 업데이트하는 방법은 수행할 수 있어야 할 것이다. 표 9.9는 멘토를 위한 운영전략을 보여주고 있다.

표 9.9 멘토의 관리 전략

활동	전략
링크 유지 및 관리	• 활성화되지 않은 URL의 새로운 링크를 찾아본다. • 링크가 되지 않는 것은 수정한다. • 링크가 활성화되면 학습자와 교수자에게 알려준다. • 일반적인 기술 문제와 FAQ를 정리하여 데이터베이스를 만든다.
시간과 학습 활동을 관리	• 교수자와 논의하여 일정표를 만든다. • 이메일을 관리하기 위한 일정표를 만든다. • 기술 지원팀과 만날 수 있도록 한다. • 학습자들을 위한 근무시간을 정한다.
점수가 부여되는 학습 활동과 평가	• 학습과제 관리를 위해 컴퓨터를 활용한다. 예를 들어 성적을 보내준다거나 피드백을 제공할 수 있다.
학습자들에게 접근	• 안정적인 환경에서 학습자들이 접속하도록 만든다. • 개인 인증을 위해 LMS를 활용할 수 있다.
시스템 문제 혹은 기술적 문제	• 기술적 문제에 당황하지 말고 정기적으로 백업을 한다. • 단기간에 해결가능한 문제가 발생한 경우, 문제가 해결될 때까지는 이메일을 통해 의사소통을 하고 과제를 보내준다. • 장기적으로 서버에 문제가 발생하는 경우 백업 서버를 사용한다. 학습자들에게 이를 자세히 설명해준다.
학습자 참여, 학습자 과제, 평가 추적	• 학습자 데이터를 조직화하기 위해 지원되는 LMS와 기술을 활용한다(성적표 혹은 스프레드시트). • 코스 목적과 학습과제에 관련된 데이터를 추적해나간다.
멘토 활동 관리	• 멘토는 WBI 학습공동체에 할당된 과제에 책임을 지게 된다. • 과제 마무리를 위한 시간 로그를 작성한다. • 학습자는 멘토의 활동을 평가한다.

GardenScapes 사례

코스를 시작하면서부터 Kally와 Deb은 WBI와 웹사이트의 메일을 자주 체크하였다. 운영팀은 사전 계획서를 바탕으로 그들의 업무를 시작하였다. Laila, Deb, Kally는 자신들의 계획된 역할에 대한 관리 전략을 활용하였다.

Laila는 기술 지원팀이 서버, 소프트웨어와 관련된 업무를 수행하는지를 관리한다. 그는 방학동안 시스템이 언제 작동하지 않았는지를 확인하였다. 모든 네트워크와 기술(예: 플러그인, 서버, 서버 소프트웨어 개선)을 개선하여 방학동안 학습자와 교수자가 WBI 코스에 가능한 한 많이 접근할 수 있도록 계획하였다. 서버는 TLDC에서 운영하였고, 정보를 잃지 않기 위하여 매일 백업하였다.

활동	전략
Laila (시스템: 기술 지원팀)	
기술 실패	CDE는 TLDC에서 주된 서버를 제공하는 백업 서버를 갖고 있다. 장기적으로 서버에 문제가 발생하는 경우, 과제는 이메일을 통해 주어진다.
Kally (교수자)	
링크 활성화	레슨이 시작하게 되면 이메일을 발송한다. 레슨은 월요일에 시작한다. 학습자들은 과제를 완수하는 데 일주일이 소요된다.
시간 공유 기대감	환영인사와 소개관련 자료에서 코스에서 기대하는 바를 반복하여 설명한다. 학습자들에게 각 주별로 과제를 수행하는 데 걸리는 시간을 설명한다.
탈락한 학습자와 연락	2주 동안 접속하지 않은 학습자에게 연락한다.
학습자와 접속	이메일에 들어온 프로젝트나 과제를 훑어본다.
Deb (멘토)	
링크 활성화	링크를 활성화한다.
학습자들의 참여과정 추적	학습자들의 참여과정을 살펴보기 위해 게시판과 대화창과정을 훑어본다. LMS에서 제공하는 전자 성적기록부를 활용한다.
Lee (운영팀)	
잃어버린 학습자 찾기	Lee는 '잃어버린' 학습자를 찾아 그들에게 조언을 해준다. 교육 지원팀은 WBI에 첫 주 동안 참여하지 않은 학습자들에게 메일 혹은 전화로 연락하는 데 최선을 다해야 한다. 수업료를 지불하지 않은 학생은 자동적으로 시스템에서 탈락되어야 한다. Lee는 여전히 연락이 닿지 않는 학습자들에게 확인 메일을 보낸다. 코스에 참여하지 않는 학습자들은 평가 자료를 통해 코스에서 탈락되는 이유를 공유할 수 있도록 한다.
학습자	
적극적 참여	WBI에 접근하여 일정에 맞추어 학습 활동을 마무리한다. 학습공동체를 구축하는 데 책임을 질 수 있어야 한다. WBI 학습에 최선을 다하고, 필요할 때는 도움을 요청하는 것이 학습자들이 해야 하는 일이다. 효과적인 온라인 학습을 위해서는 이에 필요로 하는 기능과 지식을 사전에 습득해야 한다. 자발적으로 참여하고, 자기 주도적 학습능력을 키운다.

WBI 운영을 위해 사전 준비를 철저히 했기 때문에, 실제 운영을 할 때 발생가능한 대부분의 잠재적인 문제를 피할 수 있었다. 학습자들은 메인 홈페이지에 있는 링크를 통해 Kally에게 학습과제에 대해 질문할 수가 있었고, Kally는 이에 대한 답변을 보냈다.

Deb은 잘못된 링크를 바로잡고, 그래픽이 활성화되었는지를 확인하였다. 학습자들은 메인 홈페이지에 있는 링크를 통해 Deb에게 URL 문제를 보고할 수 있었다. Deb은 웹사이트를 수정해 나갔다. 학습자원들은 잘 알려져 있는 정보나 공공기관에서 제공하는 보고서로 구성되었고, 학습자들에게 안정적으로 제공되었다. Deb은 외부 웹사이트에 더 이상 링크가 활성화되지 않게 되면 이를 대치할 수 있는 새로운 사이트를 검색하였다.

코스는 비교적 안정적이었다. Kally는 앞으로 2~3년 동안 수정할 필요가 없다고 예상하였다. 운영팀을 위한 다른 관리 활동들은 위의 표에서 보여주고 있다.

GardenScapes 코스의 남은 기간에는 관리해야 할 업무가 갈수록 줄어들었다. Kally와 Deb은 남은 기간 동안 학습 촉진 활동과 관리를 지속하면서 근무시간에 대한 일정표를 계획하였다.

*GardenScapes*의 '운영 문서'를 보려면 자매 사이트
(http://www.prenhall.com/davidson-shivers)를 참고하자.

생각해보기

여러분의 WBI프로젝트에서는 어떤 문제를 관리해야 하는지를 고민해보자. WBI 운영을 책임지는 지원팀에는 누가 있을지 생각해보자. WBI, 웹사이트, 시스템을 유지하는 데 사용할 전략을 문서화한다. 이를 문서화하는 데 표 9.7과 9.9를 활용한다.

(다른 교수설계자들이 동일한 문제들을 어떻게 해결하고 있는가를 알아보기 위해 이 장의 후반부에 제시된 사례 연구를 살펴보기 바란다.)

*GardenScapes*의 학습 촉진 활동 표를 인쇄하려면 자매 사이트
(http://www.prenhall.com/davidson-shivers)를 참고하자.

마무리하기

운영은 WBI가 살아있도록 하는 단계이다. WBI를 운영함으로써 WBID 모형의 나머지 활동들이 의미 있게 될 수 있다. 온라인 교수 활동을 이해하는 것은 성공적인 운영에 도움이 된다. 사전 기획 단계와 최종 준비 단계는 운영팀을 구성하고, 예산 및 시간 할당 계획을 세우고, 모든 참여자들이 필요로 하는 도구를 고려하여 WBI와 웹사이트를 개발하는 데 도움이 된다. 학습자가 코스에 등록하고, WBI에 참여하면서부터 모든 운영 단계는 학습자에게 초점을 두게 되고, 학습공동체에 소속감을 느낄 수 있도록 해야 한다. WBID 모형에서 운영 단계에서는 학습 촉진과 관리 업무가 서로 영향을 주면서 진행된다. 운영 단계는 교수활동의 시작 단계에 해당한다. 그러나 WBI가 적절한 시기에 적절한 내용으로 운영이 진행되는 가운데 다음 코스에도 운영이 되어야 하는지에 대한 도전적인 문제가 발생한다. WBI가 시의적절하게 학습자의 요구를 채워줄 수 있는 내용을 제공하는지를 확인하기 위하여 총괄평가를 시행하게 된다. 10장에서는 총괄평가 및 연구를 다룬다.

토론 과제

1. 운영을 정의해보고, WBID 모형에서 이 단계에 포함된 여러 가지 과제를 살펴본다.
2. 학습 촉진과 관리 업무는 어떤 부분에서 서로 영향을 미치는가?
3. 전체 운영과정에 대한 체계적인 관점을 바탕으로, 운영팀에 해당하는 교육 지원팀의 역할을 탐색한다. 교육 지원팀의 역할은 다른 단계에서의 교육 지원팀의 역할과 어떻게 차이가 나는가?
4. 이전 단계에서 결정된 부분들과 앞서 수행한 학습 활동은 운영 단계에서 어떠한 영향을 미치는가?
5. WBI 운영 이전에 모든 참여자들은 온라인 기능 훈련을 받아야 하는가? 이에 대한 여러분의 생각을 정리해보자.
6. 운영 단계에서 가장 중요한 활동은 무엇인가? 이 활동이 WBI를 성공적으로 이끄는 데 왜 중요한지를 설명해보자.
7. 운영을 성공적으로 마무리했는지 그렇지 않은지를 어떻게 판단할 것인가?

사례 연구

1. 초 · 중 · 고등학교의 사례

Bifford는 운영 단계에 접어들었다. Rhoda와 Buzz의 코스에서 5학년 학생들은 *WebQuest*를 사용하였다. 서버 설치 이후 *WebQuest* 사용이 가능해졌고, Cassie,

Rhoda, Buzz와 Megan은 긴밀하게 상호작용하였다. Cassie는 웹기반 프로그램을 할 수 있는 교사를 모집하여, 여러 학교에서 웹기반 코스가 가능하도록 하였다. Megan과 Cassie를 포함하여 교사를 중심으로 운영팀을 구성하였다. WSI는 그 지역에서 지원하는 프로그램의 일부이기 때문에 예산은 문제 되지 않았다. 그리고 학교는 *WebQuest*에 필요한 모든 기술이 완비되어 있었다.

교사들은 *WebQuest*의 학습 촉진 활동 중 하나로 각 교실에 인터넷, 프레젠테이션, 연구, 개발이라는 센터를 만들었다. Megan이 충고한 대로 교사는 학습자에게 *WebQuest*에 대한 소개와 사용법을 설명해주고, *WebQuest*를 통해 학습 활동을 해결하도록 지시하였으며, 그룹을 만들어 주었다.

Megan은 뉴스레터와 이메일을 통해 학습자원으로서 외부 웹사이트와 프로그램 운영 팁을 제공하였고, 이를 통해 교사들이 적극적으로 참여할 수 있도록 유도하였다. 그는 다음과 같은 어려움을 겪었다.

- 운영 둘째 날 서버 접속이 안 되었다(학교 본관 건물로 들어오는 케이블이 끊어졌다). [해결책: 케이블을 수리함]
- 학교에 있는 일부 브라우저가 수업 중에 열리지 않았다. [해결책: 브라우저를 새로운 버전으로 업그레이드함]
- 어떤 컴퓨터에서는 일부 그림이 나타나지 않았다. [해결책: 그림 파일이 서버 안에 정확한 폴더에 저장되어 있는지를 확인함. 브라우저 사양에는 문제가 없는지를 확인함]

Megan은 시스템 지원팀과 이러한 기술 문제들을 해결해 나갔다. Megan은 Rhoda와 Buzz의 코스에 참여한 학생들을 관찰하였다. 그는 WSI가 교실에 적용될 수 있는 방법에 대해 많은 아이디어를 기록하였고, 이를 형성평가 및 총괄평가 보고서 자료로 사용할 계획이다. 그는 이 과정에서 떠올랐던 많은 생각들을 뉴스레터에 실었다. Megan과 Cassie는 이 모든 정보를 활용하여 미래 교사 양성 워크숍을 기획하였고, 이를 통해 교사들이 WSI를 과학 교과과정에 효과적으로 적용할 것을 기대하였다.

2. 기업의 사례

Homer는 안전훈련 프로그램의 첫 운영준비에 심혈을 기울였다. Homer는 M2의 훈련가들과 함께 일하게 되었고, 이들은 온라인 학습 촉진자뿐만 아니라 면대면 학습 촉진자의 역할도 맞게 된다. 프로그램을 운영하기 전에 그는 면대면과 온라인 학습 촉진자의 기능을 육성하는 프로그램에 참여하였고, 이를 통해 기술에 더 익숙해지고, 학습 촉진자의 역할을 확인하여 자신의 맡은 업무에 책임을 다할 수 있었다.

모든 공장의 직원들은 의무적으로 훈련교육을 받기 시작했다. 운영은 별 문제 없이 순조롭게 시작되었다. 교수자와 학습자가 웹에 접근하는 데 큰 문제가 발생하지 않았고, 코스도 무난히 잘 진행되는 것처럼 보였다. 첫째 날 학습 촉진자들은 질문에 빠르게 응답하여 불만을 최소화하고자 하였다. 질문에 대한 답변은 온라인과 면대면 섹션에서 모두 이루어졌다. 온라인 그룹 토론과 질문은 다른 공장의 글로벌 이슈를 언급할 수 있게끔 유도 및 장려되었다. 학습 촉진자들은 온라인 환경과 면대면 섹션에서 시간 관리 및 교재 활용 방법과 같은 온라인 학습 운영에 도움이 되는 팁을 공유했다.

학습 촉진자들은 자료를 관리하기 위하여 LMS를 사용하였으며, 이는 Homer가 총괄평가를 위해 활용할 것이다. LMS를 사용하여 학습자들의 로그인 시간, 성과물, 참여과정을 추적할 수 있었다. 그들은 면대면 훈련과정 관련 자료를 데이터 파일에 정리하였다. 훈련을 마무리하는 시점에서 이러한 자료들은 Homer에게 발송된다.

하지만, Bud는 Homer와 다른 공장 관리자들에게 새로운 문제가 발생했다고 알렸다. 세 개의 공장에서 새로운 장비를 도입하였기 때문에 안전장치와 프로토콜을 사용하기 위한 절차가 바뀌어야 한다는 것이다. Homer가 결정해야 할 부분은 새로운 장비로 인하여 코스가 전반적으로 얼마나 수정되어야 할 것인지를 파악하는 것이다. 이는 WBI를 유지 관리하는 과정에서 이루어져야 한다.

3. 군의 사례

Feinstein 부함장과 Danielson, Cole, Carroll 대위 그리고 그들의 E^2C^2팀은 거의 네 달 가까이 훈련을 운영하였다. 그리고 점점 성과를 거두고 있다. Prentiss 함장은 여러 가지의 개선 사항에 대한 보고를 받았고, 이러한 보고서는 사령관에게 보내져 좋은 평가를 받게 되었다. 면대면 수업 혹은 교수자-주도 훈련에 비해 상대적으로 훈련내용은 빠르게 전파되었다.

형성평가 기획에 따라서 WBI 운영을 시작한 지 첫 두 달은 학습자들이 어떻게 참여하였는지에 대해서 형성평가를 실시하였고, 이를 위해 WBI 만족도에 대한 자료를 수집하였다. 세 가지 종류의 코스가 운영되었고, 첫 두 달 동안 총 세 그룹의 해군이 참여하였다.

- 'Continental United States' 해안 상비 편재 해군은 A 학교로 배치되기를 기다

리고 있다.

- 미국의 동쪽 해안으로 움직이는 두 개의 군함에 있는 해군들은 A 학교에 배치되기를 기다리고 있다.
- TSC에서 근무하는 해군들은 네 지역에 있는 A 학교의 주요 코스에 참여할 준비를 하고 있다.

LMS 자료와 조사 결과에 추가하여 Feinstein 부함장의 팀구성원들은 학습 촉진자 역할을 규명하고, CONUS 기지에 배치된 두 대의 선함에서 WBI를 운영하는 과정에서 발생한 문제들을 수집하는 역할을 담당하였다. 그동안 다른 팀 구성원들은 TSC에 있는 A학교에서 WBI가 운영되는 과정을 모니터링하고 학습 촉진자 역할을 담당하였다. 부함장은 기술적인 문제의 해결을 돕기 위하여 24시간 헬프 데스크 교수팀을 배치하고, *Navy e-learning*을 통해 링크가 가능하도록 하였다. 학습 촉진 그룹은 해군 온라인 포털을 활용하여 진행되었던 각 레슨별 토론 노트를 비교해 보았고, 다음과 같은 공통적인 문제점을 확인하였다.

- 코스의 시작을 알리고 환영문구가 담긴 메일에는 LMS 기반 코스에 대한 구체적인 설명을 추가할 필요가 있다.
- WBI의 운영을 시작한 지 얼마 안 되었을 때 학습 촉진자들은 학습자 개개인들에게 발생하는 콘텐츠와 기술 관련 문제를 해결하기 위하여 학생들과 온라인에서 매일 10~20시간씩 소비했었다. 그러나 이러한 시간 소비는 학습자들이 온라인 환경에 적응함에 따라 감소될 것으로 예상한다.
- 예상한 대로 선상 생활을 하는 학습자들이 WBI에 접근하는 데 부분적으로 제한이 되었지만, 어느 정도인지 판단을 내리기는 쉽지 않았다.

두 달 동안의 운영을 마친 후 이에 관련된 자료를 수집하였다. 이 자료는 WBI를 개선하는 데 활용하기 위해서 문서화하여 LCMS에 입력되었다.

4. 대학의 사례

Shawn 교수의 *경영학 개론*은 다가오는 학기에 제공된다. Shawn 교수는 자기 자신과 자신의 조교 Brian으로만 운영팀을 구성하였고 기술적 문제가 발생할 경우 대학 내에 있는 온라인 헬프 데스크에서 해결하기로 하였다.

학생들은 대학의 등록시스템에서 코스를 등록하였고, 코스 등록은 웹을 통해서나 대학 내 등록담당 부서를 통해 가능하였다. 등록된 학생들은 이메일을 통해 자신의 코스가 WEI 수업으로 진행된다는 정보와 인터넷으로 정기적으로 접속해야 한다는 가이드라인을 받았다. 만약 집에서의 접속이 쉽지 않다면 24시간 운영되는 대학 내 컴퓨실을 활용할 것을 당부하였다. 그리고 코스에 참여하기 위해 필요한 기술에 대해서 자세하게 설명하였다. 이전에 온라인 학습에 참여한 기록이 없는 학생들에게는 온라인 튜토리얼을 반드시 끝낼 것을 지시하였다.

코스는 면대면의 수업으로 시작하였다. 학습들과 만나기 전에 Shawn 교수는 이메일을 통해 학생들에게 환영문구와 함께 웹사이트에 접속하는 방법을 설명하였다. WEI의 사이트에 접속하기 위한 구체적인 방법 및 기타 추가 정보에 대해서는 면대면 수업에서 설명하였다. 그리고 학생들이 도움이 필요한 경우에는 교수와의 인터뷰 일정을 세웠다.

면대면 수업에서 Shawn 교수는 면대면 수업경험과 온라인 수업경험은 어떻게 다른지를 비교하고, 온라인 수업 참여시 학생에게 필요한 학습 관리전략과 코스에서 기대하는 부분을 설명하였다. Shawn 교수의 강의가 끝난 후 Brian은 학습 관리 전략의 팁을 공유하기 위해서 학생들에게 이메일을 발송하였다. 학생들은 기술에 문제가 발생한 경우 Brian에게 도움을 요청하였고, 학습 내용에 대해서는 Shawn 교수에게 질문하였다. 학생들은 토론 게시판을 통하여 기술 도움을 요청하고 답변을 받았기 때문에 다른 학생들도 이에 관련된 정보를 쉽게 공유할 수 있었다. Brian이 감당하기 어려운 기술 문제는 헬프 데스크에서 도움을 주었다. Shawn 교수는 시간을 관리하기 위하여 자신의 업무시간을 웹사이트에 공지하였다. 그의 업무 시간은 이메일 답변과 코스 참여 시간으로 구분되었다. Shawn 교수는 Brian에게 효율적인 시간 관리를 위해 학생들을 지원하는 업무시간을 확정하여 이를 웹사이트에 공지할 것을 지시하였다.

다음 질문은 이 네 가지 사례 모두에게 공통적으로 적용된다. 교수설계자로서 여러분이 이 각각의 사례 상황에 대해 어떤 행동을 취하거나 반응할 것인지 생각해 보라.

- 여러분이 갖고 싶은 정보 중 어떤 정보가 제시되지 않았는가? 여러분은 어떻게 그 자료를 수집하겠는가?
- 각 사례에서, 운영 단계와 WBID 모형의 나머지 단계는 어떻게 관련되는가?
- 각 사례별로 여러분은 어떤 문제를 더 고민할 수 있겠는가?
- 여러분이 각 사례 연구에서 프로젝트 책임자라고 한다면 어떤 다른 방법으로 진행할 수 있을 것인가?

제 10 장

총괄평가 및 연구

평가 기획 단계에서, 총괄평가를 위한 예비 기획서를 개발하였다(5장 참고). 기획서는 총괄평가를 준비하고 운영하는 데 큰 프레임워크를 제공할 수 있다. 또한 이 프로젝트 평가를 위해서 연구를 수행하게 된다. WBI가 더 이상 수정 및 보완 작업이 필요 없고, 많은 학습자를 대상으로 운영이 되었을 때를 WBI의 *생명주기가 완료되는 시점*이라고 하며, 이 시점에서 총괄평가를 실행한다. 그리고 총괄평가의 목적은 WBI가 앞으로 계속 사용될지의 여부를 결정하는 데 있다. WBID 모형의 마지막 단계는 총괄평가와 평가 연구의 기획과 운영 그리고 이에 대한 보고서를 작성하는 과정으로 구성된다.

10장은 총괄평가와 총괄평가 절차의 목적을 설명하는 것으로 시작하여 총괄평가 보고서 작성 시 필요한 전략에 대한 것으로 논의를 이어갈 것이다.

학습 목표

이 장의 구체적인 학습 목표는 다음과 같다.

- 총괄평가와 WBID 모형의 목적에 대해서 설명할 수 있다.
- 총괄평가의 최종 기획 단계를 설명할 수 있다.
- 총괄평가 및 연구에 사용할 기본적인 평가 방법과 도구에 대해서 설명할 수 있다.
- 자료를 분석하고 보고서를 기술하는 데 필요한 전략을 개발할 수 있다.
- 결과 보고서를 준비할 수 있다.

시작하기

설계자는 형성평가를 위해 전통적인 설계 단계를 수행할 필요가 없다고 언급하였다(5장 참고). 이와 마찬가지로, 총괄평가가 유용하더라도 모든 상황에서 이를 수행할 필요는 없다. Savenye(2004)에 따르면 온라인 교수활동을 평가하는 데 있어서 총괄평가의 결과가 유용하다고 한다. 그러나 WBI 설계자들은 총괄평가를 실시하는 것보다는 형성평가의 자료를 수집하는 것에 더 많은 관심을 두는 경우가 많으며, 이는 시스템이 계속 바뀌면서 WBI를 개선하는 데 더 많은 고민을 하기 때문이다. 그러나 총괄평가를 기획하거나 운영해야 하는 경우가 있다(그림 10.1). 이해당사자들이 WBI를 지속하거나 이에 대한 가치를 결정할 때 총괄평가를 필요로 한다. 이 장에서는 총괄평가의 설계와 보고서 작성에 대해 논의할 것이며, 이는 WBID 모형의 마지막 단계라고 할 수 있다. 우리는 총괄평가에 대한 연구방법론을 강조하기 위해서 이 장의 제목에 *연구*라는 용어를 추가하였다.

WBID의 생명주기 중 총괄평가가 일어나는 시점에서 교수설계자가 과제를 수행할 수도 있고, 전문 평가단이 이를 마무리할 수 있을 것이다. 이 논의에서 우리는 총괄평가를 기획하고 시행하는 사람을 *평가자*라고 명명한 후, 이 용어를 사용하였다.

5장에서 언급하였듯이 총괄평가는 WBI의 생명주기의 마지막 단계에서 실행되어야 하지만, WBID 모형에 따르면 총괄평가의 기획은 설계 및 개발 단계 이전에 이루어져야 한다. 이러한 사전 기획 단계는 이후에 최종 운영을 마친 WBI와 비교하기 위하여, 현재 진행되고 있는 교수활동에 대해서 기초적인 자료를 제공한다. 자료를 수집하는 것 외에도 이러한 예비 기획 단계에서는 효과성, 효율성, 매력성의 기준을 바탕으로 주된 평가 목적을 결정하고, 가능한 평가 방법과 도구를 결정한다. WBID 모형의 마지막 단계에서 총괄평가의 기획서가 완성되고 이를 운영에 옮기게 된다. 총괄평

▶ 그림 10.1 총괄평가와 WBID 모형 연구단계

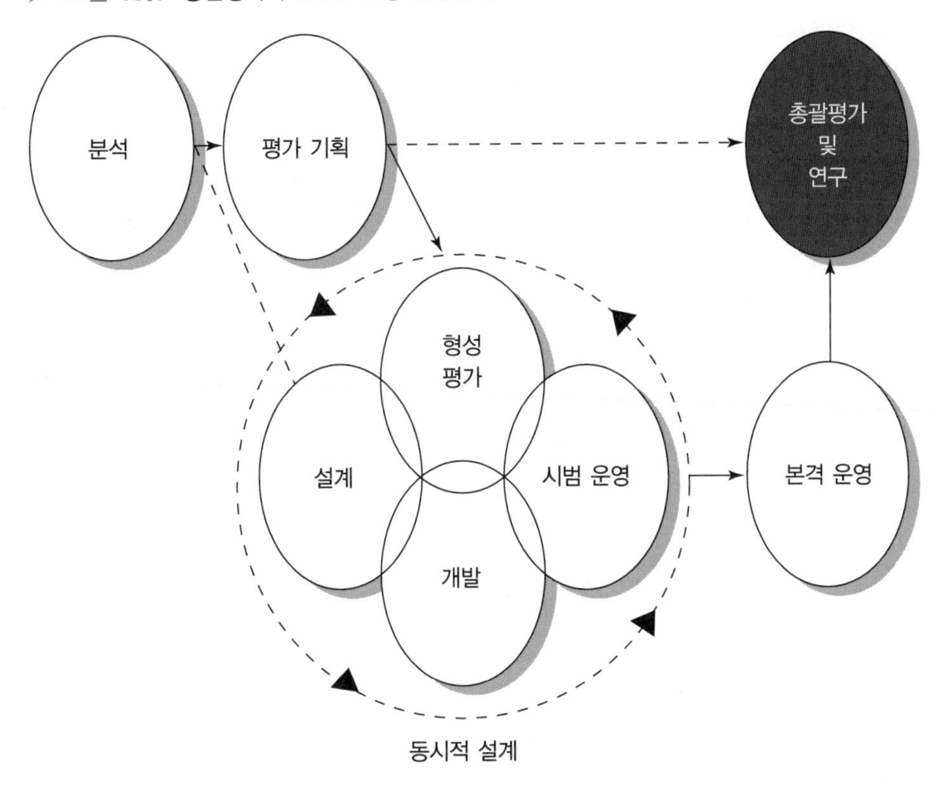

가는 주된 핵심활동 중의 한 가지이며, 평가 목적을 문서화하고, 자료를 수집하고, 절차를 분석하는 순서로 진행된다. 평가의 결과는 기록으로 남고, 평가 결과가 문서화 작업을 통해 이해당사자들에게 전해지게 되면 이해당사자는 WBI를 계속 운영할지 혹은 수정해야 할지에 대한 적절한 의사결정을 내릴 수 있게 된다.

총괄평가 기획: 평가 목적의 구체화

이 단계에서 WBI를 평가하는 주된 목적은 (1) WBI의 가치, (2) 부가 가치를 제공하는지를 확인하고 (3) 어떤 형태로든지 수정되어서 지속되어야 하는지를 결정하는 데 있다. WBI에서 **가치**란 WBI의 목적과 학습 내용, 교수자, 학습자, 맥락과 관련된다(5장 참고). 가치를 결정하기 위해서 평가자는 WBI에서 효과성, 효율성, 매력성의 관점으로 결정적인 측면들을 판단해야 한다(Palloff & Pratt, 1999; Patton, 2002; Rossi, Freeman, & Lipsey, 1999, Savenye, 2004). 총괄평가를 위해 고민해야 하는 보편적이면서도 중요한 질문이 있다.

- WBI 학습 목표는 성취되었는가?
- 이해당사자들은 결과에 만족하였는가?
- WBI는 비용 효과적이었는가?
- 효율적으로 진행되었는가?

이러한 질문 외에도 평가자들은 의도한 대로 WBI를 개발하였는지 그리고 운영하는 과정에서 수정 과정을 거쳤는지를 살펴본다(Fullan, 1990; Fullan & Pomfret, 1977). 만약 설계자의 의도대로 개발이 되고, 운영하는 과정에서 WBI를 수정하지 않았다면 WBI가 효과적이었다고 이야기 할 수 있다. 표 10.1은평가자들이 일반적으로 고민하는질문 문항으로 구성되어 있다.

이러한 문항을 얼마나 구체화해서 완벽하게 할 것인가는 WBI의 구체적인 상황과 이해당사자 요구에 달려있다. 이뿐만 아니라 WBI가 설계와 평가를 통합하여 개발(즉, 동시적 설계)하였는가에 달려있다. 결과적으로 메시지 설계, 인터페이스 설계와 기술적으로 고려해야 하는 부분들은 총괄평가 과정에서 간과하면 안 되는 부분들이다(Henke 2001). 형성평가를 진행하더라도 WBI의 현재 가치는 이와 유사한 준거를 바탕으로 학습 내용과의 관련성과 효율성의 관점에서 판단하게 된다.

총괄평가를 수행하는 두 번째 목적은 WBI를 운영하는 데 있어 부가 가치가 발생하였는가를 판단하는 데 있다(Weston & Barker, 2001). 즉 교수활동으로 인해서 가치가 부가되었는가를 판단하는 데 있다. **부가 가치**는 WBI를 통해서 WBI가 운영되지 않고서는 얻을 수 없었던 긍정적인 혹은 가치 있는 무엇을 의미한다. 이러한 목적에 관련된 질문에는 "만약 WBI가 운영되지 않은 경우, 어떤 일이 발생하였는가?"와 "WBI를 통해서 교수활동이 전달됨으로써 학습자 개별적으로 성과가 향상되었는가?" 등이 있다. 예를 들어, 온라인 학습으로 인해 학습자가 교수 활동에 접속하여 참여하게 되는 경우를 부가 가치가 발생하였다고 한다.

총괄평가의 세 번째 목적은 학습 활동을 앞으로 지속할 것인지, 수정해야 할지 아니면 중단해야 할지를 판단하는 데 있다(McMillan & Schumacher, 1997). 일반적으로 세 번째 목적은 9장에서 언급한 기술 유지의 지속성과 관련되어 있다. WBI를 포함한 모든 교수활동이 영원히 지속되지는 못할 것이다. 총괄평가는 이해당사자들이 WBI의 목적을 달성했는지를 결정하는 데 도움이 된다. 만약 WBI를 지속해서 사용하기로 판단하였다면, 자료를 추가로 수집하고 이를 이해당사자에게 보여줌으로써, 이들이 WBI를 현재 상황에서 지속해야 할지 혹은 말아야 할지, 아니면 수정을 해야 할지를 결정하는 데 도움이 될 수 있다.

표 10.1 WBI에서 효과성, 효율성, 매력을 결정하기 위한 총괄평가 문항

영역	예시 문항
교수 목표와 학습 내용	**효과성** 학습자들은 학습 목표를 달성하였는가? WBI 목표를 달성하였는가? 프로젝트가 교수설계의 절차에 따라서 개발되었다는 증거가 있는가?
	효율성 학습 목표는 성취되었는가? 학습 목표는 얼마나 우수하게 달성되었는가? WBI는 다른 전달 방법에 비해 학습자가 빠른 시간 내에 학습하였는가? 비용은 줄었는가? WBI에 관련된 기술 지원 요소의 비용에 대해서 논의하였는가?
	매력성 더 나은 개선을 위해서 어떤 부분을 개선해 나가야 하는가? 메시지 설계는 명료하게 구성되었는가?
학습자와 교수자	**효과성** 학습자들에게 유익한 교수활동이 이루어졌는가? 이해당사자들은 성과물에 만족하였는가? 교수자는 성과물에 대해서 만족하였는가? 학습자들은 기술 호환이 쉽지 않아 WBI를 그만두게 되었는가? 기술 지원이 부족하였는가?
	효율성 교수자는 웹사이트를 쉽게 사용하였는가? 학습자들은 웹사이트에 쉽게 접속할 수 있었는가? WBI의 효율성을 줄이는 설계의 특징(텍스트 스크롤링, 애니메이션의 작동 등)이 있었는가?
	매력성 학습자들은 WBI를 흥미롭게 생각하였는가? 학습자들은 WBI가 도움이 된다고 생각하였는가? 학습자들은 WBI에 만족하였는가?
맥락	**효과성** WBI는 웹사이트 환경에 적합하였는가? 코스는 안정적인 시스템에서 운영되었는가? 웹사이트는 컴퓨터 혹은 웹브라우저의 낮은 사양에서도 진행되었는가? 참여자들의 컴퓨터와 서버 연결에는 이상이 없었는가?
	효율성 웹사이트에는 쉽게 접속할 수 있었는가? 시간 효율성에 대해서 인식하였는가?
	매력성 기술 지원은 참여자들의 요구를 충족하였는가? 명심해야 할 내용은 명확하게 강조하였는가? 교수설계자가 누구인지를 명확하게 규명하였는가? 그림, 비디오는 WBI의 매력성을 높였는가?

출처: 표 안의 데이터는 Dick et al.(2005), Henke(2001), Palloff & Pratt(1999), Patton(2002), Rossi et al.(1999), Rumble(2003), Savenye(2004)을 참고하였다.

GardenScapes 사례

Percy, Davis, Myer 대학의 IDT의 박사과정 학생들은 올해 TLDC 인턴으로 취직하였다. 그들의 역할은 CDE 온라인 프로그램을 평가하는 데 있다. 그들의 업무 중 일부로는 최근 3~4년 동안 지속되고 있고 CJC에서 제공하는 WBI 코스를 평가하는 것이 있다. *GardenScapes* 코스도 이에 포함된다.

Kally le Rue는 이 코스의 교수자이고, Elliott Kangas가 TLDC에 인턴십 과정에서 개발한 사전 총괄평가 예비 기획서를 Percy에게 주었다(5장에 있는 총괄평가 예비 기획서 참고). Percy는 다른 프로그램을 평가했던 방법으로 기획서를 살펴보고, *GardenScapes*에 대한 구체적인 질문을 목록화하였다. 그는 각 영역별로 고려해야 할 부분을 정리하였다.

GardenScapes 코스에 대한 총괄평가 기획서에 기술한 평가 문항

고려해야 할 영역	문항
학습 목표와 학습 내용	**효과성** 참여자들은 정원 계획을 세웠는가? ***최종 프로젝트는 어떻게 학습 목표를 달성하였는가?*** † 참여자들은 정원을 가꿀 때 알고 있어야 하는 개념과 절차를 이해하였는가?
	효율성 WBI는 효율적이었는가? WBI에 다른 지역에 있는 참여자들도 쉽게 접속할 수 있었는가? ***학습자들은 WBI의 각 섹션별로 얼마나 오랫동안 참관하였는가?****
	매력성 ***학습자들은 CJC에서 원격 학습을 앞으로도 수강할 것인가?*** †
학습자와 교수자	**효과성** 이해당사자들은 코스 성과물, 학습 활동, 과제결과물에 만족하였는가?* Kally는 교수활동의 측면에서 코스의 학습 내용이 유익하고 만족스러운가? ***학습자들은 WBI에 참여하는 것이 의미 있다고 판단하는가?***
	효율성 Kally는 WBI를 쉽게 사용할 수 있다고 생각하는가? 학습자들은 WBI를 쉽게 사용할 수 있다고 생각하는가?*
	매력성 Kally 및 다른 교수자들이 앞으로도 이 프로그램을 진행하겠는가?

GardenScapes 코스에 대한 총괄평가 기획서에 기술한 평가 문항

고려해야 할 영역	문항
	참여자들은 코스에 흥미를 갖고 동기부여가 되었다고 보는가? 그들의 사전경험을 적절하게 활용하였는가? 도움이 되었는가?* ***학습자들은 이러한 형태로 다른 코스에도 참여할 것인가?†***
맥락	**효과성** *GardenScapes*는 웹으로 전달하기에 적절한 주제였는가? 학습자, 교수자가 사용하는 컴퓨터와 서버의 호환에는 아무런 문제가 없었는가? 코스는 안정적인 시스템에서 운영되었는가? ***기술적인 문제는 최소화였는가?**** ***기술적인 문제는 금방 해결되었는가?†*** 적절하게 기술 지원이 이루어졌는가?* 웹사이트는 참여자의 컴퓨터와 웹브라우저가 버전이 낮더라도 운영하는 데 문제가 없었는가? **효율성** 학습자와 교수자 모두 쉽게 접속할 수 있었는가?* 코스에 등록한 사람들에게만 제한되어 접속이 가능하였는가?* **매력성** 포기한 사람들과 그 사람들에 대한 경고를 참여자들에게 알려주었는가? 특히 처음으로 WBI를 접하는 사람에게 알려 주었는가?* 저자가 누구인지 명확하게 밝혔는가? 참고자료의 출처와 이를 지속적으로 사용 가능한지를 밝혔는가?*

* CJC에서 제공하는 WBI 코스의 평가는 질문 간 비교를 위하여 유사한 질문을 사용하였다.
† Elliott Kangas가 작성한 예비 기획서에 있던 질문항목이다.

*GardenScapes*의 '총괄평가 문서' 를 보려면 자매 사이트 (http://www.prenhall.com/davidson-shivers)를 참고하자.

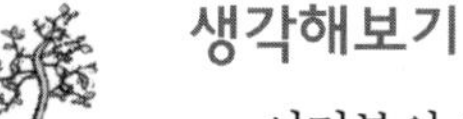

생각해보기

여러분의 프로젝트에서 총괄평가를 위한 예비 기획서를 훑어보자. 여전히 사용하기에 적절한가? 필요하다면 기획서를 수정하고, 여러분의 총괄평가를 실행하기 위해 필요한 질문들을 목록화하는 작업을 한다. WBI 상황에서 구체적이고 적합한 효과성, 효율성, 매력성을 기준으로 만들어본다. 정보에 대한 여러분의 최종 총괄평가를 문서화한다.

(다른 교수설계자들이 동일한 문제들을 어떻게 해결하고 있는가를 알아보기 위해 이 장의 후반부에 제시된 사례 연구를 살펴보기 바란다.)

총괄평가 표를 인쇄하려면, 자매 사이트
(http://www.prenhall.com/davidson-shivers)를 참고하자.

총괄평가 기획: 주요 단계의 구체화

총괄평가를 기획하는 주된 목표는 형성평가를 기획하는 목표와 유사하다. 이러한 기획서에는 사람, 학습자료, 학습자원을 대상으로 살펴보고, 이에 대한 자료를 수집하고 분석한 후 보고서를 기술하게 된다(Fitzpatrick et al., 2004; Guba & Lincoln, 1989; Hale, 2002; Patton 2002; Rossi et al., 1999). 형성평가와 총괄평가 간의 유사한 부분은 다음 질문에서 찾아볼 수 있다.

- 이해당사자는 누구인가?
- 평가의 대상은 무엇인가?
- 평가자는 누구로 할 것인가?
- 평가 방법과 도구는 무엇인가?
- 자료는 어떻게 수집되고 분석되는가?
- 평가 결과는 어떻게 보고되는가?

위의 여섯 가지 질문은 최종 총괄평가를 기획하는 데 바탕이 된다. 평가자는 위의 질문을 중요하게 다루게 되며, 이는 문서화 작업에 도움이 된다. 총괄평가 기획 과정을 문서화하는 방법은 이야기의 형태로 기술하는 방법과 유사하다. 표 10.2에 보인 바와 같이 평가 기획 워크시트를 사용할 수 있다. 문서를 어떻게 형식화할 것인지, 누가 평가자와 이해당사자가 되는지 그리고 고객과 평가자 사이에 계약적 합의를 바탕으로 구성할 것인지에 따라 문서 작성방법은 달라진다.

이해당사자는 누구인가

앞에서 논의한 대로, 이해당사자에는 고객, 관리자, 지원 팀(관리 지원, 기술 지원), 교수자/교육 담당자, 학습자, 그 밖에 고용된 직원들이 있을 수 있다(Dean, 1999; Greer, 1999).

총괄평가를 언제 하는가에 따라서 설계자가 포함될 수도 있고 안 될 수도 있다. 일반적으로 WBI를 운영한 이후에는 설계자에게 더 이상 역할이 부여되지 않기 때문에, 이해당사자 그룹에 들어가지 않는다.

WBI에 대한 의사결정에 결정권한을 가지고 있는 개인이나 집단을 **일차 이해당사**

그림 10.2 총괄평가를 위한 평가 기획 워크시트

(제목부분)

평가 기획 워크시트:

코스이름

이름, 소속, 날짜

(워크시트 부분)

총괄평가 기획
이해당사자는 누구인가?
• 일차 이해당사자 • 이차 이해당사자
평가의 대상은 무엇인가?
평가자는 누구로 할 것인가?
• 내부 혹은 외부 평가자 • 평가 참여자는 어떻게 구성할 것인가?
평가 방법과 도구는 무엇인가?
자료는 어떻게 수집되고 분석되는가?
평가 결과는 어떻게 보고되는가?

자(primary stakeholders)라고 한다. 교수 상황에 간접적으로 영향을 주는 개인이나 집단을 **이차 이해당사자(secondary stakeholders)**라고 한다. 일차 이해당사자는 총괄평가 중에 가치, 부가 가치를 판단하여 WBI를 지속해서 사용할 것인지를 판단한다(Fizpatrick et al., 2004). 구체적으로 정규 학교에서는 관리자 혹은 설계자가 포함되며, 기업 상황에서는 관리자나 교육 담당자가 이에 해당된다. 또 다른 경우 설계자 혹

은 교수자가 WBI에 대한 최종 결정에 영향을 미칠 수는 있겠지만 결정을 직접적으로 내리지는 않는다. WBI에서 학습자와 설계자는 이차 이해당사자에 해당된다. WBI에 관련된 다른 이해당사자로는 기술 지원팀, 공동체의 리더 혹은 PK-12 학교 시스템, 학부모, 각 시군구 교육청의 장학 담당자들이 있다. 대학 교육에서는 학교 규율을 제정하는 부서가 코스나 프로그램의 보고서를 작성하는 데 간접적으로 참여할 수 있다. 이들은 이차 이해당사자에 해당된다. 다른 조직에서도 이차 이해자가 있을 수 있는데 기업 혹은 다른 사업체의 이해당사자 혹은 군대와 정부 기관의 법률 제정자가 그들이다.

GardenScapes 사례

총괄평가를 계속하면서, Percy는 *GardenScapes*에 해당하는 이해당사자를 결정하였다.

이해당사자는 누구인가

일차 이해당사자로는 설계자인 Kally Le Rue, TLDC의 총괄 담당자인 Carlos Duartes가 있다. Percy는 두 사람에 대한 각각 이력서를 갖고 있으며, 보고서에 그들이 왜 일차 이해당사자인지를 기술하였다.

이차 이해당사자로는 CDE의 총괄 담당자인 Ford 박사, 대학 관리자, CJC 대표, TLDC의 기술 지원팀, *GardenScapes* 과정의 참여자가 있다. 추가로 CJC의 총 감독 및 공인 부서에서 전달된 보고 내용이 평가 결과물에 포함될 수 있다.

*GardenScapes*의 '총괄평가 문서'를 보려면 자매 사이트 (http://www.prenhall.com/davidson-shivers)를 참고하자.

생각해보기

총괄평가에서 *이해당사자는 누구인가*라는 질문을 던져보자. 일차, 이차 이해당사자는 WBI를 앞으로 계속 지속할지에 대해서 의사결정을 내리고 이에 대한 책임을 맡게 되는데, 여러분의 프로젝트에서는 누가 일차, 이차 이해당사자에 해당하는지를 생각해보자. 여러분은 총괄평가 기획서에 이에 대한 정보를 추가하고, 이야기 형태로 기술하거나 그림 10.2와 같은 평가 기획 워크시트에 작성한다.

(다른 교수설계자들이 동일한 문제들을 어떻게 해결하고 있는가를 알아보기 위해

이 장의 후반부에 제시된 사례 연구를 살펴보기 바란다.)

'총괄평가 평가 기획 워크시트' 를 인쇄하려면 자매 사이트 (http://www.prenhall.com/davidson-shivers)를 참고하자.

평가의 대상은 무엇인가

두 번째 질문은 *무엇을 평가해야 하는가*를 결정하는 데 있다. 총괄평가는 구체적인 학습 활동 자원과 교수설계 과정에 초점을 둔다. 총괄평가는 구체적인 학습자료와 교수-학습 활동 과정에 초점이 맞추어져 있다. 학습자료에는 코스 중에 제공된 학습 내용, 과제로 제공된 읽기 자료, 토론 내용, 그룹 및 개별 학습 활동의 학습 내용이 모두 포함된다. 평가 절차 내용에는 교수활동과 참여자들의 상호작용, 교수자에 대한 피드백이 포함된다. 웹사이트와 웹페이지(예: 테스트, 그래픽 등)의 기술과 특징은 평가가 되어야만 한다(Palloff & Pratt, 1999; Savenye, 2004).

WBI의 기술적인 측면을 필수적으로 고려해야 하지만, Weston과 Barker(2001)는 교수 내용의 특성에 일차적 초점을 두어야 한다고 제안한다. WBI와 웹사이트에서 살펴보아야 하는 두 번째 측면은 효과성, 효율성, 매력성의 주요 영역을 고려하는 일이다. 효과성, 효율성, 매력성은 명확하고 구체적인 문항으로 구성된다(표 10.1 참조). 이러한 질문들은 평가자가 적절한 데이터를 수집하는 데 필요한 적절한 방법과 도구들을 선정하는 데 도움이 된다.

GardenScapes 사례

총괄평가 기획에 이어서, Percy는 *GardenScapes*의 여러 가지 측면에서 무엇을 평가하고자 하는지를 살펴보아야 한다.

평가의 대상은 무엇인가

GardenScapes 코스에서는 학습 활동을 평가하게 된다. 프로그램의 결과물로는 강의, 학습지원 자료, 학습 활동에 대한 디렉션, 과제, 교수자 피드백이 있다. 평가해야 할 학습 과정에는 연습 활동, 토론 활동, 사정이 있다. 그래픽, 비디오, 오디오 클립이 교수활동을 지원하는지에 대해서 평가한다.

형성평가에서 개발된 설문과 같은 평가 도구들은 프로그램을 부분적으로 수정하는 데 도움이 될 수 있다. 학습자와 교수자의 로그인 시간에 대한 자료는 LMS를 통해 수집할 수 있다. 기록이 가능한 토론 과정에 대한 관찰은 평가 항목을 바탕으로 그 결과를 평가할 수 있다.

*GardenScapes*의 '총괄평가 문서' 를 보려면 자매 사이트 (http://www.prenhall.com/davidson-shivers)를 참고하자.

생각해보기

총괄평가 기획을 계속 진행한다. 두 번째 질문은 *평가의 대상은 무엇인가*이다. 평가에 핵심이 되는 구체적인 학습 활동의 결과물과 프로세스를 확인해본다. 여러분의 기획서에 있는 WBI 결과물과 프로세스를 기술해보자. 두 번째로는 기술에 대해서 살펴보자.

(다른 교수설계자들이 동일한 문제들을 어떻게 해결하고 있는가를 알아보기 위해 이 장의 후반부에 제시된 사례 연구를 살펴보기 바란다.)

'평가 기획 워크시트' 를 인쇄하려면, 자매 사이트 (http://www.prenhall.com/davidson-shivers)를 참고하자.

평가자는 누구로 할 것인가

5장에서는 평가자들이 형성평가를 위해서 무엇을 준비해야 하는지에 대해서 간략하게 논의하였다. 총괄평가를 진행하는 평가자들은 동일한 성격의 다양한 문항을 중심으로 평가를 준비해야 한다. 예를 들어 평가자들은 홍보하는 능력도 뛰어나야 하고, 기술 역량, 통합능력을 지녀야 하고 사전 경험도 풍부해야 한다(Joint Committee, 1994). 다시 말하자면, 평가 과정에서는 다양한 항목을 종합적으로 판단할 수 있는 전문가가 필요함에도 불구하고 이러한 전문가가 많지 않기 때문에 개인보다는 팀으로 구성하여 평가하는 경우가 많다.

평가자들의 역할은 프로그램 목적을 달성하기 위한 학습 활동과 평가의 목적에 달려있다. 평가자의 역할은 정보를 수집하고 결과물을 보고하는 데 있다. 이러한 상황에서 평가자들은 평가과정과 결과물을 설명하고, 의사결정자에게 이를 보고한다. 추가적으로는 더 나은 방향으로 나갈 수 있는 방법을 제안하기도 한다. 또 다른 경우 평가자들은 WBI를 그대로 유지해야 할지, 수정 · 보완해야 할지 혹은 중단해야 할지를 결정해주어야 한다.

두 가지 역할에서 모두, 평가 대상이 되는 사람들은 평가자를 지원자 혹은 비평가로 바라보게 된다(Joint Commitee, 1994). 이들은 평가가 어떤 과정을 통해 진행되는지, 평가의 결과가 어떠한지, 그리고 이들과 어떠한 신뢰를 쌓아갔는지에 따라서 달라진다. 그러나 평가자들은 중간자 입장을 취해야 하고, 프로제트의 목적에만 초점을 두어야 한다.

내부 혹은 외부 평가자. 평가 팀은 내부 혹은 외부 평가자, 혹은 내/외부 평가자로 구분된다. **내부 평가자**는 WBI 개발 혹은 운영 과정을 맡은 사람들이다. 내부 평가자에는 교수설계자, 코스의 학습 촉진자, 관리 지원팀이 있을 수 있다. **외부 평가자**는 WBI 설계와 운영에 참여하지 않으면서 조직에 소속된 직원이 아닌 사람들이다. 이들은 이 조직에서 독립된 직원들이며(Fitzpatrick et al., 2004; Van Tiem et al., 2001), 외부업체에 전문가를 초청할 수도 있다.

평가에 누가 참여할 것인가. '평가에 누가 참여할 것인가' 에 관련해서 두 번째로 논의해야 할 부분은 평가 참여자 혹은 평가 문항에 대한 답변자를 누구를 할 것인가를 결정하는 일이다(Fitzpatrick et al. 2004). 다른 말로 하면, WBI에 대해서 누가 정보를 제공할 것인가이다. 평가 문항에 대해서 답변할 그룹은 전문적인 능력을 갖추어야 하고(SME 혹은 교수설계 전문가) 학습 내용과 내용의 교육적 가치를 바탕으로 WBI를 검토할 것이다. 또 다른 그룹은 WBI를 운영하고 사용하는 데 직접적으로 혹은 간접적으로 관여되는 개인들로 구성된다. 이 그룹은 교수자, 멘토, 과거와 현재 학습자, 관리 지원팀, 기술 및 교육 지원팀으로 구성될 수 있다.

GardenScapes 사례

총괄평가 기획에 연이어서, Percy는 평가자를 결정해야 한다.

평가자는 누구로 할 것인가

Percy Davis는 WBI의 총괄평가 프로젝트에서 외부 평가자로 지명되어 있는 상태이다. CDE의 대표인 Bill Ford 박사는 평가를 시작하기 이전에 총괄평가의 최종 기획안을 승인하였다. Percy의 총괄평가 기획은 검토를 받고 있는 다른 WBI를 평가하기 위한 템플릿으로 사용될 것이다. 처음에는 Kally도 평가자가 될 수 있었다. 그러나 그는 *GardenScape*의 설계와 운영 과정에 깊게 관여되어 있기 때문에, 정식 평가자보다는 평가자료를 수집하는 데 관여되는 것이 낫다는 판단이 내려졌다.

평가전문가들의 평가는 설문조사, 게시판 토론 분석, 학습자 점수에 대한 교수자와 학습자의 반응에 따라서 학습 내용을 평가하게 된다. Percy는 현재 코스에 참여한 사람과 이전에 참여했던 사람들이 평가에 참여하도록 하였다. 이전에 참여했던 사람들에게는 WBI와 WBI의 학습 내용, 학습 활동, 전달과정이 어떠한지에 대해서 물어보았다. Percy는 현재 WBI 내에서 최근 학습자들 간의 상호작용을 관찰하였다. 이들은 프로그램에 참여한 이전 구성원과 동일한 설문조사에 참여하였다.

TLDC에서 기술 지원팀은 현재 기술이 어떻게 적용되었고, WBI를 지원하는 자신들의 업무에 대해서 자료를 제공하였다. 기술 지원팀은 Percy가 현재 코스에 접근 가능하도록 만들어 주었고, 그는 현재 학습 활동의 상호작용을 살펴볼 수 있었다.

*GardenScapes*의 '총괄평가 문서'를 보려면 자매 사이트 (http://www.prenhall.com/davidson-shivers)를 참고하자.

생각해보기

총괄평가와 총괄평가 기획에 대한 문서를 작성하는 마지막 단계이다. *평가자는 누구로 할 것인가*라는 질문을 던져보자. 평가에 누가 참여할지에 대해서, 그리고 평가자들이 평가에 참여하는 목적과 평가자들에 대한 이력을 기술하자.

(다른 교수설계자들이 동일한 문제들을 어떻게 해결하고 있는가를 알아보기 위해 이 장의 후반부에 제시된 사례 연구를 살펴보기 바란다.)

'총괄평가 평가 기획 워크시트'를 인쇄하려면, 자매 사이트 (http://www.prenhall.com/davidson-shivers)를 참고하자.

평가 방법과 도구는 무엇인가

WBID 모형의 마지막 단계로, 평가 항목과 예비 기획서에서 필요로 하는 조건에 따라 정보를 수집한다. 총괄평가에서 방법론은 평가 연구와 함께 형성평가에 사용되는 방법론과 유사하다. 자료 수집을 위해서 선정된 평가 방법과 도구들은 연구에서 제안된 질문을 중요시할 것이다(5장과 부록 참고). 이에 대해서 더 많은 정보가 필요하다면 다른 평가 방법론에 대해서 알아본다.

자료 수집을 위한 적절한 방법과 도구에 대해 더 알아보려면, 부록 A를 참고하자.

자료는 성과 측정(평가, 연습 활동 등), 설문, 인터뷰, 관찰에 따라 수집될 것이다 (Mills, 2002; Smith & Ragan, 2005). 이 자료들은 숫자와 단어들로 설명되지 않는 상태라고 할 수 있다. 자료들은 다양한 형식을 띠게 된다. 예를 들어 설문 응답, 인터뷰 응답, 인터뷰 노트가 될 수 있다.

총괄평가에서 자료들은 일반적으로 학습자 성과(Dabbagh, 2000; Ko & Rossen, 2001)와 WBI 학습 내용, 전달 방법과 유용성(Savenye, 2004)에 초점을 둔다. 성과 점수는 얼마나 학습자들이 학습 목표와 교수 목적에 맞추었는지에 비추어 평가하게 된다. 학습자의 태도는 학습자들의 인식 변화에 따라서 꾸준히 관찰되어야 한다. 여기서 평가 척도 혹은 평가 방법은 학습 내용 혹은 학습 환경, 혹은 두 가지 모두에 초점을 두게 된다. 추가로 수집되는 자료는 평가 기획에 영향을 준다. 이는 학습자들의 학습 경로의 탐색을 통해서, 과제를 수행하는 시간을 관찰하거나 혹은 LMS를 통해서 다른 통계 자료를 얻게 된다(예: 개별 상호작용, 그룹 상호작용의 수를 살펴볼 수 있다).

WBI에 참여하는 다른 개인들(교수자, 관리 지원팀 혹은 관리자, 기타 지원팀)의 관점에서 수집된 자료들은 학습자들을 통해 수집된 자료를 **삼각측정(triangulation)**하는 데 도움이 된다. 삼각측정이란 다양한 자료나 혹은 자료 수집의 다양한 방법을 통해 정보를 검증하는 것을 의미한다. 평가자는 여러 사람의 관점에서 수집된 삼각측정 자료를 바탕으로 WBI의 가치를 판단하게 된다. 삼각측정은 분석과 평가의 설계를 탄탄하게 하고, 그리고 여기에서 나온 결과물의 신뢰성을 높여준다(Creswell, 1994; Johnson, 1997; Patton, 1990).

자료 정리는 자료 분석단계에 들어가기 전에 자료를 수집하면서 재구성해 나가게 된다(Mills, 2002). 예를 들어, 기술적 문제, 게시판 응답, 멘토의 이메일을 범주화하는 작업은 자료를 수집하면서 일어난다. 새로운 자료들은 범주화 시스템에 분류된다. 질적 자료들은 최종 자료 수집과 분석을 준비하는 과정에서 스프레드시트 혹은 통계 프로그램을 활용하여 조직화할 수 있다.

총괄평가 기획서에서 이 부분은 특히 꼼꼼하게 작성되어야만 한다. 문서에는 어떤 방법이 선정되었고, 왜 선정되었는지에 대한 설명이 있어야 한다. 평가자들은 평가에 사용한 도구 혹은 방법을 개발한 것인지 혹은 구매한 것인지에 대해서 반드시 밝혀야 한다. 선정된 도구에 대해서도 설명을 해야만 하고 가능하면 도구에 대한 정보를 부록에 싣는 것이 좋다. 만약 평가자들이 그들이 갖고 있는 평가 도구가 아닌 다른 평가 도구를 사용하였다면 평가 도구 사용에 대한 승인을 얻어야 한다. 평가자들은 문서에 그 평가 도구의 저작권이 누구에게 있는지를 기록하고, 필요하다면 평가 도구 사용에 대한 승인서를 추가한다. 그리고 자신들의 평가 도구를 사용하였다고 할지라도, 평가자들은 문서에 평가 도구 저작권에 대해서 반드시 밝혀야 한다.

GardenScapes 사례

Percy는 총괄평가의 방법과 도구를 확인하였다.

평가 방법과 도구는 무엇인가

사전 자료가 부족하기 때문에, 예비 기획서 작성 시 WBI가 성공적으로 개발 및 운영되었는지를 결정하는 데 있어서 사전과 사후 설계가 주요한 방법이 된다. 총괄평가에서는 평가할 대상이 많기 때문에 자료 수집 방법에 대해서 추가하여 설명하면 다음과 같다.

- WBI를 사용하는 데 어려움이 없었는지 그리고 WBI의 학습 내용이 흥미로웠는지에 대한 정보를 입수하기 위해서 설문(질문지 사용)을 한다(이 정보는 교수자, 참여자, TLDC 기술 지원팀을 통해 얻을 수 있다).
- 최근 운영된 코스에서 게시판과 이메일을 관찰해야 한다.
- 최근 운영된 코스의 참여자들을 단순 무작위 추출하여 인터뷰를 실행해야 한다.

Percy는 기획서에 평가 방법과 도구를 기술하였다. 그는 부록에 이에 대한 설명을 추가하였다. 형성평가에 사용한 질문지와 관찰 체크리스트는 총괄평가에서 수정해서 사용하지 않았다. Percy는 총괄평가 기획서의 일부에 왜 그 평가 방법과 평가 도구를 선정하였는지에 대한 근거를 설명하였다(최종 보고서에도 동일하게 진술하였다). Percy는 질문지를 작성한 Elliot을 신뢰할 수 있었다.

*GardenScapes*의 총괄평가 기획서는 자매 사이트 (http://www.prenhall.com/davidson-shivers)를 참고하자.

생각해보기

여러분의 사전 총괄평가 기획서에서 선정한 평가 방법과 도구를 살펴보자(5장 참고). 여러분의 총괄평가 기획서에 있는 평가 방법과 문서들을 밝히고, 상세히 기술하자.

자료를 수집하는 데 사용할 도구를 개발한다. 여러분의 기획서의 부록에 이에 대한 설명을 추가한다(평가 보고서에 포함될 것이다). 다른 사람들에 의해서 개발된 도구를 선택하거나 구매하는 것이 필요할 것이다. 만약 그렇다면, 다른 도구 사용에 대한 승인을 얻고, 이에 대한 자료는 총괄평가 기획서에 추가해야 한다.

(다른 교수설계자들이 동일한 문제들을 어떻게 해결하고 있는가를 알아보기 위해

이 장의 후반부에 제시된 사례 연구를 살펴보기 바란다.)

평가 기획 워크시트를 출력하려면 자매 사이트
(http://www.prenhall.com/davidson-shivers)를 참고하자.

자료는 어떻게 수집되고 분석되는가

자료 수집 시 고려해야 할 것으로는 두 가지가 있다. 첫째는 WBI의 총괄평가가 WBI의 전 과정에서 언제 일어나야 할지를 결정하는 것이다. 앞에서 언급하였듯이, 그것은 WBI를 일정 기간 운영한 이후에 진행해야 한다(Firzpatrick et al., 2004; Hale, 2002). 총괄평가를 실시하는 시점은 WBI의 예비 기획서 및 조직에서 필요로 하는 요건, 프로젝트 요건과 이해당사자의 요구에 따라서 달라진다. 총괄평가는 초기 WBI 운영이 끝날 시점 혹은 각 학기의 마지막이나 WBI의 전체 과정을 마쳤을 때 이루어진다. 총괄평가를 언제 실시할지를 결정하는 한 가지 방법은 WBI를 최종적으로 개발하였는가를 살펴보면 된다(예를 들어, WBI가 더 이상 보완 및 수정작업을 할 필요가 있는지를 생각해본다). 또 다른 기준으로는 학습자들이 가장 많이 수강하였을 때가 언제인지를 고려해본다(Gagné et al., 2005; Smith & Ragan, 2005).

둘째 요소는 실제 자료 수집의 절차에 대한 타임프레임을 살펴보는 것이다. 이는 형성평가의 절차와 유사하다(5장 참고). 타임라인에서는 질문지와 평가를 언제 등록했는지에 대한 내용도 포함한 데이터 수집, 코스 활동 관찰 혹은 인터뷰 진행의 구체적 요점들을 확인할 수 있다. 예를 들어, 평가자는 코스를 마친 시점 혹은 코스를 시작할 때와 마무리할 때 자료를 수집할 것을 결정할 수 있고(사전-사후 사정을 위한 자료 수집), 혹은 코스의 시작과 마무리 시점 사이에 추가로 시점을 기획할 수 있다(즉, 반복되는 평가 설계). 또한 자료 수집에 누구를 참여시킬 것인지가 일정을 기획하는 데 중요하게 작용한다. 더 고려해야 할 것으로는 평가를 위한 사전 이해당사자의 승인을 얻는 것이 있다. 추가로, 자료는 평가 도구를 개발하거나, 구매하거나 혹은 도구 사용을 위한 승인을 얻을 때까지 수집되어야 한다. 마찬가지로, 자료 수집에 필요한 평가 방법 혹은 평가 도구를 다루는 훈련이 필요하다.

자료 수집 타임프레임을 결정할 때, 평가자는 자료를 분류하고 분석하는 데 충분한 시간을 들여야 한다. 평가의 방법과 설계에 따라서 자료 분석은 다양한 시점에서 시작할 수 있다. 전통적으로, 분석은 코스가 마무리되고, 점수가 학습자들에게 제시될 때까지 진행된다. 그러나 실행 연구 혹은 질적 연구 방법에서는 자료 수집과 자료 분석이 거의 동시에 발생한다(Gall et al., 2003; Guba & Lincoln, 1989; Mills, 2002). 일

표 10.2 총괄평가 일정에 대한 갠트 차트 일정표

과제	일정	1주	2주	3주	4주	*N*주
평가 대상 참여자들에게 동의서 배분한다.	*계획* *실행*					
새로운 학습자들은 사전 평가 혹은 설문조사를 마무리한다.	*계획* *실행*					
사전 사정 혹은 설문조사 자료를 수집한다.	*계획* *실행*					
학습자와 인터뷰를 진행한다.	*계획* *실행*					
WBI에서 최근 학습자를 관찰한다.	*계획* *실행*					
과제를 수행한 시간에 대한 자료를 수집한다.	*계획* *실행*					
중간시점에서 확인된 자료를 수집한다.	*계획* *실행*					
교수자와 인터뷰를 진행한다.	*계획* *실행*					
멘토, 관리 지원팀 혹은 다른 직원과 인터뷰를 진행한다.	*계획* *실행*					
자료를 코딩한다.	*계획* *실행*					
자료를 분석한다.	*계획* *실행*					
필요하면 평가 결과에 대해서 조언을 구하고 결과 보고서를 작성한다.	*계획* *실행*					
이해당사자와 결과물에 대해서 논의한다.	*계획* *실행*					

정을 짤 때 고려해야 할 또 다른 사항은 연구 참여자들과 논의하고 보고서를 작성하는 시간이다. 평가자와 이해당사자들 간에 결과물 및 결과물에 대한 생각을 논의하는 데 일정 시간이 걸리게 된다.

갠트 차트 혹은 퍼트 차트의 일정표는 총괄평가를 실행하는 데 어림잡아 걸리는 시간을 계산하고 실제 타임라인을 짜는 데 도움이 되는 도구이다. 타임라인에 평가자들은 각각의 절차에 필요한 시간을 어림잡아 문서에 작성한다. 각각의 과제들은 총괄평가 기획서에 작성되며, 이 과제들의 순서를 정리하면 총괄평가를 진행하는 방법을

개선하는 데 도움이 된다. 총괄평가를 실시하게 되면 평가자들은 각 과제를 마무리하는 데 소요되는 실제 시간과 사전에 기획한 절차에서 변경된 사항을 기록하고 변경된 사항에 대해서는 보고서에 진술하게 된다.

표 10.2는 총괄평가에서 자주 수행되는 과제의 순서를 보여주는 갠트 차트이다. 이는 과제 순서의 윤곽을 잡아준다. 구체적인 과제와 과제의 순서는 WBI의 상황에 따라 달라질 수 있다.

GardenScapes 사례

총괄평가 기획에 이어서, Percy는 평가를 운영할 시점을 결정하고, 자료를 수집하고 분석하기 위한 절차의 윤곽을 잡고자 한다.

자료는 어떻게 수집되고 분석되는가

참여자들에게 평가 참여에 대한 승인을 얻기 위한 동의서에는 평가에 대한 설명이 들어간다. 평가 참여자로는 이전에 코스를 수강한 사람과 다음 학기에 수강할 학습자들로 구성되었다. 그리고 이번 학기에 수강하는 학습자들은 환영인사가 담긴 자료묶음을 통해 동의서를 받게 된다.

총괄평가 기간이 짧기 때문에, 자료 수집은 학기가 시작하면서 바로 진행되어야 한다. 사전검사는 WBI를 운영하는 시점에서 진행되어야 한다. 사전검사가 마무리되면, 이번 학기를 수강하는 학습자들은 WBI에 접속할 수 있다.

총괄평가는 *GardenScapes* 코스 일정과 같이 진행된다. 그러나 자료 코딩과 자료 분석은 코스가 종료되는 시점에 실행할 것이다. Percy의 계획을 살펴보면, 자료 분석, 최종 평가 보고서 작성, 일차 이해당사자와 평가 결과 논의를 위한 시간이 추가적으로 배정하였다. 갠트 차트를 사용하여, Percy는 각각의 과제가 이루어지는 시점과 이를 완성하는 데 걸리는 시간을 고려하여 일정을 작성하였다.

*GardenScapes*의 '총괄평가 문서' 를 보려면 자매 사이트 (http://www.prenhall.com/davidson-shivers)를 참고하자.

생각해보기

총괄평가 기획서를 작성할 때 *언제 자료가 수집되고 분석되어야 하는가*에 대한 질문을 던져보자. WBI 전체 과정에서 언제 총괄평가가 이루어져야 하는지를 확인하고, 총

자료 수집과 분석 일정

과제	일정	1주	2 주	3 주	4 주	5주	6주	7주	8~12주
동의를 구한다.	*계획*								
	실행								
학습자들이 사전 검사를 마무리한다.	*계획*								
	실행								
이전의 사전 검사에 대한 자료를 수집한다.	*계획*								
	실행								
사전에 WBI에 참여한 학습자들과 인터뷰를 진행한다.	*계획*								
	실행								
최근에 와서 WBI에 참여한 학습자들을 관찰한다.	*계획*								
	실행								
최근에 와서 WBI에 참여한 학습자들을 관찰한다.	*계획*								
	실행								
학습자들에게 설문조사를 진행한다.	*계획*								
	실행								
WBI 시작 이전의 사전 조사에 대한 결과를 수집한다.	*계획*								
	실행								
교수자와 인터뷰를 진행한다.	*계획*								
	실행								
멘토, 관리 지원팀 혹은 다른 직원과 인터뷰를 진행한다.	*계획*								
	실행								
의사결정자와 인터뷰를 진행한다.	*계획*								
	실행								
자료를 분석한다.	*계획*								
	실행								
보고서를 작성한다.	*계획*								
	실행								
평가 결과에 대한 조언을 구한다.	*계획*								
	실행								
이해 당사자와 결과물에 대해서 논의한다.	*계획*								
	실행								

괄평가 시점이 결정되고 나면, 여러분의 평가 절차에 대한 일정을 작성하자.

총괄평가 중에 여러분이 수행할 과제를 밝히고, 표 10.2에서 보여준 갠트 차트 혹은 퍼트 차트를 활용하여 과제의 진행 순서를 살펴보자. 여러분의 총괄평가 기획서에 문서를 추가하자.

총괄평가를 실제 수행하였을 때, 각 과제가 언제 일어나야 하는지 시간을 얼마나 필요로 하는지를 기술하자. 계획에 변동사항이 있는 경우, 변동사항이 무엇이었고, 왜 그런 변동이 발생하였는지에 대해서 기술하자. 이에 대한 정보를 총괄평가 보고서에 작성하자.

(다른 교수설계자들이 동일한 문제들을 어떻게 해결하고 있는가를 알아보기 위해 이 장의 후반부에 제시된 사례 연구를 살펴보기 바란다.)

갠트 차트 템플릿을 인쇄하려면 자매 사이트 (http://www.prenhall.com/davidson-shivers)를 참고하자.

자료는 어떻게 분석되고 보고되는가

자료를 다양한 방법으로 분석하고 기술할 수 있다. 자료 분석 전략은 총괄평가 기획서에 기술한 평가 문항, 평가 방법과 평가 도구의 유형에 따라 달라진다. 자료를 분석하는 구체적 방법으로 연구 혹은 평가의 설계 및 방법에 대한 참고문헌을 살펴볼 수 있는데, 예를 들면 Creswell(1994, 2005), Fitzpatrick et al. (2004), Leedy & Ormrod (2005), Patton(1990, 2002)이 있다. 표 10.3에 수집해야 할 자료의 유형과 자료 출처를 예시로 보여주고 있다.

자료 분석 방법에 대한 추가정보는 부록 A를 참고하자.

표 10.3 평가 문항과 자료 출처의 일관성

주요 평가 문항	자료 출처
교수활동은 효과적이었는가?	• 성과 측정(사전검사와 사후검사 점수, 최종 결과물, 연습과제) • 평가 참여자에게 설문조사
교수활동은 효율적이었는가?	• 교수자의 기록내용: 사전에 계획한 학습일정과 피드백, 학생 결과물에 대한 점수 매기기, 이메일 등에 소요된 시간 • 학습자의 기록내용: 학습 활동에 소요된 시간(인터뷰, 이메일, 차트로그) • 면담(예: 교수자, 멘토, 지원팀)
교수활동은 매력적이었는가?	• 학습자들의 만족도 측정(설문 조사 및 질문지 결과 등) • 코스를 이수한 학습자 수의 비율변화 측정, 코스 평가 측정 • 교수자 인식 • 평가 참여자와 면담

평가 결과 보고하기. 총괄평가 보고서 전체는 평가를 통해 드러난 자료의 수집과 분석 절차를 보여준다. 전체 보고서는 총괄평가 기획서와 유사한 형태와 순서로 기술된다. 그러나 총괄평가 기획서와 유사할지라도 구별할 수 있어야 한다. 총괄평가 보고서는 사전에 기획한 내용을 변경 가능하고, 왜 변경하였는지 대해서 기술한다. 총괄평가 보고서에는 기술 통계 혹은 성과 결과 점수 및 질문지에 대한 도수 분포 결과를 담을 수 있다. 통계를 사용한 추론 과정도 추가할 수 있다. 평가 결과를 진술한 후, 결과에 대하여 제안을 할 수 있다. 마지막으로, 보고서 내용을 요약하고, 평가 결과의 중요한 요점을 강조할 수 있다.

이러한 요약을 **권두 요약서(executive summary)**라고 하며, 이는 자세한 내용을 논의하기에 앞서 보여주게 된다. 권두 요약서는 평가, 결과, 이해당사자들의 제안점을 개략적으로 보여줌으로써, 보고서 전체 내용을 좀 더 시간을 두고 볼 수 있도록 한다. 표 10.4에 자료를 기술하고, 결과물을 작성하는 데 대한 팁을 제공하였다.

보고서는 그래프와 차트를 활용하여 내용을 탄탄하게 만들 수 있다. 숫자는 차트, 그래프, 표를 통해 시각적으로 더 잘 보이게 할 수 있다. 성과 점수(사후검사와 사전검사 비교) 계산과정과 설문 결과(사전-사후 겸사 결과 비교)를 통해 성과 결과 및 의견 변화를 수치화할 수 있다.

그림 10.3은 단일검사를 통한 학습자의 성과 점수를 선 그래프로 나타낸 것이다. 점수는 최저 점수 60점에서 100점까지에 분포해있다. 이 유형의 그래프의 목적은 각

표 10.4 자료 기술방법과 총괄평가 보고서 기술 결과

자료 기술	기술 결과
• 그래픽 자료 표기의 유형과 의미를 정의하고 기술한다.	• 문서를 인쇄하기 위해 탁상출판 가이드라인을 따른다.
• 복잡한 자료를 기술하기 위해 범례를 사용한다.	• 중요한 평가 결과를 자세히 보여주는 권두 요약서를 포함한다.
• 부록은 복잡한 표나 그래픽 및 기타 정보로 구성하고, 부록 내용에 대해서 보고서 앞단에 표기해 둔다.	• 보고서를 읽는 대상자에게 맞추어 작성한다.
• 보고서 스타일에 맞추어 현재 자료를 수정한다. (예: APA, MLA 등)	• 교정을 꼼꼼히 봐야 한다.
• 방법론뿐만 아니라 논의 이슈와 결과물을 명확하게 기술한 훌륭한 발표 스타일을 따라한다.	• 간결하게 기술하되, 이슈와 결과물에 대해서 완벽하게 설명할 수 있어야 한다.
• 최종 진술은 평가 항목과 결과물에 대한 논의에 대해 일관성을 보이면서도 동시에 이를 지지해줄 수 있어야 한다.	• 평가 항목에 답변한다.

▶ 그림 10.3 학습자 성과 점수

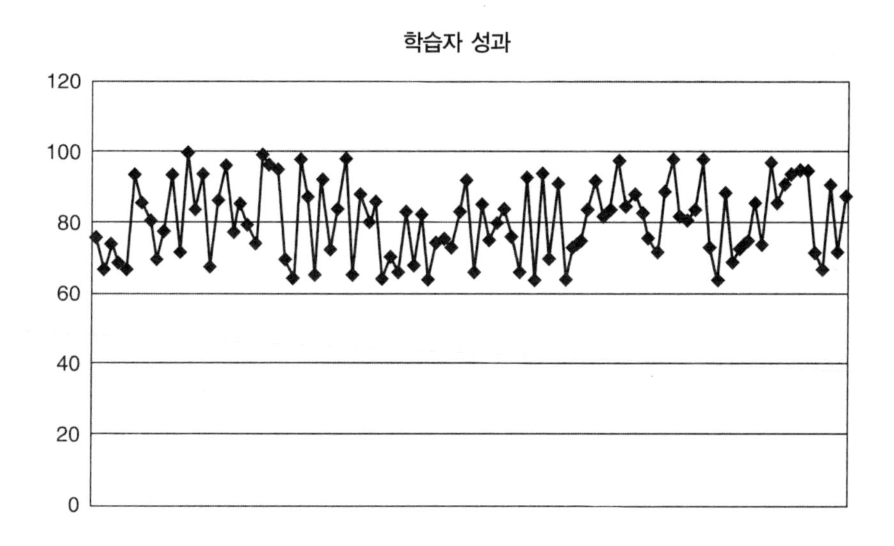

학생들이 다른 학생들과 비교하였을 때 얼마나 차이가 있는지를 시각적으로 보여주는 것이다. 이 그래프에서 학습자들이 전반적으로 잘 수행하였으며, 대부분의 학습자들이 80점 이상의 점수를 얻은 것을 볼 수 있다.

획득 점수에 대한 기술통계 자료들은 성과 성취정도를 보여준다. 대부분의 점수 결과 및 평균 점수는 WBI를 마무리한 후 점수가 얼마나 향상되었는지를 연구하는 데 사용할 수 있다. 평균 점수와 획득 점수는 그림 10.4에 나와 있다. 이 자료들은 코스 3을 수강한 각 개별 학습자들이 얻은 최고 점수를 보여준다. 이들은 사전검사에서 낮은 점수를 받았다. 통계적 의미를 평가하기 위해서 분산 분석(ANOVA) 혹은 공변량 분석(ANCOVA)을 할 수 있다.

설문 자료는 표 형식에 맞추어 빈도와 백분율로 기술하였다. 그림 10.5는 학습자 인식에 대한 설문 결과를 보여주고 있다. 왼쪽 세로 칸에 표시된 것처럼 90% 이상의

▶ 그림 10.4 학습 성과 및 획득 점수

코스	사전 검사 평균	사후 검사 평균	획득 점수
코스 1	50.6	89.3	38.7
코스 2	59.3	90.5	31.2
코스 3	35.3	75.2	39.9

각 코스별 N = 20명의 학생 대상

▶ 그림 10.5 학습자 인식에 대한 자료 기술

온라인 학습에 대한 학습자 인식

설문 항목	매우 만족 N(%)	만족 N(%)	불만족 N(%)	매우 불만족 N(%)
학습 내용에 만족한다.	17(42.5%)	20 (50%)	2 (5%)	1 (2.5%)
학습한 내용을 과제에 적용해볼 수 있었다.	12 (30%)	27 (67.5%)	0 (0%)	1 (2.5%)
온라인 환경에서 학습하는 것이 재미있다.	10 (25%)	27 (67.5%)	2 (5%)	1 (2.5%)

N = 40명의 학생 대상

학습자가 질문 항목에 대한 만족감과 매우 만족감을 나타내었다.

사용된 기법에 대한 보고내용에 상관없이, 결과물에 대한 설명은 의미 있는 결과에 대해서 명확하고 간결한 형태로 기술해야 한다. 차트와 그래프는 결과물에 대한 이해를 돕고, 조직 전체에 배포되도록 기술해야 한다. 보고서는 중요한 결과(통계 결과)를 눈에 띄게 강조해야 하고, 총괄평가 목적과 이해당사자의 요구에 따라 결정되는 WBI의 상대적 가치에 대해서 결정을 내려야 한다.

GardenScapes 사례

Percy는 *GardenScapes*의 총괄평가를 실행하고자 하며, 이 코스는 세 번 운영이 되었다. 코스는 이제 네 번째로 운영하게 된다.

자료는 어떻게 분석되고 보고되는가

Percy가 참여하기 전에 Kally는 세 번의 운영과정에 대한 자료를 수집해 두었다. 자료들은 각 학기가 종료하는 시점에서 온라인 설문을 실시하여 수집된 자료이다. 성과 점수에 관련된 자료가 수집되었다. LMS를 통해서 등록한 자료들을 수집할 수 있었다. Percy는 자료를 분석하였고 보고서를 작성하기 시작하였다.

TLDC 직원들은 설문과 성과 점수를 컴퓨터 프로그램 중 하나인 스프레드시트에서 다운로드하였다. 평가가의 편견이 배제되었는지를 확인하기 위하여, Percy는 자료를 분석하고 이번 네 번째 운영하는 시점에서 추가 자료를 수집하였다. 설문 문항과 수집된 자료를 바탕으로 그는 다음 기준에 따라 결과물을 만들었다.

• WBI는 효과적이었는가?
• WBI는 효율적이었는가?
• WBI는 매력적이었는가?

예비 평가 기획서를 활용하여, Percy는 차트에 있는 주된 문항을 구체화하였다. 그리고 문항에 맞추어 자료를 일관성 있게 구성하였다.

주요 평가 문항	자료 출처
교수활동은 효과적이었는가?	• 참여자의 사전검사와 사후검사 점수, 최종 결과물 점수, 연습 과제
교수활동은 효율적이었는가?	• 교수자의 사전에 기획한 코스 일정, 학습자 결과물에 대한 점수 매기기, 피드백 등 • 학습자들의 학습 활동에 소요된 시간 • 시스템에 기록된 교수자와 학습자의 소요 시간
교수활동은 매력적이었는가?	• 학습자들의 만족도 측정(이전에 코스를 수강한 학습자에 대한 질문지 조사와 현재 수강중인 학습자의 사전 · 사후 검사) • 각 차수별로 *GardenScapes* 코스를 이수한 학습자의 비율 측정

평가 문항을 강조하기 위해서 Percy는 전통적인 양적, 질적 연구방법을 활용하여 자료를 분석하였다. 사전 · 사후 검사 점수는 하나의 측정 기준으로 사용할 것이다. 최종 프로젝트에 대한 성과 점수도 포함시킬 것이다. 그는 코스 성과 결과물 점수에 대한 평균을 점수 표에 제시하였다.

CJC에게는 학습자 수가 유지되는가가 중요한 이슈이다. Percy는 학습자들이 중도에 탈락하지 않고 얼마나 유지 되었는지를 살펴보았다. 이 프로젝트와 같은 평생교육 프로그램의 경우 특히 이 부분이 중요하기 때문에 Percy는 학습자 인식과 의견에 초점을 두었다.

Percy는 총괄평가를 마무리한 후 그의 결과와 개선점에 대한 권두 요약본을 작성하였다. 그는 Kally Le Rue와 Carlos Duartes에게 완성된 보고서를 제출하였고, 이 결과물에 대해서 논의할 회의 일정을 잡았다. 논의가 진행된 후, 그는 결과물의 복사본을 보관하였다. Kally와 Carlos는 Ford 박사와 그 밖의 CJC 직원들과 같은 이해당사자들에게 복사본을 나누어 주었다.

권두 요약서 내용 중 일부 발췌하면 다음과 같다.

GardenScapes가 네 번 운영되었고, 등록한 101명의 학습자 중 83명의 학습자가 성공적으로 코스를 마쳤다(2003년 TCE 기록 참조). 코스를 이수하지 못한 이유는 전반적으로 코스에 대해서 만족을 하지 못했다기보다는 개인 사정으로 인한 것이었다. 학습자 성과는 굉장히 우수하게 나타났다. 코스 성과물과 피드백이 가시적으로 드러나기 때문에, 코스를 이수한 모든 학습자들은 코스가 지향하는 목표를 모두 달성할 수 있었다. 학습자들은 코스에 대해 대단히 높은 만족도를 보였으며, 학습자의 87%가 만족하거나 매우 만족하는 것으로 나타났다. CDE에 이 코스가 앞으로 계속 지속되어야 할 것을 제안한다.

다음 표에 학습자의 성취도와 코스 이수 비율 및 성과 평균 점수를 제시하였다.

학습자 코스 이수 비율과 최종 성과 점수의 평균

코스	학습자 수	코스를 이수한 학습자 수	코스 이수 비율(%)	평균 최종 점수
코스 1	24	17	71%	93
코스 2	25	18	72%	97
코스 3	27	25	91%	90
코스 4	25	23	92%	90

N = 40명의 학생 대상

Percy는 학습자들이 작성한, 설문을 바탕으로 중요한 설문 결과를 첨부하였다. 핵심이 되는 설문 결과는 다음 표와 같다.

학습자 만족도

설문 항목	매우 만족 *N*(%)	만족 *N*(%)	불만족 *N*(%)	매우 불만족 *N*(%)
코스를 바탕으로 과제를 해결할 수 있었다.	48 (60%)	28 (35%)	2 (3%)	2 (3%)
멘토는 나의 문제를 해결할 수 있었다.	60 (75%)	18 (22%)	1 (1%)	1 (1%)
온라인 환경에서 학습하는 것이 즐겁다.	40 (50%)	32 (40%)	6 (7%)	2 (3%)
교수자에 쉽게 접근할 수 있었다.	64 (80%)	14 (18%)	2 (3%)	0 (0%)
주어진 시간 내에 피드백이 주어졌다.	44 (55%)	32 (40%)	4 (4%)	0 (0%)
과제가 의미 있었다.	66 (83%)	14 (17%)	0 (0%)	0 (0%)

전체 학습자 수 = 80명

*GardenScapes*의 '총괄평가 문서' 를 보려면 자매 사이트 (http://www.prenhall.com/davidson-shivers)를 참고하자.

생각해보기

총괄평가 기획서를 작성할 때 *어떻게 자료가 수집되고 분석되어야 하는가*에 대한 질문을 던져보자.

여러분이 어떻게 자료를 수집하고, 조직하여 분석할지 설명해보자. 전체 보고서를 어떻게 기술하고, 어떤 그래픽 방법을 사용할지 설명해보자. 시간이 가능하다면, 총괄평가와 최종 보고서를 작성하여 보자. 보고서에는 총괄평가가 어떻게 이루어졌고, 예비 기획서와 어떤 차이가 있으며, 왜 차이가 나타났는지, 그리고 평가 결과와 제안점에 대한 정보를 추가한다. 프로세스와 결과물에 대한 권두 요약서를 만들어보자.

만약 자료를 수집하기 어렵다면, 자료를 만들어보고, 자료를 설명할 수 있는 표와 그래픽을 만들어보자. 자료에 대한 표에 대해서 서술해보자. 여러분의 보고서를 읽을 이해당사자의 요구에 맞추어 수정하자.

(다른 교수설계자들이 동일한 문제들을 어떻게 해결하고 있는가를 알아보기 위해 이 장의 후반부에 제시된 사례 연구를 살펴보기 바란다.)

마무리하기

총괄평가 단계는 이미 개발되고 운영된 WBI의 가치 판단을 통해서 WBID 모형의 반복 순환과정을 마무리짓는 단계이다. 총괄평가를 통해서 WBI를 계속 진행해야 할지, 수정 · 보완해야 할지 혹은 WBI를 계속 사용해야 할지를 결정하게 된다. 총괄평가 기획서는 형성평가 기획서와 유사한 구조를 지니지만, 연구설계와 방법론에 따라 연구방법 및 도구가 달라질 수 있다. 평가자들은 WBI의 목적, 이해당사자들, 사용되는 교재, 평가에 참여하는 참여자와 평가자 그리고 평가 방법과 절차를 정의한다. 이후 자료 수집을 위한 타임라인이 정해진다. 마지막으로, 자료 수집, 분석, 보고를 위한 절차를 정하게 된다.

총괄평가는 목표가 충족되었는지, 이해당사자들이 만족하였는지, 그리고 WBI가 효과적, 효율적, 매력적이었는지에 관한 질문으로 이루어진다. 보고서는 이러한 평가 문항을 강조하고, 평가 문항에 따라 WBI의 운명을 결정하게 된다.

토론 과제

1. WBI 프로젝트 과정에서 총괄평가는 WBI의 생명주기에서 어느 시점에서 시작해야 하고 그 이유는 무엇인가?
2. 총괄평가를 할 때 예비 기획서에 따라 수행해야 하는 이유는 무엇인가? 평가자들은 왜 이전의 예비 기획서를 포기하고, 새롭게 기획하는가?
3. WBI의 가치를 모르는 이해당사자들에게 총괄평가를 어떻게 정당화할 것인가?
4. 총괄평가 기획서를 작성하는 것이 왜 중요한가?
5. 기획서가 이미 문서로 작성되었는 데도 불구하고 총괄평가 보고서를 별도로 작성해야 하는 이유는 무엇인가?
6. 평가보고서에 권두 요약서를 왜 포함시켜야 하는가?
7. 자료의 차트와 그래프를 사용하여 총괄평가 보고서를 어떻게 개선할 수 있는가?
8. 여러분은 어떤 조건에서 WBI를 중지할 것을 제안하겠는가? 이러한 제안을 하기 위해 우리는 어떤 정당한 이유를 제시해야 하겠는가?
9. WBI 프로젝트에서 총괄평가는 반드시 수행되어야만 하는가? 문헌 연구를 통해 이에 대한 여러분의 의견을 설명해보자. 여러분의 자료 출처를 기록해 놓는다.

사례 연구

1. 초 · 중 · 고등학교의 사례

Westport 학교의 5학년 학생의 탐구 능력을 개발하기 위해 설계된 WSI를 실제 운영하기 시작하였다. 이해당사자들은 모든 운영이 끝난 후, 가을 학기동안 총괄 보고서를 학교 게시판에 볼 수 있도록 할 것을 요구하였다. 총괄평가 기간이 확정되면서 학생의 절반은 전 학년 과정에서 WSI에 참여했고, 시험 점수는 학교로 전달되었다. 이해당사자들은 WSI 프로그램이 학습 성과에 차이를 내는지를 알아보기 위해서, WSI를 참여한 학생과 참여하지 않은 학생들의 점수를 비교할 것이다.

Megan Bifford는 자신의 총괄평가 기획서에 계획된 자료를 수집하기 시작하였다. 그는 총괄평가를 시작하는 데 있어서, *WSI가 학생의 성과에 어떻게 영향을 미쳤는가*라는 평가 항목이나 연구 문제를 바탕으로 자신의 연구 프레임워크를 구성하였다. 그녀는 평가 항목을 중심으로 지금까지 진행하였던 여러 평가에 대한 성과 점수를 평가자료로 활용하였다. 그리고 학습자들의 WSI에의 참여 여부를 중심으로 코딩을 진행하였고, 두 그룹 간에 의미 있는 차이가 있는지를 통계를 활용하여 분석하였다.

Megan은 교육과정에 웹기반 학습을 활용하면 학습자의 동기유발이 가능한지가 궁금하였다. 그래서 평가 항목은 *WSI는 학습자의 동기 유발에 어떠한 영향을 미치는가*로 선정하였다. 그는 그들의 동기유발을 조사하기 위해 의도적으로 모집한 학습자와 교사를 인터뷰하였다. 학습자와 교사들은 동기유발 관점에서 개발된 설문에 참여하였다.

그는 형성평가 과정에서 프로토콜을 개발하였고, 이해당사자에게 보고서와 요약서를 제출하였다. 그는 학교 위원회와 PTA 회의에서 질문에 대답할 수 있었다. 총괄평가 보고서는 지역 학교 교장에게 보내졌고 학교 위원회에서는 이를 검토하게 된다. 자료 분석과 보고서 작성 과정은 시험 결과와 학생 성과에 초점을 둔다. 동기유발에 대한 항목에서 그는 면담 결과를 주제와 패턴에 따라 분석하였고, 설문 응답(빈도와 백분율)도 활용하였다. 그녀는 모든 학교에서 WSI의 운영이 종료되는 시점에서 최종 보고서를 작성하였다.

2. 기업의 사례

Cattrell은 새로운 훈련의 시도로 착수했던 웹기반 안전성 훈련 프로그램의 총괄평가를 수행하기 위해서 외부 평가자인 John Coxel을 고용하였다. Homer는 사전 총괄평가 기획서와 분석, 동시적 설계와 개발, 운영 단계에서 수집한 자료를 공유하였고, 이 자료에는 성과 점수, 훈련기간, 개발 비용, 공장 안전 정보(훈련 전후)에 관련된 정보가 포함되어 있었다. M2는 총괄평가의 파러미터를 다음과 같이 정의했다.

1. 훈련 도입은 공장 안전에 어떻게 영향을 미치는가?
2. 훈련 도입에서 ROI는 어떻게 나타났는가?

John은 평가 항목을 검토하고 평가 항목 항목과 자료 출처가 일관성을 가질 수 있도록 평가 기획 워크시트를 만들었다. 그는 M2와 계약하는 데 워크시트를 사용하였다. 그는 필요한 추가 자료를 확인하고 이 자료를 누구로부터 얻을 수 있는지를 알아보았다. John은 Bud와 Homer에게 승인을 받기 위해서 워크시트를 제출하였다.

John은 훈련 프로그램이 종료하고 이에 관련된 자료가 그에게 전달된 후 한 달 내에 예비 기획서에 대해서 Bud와 Homer에게 발표하였다. 완결 보고서는 예비 기획서를 발표한 후 다음 정기 회의에서 이사회에 전달된다.

3. 군의 사례

초기 WBI로 전환하기 위한 프로젝트가 실제 운영된 지 일 년이 되는 시점에서 총괄평가를 기획하고 있다. 운이 좋게도, 초기 핵심 직원과 장관들은 TSC에 남아있다. 비록 개발팀 구성원의 일부는 이동 명령을 받았지만, 대부분 교체 직원들은 LCMS에 있는 기획 문서, 그동안의 과정에 대한 요약서, 문서를 검토하여 프로젝트의 기획과 개발을 담당하게 된다. 사실, 총괄평가를 준비하면서 이 팀은 이와 유사한 WBI 변환 프로젝트를 선정하여, 새로운 상품을 위한 분석과 개발 단계를 반복하였다.

Feinstein 부함장은 해군 이러닝 프로그램의 등록을 담당하고 있는 부서와 연락을 취해서 코스를 마친 해군들로부터 사용성, 성취도, 만족도에 대한 설문 자료를 받았다. 그는 초기에 이러닝 코스에 참여하였으나 중도에 포기한 해군들의 자료를 요청하였다. 그는 전 해병들을 통틀어 50명의 사령관으로 설문지를 받을 수 있었다. 이들은 온라인 코스를 이수한 학습자로 구성된 UICs(Unit Identification Code)의 구성원들 중 가장 높은 점수를 받는 사령관들이었다.

Feinstein 부함장은 통계적 분석을 이끄는 리더로 Carroll 대위를 지목하였다. 그는 해군학교 대학원에서 조작 연구와 시스템 분석 경험이 있기 때문에 통계 평가 방법을 당연히 선택하였다. Carroll 대위는 Prentiss 함장에게 공식적인 보고를 한 후 결과물이 담긴 보고서는 사령부에 발송하였다.

평가의 결과 분석을 통한 마지막 제안 사항은 핵심 코스를 모두 온라인 형식으로 전환할 때까지 온라인 코스 개발 작업을 지속하자는 것이었다. 평가자들은 다음의 구체적인 논의사항과 검토 결과를 언급하였다.

- 해상에 있을 때 온라인 코스의 운영은 전송기기의 용량과 컴퓨터 접근에 의해 제한된다. 인프라를 갖출 때까지 WBI 교재는 배의 내부 통신망으로 작업할 수 있도록 형식을 바꾸어야 한다. 코스 진도와 시험 점수는 현재 운영되고 있는 LMS에 기록되며, 배가 육지에 도착하고 나면 다운로드할 수 있도록 해야 한다.
- 해병들은 자신들이 해상에 있을 때에도 코스에 접근할 수 있다는 것과 집에 돌아가면 코스를 마무리지을 수 있다는 것에 긍정적인 의견을 제시하였다.
- 비디오가 거의 사용되진 않았지만, 사용하였던 비디오는 스트리밍 코덱 때문에 이미지가 깨져서 나타났다. 비디오를 재생시키기 위한 대안을 모색해야 한다.
- 내비게이션은 일반적으로 단순하고 직관적인 것으로 여겨지며, 인터페이스 설계는 교재를 매력적으로 보이게 하였다.

- 24시간 도움을 제공한 서비스는 코스 초기에는 기술적 문제를 해결하는 데 도움이 되었지만, 시간이 흐를수록 학습 내용에 관련된 질문에 더 큰 도움이 되었다.
- '상사에게 물어라' 에 주안점을 두었는데, 이는 학습 내용에 대한 답변을 하는데 유용하였으며, 학습 공동체의 유대감을 향상시키고, 지속되는 코스에 해군 문화를 융합시키는 데 일조하였다.

4. 대학의 사례

Shawn 교수는 웹기반 코스와 교실에서 진행하는 오프라인 코스와의 비교 연구를 시작하였다. 그는 학생에 대한 정보, 컴퓨터 및 웹 기능 및 학습 내용과 학습 활동에 대한 학생의 태도를 비교분석하기 위하여, 코스를 초기에 운영하였던 시점에서 사용한 설문조사를 수정하였다. 그는 비교연구를 위해 시험 점수에 대한 자료를 활용하였다.

연구가 마무리되고 나서, Shawn 교수는 자료를 분석하고, 평가 결과를 학장인 Wolfgang 박사에게 보고 하였다. 자료와 제언은 학습자의 성과, 만족감, 동기유발, 학습 목표의 성취도, 비용 효과성에 초점을 두었다. Wolfgang 박사는 특히 두 전달 시스템 사이의 유의미한 차이에 관심을 가졌다.

'경영학 개론' 이라는 코스에서 면대면 코스와 웹 강화 수업에 있어 학습자의 성취도는 유의미한 차이를 보이지 않았다. 그러나 학습자는 매주 코스에 출석할 필요가 없는 웹 강화 수업의 편리성과 시간의 유연성이 만족스러웠다고 하였다. 또한 명백히 나타나진 않았지만, 웹 강화 수업의 코스 전달 비용에 만족하였다.

Shawn 교수의 제언과 결과물에 근거하여, 해당 학과의 교수와 관리자들은 모든 경영 프로그램을 WEI로 진행하고 다른 형태의 온라인 코스도 운영할 것을 결정하였다. 결과적으로 학교 측에서 교수활동이 컴퓨터 기술에 통합되어야 한다는 문서를 승인받을 수 있게 되었고, 이는 공공 기관인 American Association of Collegiate Schools of Business(AACSG)에서 대학 성과에 대한 평가를 수행할 때 이 문서를 검토하게 된다.

다음 질문은 이 네 가지 사례 모두에게 공통적으로 적용된다. 교수설계자로서 여러분이 이 각각의 사례 상황에 대해 어떤 행동을 취하거나 반응할 것인지 생각해 보라.

- 여러분은 기대하였지만 보고되지 않은 정보는 무엇인가? 여러분은 이 자료를 어

떻게 수집할 것인가?

- WBID 모형의 총괄평가와 나머지 단계는 어떤 관계가 있는가? 특히 형성평가에 비교했을 때 어떠한가?
- 다른 사례에 대해서 여러분은 평가에 대하여 어떤 다른 논의를 진행할 수 있는가?
- 여러분이 각 사례 연구에서 프로젝트 책임자라고 한다면 어떤 다른 방법으로 진행할 수 있겠는가?

부록

부록 **A**

데이터 수집 방법 및 도구

시작하기

WBID 모형에서 분석 단계에서 사용하는 방법 및 도구는 평가 단계에서 사용하는 그것과 유사하다. 주요 방법으로는 설문, 검토, 관찰, 현존 자료 수집, 실증적 연구(양적, 질적) 등이 있으며(Boulmetis & Dutwin, 2000; Sherry, 2003), 후자로 갈수록 총괄 평가에 적합하다. 각 방법은 분석, 형성평가, 총괄평가의 3단계로 구분하여 표 A-1에 제시하였다.

'설문'으로 데이터 수집하기

설문은 대상 모집단 혹은 표본을 이용하여 어떠한 주제 혹은 이슈에 대한 응답자의 관점이나 의견을 파악하는 방법이다. 설계자는 다양한 계층을 대상으로 한 설문을 통하여 교수 상황에 대한 좀 더 완벽한 그림을 얻을 수 있다.

예를 들면, 교수설계자나 평가자의 경우, WBI 설계 프로젝트에서 이해당사자들(학습자, 교수자, 기술지원팀, 관리자)에게 기술적 기능을 설문할 수 있다. 이를 통하여 설계자는 이해당사자들마다 기술적 기능에 대한 관점이 유사하거나 다양하다는 것을 알 수 있다. 이것의 사례로, 동일한 기술적 기능이라도 이해당사자들 중 기술지원팀은 해당 기술에 대하여 설치가 용이하고, 작동에 어려움이 거의 없다고 말하는 반면, 학습자는 WBI로 학습하는 동안 기술적 어려움에 부딪혔다고 이야기한다. 이러한

표 A.1 분석 및 평가 단계에서 사용하는 방법과 도구

단계	방법	도구	질문(예)	데이터(예)
분석	설문	질문지 면담	목표, 내용 등이 정확한가? 적합한가?	참여자들의 의견과 기능 수준에 대한 자기 보고 확인
	관찰	웹사이트 방문, 음성 녹음, 녹화 등	직무를 어떻게 수행하였는가?	기능을 수행한 절차 및 시간 기록
	검토	전문가와 학습자 또는 임직원	문제가 발생한 곳은? 내용은 완벽한가? 현재 상태는?	수행의 격차, 필요한 내용, 교수 상황
	현존 자료	평가 도구 : 검사, 업무와 관련된 보고서, 학생/신상 기록 등	현재의 프로세스, 교수, 기술 등이 제대로 이루어지고 있는가?	검사 점수, 장기결근, 고객의 불만, 대중의 의견, 범한 실수 등
형성 평가	설문	질문지 면담	WBI가 정확한가? 완벽한가? 매력적인가? 그렇지 않다면, 변경이 필요한 것은 무엇인가?	참여자들의 의견과 기능 수준에 대한 보고 확인
	관찰	활성화된 WBI와 웹사이트	기술이 제대로 기능하는가? 학생과 교사의 상호작용은 효과적인가?	기술적 결함의 제거, 사용된 효과적 교수 전략
	검토	전문가와 최종 사용자	WBI가 사용하기 편리한가, 시의적절한가, 성공적인가? 그렇지 않다면, 변경이 필요한 것은 무엇인가?	목표와 교수 전략이 일치하는지 여부를 판단
	현존 자료	수행 평가 내비게이션 장치와 기술 문제 시간 측정	WBI가 사용하기 편리한가, 시의적절한가, 성공적인가? 그렇지 않다면 무엇을 변화시켜야 하는가?	학습자의 목표 달성 수준과 사용성 등을 확인
총괄 평가	설문	질문지 면담	WBI가 여전히 효과적, 매력적, 효율적인가?	참여자들의 의견과 자기 보고 확인
	관찰	활성화된 WBI와 웹사이트	WBI 상에서 학습자와 교수자는 어떻게 수행하는가?	목표와 교수 전략 등의 일치
	검토	전문가와 최종 사용자	WBI의 목표, 내용 등이 여전히 정확한가? 완벽한가? 현재 상태는?	학습자의 목표 달성 수준과 사용성 등을 확인
	현존 자료	수행 평가 기술 도구	WBI가 사용하기 편리한가, 시의적절한가, 성공적인가?	기능을 수행한 절차 및 시간 기록
	평가 연구	사전-사후검사 비교, 비교 연구, 사례 연구 등	–	수행과 태도상의 사전/사후 검사 점수의 비교 현재와 이전의 교수 전달 방법의 비교

관점들은 기술에 대한 개인의 경험, WBI 프로젝트에서 각자가 맡은 책임, WBI를 통하여 제공되는 학습 자료에서 느끼는 편안함의 정도에 기인한다.

설문으로 데이터를 수집하는 것은 WBI 상황에 대해 폭넓은 관점을 제공하며, 삼각측정법의 한 방법으로 활용될 수 있다(삼각측정법은 교수설계자가 다양한 데이터 출처나 이를 수집하는데 있어서 다양한 방법 및 도구를 활용함으로 정보를 확증하도록 해준다). 삼각측정법은 단일한 데이터 출처 또는 방법에 의존하는 일을 방지하고, 분석이나 평가 단계의 설계와 정보에 힘을 실어준다(Creswell, 1994; Johnson, 1997; Patton, 1990). 앞서 언급했던 기술적 기능의 예에서, 삼각측정법으로 수집된 데이터는 기술지원팀과 학습자의 관점이 상이함을 드러내어준다. 만일 형성평가 단계에서 이러한 데이터가 나왔다면, 교수 설계자는 확연히 드러난 기술적 결함을 수정해야하고, 해당 기술에 대한 사용 설명서를 WBI에 설치해야 한다. 일단 형성평가 단계에서 관련된 데이터가 모두 수집된 후 분석되면 이러한 결정이 내려진다.

질문 유형

횡단 데이터(cross-sectional data)를 수집하기 위하여 설문에서 사용하는 도구에는 질문지(예: 웹기반 설문)나 면담(예: 전화, 면대면)이 있다(Johnson & Christenson, 2003). 여기에서 횡단 데이터란 특정한 시점에서 수집되는 데이터이다. 교수설계자는 질문지나 면담에서 폐쇄형, 개방형, 하이게인(high-gain) 질문을 사용할 수 있다.

폐쇄형 질문. *응답할 항목*을 사전에 제시하여, 그 중에서 선택하게 하는 질문이다. 예를 들어 '온라인 대화는...이다' 라는 문항이 1부터 5까지의 응답값을 가지면, 1은 '나에게 전혀 유익하지 않다', 5는 '나에게 매우 유익하다' 로 고정될 수 있다.

위와 같이 응답자가 평정 척도로 선택의 제한을 받기 때문에 이를 **폐쇄형 질문(closed-ended questions)**이라 한다. 다른 응답 방법으로 예/아니오 또는 동의함/동의하지 않음을 사용하기도 한다(Boulmetics & Dutwin, 2000). 교수 설계자는 폐쇄형 질문으로 얻은 정보(응답의 비율, 평균, 빈도)를 양화할 수 있다(Davidson-Shivers, 1998).

개방형 질문. **개방형 질문(open-ended questions)**을 하면, 주어진 질문에 대한 개인의 생각을 파악할 수 있다. 해당 질문에 대한 응답은 개인만의 언어로 하기 때문에 질적 데이터의 성격을 가지고 있다(Davidson-Shivers, 1998). 개방형 질문은 WBI에서 학습자와 교수자의 경험과 관련된 특정 정보 수집에 유용하다. 그러나 사람마다 각양각색의 응답이 나올 수 있기 때문에 분석자나 평가자는 이에 대하여 심층적으로 분석해야 한다. 각 개인이 응답에 사용한 용어와 그것이 담고 있는 의미는 주관적이기 때문에 서로의 응답을 비교하는 일은 매우 어렵다. 평가자는 데이터를 일련의 주제 혹은 요인으로 범주화하기 위한 스킴을 고안해야 한다. 교수설계자들은 해석의 공통부분을 높이기 위하여 데이터를 검토해야 한다. 이는 평정자간 신뢰도를 위해서이다(Johnson & Christenson, 2003). 개방형 질문은 학습자가 WBI를 어떻게 인식하는지에 대해 풍부한 데이터를 제공한다.

하이게인 질문. **하이게인 질문(high-gain questions)**을 하면, 개방형 질문을 사용하여 보다 상세한 정보를 얻을 수 있다(Davidson-Shivers, 1998). 예를 들어, '이 코스를 수강하면서 만족스러웠던 부분은?' 이라는 개방형 질문이 주어지고, 이에 대하여 '특정 형식 내에서 질문에 응답하고, 학습 활동을 하는데 있어서 편리하였다.' 또는 '컴퓨터의 평등과 접근이라는 주제가 마음에 들었다.' 와 같은 응답이 나온 경우, 교수설계자나 평가자는 각 응답자에게 다음과 같은 추후 질문을 던질 수 있다. 첫 번째 응답의 경우, 가능한 추후 질문은 '온라인 대화보다 게시판을 선호한다는 의미인가요? 그렇다면 그 이유는 무엇인가요?' 이다. 두 번째 응답의 경우, 가능한 추후 질문은 '그 주제가 마음에 들었던 이유는 개인 관심사 때문인가요 아니면 제시 방식 때문인가요? 설명해주세요' 이다.

하이게인 질문은 본래 교수설계자나 평가자가 면담할 때 즉시 생성해야 하는 질문이다. 잘 만들어진 질문은 학습자, 교수자 및 다른 이해당사자들의 인식, 경험, 신념, 태도 등에 대하여 보다 폭넓은 통찰을 얻게 해준다.

표 A.2는 세 가지 질문 유형에 대한 구체적인 예를 보여준다.

표 A.2 질문 유형

질문	정의	예	도구
폐쇄형	제한된 응답을 요구하는 질문이나 진술문	웹 사이트 접근이 용이하였습니까? 집에 컴퓨터가 있습니까?	질문지 면담
개방형	개인의 언어로 대답할 수 있는 구체적 질문 또는 진술문	흥미로운 주제는 무엇입니까? 가장 유익한 학습활동들은 무엇입니까?	질문지 면담
하이게인	부가 정보의 탐색을 위한 사후 질문 또는 진술문	웹 사이트에 어떤 변화를 주고 싶습니까? 다루어야할 다른 주제는 무엇입니까?	면담

출처: 표 안의 데이터는 Boulmetis & Dutwin(2000), Davidson-Shivers(1998)를 참고하였다.

질문지

대표적인 설문 도구에는 질문지와 면담이 있다. 우선 질문지를 살펴보도록 하자. 설문지는 WBI의 학습내용, 교수 전략, 기술적 요소에 대한 의견이나 교수자 혹은 학습자의 인적 정보에 대한 데이터를 얻기 위하여 가장 보편적으로 활용되는 방법이다(Boulmetis & Dutwin, 2000; Ciavarelli, 2003; Savenye, 2004). 질문지의 문항들은 일반적으로 폐쇄형 질문들로 구성되어 있다. 응답자가 자신의 의견을 덧붙일 수 있도록 개방형 질문도 종종 포함되기도 한다. 표 A-3에 각각의 문항 유형의 예를 제시하였다.

질문지로 참가자들의 컴퓨터나 웹, 학습 내용에 대한 경험 수준, WBI 프로젝트에 참여하기 전의 인구학적 정보를 빨리 얻을 수 있다. 그러고 난 후 형성평가나 총괄평가가 진행될 때 교수설계자는 WBI 설계 및 운영에 주요한 영향을 미칠 수 있는 참가자들의 기능과 다른 정보가 변경되었는지 여부를 알아보기 위하여 참가자들에게 추후 질문지를 제공하여 이를 기재하도록 한다. 이는 WBI가 학습자, 교수자와 조직의 요구를 충족하도록 보장한다. 이러한 목적 외에 교수설계자는 WBI의 매력성, 효율성, 효과성을 참가자들에게 알아보기 위하여 질문지를 활용할 수 있다. 질문지는 응답자들의 의견, 기능 수준 등의 추이를 파악하는데 필요한 벤치마크와 추후 데이터를 얻게 해준다. **벤치마크**는 평가 과정을 이끄는 질 또는 성공의 준거이다(Boulmetis & Dutwin, 2000). 벤치마크는 질문지의 통계적 분석을 위한 기초자료를 제공한다. 여기에서 **기초 자료(baseline data)**는 기존의 교수 상황에 대한 정보를 제공하는데, 이는 새로운 혁신에서 수집된 데이터와 비교된다.

총괄평가 사전 기획의 주요 목적은(5장을 참고) WBI를 채택하고, 운영하기 전, 기존의 교수 상황에 대한 기초 자료를 획득하는데 있다(Boulmetis & Dutwin, 2000; Salomon & Gardner, 1986; Sherry, 2003). 다시 말하자면, 특정 기간 동안 WBI에 대한 학습자들의 의견이 지시사항, 주제, 정보, 교수 전략과 같은 측면에서 변경되었는지, 그리고 어떻게 변경되었는지에 대하여 알아보기 위함이다.

표 A.3 질문지 문항 유형

유형	예
폐쇄형	기본적으로 하루에 한번은 인터넷에 접속합니까? 예 ______________ 아니오 ______________
개방형	가르치는 동안 특정 정보를 어떻게 활용할 것입니까? ______________________________

익명성과 기밀성. 참여자들의 익명성과 기밀성을 보장하기 위하여, 개인 정보를 나타내는 부분을 분류하고, 데이터를 암호화해 두어야 한다(Joint Committee, 1994). 참여자들을 확인할 수 있는 정보는 삭제되어야 하며 커뮤니케이션과 보고서에서 사용되면 안 된다. 동일한 응답자를 한번 이상 설문할 때 평가자는 개인 정보를 암호화하여, 설문하는 동안 기밀성이 유지되도록 한다.

배포 및 회수율. WBI 설계 프로젝트를 위한 질문지는 이메일이나 웹기반 설문, 우편 서비스나 여건이 허락될 경우에는 현장에서 배포될 수 있다.

질문지는 데이터 수집이 용이한 것으로 알려져 있지만, 그 회수율은 대개 낮은 편이다(대개 회수율이 25% 이상이면 높은 수준이라고 본다). 한편 대학의 온라인 코스에서 학생들을 대상으로 한 응답률이 80~85% 정도로 나타나는데, 이러한 높은 수준의 비율을 보이는 것은 '강제성' 에 기인하고, 일반적이지는 않다.

질문지 개발. 질문지는 양적, 질적 데이터 또는 모두를 얻기 위하여 개발된다. 숫자로 순서를 정하거나 등위를 매기는 형태의 문항은 비율로 계산하여 양화될 수 있다. 단어로 구성된 문항은 질적인 속성을 가지지만 이를 비율로 보고할 경우 양적 데이터가 된다. 질문지 문항의 예를 표 A.4에 제공하였다.

질문지는 체크리스트의 형태로 개발될 수 있다. 이는 응답자로 하여금 그들의 의견, 능력 등을 반영한 가장 적절한 문항에 표시하도록 하는데, 다른 형태의 질문지보다 응답하기가 쉽다.

질문지의 또 다른 형태로 리커트 척도가 있다. 예를 들어 '나는 비디오 기반의 강좌가 매우 유익하다고 생각한다.' 라는 문항에 대하여 응답자는 1(매우 그렇지 않다)에서 5(매우 그렇다)까지 응답할 수 있다. 응답 항목의 수를 짝수로 할 것인지 홀수로 할 것인지에 대하여 약간의 논란이 있다. 짝수로 하면, 응답자는 두 가지 선택, 즉 질문에 대하여 동의하거나 그렇지 않은 선택을 할 수 밖에 없고, 홀수로 하면 판단을 잘

표 A.4 질문지에 사용된 양적, 질적 문항

문항	예	결과 보고
양적	WBI 기술을 사용하는데 용이성을 평점하세요 (1로 갈수록 어려움, 5로 갈수록 쉬움): 1 2 3 4 5	빈도, 평균, 중앙값, 최빈값 구하기
질적	여러분이 얼마나 잘 기술을 다루는지를 설명해보세요. 어떤 어려움을 겪고 있는지 설명해보세요.	정보를 범주로 분류하거나 요인 분석 수행하기

표 A.5 체크리스트와 리커트 척도의 예

항목	예
체크리스트	여러분이 속한 연령대에 x표 하세요. __ 25 이하 __ 26~35 __36~45 __46~55 __56 이상
리커트 척도	나는 비디오 강의가 매우 유익하다고 생각한다(1: 매우 그렇지 않다, 5: 매우 그렇다) 1 2 3 4 5

하지 못하거나 중립적인 의견을 보이기 때문이다. 표 A.5에 체크리스트와 리커트 척도의 예를 제시하였다.

기술과 내용에 대한 지식의 양에 대하여 설문할 때 응답자에게 '해당 사항 없음' 또는 '모름'이라는 선택 사항을 제공하는 것은 유용하다. 그림 A.1은 온라인 코스를 평가하는 데 사용된 질문지의 예이다.

▶ **그림 A.1** WBI 형성평가에 사용된 질문지

학 번 ____________
코스명 ____________

설문조사(학생용)

여러분이 수강하고 있는 코스에 대해, 필요한 경우 이를 수정하기 위하여 주기적으로 해당 설문조사에 참여해달라는 요청을 받게 될 것입니다. 여러분이 응답해 주신 내용은 좀 더 나은 코스를 개발하는데 큰 도움이 될 것입니다. 여러분의 참여에 진심으로 감사드립니다(강사명).

1. 다음의 기본 정보를 작성해 주세요.

성별: __ 남 __ 여
나이: __ 25 미만 __ 25~34 __ 35~44 __ 45 이상
과정 : __ 석사 과정 __ 박사 과정

2. 가장 부합되는 것에 x표시 해주세요.

나는 컴퓨터에 대한 경험과 지식이 풍부하다.
____매우 그렇다 ____그렇다 ____모르겠다 ____그렇지 않다 ____매우 그렇지 않다
이 수업의 흐름은 너무 빠르다.
____매우 그렇다 ____그렇다 ____모르겠다 ____그렇지 않다 ____매우 그렇지 않다
나는 인터넷을 자주 사용한다.
____매우 그렇다 ____그렇다 ____모르겠다 ____그렇지 않다 ____매우 그렇지 않다
나는 건설적 피드백을 받는다.

▶ 그림 A.1 WBI 형성평가에 사용된 질문지 (계속)

____매우 그렇다 ____그렇다 ____모르겠다 ____그렇지 않다 ____매우 그렇지 않다
나는 예전에 웹기반 수업을 들은 적이 있다.
____매우 그렇다 ____그렇다 ____모르겠다 ____그렇지 않다 ____매우 그렇지 않다
나는 문제에 부딪혔을 때 강사로부터 즉각적 도움을 기대했다.
____매우 그렇다 ____그렇다 ____모르겠다 ____그렇지 않다 ____매우 그렇지 않다
나는 강사에게 도움을 요청했다.
____매우 그렇다 ____그렇다 ____모르겠다 ____그렇지 않다 ____매우 그렇지 않다
해당 코스에서 다룬 주제는 내게 흥미로웠다.
____매우 그렇다 ____그렇다 ____모르겠다 ____그렇지 않다 ____매우 그렇지 않다
나는 코스에서 제공된 과제를 나의 학습 속도에 맞춰 할 수 있어서 좋았다.
____매우 그렇다 ____그렇다 ____모르겠다 ____그렇지 않다 ____매우 그렇지 않다
나는 소규모 혹은 전체 그룹 토의가 좋았다.
____매우 그렇다 ____그렇다 ____모르겠다 ____그렇지 않다 ____매우 그렇지 않다
일정에 계획된 전체 학습 모임이 거의 없었다.
____매우 그렇다 ____그렇다 ____모르겠다 ____그렇지 않다 ____매우 그렇지 않다
나는 기술적 문제를 겪었을 때 도움을 받았다.
____매우 그렇다 ____그렇다 ____모르겠다 ____그렇지 않다 ____매우 그렇지 않다
코스가 잘 짜여 있다.
____매우 그렇다 ____그렇다 ____모르겠다 ____그렇지 않다 ____매우 그렇지 않다
나와 동일한 전공을 하는 다른 학생에게 이 코스를 강하게 추천한다.
____매우 그렇다 ____그렇다 ____모르겠다 ____그렇지 않다 ____매우 그렇지 않다
나는 기술적 문제를 거의 겪지 않았다.
____매우 그렇다 ____그렇다 ____모르겠다 ____그렇지 않다 ____매우 그렇지 않다
우리는 직접 만나서 회의를 할 필요가 없었다.
____매우 그렇다 ____그렇다 ____모르겠다 ____그렇지 않다 ____매우 그렇지 않다
제공된 피드백 양이 적당했다.
____매우 그렇다 ____그렇다 ____모르겠다 ____그렇지 않다 ____매우 그렇지 않다
나는 동료나 집단과 학습하는 것이 좋다.
____매우 그렇다 ____그렇다 ____모르겠다 ____그렇지 않다 ____매우 그렇지 않다
부딪힌 기술적인 문제들은 코스를 이해하는데 방해하였다.
____매우 그렇다 ____그렇다 ____모르겠다 ____그렇지 않다 ____매우 그렇지 않다
해당 코스는 만족스러웠다.
____매우 그렇다 ____그렇다 ____모르겠다 ____그렇지 않다 ____매우 그렇지 않다

3. 해당 코스를 수정하는데 있어서 도움이 될 수 있는 내용을 기재해 주세요.

출처: 표 안의 데이터는 Davidson-Shivers(1998, 2001)를 참고하였다.

안면 타당도. *안면 타당도(face validity)*는 질문지를 사용할 때 고려해야 하는 특징이다. Popham(2002, p. 65)에 따르면, 안면 타당도는 질문지에서 제시된 검사 문항들이 목적한 바를 제대로 측정하고 있는지, 겉보기에 응답자에게 그럴듯한 검사처럼 보이는가이다. 만약 질문지의 문항들이 그것의 목적을 정확하게 나타내지 못했다면 응답자들은 그 설문지의 타당도에 대하여 의문을 갖게 될 것이다.

또 다른 고려 사항으로, 평가자는 참가자들이 각 문항에 적절하게 응답했는지, 해당 데이터는 정확한지에 대하여 자신할 수 있어야 한다. 질문지는 자기보고 형태로, 이러한 기대가 없으면 결과는 의심받을 수밖에 없다(Kirkpatrick, 1998). 질문지를 개발하고, 돌릴 때 설계자나 평가자는 응답자에게 정직하게 보고하는 것을 강조해야 한다.

표본 선정. 분석이나 평가 단계에서 설계자나 평가자들은 그 대상이 소규모일 경우 모집단으로 설문을 해야 할지 또는 표본을 선정해야하는지를 정해야 한다. 대규모의 코스인 경우 전체 학생들을 대상으로 하는 것은 불필요할 뿐만 아니라 불가능하다. 무선 표집이나 층화무선 표집을 하여 모집단과 해당 하위 집단을 대표하는 것이 중요하다(Boulmetis & Dutwin, 2000). 표본 집단을 선정하면 모집단을 대상으로 하는 설문 조사하는 것보다 비용 효과적이다.

강약점

강점. 질문지의 가장 큰 강점은 대상 모집단에 대하여 횡단적으로 단기간 내 상당한 양의 정보를 얻을 수 있다는 것이다. 또한 문항들이 개방형보다는 폐쇄형일 경우 응답자들은 비교적 쉽게 답할 수 있고, 평가자도 쉽게 점수를 매길 수 있다.

약점. 이메일, LMS 또는 온라인 설문시스템으로 설문한 경우 응답자와 관련된 보안이 취약하다. Palloff와 Pratt(1999)에 따르면, 온라인 환경에서 완벽한 보안은 사실상 불가능하다. 그러나 이러한 점도 응답자에게 특정 시간과 접속 코드를 부여함으로 보완되고 있다.

기밀성 또한 질문지에서 나타나는 약점인데, 학생들이 코스나 강사에 대한 생각이나 신념 등을 드러낼 경우, 이들의 개인적인 신상이나 사적인 부분은 보호되어야 한다(Palloff & Pratt, 1999).

기밀성을 보장하기 위한 몇 가지 전략이 있다. 설계자나 평가자는 응답자의 이름을 대체할 수 있는 코드를 제공하는데, 이러한 방법은 특히 응답자가 일정 기간 동안한 번 이상 설문에 응해야 할 경우 유용하다. LMS나 웹 어플리케이션에서 제공하는 *Free Online Surveys, Create Survey, WebMonkey, Cool Surveys*는 이를 가능하게 한다. 이를 사용하면 개인의 응답 내용과 인적 사항을 보호할 수 있다. 다른 전략으로 교수자, 교수설계자, 혹은 그 외의 이해당사자들과 설문 결과를 공유하기 전, 개인 신상과 관련된 내용을 삭제하고 나머지 데이터를 수집하는 방식을 취하는 것이 있다. 코스와 관련된 의견들은 가공되지 않은 데이터를 그대로 제시하기보다는 종합하여 보고하는 형태를 취하는 것이 좋다.

또 다른 약점으로 질문지 회수율과 회수 방법이 있다. 이를 위하여 이메일을 통하여 누가 설문에 응하였는지 파악하여, 무응답자에게 참여 독촉 메일을 보내는 방법이 있다(Boulmetis & Dutwin, 2000). Kirkpatrick(1998)는 질문지의 가치를 높이기 위하여 100%의 응답을 얻는 것을 강조하였다. 웹 어플리케이션을 활용하거나 응답 상황을 자동 추적하는 것은 응답률을 높이는 손쉬운 방법이다.

마지막 약점으로, 질문지는 *자기 보고* 형식이기 때문에 WBI 상황에 대한 응답자의 개인적인 기억, 의견, 태도, 판단 등이 반영된다(Wheeler, Haertel, & Scriven, 1992). 또한 개인이 겪었던 경험에 의한 편견이 드러날 수 있다(Sherry, 2003).

면담

질문과 체크리스트의 개발. 면담은 질문지에 이어 설문 도구의 두 번째 방법이다. 면담은 질문지와 마찬가지로 폐쇄형, 개방형, 하이게인 질문으로 WBI에 대한 학습자들의 생각을 조사할 수 있다(Davidson-Shivers, 1998). 예를 들어, '여러분의 가정에 컴퓨터가 있습니까?' 라는 폐쇄형 질문은 특정 답변을 얻을 수 있지만 그 정보의 질에는 한계가 있다. '여러분이 가정/직장/학교에서 사용하는 기술의 종류에는 무엇이 있습니까?' 라는 개방형 질문은 응답자에게 보다 상세한 정보를 얻을 수 있다.

면담 유형에는 표준화된 형태와 반구조화된 것이 있다. 표준화된 면담(standardized interview)은 구조화된 면담이라고도 한다. 이는 이미 작성된 조사표를 가지고 모든 응답자에게 동일한 내용과 순서에 따라서 질문하고 응답한 내용을 기록하여 자료를 수집하여 점수화하는 방식이다. 반구조화된 면담(semistructured interview)에서 응답자마다 일련의 질문에 대해 응답이 달라 질 수 있는데, 그에 따라 다음에 오는 질문이 달라진다. 이는 응답에 따라 달리할 질문을 사전에 만들어 놓은 것이다(Boulmetis & Dutwin, 2000).

면담으로 소집단 혹은 개인을 설문조사하는 경우 하이게인 질문을 사용하면 필요한 경우 응답을 기록하고, 추후 질문을 던질 수 있다. 반구조화된 면담인 경우 이미 추후 질문이 만들어져 있는데, 이는 면담 데이터의 일관성과 관련되어 있다. 면담자가 면담하면서 질문을 생성할 수 도 있는데, 데이터 수집에 있어서 일관성이 떨어질 수 있다. 이러한 면담은 비구조화된 면담(unstructured interview)이라 하며, 면담 목적에 따라 자유롭게 질문하는 형식이다(Boulmetis & Dutwin, 2000).

면담자는 면담이 진행되는 동안 원활한 데이터 수집을 위하여 질문과 응답으로 구성된 체크리스트를 준비한다. 여기에 응답이 나오면 이를 표시하고, 예상외의 응답이 나왔을 경우 기록할 수 있는 공간도 포함시킨다. 그림 A.2는 면담 체크리스트의 예이다.

▶ 그림 A.2 면담 체크리스트 예

면담 체크리스트

날짜:	시간:
주제:	학교명:
제목:	거주지
면담자:	테이프#
다른 참석자:	

질문	응답					
교장/교사/보조교사로 활동한 기간은? (동그라미하세요.)	1년	2~5년	6~10년	11~15년	16~20년	21년 이상
학교에 재직한 기간은?	1년	2~5년	6~10년	11~15년	16~20년	21년 이상
학교에 오기 전에는 무슨 일을 했습니까?						
컴퓨터를 다루는 수준은?	초보	보통	약간 능숙	전문		
기술에 관하여 받았던 비정규 훈련과정은?						
기술에 관하여 받았던 정규 훈련 과정은?						
수업에 기술을 사용해야 한다는 것에 대해 어떻게 생각하십니까?						
공식적 기술 기획서를 어떻게 작성하였습니까?						

▶ 그림 A.2 면담 체크리스트 예 (계속)

질문	응답					
기술 기획서를 개발하는데 여러분이 맡은 역할은?	최근 6개월	6개월~1년	1~3년	4~6년	7~10년	10년 이상
기술 기획서가 처음 개발된 시기는?	최근 6개월	6개월~1년	1~3년	4~6년	7~10년	10년 이상
기술 기획서가 마지막으로 갱신된 시기는?						
기술 기획서 복사본을 가지고 있는 사람은?						
기술 기획서를 어떻게 사용하고 있습니까?						
기술 기획서에 따라 어떻게 실행하고 있습니까?						
기술 활동을 포함하여 학교에서는 어떤 활동이 일어나고 있습니까?						
어디에서 교육이 행해집니까?	교실에서	연구실	다른 학교	구청 연구실	회사의	기타
언제 교육이 행해집니까?	계획된 날	수업이 일찍 끝나는 날	방과 후	수업 중	면담 시간	기타
기타의견:						

출처: 표 안의 데이터는 Davidson-Shivers et al.(2001), Davidson-Shivers et al.(2003)를 참고하였다.

면담 진행. 면담은 전화상이나 면대면으로 진행된다. Microsoft의 *넷미팅(NetMeeting)*과 같은 데스크톱 컨퍼런싱 소프트웨어는 집단이나 개인을 대상으로 면담을 할 수 있도록 지원한다. 컨퍼런싱 소프트웨어는 참가자들이 면담을 위하여 특정 장소에 있어야할 필요성을 줄여주는 반면 동시간대에 온라인이어야 한다. 채팅 또한 면담에서 사용된다. 채팅과 LMS는 정보를 공유하는데 사용되는 기능이나 서로 다른 특징을 가지고 있기 때문에 데이터 수집에 가장 적합한 도구가 무엇인지 조사되어져야 한다.

면담 도중 참가자들을 특정한 방향으로 응답하도록 암시를 주거나 질문을 유도해서는 안 된다. 면담자는 참여자들의 특정 응답을 유도할 수 있는 의견을 제시하거나, 비언어적 암시를 주거나 목소리, 문자 데이터에 특정 어투를 사용하지 않도록 유의해야 한다.

면담은 개인과 소집단을 대상으로 한다(Fitzpatrick et. al, 2004). 조직 내 이해 당사자들은 WBI에 대하여 서로 다른 관점을 가지고 있기 때문에 평가에 참여해야 한다. 이를테면 학군 내의 교수자, 기술 지원팀, 관리 지원팀, 학습자, 관리자, 학부모마다 WBI 사용에 대해 각기 다른 의견을 갖고 있을 것이다. 최고 관리자, 부서의 팀장, 직원과 같이 다른 지위에 있는 개개인들은 조직 내에서도 다른 의견을 가질 수 있다. 각기 다른 지위의 이해당사자 의견을 끌어내기 위하여 평가자나 설계자는 각 지위별 대표 집단을 선정하여 따로 면담을 진행해야 한다(Joint Committee, 1994). 동질하고, 소규모인 포커스 그룹으로 구성하여 응답자들이 민감한 질문에도 편안한 분위기에서 응할 수 있도록 격려할 수 있다(Fitzpatrick et al).

면담자는 면담 형식 혹은 방법에 관계없이 모든 응답내용을 기록해야 한다. 물론 피면담자들은 면담 내용의 기록에 동의해야만 하며 면담 시작 전에 면담 내용을 어떻게 사용할 지에 대해서 미리 알려주어야만 한다. 면담 내용에 대한 비밀 유지에 대해서 피면담자와 동시에 이야기해야 한다.

강약점

강점. 면담을 통해 심층적이면서 풍부한 데이터를 수집할 수 있다. 면담에서 얻어진 데이터는 긍정적, 부정적 사례를 제공하고, 피면담자의 진술을 추가적으로 탐색해볼 수 있게 하고, 참여자들끼리 추가 정보를 공유하도록 하기 때문에 풍부한 정보를 제공한다. 수집된 데이터의 질은 면담자의 질문의 질과 경험치에 달려있다.

소집단을 대상으로 면담을 진행할 때 참여자 한 명의 의견이 나머지 참여자들의 응답을 이끌어 내어 브레인스토밍의 효과가 일어난다. 브레인스토밍은 단 한명을 면담할 때에 절대 나타나지 않는 가치있고, 추가적인 정보를 가져온다.

약점. 면담을 통한 데이터 수집에 있어서 가장 문제가 되는 것은 시간 제약이다. 바꿔 말하면, 수집되는 정보의 범위가 제한적이다. 면담은 장시간동안 지속할 수 없는데, 성인의 경우 최대 1시간 30분, 아동일 경우 최대 20~30분 정도가 적당하다.

면담 대상이 개인이든 소집단이든 그 수는 면담 자체의 속성상 제한적일 수밖에 없다. 너무 많은 사람을 한 번에 면담하게 되면 오히려 토론이 쉽지 않기 때문이다. 적은 수의 사람들을 면담할 경우 평가자들은 이들이 대상 모집단을 잘 대표하는지 보장할 수 있어야 한다.

다른 약점으로는 면담 내용에 대하여 전사와 코딩하는데 많은 시간이 소요된다는 점이다. 이는 면담자의 능력, 전사의 정확성, 데이터를 코딩, 분석, 해석하는 평가자의 능력에 좌우된다. 또한 면담자의 편견은 면담에서 사용되는 질문과 해석에 영향을 주게 하므로, 편견이 작용하였을 가능성이 있는 부분에 대하여는 평가 문서에서 확인해야한다.

앞에서 강조했듯이, 집단 면담을 할 때 브레인스토밍이 나타난다. 그러한 강점이 있지만 한편으로 **집단 사고(group think)**를 일으킬 수도 있다. 집단 사고는 응답자 중 한 사람이 어떠한 의견을 제시하였을 때 다른 응답자가 그에 동의할 경우 다른 질문 혹은 의견을 제시하지 않고 그냥 수용하는 것이다(Esser, 1998; Janis, 1973). 이러한 현상이 나타난다면, 면담자는 논쟁을 불러일으키는 질문을 하거나, 반대의 입장을 취하는 방법을 취하여 집단사고를 막아야 한다.

'관찰'로 데이터 수집하기

관찰 유형

WBI에서의 학습 경험은 관찰을 통하여 풍부하고 자세하게 묘사될 수 있다. 전통적인 교실 환경에서 관찰은 교사와 학생을 현장에서 또는 비디오 녹화를 통해 보는 방법이다(Boulmetis & Dutwin, 2000; Hallett & Essex, 2002; Savenye, 2004; Sherry, 2003). 그러나 온라인 수업에서 모든 활동과 상호작용(토론 및 그룹 활동 등)은 저장되기 때문에 여기에서 관찰은 저장된 자료들을 살펴보거나 자신을 드러내지 않는 상태에서 가능하다. *잠복 관찰(lurking)*은 개인이 직접적으로 집단과 상호작용하지 않고, 게시판의 글을 읽거나 집단 활동을 지켜볼 때 일어난다.

교수자가 집단이나 개인에게 보낸 이메일과 같은 메시지는 안내문의 명료함, 기술적 문제의 발생 유형 및 횟수, 교수자의 피드백 유형 및 양에 대한 정보를 제공한다. 평가자는 이메일을 통하여 언제, 얼마나 자주 어려움이 나타났는지와 그런 어려움들이 코스가 진행되면서 변경되었는지를 추적할 수 있다. 평가자는 학급의 일원으로 LMS나 코스의 리스트서브를 통하여 이메일을 받아본다. LMS를 사용한다면, LMS에서 발송되는 이메일을 캡쳐하는 프로그램을 설치할 수 있다.

이메일 시스템만을 이용하여 참여자 사이에 일어난 모든 상호작용을 알아내는 것은 어려운 일이다. 이메일 일지나 저널을 작성하는 것은 해결책이 될 수 있다. 이메일

일지는 학습자와 교수자가 매일 또는 매주 어떤 활동을 수행하였는지를 기록하며 (Ravitz, 1997), 학습자의 관점에서 과제를 준비, 평가, 완료하는데 소요된 시간 정보를 제공한다. 검토를 위하여 평가자나 분석가에게 일지를 제출해야 한다. 일지를 작성하면서 잊어버릴 수 있다는 점에서 정확하지 않으며, 제공되는 정보도 주관적이다.

평가자는 관찰로 참여 수준을 모니터링할 수 있다. 특정 LMS의 경우, 개인 학습자가 정보를 게시하는 시점과 게시한 전체 게시물의 개수 등을 정확하게 추적한다. LMS는 학습자가 어떠한 페이지에 접속하였으며, 각 페이지에 머문 시간, 수행한 활동을 확인할 수 있는 정보를 저장한다.

참여 수준의 양적 정보뿐만 아니라 질적 정보도 관찰될 수 있는데, 이는 전사의 담화 분석을 통하여 분석될 수 있다(Ravitz, 1997). 담화 분석에서 분류 체계는 참여자 응답을 범주화하는데 사용된다. 표 A.6은 Davidson-Shivers 등(2001, 2003)이 온라인 토론을 분류 체계로 데이터 분석을 한 예이다.

윤리. 설계자나 평가자는 관찰을 할 때 학습자나 교수자의 사생활과 관련된 윤리적 고려사항을 염두에 두어야 한다. 어떠한 측면에서 WBI에서 관찰은 면대면 수업의 그것에 비하여 수월할 수 있으나 사생활을 고려하였을 때 문제가 될 수 있다. 윤리적 차원에서 온라인 참여자들에게 특정 목적으로 관찰되고 있으며, 이는 기밀성이 보장됨을 공지해야 한다(Joint Committee, 1994; Palloff & Pratt, 1999; Sherry, 2003). 관찰은 참여자들에게 이상의 내용과 관련하여 승낙을 얻은 이후에 이루어져야 한다.

강약점

강점. 다른 어떤 도구보다 관찰은 정보의 맥락과 상세한 내용을 파악할 수 있게 해준다. 단결심에 기반을 둔 공동체의 발달, 컴퓨터 기술의 향상, 논쟁 능력의 향상 등 장기간에 걸쳐 나타나는 변화를 알아내는 데에도 유용하다.

약점. 관찰하고, 데이터를 전사 및 코딩하는 것은 시간 소모적인 일이다. 정보가 자세하지만 그 양이 많으면 이를 분석하는 것은 쉽지 않을뿐더러 유용한 정보도 찾을 수 없다.

수업 평가는 학습자들에게 다양한 방식으로 영향을 주고, 관찰은 학습 환경에 방해를 줄 수 있다(Joint Committee, 1994). 평가자는 관찰 사실을 밝히고, 기밀성을 유지하고, 접근을 제한하여 개인의 권리를 보호해주어야 한다(Palloff & Pratt, 1999; Sherry, 2003).

표 A.6 온라인 토의 분류 체계

코드 번호/코드명	정의	예
1 수준: 실제적		
구조 유형: 토의 주제나 코스 내용과 관련된 메시지		
1. 구조화하기	토의를 시작하고 토의 주제에 주의 집중시키는 진술문. 종종 토론을 이끄는 사람이나 교사가 이를 진술함	"오늘 우리는 ...을 토의하려고 합니다." "자, 시간이 얼마 안 남았으니, 결론을 지읍시다."
2. 이끌어내기	응답을 유도하거나 어떤 것에 관심을 집중시키게 하려고 내용과 관련된 질문, 명령이나 요청을 함	"여러분은 IT를 ...에게 매력적으로 하려면 어떻게 하겠습니까?" "...에서 변화를 이행하는 데 얼마나 걸렸나요?"
3. 응답하기	이끌어내기(코드번호 2)에 대한 직접 응답(질문, 명령, 요청에 대한 답)으로 일반적으로 토의를 이끄는 사람의 초기 진술에 대한 첫 번째 응답이거나 주제에 대해 다른 학생이 한 질문에 대한 직접적인 응답임	"읽기 과제를 통해 나는 교수 설계가 교육 시스템을 재구조화하는데 해결책이라고 생각하게 되었다. 그러나 재구조화하는데 드는 주요한 부담은 ...이다." "나는 주인의식이 내적 동기라고 생각한다. 만약 그들이 본인들을 설계 과정에 참여하는 일원이고, 여기에서 나오는 산출물이 자신의 것이라고 생각한다면, ...에 긍정적 영향을 주는 코스를 개발할 수 있을 것이다"
4. 반응하기	구조화된 진술이나 다른 이의 코멘트에 대한 반응이나 질문에 대한 직접적 응답은 제외	"당신의 초기에 이야기한 것은 내게 ...에 대해 생각하도록 했습니다." "당신은 내가 임직원, 교사와 같은 사람이 새로운 기술에 순응하도록 돕는 중요한 요소가 ....라고 생각하고 있는 것 같다고 말했습니다."
2 수준: 비실제적		
구조 유형: 토의 주제와 관련되지 않은 메시지		
5. 절차적인	일정 정보, 공지, 리스트서브 가입절차	"기말 보고서 제출기한은 ...이다." "과제는 이메일을 통해서 보낼 수 있다."
6. 기술적인	주제와 직접 연관되지 않은 무엇인가를 어떻게 해야 하는지에 관한 컴퓨터 관련 질문, 내용, 제안사항	"여러분 중 몇몇은 리스트서브로부터 이메일을 받는 데 어려움을 겪었다." "그 대화내용을 복사/붙이기 하려면 어떻게 해야 합니까?"
7. 대화적인	개인이나 집단에게 하는 개인의 진술, 농담, 소개, 인사 등	"주말은 어땠나요?" "오늘 밤 키보드로 입력하는 데에 어떤 문제가 있다"
8. 코딩이 불가한	유의미하게 코딩할 수 없는 것으로 정보가 거의 없거나 판독이 어려운 진술	인쇄상 오류가 다수이다.
9. 지지적인	코드번호7(대화적인)과 유사하나 코멘트에 대한 긍정적 강화를 포함한 진술(주의: 이 범주는 연구자들이 자신이 코딩한 것에 맞을 때 추가됨)	"당신은 항상 잘 정리된 답안을 주는군요! 나는 당신의 아이디어와 생각을 읽는 것이 즐거워요." "좋은 아이디어군요."

출처: 표 안의 데이터는 Davidson-Shivers et al.(2001), Davidson-Shivers et al.(2003)를 참고하였다.

'현존 자료'로 데이터 수집하기

현존 자료 유형

현존 자료는 조직, WBI, 웹사이트에 이미 존재하는 다양한 산출물이다. 웹사이트 내에 탑재된 WBI 문서는 효과성과 사용성 측면에서 교수자와 학습자에 의하여 검토될 수 있다. 이러한 자료들은 관련성, 적시성, 완벽성으로 평가될 수도 있다. 예를 들어 웹 사이트나 LMS에 있는 내비게이션 기능이 있는데, 평가자는 이를 평가하기 위하여 학습자와 교수자가 레슨을 어떻게 이동하는지를 알아볼 수 있을 것이다.

웹 서비스와 LMS(*WebCT, Blackboard, eCollege*)는 시스템에 로그인, 로그아웃 시간을 기록한다. 이러한 타이밍 기능은 온라인에 접속한 총 시간에 대한 정보만을 제공하며, 이것으로 학습자 개개인이 실제로 학습한 시간이나 다른 무엇인가를 하거나 휴식을 취하며 보낸 시간 등을 파악하는 것은 불가능하다.

과제, 시험, 개인의 작업, 결과 점수 등 또한 현존 자료이다. 완료된 시험이나 과제 등은 학습자들이 학습 목표를 얼마나 잘 성취하였는가를 평가하는데 활용된다. 이러한 문서 유형은 관찰을 통해 얻은 데이터와 다르다. 설계자나 평가자가 WBI가 성공적이었는지를 알아보기 위하여 현존 자료에서 제공하는 점수에 초점을 두는 반면 관찰은 참여자 간의 상호작용이나 이들의 학습 활동에 초점을 두기 때문이다.

강약점

강점. 현존 자료는 코스가 진행되는 동안 일어난 수행과 관련된 정보를 제공하는 문서이다. 코스 강좌 전반에 걸쳐 실시되는 평가는 특정 기간 동안의 수행을 보여준다. 이러한 수행과 제출된 과제를 통하여 WBI가 학습자들의 교수 목표 달성에 기여하였지 여부가 판단된다. 현존 자료는 WBI가 교수 목표를 달성하는 데 도움이 되었는지를 판단할 수 있는 이유에 대해 설명하기 때문이다.

약점. 수집된 현존 자료는 단편적 정보만 담고 있을 뿐이다. 평가자가 선정하는 표본은 대상 모집단을 대표하지 않을 수도 있고 이들이 대표성을 가지더라도 시간 흐름에 따라 변화를 반영하지 않을 수 있기 때문이다. 무선 표집 또는 층화무선 표집은 이러한 단점을 보완해준다.

또 다른 약점은 사생활 및 전자적으로 데이터를 수집하는 기능과 관련된다. Sherry(2003)는 "데이터의 이용가능성이 해당 데이터의 접근이 개방되었음을 의미하지 않는다.(p. 443)"라고 하였다. 앞에서 언급했듯이, 참여자들은 자신의 어떤 정보가 어떤 목적으로 수집되는지를 알아야 한다(Joint Committee, 1994; Palloff & Pratt, 1999). 사생활 중 특히 개인적인 일이나 경력과 관련된 정보는 보호되어야 한다. 예를 들어, 전자적인 방법으로 커뮤니케이션하는 경우 이름, URL, 개인의 기타 정보가 포함되는데, 이는 반드시 다른 이들과 공유하기 전에 이를 제거해야 한다.

'검토'로 데이터 수집하기

평가는 전문가와 최종 사용자의 검토로 이루어질 수 있다. 전문가 검토는 WBI의 효과성 효율성, 매력성 측면에서 설계 기획서, 산출물, 운영을 검토한다. WBI 평가에 참여하는 전문 검토자는 일반적으로 내용 전문가, 교수설계자, 기술 전문가이다. 최종 사용자 검토는 이들이 학습자의 관점에서 WBI나 수업 상황에 대한 정보를 제공하기 때문에 유용하다.

검토 유형

내용 전문가 검토. 내용 전문가는 정확성, 완벽성, 명료성 측면에서 학습 내용을 검토한다. 이들은 학습 내용에 대한 전문 지식을 가지고 있거나 대상 학습자에게 교수 경험이 있는 전문가이다. 내용 전문가는 배경 지식을 제공하고, 정확성 측면에서 WBI를 검토한다. 이들은 학습 내용을 완벽하게 하는데 필요한 정보나 학습에는 핵심적이지는 않지만 유용한 정보가 무엇인지 확인한다(Dick et al., 2005; Smith & Ragan, 2005).

교육 전문가는 내용 제시의 논리적 순서를 정하는데 도움을 주며, 학습을 촉진하는 특정한 교수 전략에 관한 정보를 제공하며, 명료성이나 정확성 측면에서 오류를 찾아낸다(Smith & Ragan, 2005). 또한 이들은 WBI를 용이하게 수정하는데 필요한 방법에 대한 도움을 줄 뿐만 아니라 코스를 수강할 예비 학습자들의 특징을 알려줄 수 있다.

교수설계자 검토. 교수설계자는 교수 상황 및 전략을 검토한다(Dick et al., 2005; Smith & Ragan, 2005). 이들은 과제, 연습 활동, 평가가 교수 목표에 부합하는지를 검토하고, 완벽성, 상호작용성, 명료성, 피드백 측면에서 학습 내용을 점검한다. 또한 WBI와 WBI가 운영되는 웹사이트를 그래픽, 메시지 설계, 효과성, 매력성 측면에서 검토한다.

기술 전문가 검토. 기술 전문가는 WBI를 그 기능과 웹의 접근가능성 측면에서 검토한다. 이들은 WBI 프로젝트에 필요한 기술 사양과 최종사용자가 WBI를 사용하는데 필요한 장비가 무엇인지에 대한 정보를 제공한다(Savenye, 2004). 또한 이들은 웹사이트에 WBI를 가장 잘 설치하는 방법을 제공뿐만 아니라 웹 사이트의 사용성, 하드웨어와 소프트웨어의 호환성, 플러그인 사용, 다운로드 속도를 검토한다. 아울러 이들은 웹에 연결하는데 있어서 나타나는 오류와 취약점을 검토하고, 기술적 결함이 발생하였을 시 이를 바로 잡는 방법을 제공한다.

최종 사용자 검토. 최종 사용자는 잠재적 학습자 또는 실제로 학습에 참여하는 집단에서 선정된다. 분석 또는 평가 단계에서 온라인 교수자는 최종사용자를 포함시킨다. 최종 사용자는 그들의 요구, 능력, 관심을 분석가에게 제공하는데, 이러한 정보를 통하여 학습자 특성과 출발점 행동을 정의하게 된다. 최종 사용자는 WBI 설계 기획서와 초기 프로토타입을 검토함으로 WBI의 적용가능성과 매력성을 판단할 정보를 제공한다. 그 밖에 WBI에 제공되는 지시사항이 명확한지, 예와 연습이 유용한지, 제공되는 정보나 웹 사이트 기능에 오류가 있는지에 대한 정보도 제공한다.

강약점

강점. 교수 설계자는 WBI의 질을 판단하고, 이를 높이기 위하여 전통적으로 전문가 및 최종 사용자에게 WBI 설계 기획서와 프로토타입을 검토하게 한다. 전문가는 각 전문성 영역에 따라 WBI의 내용, 교수 전략, 기술에 대하여 다양한 관점을 제공하며, 최종 사용자는 신선한 관점을 제공하고, 이미 WBI에 익숙해져버린 설계자가 간과할 수 있는 부분을 찾아내기도 한다.

약점. 대부분의 전문가는 그들이 들인 시간과 노력에 대한 보상을 해야 하기 때문에 이들을 활용한 검토는 비용이 든다. 마찬가지로 최종사용자도 그들이 들인 시간과 노력에 대하여 다른 방법으로 보상해주어야 한다. 검토를 통하여 나온 결과물을 분석하는 데에도 상당한 시간이 소요된다. 검토자가 누구이던 이들은 시의 적절하게 유용한 정보를 제공해주어야 한다. 그렇지 않으면 WBI 설계 및 개발이 지연될 수 있다.

'평가 연구'로 데이터 수집하기

평가 연구는 실증적 방법으로 데이터를 수집하는 방법으로, 분석이나 형성평가보다 총괄평가 단계에서 주로 사용된다. 다음은 평가 연구의 다양한 유형들이다.

평가 연구 유형

벤치마킹. 고등교육 정책 연구소(2000)는 원격 교육 또는 기술 기반 교육의 성공이나 질을 보증하는 제도적 지원, 코스 개발, 교수 및 학습 과정 등의 7개의 범주에서 45개의 벤치마크를 밝혀냈다. 코스 전반에 걸쳐 교수자와 학습자로부터의 정기적 벤치마킹은 이들이 WBI 기술과 양상에 점점 익숙해지면서 웹기반 학습에서 이들의 수행, 태도, 좌절, 경험이 어떻게 변화하는지를 알려준다. 질문, 면담과 같은 몇 가지 방법들과 도구들이 벤치마킹에서 사용되는데, 평가자는 여기에서 나온 데이터 모두를 비교를 위하여 사용한다(Boulmetis & Dutwin, 2000; Institute for Higher Education Policy, 2000).

자기보고 연구. 자기보고는 "가장 빈번히 행해지는 연구"(Phipps & Meriostis; Sherry, 2003에서 인용)이나 동시에 편견에 치우치기 쉽다. 자기보고 연구는 조직 내에서 일어나는 수행을 평가하는 인증기관에서 종종 사용된다. Sherry(2003)에 따르면, 자기보고 연구의 목적은 코스와 프로그램 설계에 있어서 운영 및 관리 측면을 점검하는데 있다. 특히 코스 설계에 있어서, 자기보고 연구의 목적은 WBI의 효과성과 매력성을 알아보는데 있다. 이러한 목적은 참여자가 WBI의 목적, 활동, 자원, 성취, 문제, 영향들을 보고하는데 있다. 관찰은 데이터를 삼각 측정하고, 정확하고 편견에 치우치지 않은 자기보고를 위하여 필요하다. 관찰은 현장 방문을 통해서 행해지는데, 이곳에서 평가팀은 조직의 자기보고 연구를 검토하고 검증한다.

사례 연구. 사례 연구는 세밀하게 이루어지고, 하나의 WBI 프로젝트, 프로그램 또는 여기에서 사용되는 학습 자료를 기술한다는 점에서 자기보고 연구와 유사하다(Joint Committee, 1994). 그러나 사례 연구는 평가와 연구 문제에 특히 초점을 맞춘다는 점에서 자기보고 연구와 다르다. 이 연구는 데이터를 수집하고 분석하는데 여러 도구들이 사용되며, 그 결과는 특정 상황과 정보를 담아 상세하게 보고된다. 사례 연구에서 확대 해석이나 유사하지 않은 상황에 일반화를 하는데 유의해야 한다.

실험 집단-통제 집단 비교 연구. 실험-통제 집단 연구에 대한 자세한 논의는 이 책의 범위를 넘어서기 때문에 여기에서는 평가자가 따라야 할 가이드라인만 제시하고자 한다(Creswell, 1994; Gall et al., 2003). 이 연구는 변인의 효과를 알아보는데 사용되는데, '대화창 기능의 제공 유무가 학습자 수행과 선호도에 미치는 영향' 이 그 예가 될 수 있다.

학급 크기가 작거나 실험 집단과 통제 집단에 무선 할당이 불가능한 경우 WBI 상황에서는 실험-통제 집단 연구의 계획을 세우기 어렵다. 이를 대신하여, 통제 집단을 없애고, 참여자들에게 두 개 이상의 처치 중 하나를 할당하여 이를 비교하는 것이 바람직하다. 이 방법은 모든 참여자들에게 특정 처치를 제공한 후 서로의 점수를 비교하게 된다. 이 경우 주의할 점은 평가자가 여러 처치 중 하나의 효과성을 논하는 시각을 가지고 데이터를 확대 해석해서는 안 된다.

사전–사후 검사 설계. WBI에서 사전-사후 검사는 WBI와 같은 변인을 제공한 결과로 점수가 어떻게 변화하였는지를 알아보는 것이다(Creswell, 1994; Gall et al., 2003). 예를 들면, 변인을 제공하기 전과 후의 학습자 태도나 수행의 변화를 알아보고자 할 때 이 방법을 사용할 수 있다. 이러한 평가는 참여자 모두가 포함된 단일 집단을 대상으로 할 수 있다. 통계적 절차로 사전-사후 검사에서 나온 데이터가 나타내는 차이의 통계적 유의미성 여부가 결정된다. 이 때 평가자들은 참여자들에게 WBI에서 중요한 주제가 무엇인지 암시를 주는 사전 검사와 같이 타당도에 위협하는 요소들을 알아두어야 한다.

강약점

강점. 실증적 방법을 사용하기 때문에 WBI가 학습에 효과적이었는지, 참여자들이 내놓은 의견이 통계적으로 유의미한지에 대한 정보를 제공한다.

약점. 제대로 설계되고, 타당한 연구를 계획하는 것은 어려운 일이다. 통제된 연구 환경, 표본의 부족은 평가 연구가 가진 강점을 제한한다.

'비용효과 분석 연구'로 데이터 수집하기

조직에서 선택한 WBI가 비용 효과적인지를 알아보는 비용 효과 분석 연구가 있다. Jung(2003)에 따르면, 대부분의 교육자나 이해당사자는 온라인 교육을 하면 교육운영비가 줄어들 것이라는 가정을 한다. 운영유지비, 학습에 소요되는 시간과 같은 효율성 측면에서 비용이 절감된다. 다시 말하면, 비용 절감은 교육을 받기 위하여 교육장에 오는 출장으로 인하여 드는 경비와 시간, 훈련에 드는 시간이 줄어들어, 업무에서의 수행이 증진되고, 종국에는 고객과의 관계 향상으로 이어진다(Davidove, 2002). ROI

와 비용 절감에 관한 문서화는 기업과 비교했을 때 교육 상황에서는 거의 일어나지 않는데, 이러한 작업은 필요하다.

Jung(2003)에 따르면, 상당수의 학생이 등록하는 것은 교육 기관의 경제 규모를 가져오는데, 학생이 많아짐으로 한 학생당 드는 고정 비용이 낮아지고, 수익이 높아지기 때문이다. 온라인 수업의 비용효과를 분석할 수 있는 몇 가지 접근방식이 있는데 이를 Cukier(Jung의 연구에서 재인용)는 가치 중심적 접근방식, 수학적 모델링 접근방식, 비교평가 접근방식, ROI 접근방식으로 분류하였다. 더 나아가 Jung은 이러한 접근 방식들을 통합한 통합적 접근 방식을 제안하였다. 통합적 접근은 위의 네 가지 접근 방식이 초점을 둔 비용 측면뿐만 아니라 WBI를 통하여 학습의 질적 향상 및 접근성 증대라는 관점을 포함한다.

비용효과와 관련된 데이터 수집은 어려울 수 있다(Phillips, 2002; Rumble, 2003). 그러나 문제를 해결하는 절차나 방법이 어디나 존재하기 때문에 다양한 상황을 추정할 수 있다.

강점. 많은 기관들은 시간(효율성)이나 비용(효과성)을 절감하면서 효과적인 학습 성과를 내는 것에 관심이 있다. 이와 관련된 정보는 비용 효과 분석 연구를 통해 얻을 수 있다.

약점. WBI의 운영이 비용 절감에 직접 영향을 주었는지 여부를 문서화하는 것은 어렵다. 데이터를 가장 최근의 것으로 지속적으로 갱신하지 못하고, WBI에서의 학습 성과와 태도가 변화하는 것을 찾아내기란 쉽지 않기 때문이다. 이러한 것이 온라인 교수의 비용효과 분석을 어렵게 한다. 이러한 것 외에 기타 요소들도 득실에 영향을 준다.

마무리하기

지금까지 다양한 방법 및 도구에 대하여 살펴보았다. 일반적인 내용을 살펴보는 정도로 그쳐서 상세한 내용은 담아내지 못했다. 이에 관련 연구나 추가적인 자료를 다음과 같이 제공하였다.

Creswell, J. W. (2003). *Research Design: Qualitative, Quantitative, and Mixed Methods Approaches*(2nd ed.). Thousand Oaks, CA: Publishers.

Denzin, N. K. & Lincoln, Y. S. (Eds.). (1994). *Handbook of qualitative research*. Thousand Oaks, CA: Sage.

Eggen, P. D., & Kauchak, D. (2003). *Educational psychology: Windows on classrooms*(6th ed.). Upper Saddle River, New Jersey: Prentice Hall.

Fitzpatrick, J. L., Sanders, J. R., & Worthen, B. R. (2004). *Program Evaluation*(3rd ed.). New York: Pearson.

Guba, E. G. & Lincoln, Y. S. (1989). *Fourth generation evaluation*. Newbury Park, CA: Sage Publications.

Johnson, B., & Christenson, L. B. (2003). *Educational research quantitative, qualitative, and mixed approaches, Research Edition*(2nd ed.). Boston, MA: Pearson Allyn & Bacon.

Kirkpatrick, D. L. (1998). *Evaluating training programs: The four levels*(2nd ed.). San Franscisco: Berrett-Koehler Publishers.

Leedy, P. D., & Ormrod, J. E. (2005). *Practical Research: Planning and Design*(8th ed.). Upper Saddle River, NJ: Prentice Hall/Pearson Education.

Patton, M. C. (1990). *How to use qualitative methods in evaluation*. Newbury Park, CA: Sage Publishers.

Popham, W. J. (2002). *Classroom assessment: What teachers need to know* (3rd ed.). Boston, MA: Allyn & Bacon.

Shrock, S., & Coscarelli, W. (2000). *Criterion-referenced test development*. Washington, D.C.: ISPI.

부록 **B**

WBI 설계 시 추가 고려사항

시작하기

교수설계자들은 WBI를 설계할 때 학습자가 프로그램에 참여하면서 어떤 상호작용을 해야 하는지에 대해서 가장 고민을 많이 하게 된다. 만약 학습자가 학습내용을 탐색하고 이해하는 능력이 부족하다면, 학습에 실패하게 된다. 부록 B는 내비게이션과 학습자 통제에 대한 정보를 추가적으로 제공할 것이다(7장 참고). 그리고 메시지 설계, 플로차트, 스타일 가이드에 대한 정보를 제공할 것이다(8장 참고). 이 정보는 WBI에서의 복잡한 학습상황을 설계하는 데 도움이 될 수 있다. 또한 부록 B는 온라인 교수활동을 실행하는 데 필요한 정보를 추가적으로 제공한다(9장 참고). 웹페이지 개발에 있어서 설계, 개발, 운영 단계에 대한 자료가 추가적으로 필요하다면 전문가의 도움을 받아야 한다.

내비게이션과 학습자 통제 설계

7장에서 WBI를 기획하거나 WBI 전략 워크시트를 작성할 때 중요한 요소로서 내비게이션과 학습자 통제를 간략하게 알아보았고, 더 추가적인 논의는 부록 B를 참고할 것을 권하였다. 내비게이션과 통제가 서로 관련되어 있기 때문에 우리는 두 가지를 연관시켜 설명할 것이다. 내비게이션은 학습자 통제에 도움이 되며, 반대로 학습자 통제는 내비게이션 기술을 결정하게 된다. 가장 적절한 내비게이션 전략은 학습자, 학습내용, 학습결과물의 유형에 따라 좌우된다. 설계자들은 학습과정에서 내비게이션 및 학습자 통제에 필요한 조건들을 고려하여 개발자들이 WBI를 개발하는데 지침일 될 수 있는 일반적인 전략을 규명하게 된다.

그림 B.1과 B.2에서 보여주는 예는 두 가지 유형의 기초적인 내비게이션 접근방식

▶ 그림 B.1 임의 접근 설계

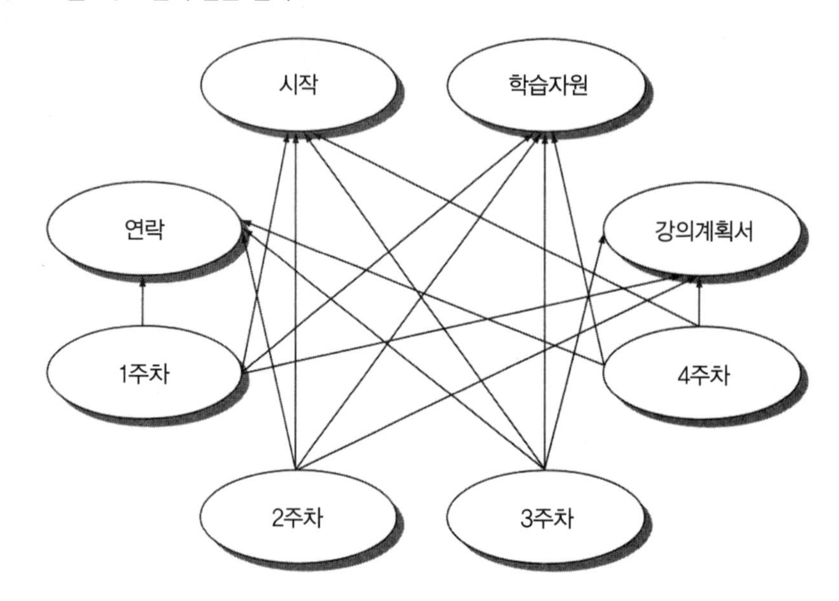

▶ 그림 B.2 구조화된 접근 설계

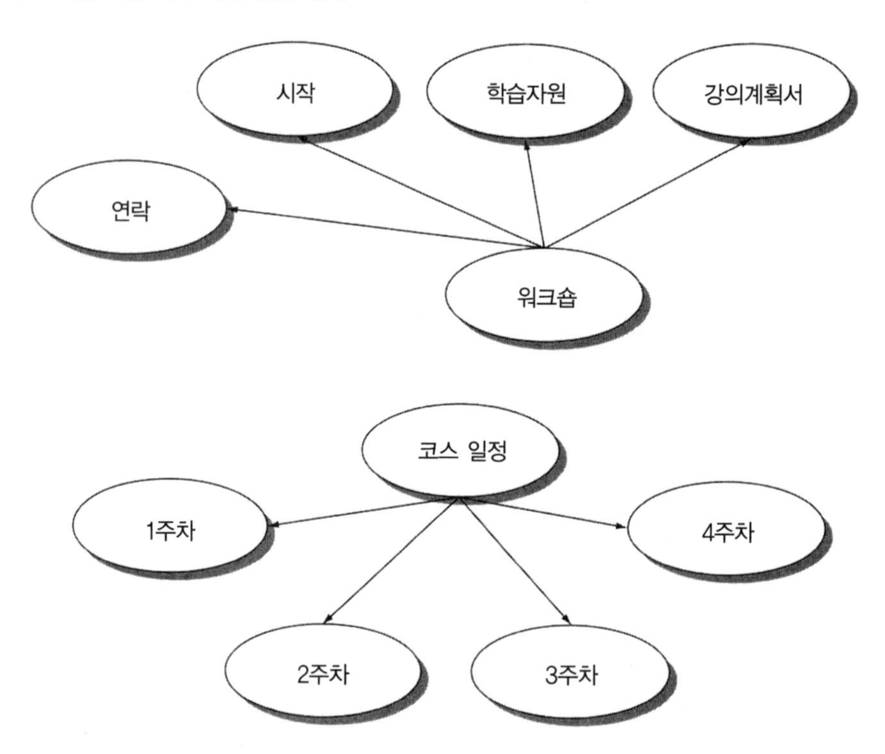

을 제시하고 있다(Lin & Davidson, 1996). 그림 B.1에서 학습자들은 웹사이트 내에 있는 어느 레슨에서든 쉽게 접속할 수 있다. 이러한 임의적 내비게이션 설계에서 학습자는 높은 수준의 자기 통제방식을 구현하게 된다. 학습자들은 자신의 요구에 따라 학습을 구조화 해나가면서 같은 사이트 내에 주제에 관련된 다른 페이지에 방문할 수도 있다(Becker & Dwyer, 1994; Jonassen & Grabinger, 1993; Kinzie & Berdel, 1990).

그림 B.2의 내비게이션 시스템에서는 학습자가 선택할 수 있는 방법이 제한되어 있다. 이와 같은 구조화된 내비게이션 시스템에서 학습자는 설계자가 개발한 프로세스에만 따라서 학습을 하게끔 제한된다. 다음에는 임의 내비게이션 설계방법과 구조화된 설계의 세 가지 방법에 대해서 논의하고자 한다. 세 가지 방법에는 선형적 설계, 위계적 설계, 위계적 공동 설계 방법이 있다.

임의 설계

임의 설계(그림 B.3)에서 학습자들은 웹사이트에서 학습활동 경로에 대해서 완전한 통제권을 갖게 된다. 학습자들은 자신이 원하는 학습내용에 따라서 학습 프로세스를 진행하게 된다. 학습자가 자신의 결정권에 따라서 학습내용을 탐색하기를 바란다면 좋은 설계 전략이 될 수 있다. 임의 설계를 하는 경우, 학습자가 웹사이트에서 방향을 잃지 않도록 '*메인 페이지로 돌아가기*', '*뒤로 가기*'와 같은 내비게이션 요소를 반드시 포함해야만 한다.

구조화된 설계

선형적 설계. 선형적 설계에서 학습자는 열거된 순차적 순서에 따라서 개념을 하나씩 혹은 각 웹페이지 별로 차례로 학습해 나가게 된다. 학습자들은 모든 학습과정을 한 번에 보거나 접속할 수 없기 때문에 한 개념 혹은 한 단원을 학습한 이후에 다음 단원을 학습할 수 있다. 단계적으로 수행할 수 있는 학습내용을 설계할 때 선형적 설계가 가장 적합하다고 할 수 있다. 그림 B.4는 선형적 설계 방법을 활용한 두 가지 사례를 보여주고 있다. 두 가지 사례에서 볼 수 있듯이 학습자들은 학습 통제권을 거의 갖지 못한다.

위계적 설계. 위계적 설계 방법에서 학습자는 프로그램 소개 화면 이후 자신이 원하는 어떤 대단원에서나 시작할 수는 있으나 다음 단원으로 넘어가기 위해서는 그 단원의 개념에 대해서 완벽하게 학습해야만 한다. 일반적으로 학습자는 쉬운 개념을 학습한 후에, 복잡한 개념을 배우는 프로세스로 진행된다. 이후 학습자들이 다음 단원으

▶ 그림 B.3 임의 설계

예시 1

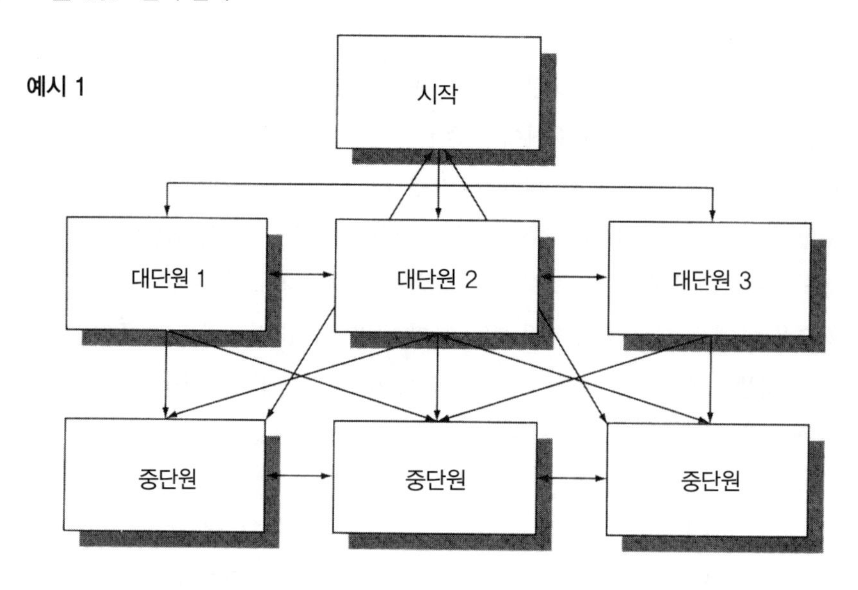

예시 2

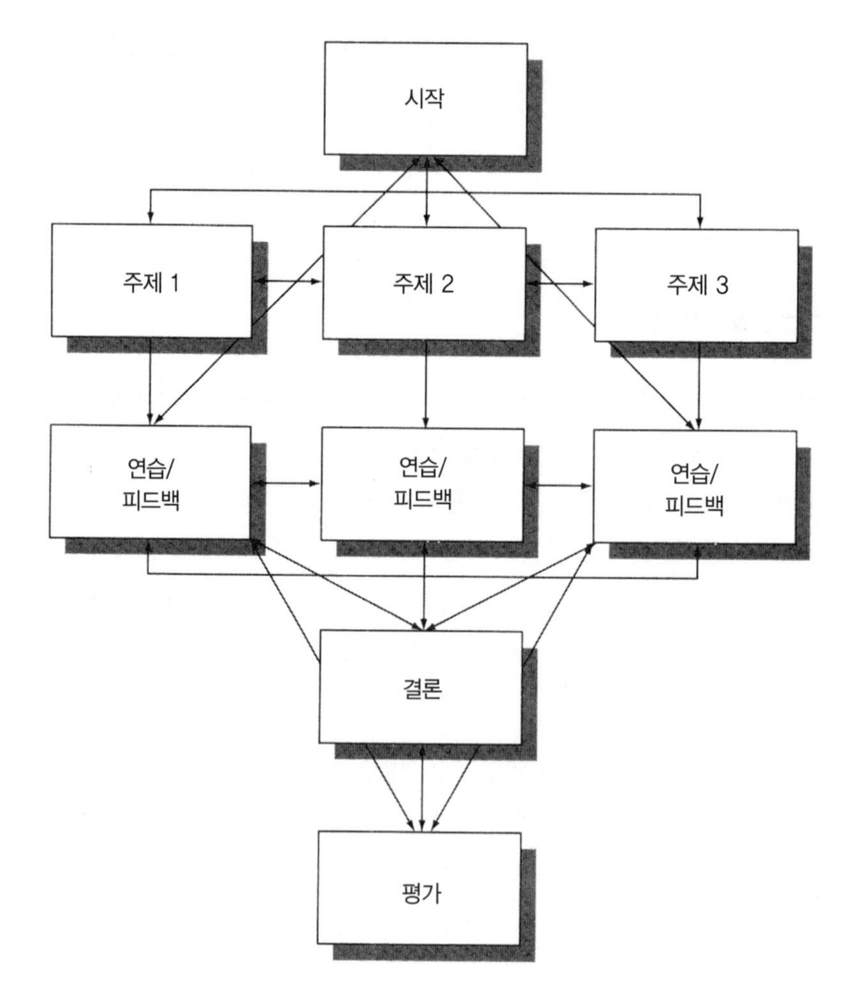

 그림 B.4 선형적 설계

예시 1

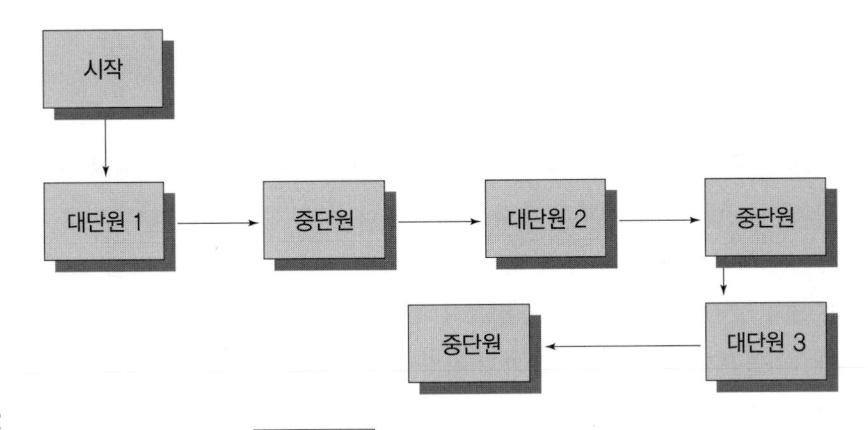

예시 2

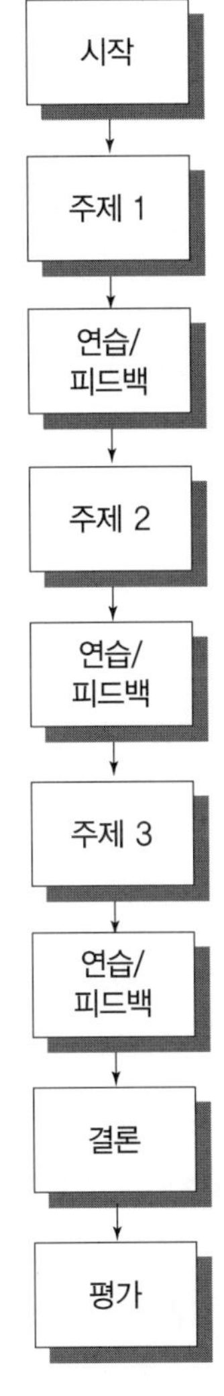

로 넘어가기 위해서는 반드시 프로그램 및 전체 단원을 소개하는 초기 페이지로 다시 돌아와야만 한다. 이러한 유형의 설계에서 학습자들은 하나의 단원에서 소개되는 개념들은 절차적으로 숙달해야 하지만, 대단원 간에는 일정한 절차에 따라 학습할 필요가 없다. 그림 B.5는 위계적 설계를 보여주고 있다.

위계적 공동 설계 방법. 위계적 공동 설계에서 학습자는 프로그램 소개 화면을 거쳐서 원하는 대단원을 선택하여 학습할 수 있다. 학습자들은 대단원이나 페이지 간에 이동이 가능하고, 이후에 소단원으로 이동하게 된다. 그림 B.6의 예를 보면, 연습과 피드백이 새로운 중단원과 서로 링크되어 있으며, 학습활동 페이지와도 연결되어 있다. 학습자들은 다음 대단원으로 가기 위해서 메인 페이지로 돌아가지 않아도 된다. 학습자들이 학습내용의 이해를 돕기 위해서 대단원 간에 쉽게 이동이 가능할 수 있도록 프로그램이 적절하게 설계되어야 한다.

적합한 설계유형 선택하기

설계자는 내비게이션 유형을 선택할 때에 반드시 학습자의 요구와 능력 및 학습내용의 유형을 평가해야 한다. WBI에서 가장 효과적인 내비게이션 설계 구조라는 것이 없기 때문에 설계자들은 각각의 내비게이션 유형이 어떤 학습 효과를 가져올 수 있는지 신중히 고려해야 한다.

메시지 설계

설계자는 메시지를 전달하기 위해서 텍스트와 그래픽(그림, 지도, 차트 등)을 사용하게 된다(8장 참고). 부록에서는 8장에서 설명하였던 시각적 설계 요소들의 예를 모두 보여주기보다는 간략하게 소개하고자 한다. 단순함, 균형성, 강조, 조화의 네 가지 원리에 관련된 예를 보여주고자 한다.

단순함(simplicity)의 원리는 텍스트 혹은 그래픽이 웹페이지에 어떻게 나타나는지를 설명한다. 웹페이지와 각각의 요소들은 시각적으로 쉽게 읽힐 수 있어야 하고, 너무 많이 사용되어서도 안 되며, 다양한 폰트와 색깔을 사용해서도 안 된다. 그림 B.7은 단순함의 원리를 보여주는 그래픽이다. 'KISS(Keep It Simple, Stupid)' 라는 속담을 적용한 예인데, 이 속담의 의미는 복잡한 것을 제거하고 단순함을 추구하라는 뜻이다.

설계자는 다른 요소들을 고려하면서 그래픽과 텍스트를 어떻게 조화롭게 할 것인지를 고민해야 한다. **균형(balance)**은 형식적 감각과 비형식적 감각으로 나누어 설명

▶ 그림 B.5 위계적 설계

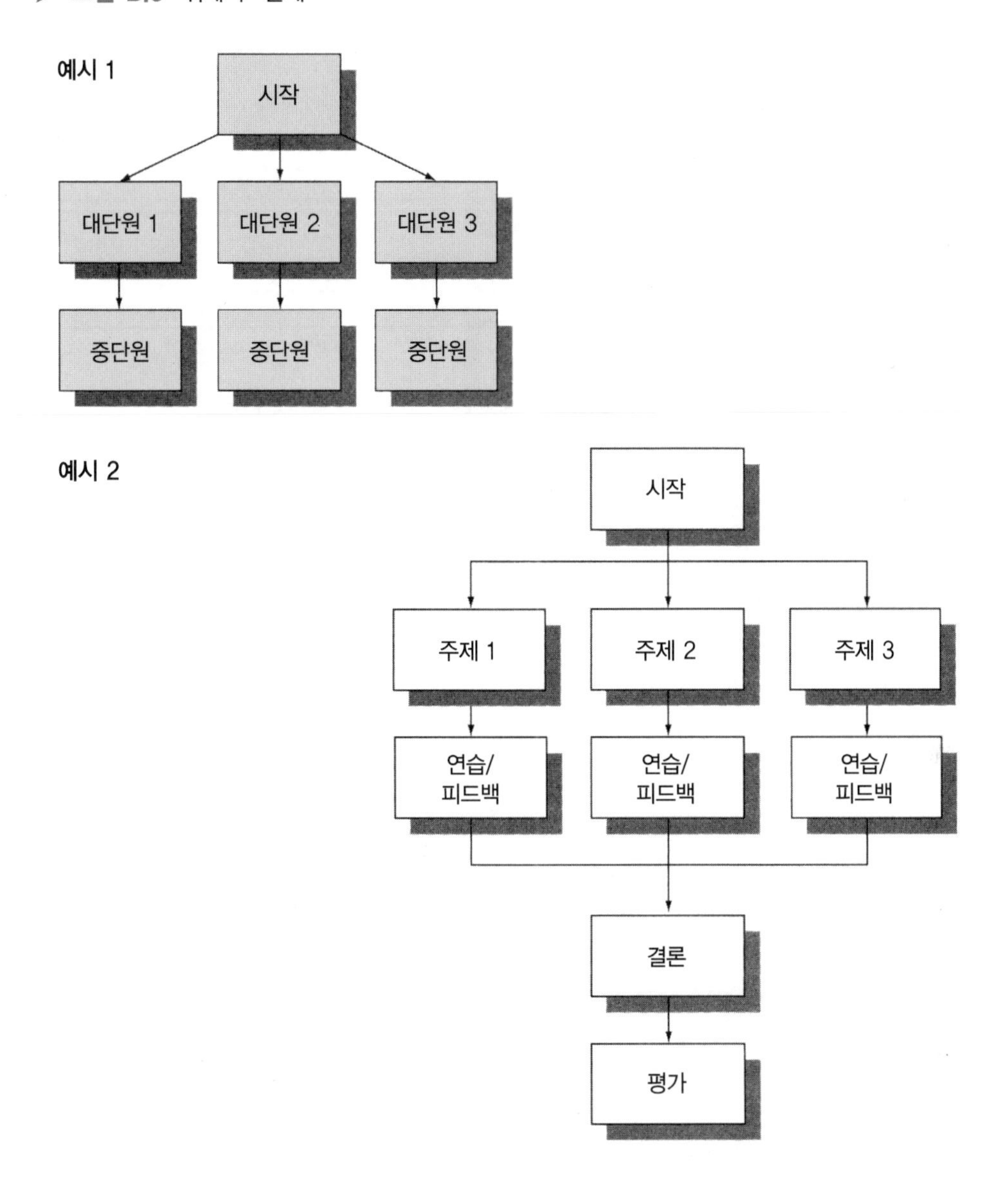

할 수 있다. 형식적인 감각은 모든 요소들이 대칭을 이루고 있는 상태를 의미하고, 비형식적 감각은 각각의 요소들이 비대칭을 이루고 있는 상태를 의미한다. 형식적 감각으로 구성한다면 훨씬 쉽겠지만, 비형식적 감각으로 구성된 비주얼은 학습자들의 흥미를 끌 수가 있다. 그러나 실제 설계할 시에는 균형이 잡히지 않는 요소는 피하는 것이 좋다. 그림 B.8은 균형성의 원리를 적용한 것이다.

세 번째 원리는 **강조(emphasis)**로 모든 정보들은 핵심 내용을 중요하게 제시해야만 한다. 시각적으로 강조할 수 있는 방법으로는 글자의 크기를 다르게 하거나, 색깔

➤ 그림 B.6 위계적 공동 설계

예시 1

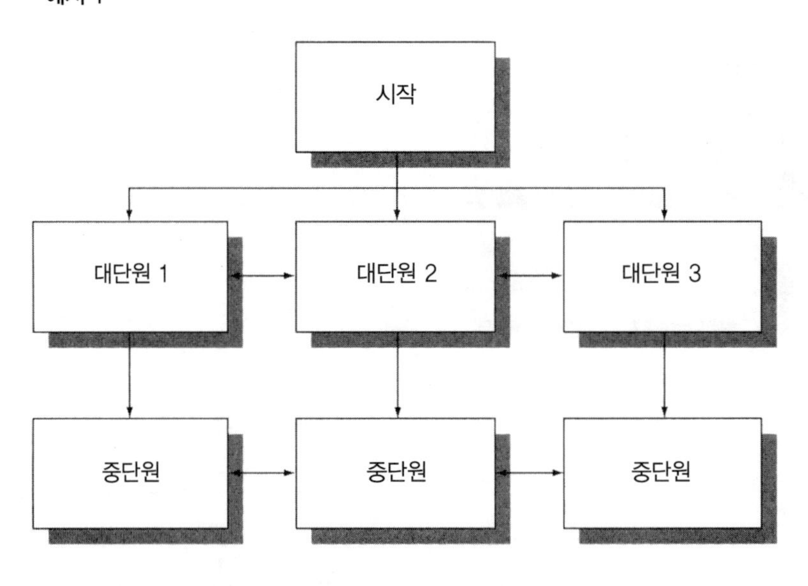

예시 2

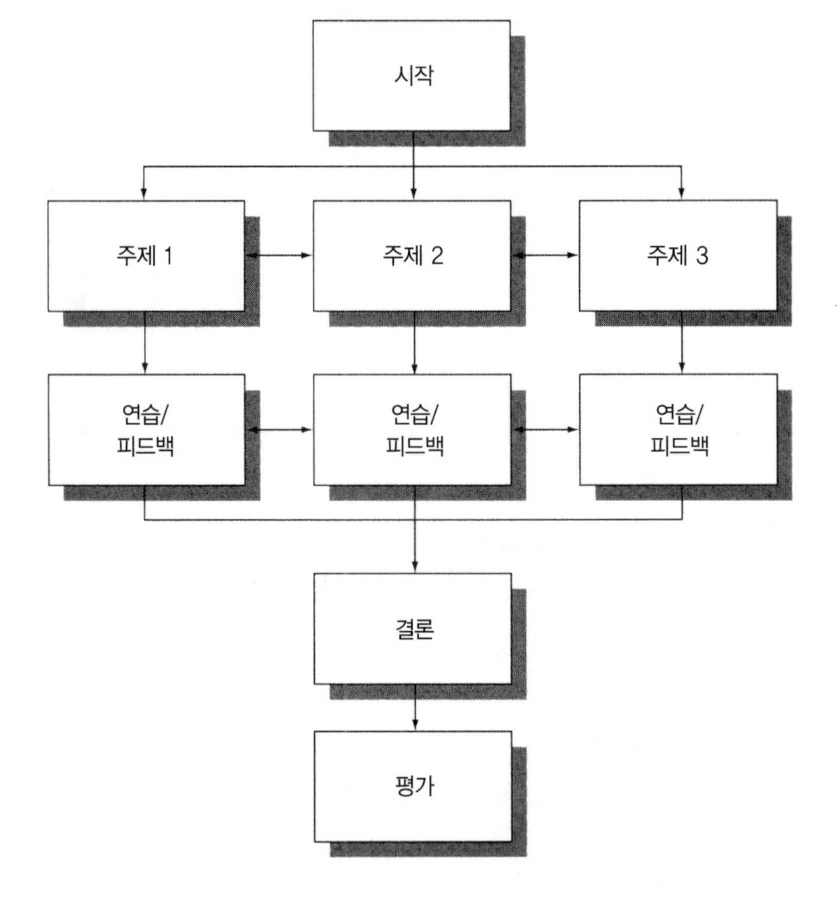

▶ 그림 B.7 단순함의 원리
(빈 공간을 남기거나, 짧은 텍스트와 단순한 그림으로 구성하거나 이미지, 그림이나 웹페이지에 색깔을 단 몇 가지만 사용할 수 있음)

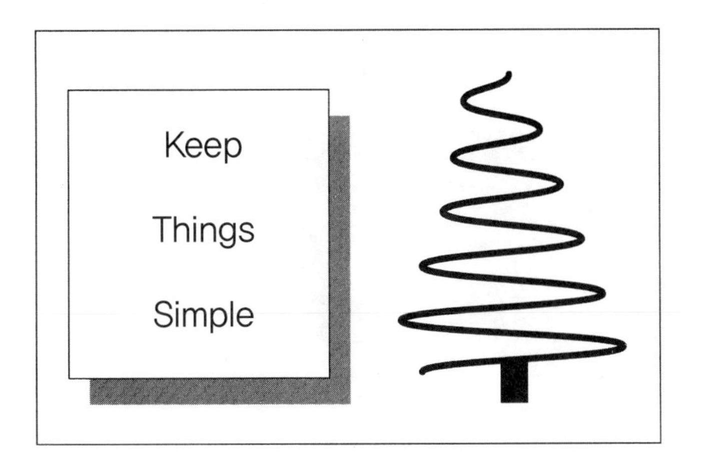

에 변화를 주거나, 화살표로 표시하는 방법이 있다. 종종 핵심내용을 전달하는 방법은 시각적 설계에만 해당된다고 생각하지만, 실제로는 텍스트를 통해서도 가능하다. 예를 들어 중요한 내용을 두드러지게 보이는 방법을 사용하거나, 학습자에게 바로 중요한 요점이나, 용어, 개념을 기억하게끔 가시적으로 강조함으로써 정보의 중요성을 알

▶ 그림 B.8 균형의 원리
(왼쪽 그림은 대칭 그림, 오른쪽 그림은 비대칭 그림)

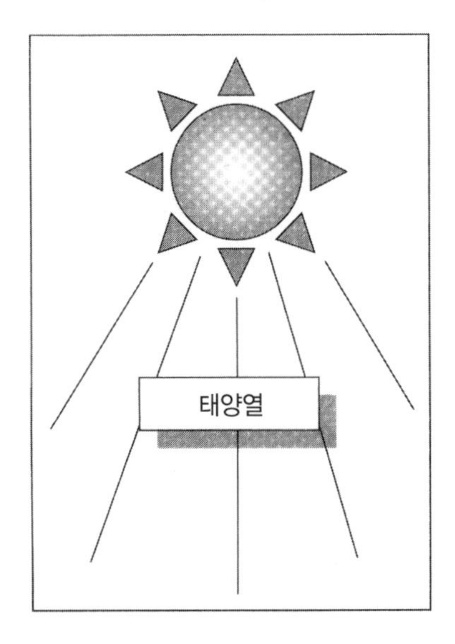

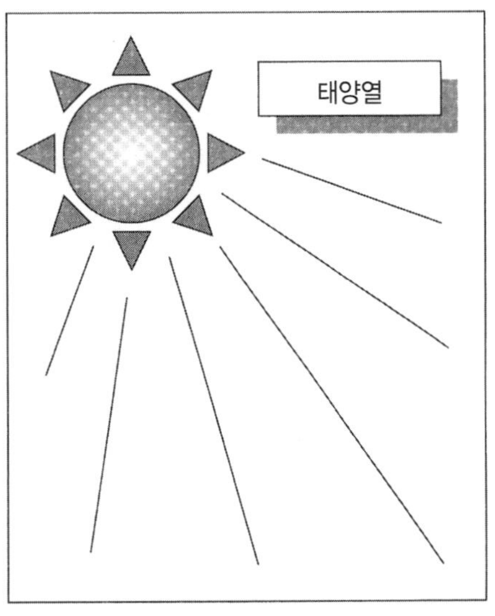

▶ 그림 B.9 강조의 원리
(학습자가 중요한 내용에 집중할 수 있도록 강한 느낌의 색깔, 색깔 대비, 크기가 큰 그림을 사용함)

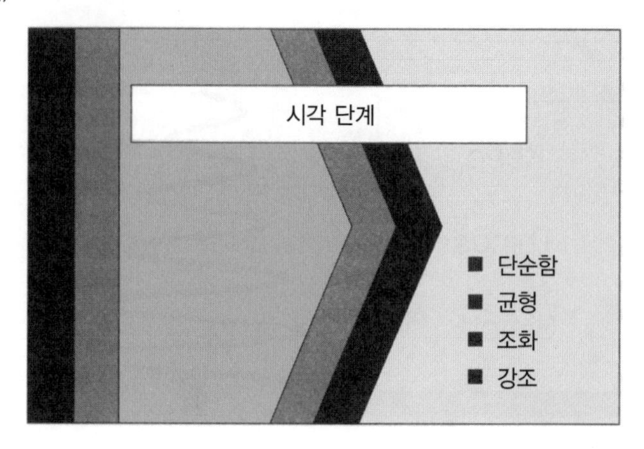

릴 수 있다. 그림 B.9는 강조 효과를 사용하였다.

마지막 시각적 설계 원리는 조화(harmony)이다(그림 B.10). 웹페이지에서 텍스트와 그래픽 요소는 조화로워야만 하고, 그 관계를 보여줄 수 있어야 한다. 이 원리와 관련된 다른 용어로는 *연결 상태*, *근접 상태*가 있다(Clark & Mayer, 2003; Gagné, 1985). 색깔과 텍스트 사용은 아이템이 조화롭게 보이게 할 수 있다. 이 책에서도 주요 단원 제목과 소제목 간에 크기를 다르게 하여 내용 수준을 구분하였다.

시각적 설계를 할 때에 한 가지 방법만 있는 것이 아니다. 설계자는 각각의 요소를 조합하는 여러 가지 방법을 신중히 고려해야 한다. 8장에서 이러한 웹페이지 요소에

▶ 그림 B.10 조화의 원리
(그림 모양, 선, 색깔, 텍스트, 화살표는 하나의 정보를 보여줌)

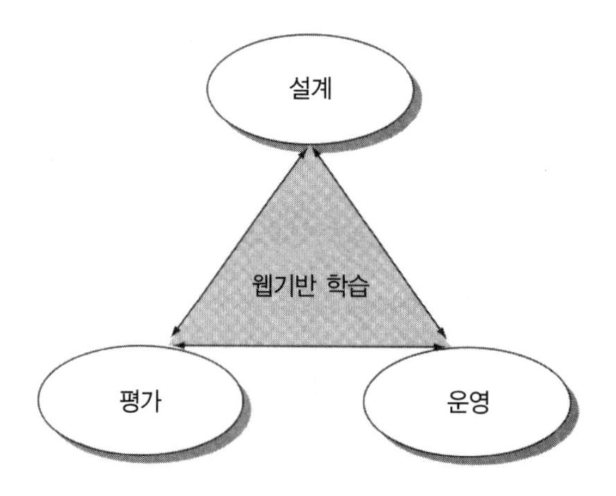

대한 설계 가이드라인을 설명하였다.

플로차트

8장에서 WBI의 플로차트를 개발하는 방법을 논의하였다. Hannafin과 Peck(1988)은 플로차트의 특성을 학습자가 레슨을 받으면서 나오는 결과물을 관찰하기 위한 방법으로 설명하였다. 교수설계자는 플로차트를 활용하여 교수활동의 순서와 구조를 구성할 수 있게 된다. 플로차트는 수업의 지도라고 생각할 수 있으며(Hannafin & Peck), 교수설계자가 교수활동을 기획할 수 있는 방법을 제공한다(Maddux & Cummings, 2000).

플로차트는 교수 상황의 요구에 따라 단순한 구조에서 복잡한 구조의 범위 내에서 구성된다. 높은 수준의 플로차트는 레슨의 전반적 구조를 보여준다. 플로차트는 또한 학습자가 학습과정에서 진행하는 각각의 단계를 규명함으로써 굉장히 상세하게 제시할 수도 있다.

각 조직마다 조직에 적합하게 개발한 플로차트 프로토콜이 있다. 설계자에게 시각적인 의미를 줄 수 있도록 컴퓨터 프로그래밍에서 사용하는 기호(그림 B.11 참고)를 사용할 수도 있다(Hannafin & Peck, 1988; Maddux & Cummings, 2000). 이러한 상징기호들은 코스가 어떻게 구성되는지를 보여주는 데 도움이 된다.

그림 B.12는 높은 수준의 플로차트의 예이다. 네 가지 단원과 일련의 결정단계를 포함하는 레슨의 구조를 보여주고 있다. 이 예시에서 학습자들은 자신의 이름을 입력하고 코스에 대한 정보를 본 후 단원을 선택하게 된다. 만약 단원을 끝내지 못한 경우, 다시 처음 단계로 돌아가게 된다. 단원을 마치게 되면 요약된 학습내용을 훑어보게 된

▶ 그림 B.11 플로차트 상징기호

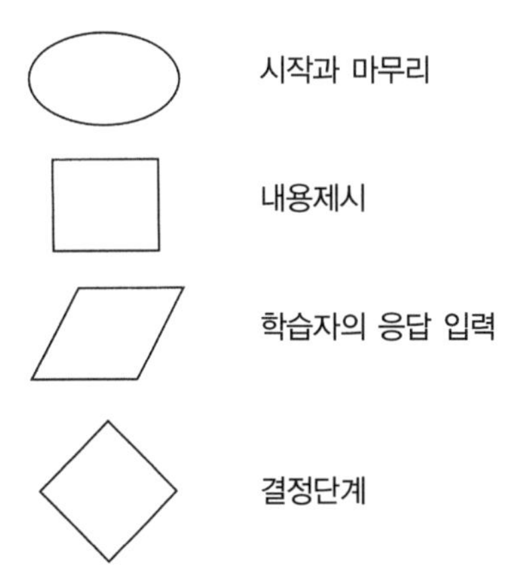

▶ 그림 B.12 플로차트

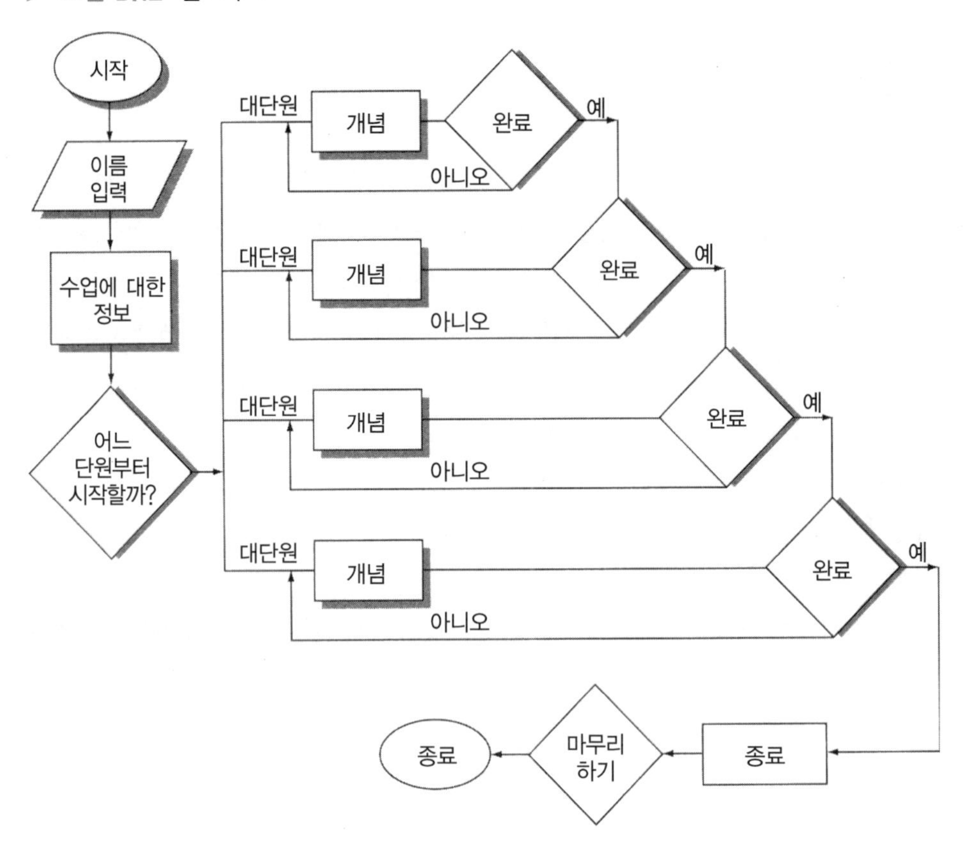

다. 학습자가 레슨을 완료한 것을 확인하기 위해 다른 결정을 제시할 수 있다. 레슨이 완료되면 레슨을 종료할 수 있다. 만약 학습자가 다른 단원을 이수해야 한다면 주제단계로 돌아가게 된다.

플로차트에서 사용되는 시스템에 상관없이 설계자는 플로차트의 구조를 일관성 있게 유지해야 한다(Hannafin & Peck, 1988). 플로차트는 교수활동을 기획할 때뿐만 아니라(Maddux & Cummings, 2000), WBI 개발 전 과정에서 학습내용을 구조화하는 데 도움이 된다.

스토리보드

8장에서 스토리보드의 두 가지 유형인 상세한 스토리보드와 간결한 스토리 보드를 살펴보았다. Hillman(1998)에 따르면 스토리보딩은 "최종 결과물에 대한 이야기 혹은 메시지를 구체화하기 위해 종이 위에 이를 적어가는 과정(p. 165)"이라고 하였다. 스

▶ 그림 B.13 상세한 스토리보드 예

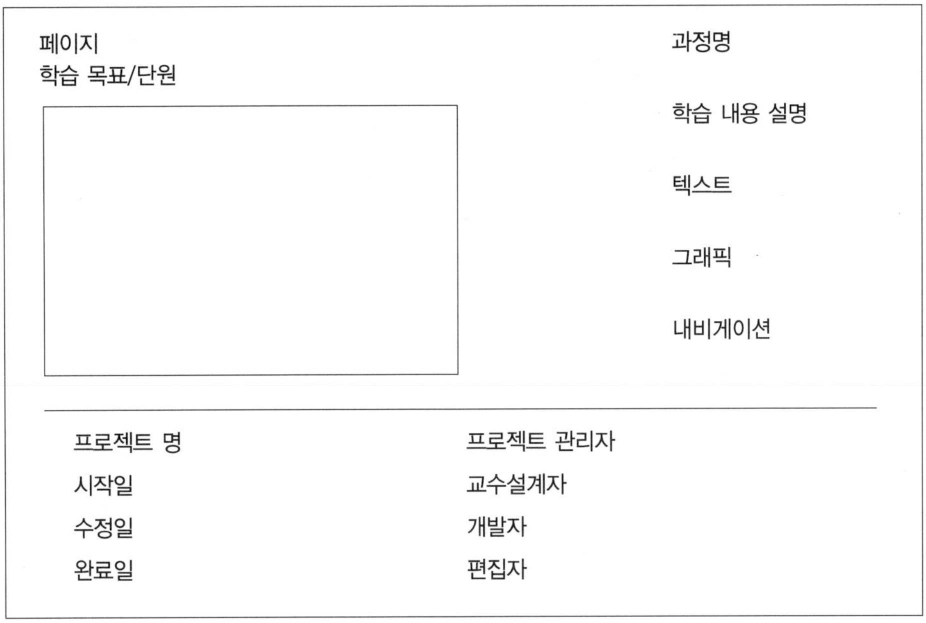

토리보딩은 이야기가 어떻게 흘러가는지 보여주고, 학습활동 중에 학습내용이 누락된 부분은 없는지를 보여준다(Hannafin & Peck, 1988). 웹의 환경에서 스토리보딩은 중요한 학습내용과 학습활동을 연결하고(Hillman), 이를 조직화해 나가는 방법이다(Hannafin & Peck).

스토리보딩을 하는 방법은 한 가지만 있는 것이 아니다. WBI를 설계하기 이전에 스토리보드를 구성함으로써 프로젝트를 성공적으로 마무리할 수 있다. 그림 B.13과 B.14는 모두 상세한 스토리보드로 구성하였고, WBI를 설계할 때 사용할 수 있다(그림 B.13은 8장에 있는 예와 동일하다). 그리고 설계자의 필요에 따라서 두 가지 예 모두를 수정하여 사용할 수 있다.

스타일 가이드

스토리보드를 사용할 때에 설계자가 방향을 잡을 수 있도록 스타일 가이드가 설계 될 수 있다. 종합적인 스타일 가이드를 개발함으로써 웹사이트 내에 높은 수준의 내적 일관성을 확보할 수 있다. 스타일 가이드는 참고문서로 사용할 수 있으며, 폰트 유형, 텍스트의 크기, 색깔 선택, 선호하는 스크린 레이아웃 및 내비게이션, 연결 구조를 개괄적으로 보여준다(Goto & Cotler, 2004). 스타일 가이드는 WBI 프로젝트의 웹페이지

▶ 그림 B.14 상세한 스토리보드 예

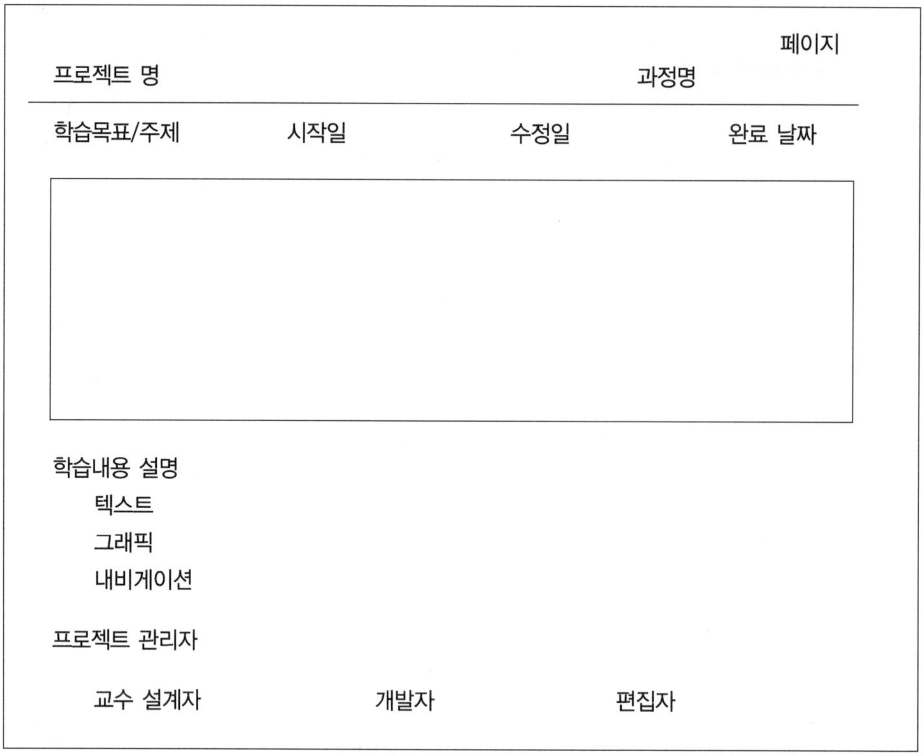

개발에 영향을 미치는 다양한 요소에 대해서 설명하고, 설계자들이 그룹을 이루어 프로젝트를 진행하는 경우 유용할 것이다. 스타일 가이드는 설계와 개발을 시작하기 전에 설계자들 간에 웹페이지 요소 사용에 대해서 합의를 이끌어 낼 수 있도록 한다.

운영 단계에서의 시스템 관리

웹사이트와 네트워크 구조에 따라서 웹사이트 관리가 얼마나 복잡한지가 결정된다. 적어도 시스템은 서버와 웹에 접속 가능해야 한다. 아무리 작은 크기의 시스템이라고 할지라도 기술과 네트워킹 시스템이 통합되어 같이 운영되어야 한다. 사용자와 네트워크가 늘어날수록 시스템은 자연스럽게 복잡해진다.

이 시스템은 서버에 연결되는 학습관리시스템에서 작동할 수 있다. 예를 들어 인터넷망에 연결된 서버 팜에 있는 서버에 연결될 수 있다.

학습정보, 학습자원, 웹사이트의 속성은 자주 변하기 때문에 WBI 시스템은 계속 유지 관리되어야 한다. 따라서 전체 프로그램이 작동하는 동안 웹사이트와 시스템을 꾸준히 관리해야 한다(Nielsen, 2000). 정보 기술 서비스 혹은 컴퓨터 서비스를 담당하는 직원들은 시스템 관리 업무를 수행해야 한다. 시스템 관리에 관련된 일반적인 업무에는 다음과 같은 것이 있다(Microsoft Corporation, 2001; Weiss, 2001).

- 시스템 운영 정지 일정을 잡고, 학습공동체에 이를 공지한다.
- 시스템 공급에 문제가 생긴 경우 다른 서버로 이를 지원한다.
- 다른 기술 지원팀과 교류하면서 시스템을 개선하고 백업하며, 소프트웨어 보완 및 시스템 지원 시 문제가 발생하지 않도록 한다.

WBI와 그 웹사이트를 유지하기 위한 시스템 관리는 WBI가 진행되는 동안 지속된다(Welsh & Anderson, 2001). 온라인 교수자 혹은 멘토는 외부 웹사이트와도 연결될 수 있도록 시스템 관련 업무도 담당해야 한다. 학습자원을 외부 웹사이트에 연결한 경우, 웹사이트 링크 주소가 바뀔 수 있다. 예를 들어 서버 주소 혹은 URL이 하루는 접속이 되었다가, 다른 날에는 접속이 되지 않는 경우가 발생한다(Brooks, 1997). 외부 URL에 접속 문제가 없는지를 멘토와 교수자가 늘 확인해야 한다.

Microsoft의 *프론트페이지(Frontpage)*와 같은 몇몇 웹사이트 개발 소프트웨어는 접속이 되는지를 확인하고, 접속이 되지 않는 사이트와 접속이 되는 사이트를 구별한다. 이러한 소프트웨어를 활용함으로써 시간을 아낄 수 있다. 외부 웹사이트가 활성화되지 않은 경우, 이를 삭제하고 다른 학습자원을 검색해 보아야 한다. 더 이상 필요로 하지 않는 URL에 연결된 링크는 제거해야 한다.

WBI를 관리 및 유지하기 위한 또 다른 작업은 교수자 혹은 멘토가 수행할 수 있다. WBI를 설계할 때 한 가지 장점은 학습내용을 쉽게 수정할 수 있다는 점이다(Schank, 2002). 학습내용을 최신의 정보로 보완하는 작업은 온라인 학습의 가장 큰 장점 중의 하나이다. 표 B.1은 WBI와 그 웹사이트를 관리하기 위한 다양한 활동과 전략을 보여준다.

LCMS(Learning Content Management Systems)

최근에는 웹기반 교수 설계 및 개발을 하는 경우 RLO(Reusable Learning Object)를 적극적으로 활용하는 추세이다. RLO는 학습정보(예: 개념, 레슨, 단원 세션, 퀴즈 등)의 개별 단위이고(Cognitive Intelligent Learning Systems, 2003), LCMS를 기반으로 하여 구성된다. LCMS는 자료 수정이 용이한 데이터베이스 구조를 사용하기 때문에 학습내용을 적극적으로 보완해 나갈 수 있다(Hamel, Ryan-Jones, & Joint Advanced Distributed Co-Laboratory, 2001). LCMS와 LMS는 유사한 부분이 많지만 동일한 것은

표 B.1 WBI와 그 웹사이트를 관리하는 교수활동과 교수전략

관리 활동	전략
웹사이트 관리	• 플로차트와 스토리보드를 포함한 설계 문서들을 수정해 나간다. • 웹사이트 내에 규칙을 정하고 이를 문서화 해놓는다.
서버 관리	• 서버와 다른 장치들을 백업해 놓는다. • 브라우저, 플러그인의 새로운 버전이 나오는 경우 멀티미디어를 새롭게 만들어야 한다. • 서버에는 가장 최신 버전의 파일을 유지해야 한다. • 네트워크 담당 직원과 꾸준히 연락하여 서버가 업그레이드되는 경우 사이트에 어떻게 영향을 미치는지 확실히 알아두어야 한다. • WBI가 제대로 작동하지 않을 때 서버 관리 및 서버 업그레이드를 하는 일정을 계획한다.
소프트웨어 관리	• 새로운 브라우저에서 사이트를 시험해본 후 브라우저에 필요한 기본적인 것을 확인한다. • 브라우저를 업그레이드하여 코스와 WBI를 시험해본다.
학습내용 수정 관리	• 링크가 제대로 연결되는지를 확인하고, 새로운 외부 자원을 지속적으로 검색한다. • 학습자들이 좀더 쉽게 접근하기 위해서 프로그램에 관련된 파일들을 메인 사이트에 정리해 놓는다. • 적절한 파일명을 정하여 파일을 쉽게 찾을 수 있도록 한다. • 개발 참여자들을 지명하여 학습내용에 수정이 필요한지를 계속 확인하도록 한다.

아니다(Chapman; Hall, 2002). Hall에 따르면, “LMS 목적은 훈련 및 학습활동을 통한 학습자들의 학습과정을 좇아가면서 학습과정과 학습 성과를 관리하는 데 있다. LCMS는 학습내용 혹은 학습객체를 관리하여, 학습자가 학습내용을 필요로 하는 적절한 시점에 학습내용을 전달하는데 있다.” LCMS는 다수의 설계자 혹은 개발자가 있는 환경을 조성하여, 학습내용을 스타일 가이드, 설계 기획안, RLO을 활용하여 효율적으로 개발하고, 재사용하고 관리하며, 학습자들에게 전달할 수 있도록 한다(Chapman; Hall; Hamel et al.)

운영 단계에서 고려사항: 커뮤니케이션

9장에서 운영 단계에 대해서 논의하였다. 여기에서는 온라인에서 커뮤니케이션을 할 때 필요한 가이드라인을 추가적으로 설명하고자 한다. 예를 들어 Lewis(2000)에 따르

면 WBI 환경에서는 커뮤니케이션하는 방법으로써 'WRITE' 기술을 제안한다. WRITE이란 '*Warmth*(따뜻함), *Responsiveness*(응답하기), *Inquisitiveness*(호기심), *Tentativeness*(모호함), *Empathy*(공감)' 의 약자이다.

온라인에서 대화를 나누는 경우 오해를 일으키는 경우가 많기 때문에, Warmth(따뜻함)는 사람들 간에 실제 만나지 않는 한 메시지를 보내는 사람과 받는 사람 간에 심리적 거리를 줄여야 한다는 것을 의미한다. Lewis에 따르면 온라인 교수자는 요점을 더 명확하게 하고 민감한 주제들에 대해서 논의해야 하는 경우 전화로 직접 통화할 것을 제안한다. 예를 들어 개인적으로 건설적인 피드백을 주고 싶은 경우가 있다. 또한 *Warmth(따뜻함)*는 특이하면서도 학습내용과 관련된 예나 메타포를 활용하거나 개인 관심사 혹은 경험을 바탕으로 유머를 나누면서 이루어질 수 있다. 온라인 교수자는 자신의 웹페이지를 개인화하여 그날의 날씨 정보를 공유하거나, 음악을 들려줄 수 있다.

*Responsiveness(응답하기)*는 과제 제출 기한을 정하고 피드백을 일관되게 제공하는 활동을 의미한다. 이는 학습자의 부정적인 느낌을 감소시킬 수 있다. 또 다른 방법으로는 이따금씩 메시지 보내는 사람 혹은 메시지 받는 사람을 상기시키는 방법이 있다.

*Inquisitiveness(호기심)*는 유용한 정보를 제공하고 방어적인 태도를 감소시키는 데 목적이 있다. 교수자가 교수내용을 먼저 설명하기보다는 질문을 던져 줌으로써 호기심을 유발할 수 있다.

*Tentativeness(모호함)*는 학습자들의 방어적인 태도를 감소시키는 데 도움이 된다. 한 가지 방법으로 "~인 것 같다" 혹은 "이럴 가능성도 있다"와 같은 모호한 용어를 사용하는 것이다. Lewis에 따르면 애매모호하게 학습내용을 설명할 때 학습자 입장 보다는 '나의 입장에서' 설명하라고 한다.

마지막 요소인 *Empathy(공감)*는 온라인 교수자가 다른 직원들의 업무와 능력을 고려하여 융통성 있게 새로운 역할을 줄 수 있다. 예를 들어 기술 문제가 발생하여 학습자들이 과제 마감 시간을 놓치는 일은 없도록 한다.

WBI 운영단계에서 고려해야 할 또 다른 사항으로는 토론을 중재하는 것이다. 9장에서 온라인에서 동시적, 비동시적 대화를 지원하는 방법에 대해서 다루었으나 교수자, 멘토, 학습자 입장에서 더 많은 정보가 필요할 것이다. 이에 관심이 있다면, 다음 문헌 자료를 참고해보자.

Collison, G., Elbaum, B., Haavind, S., & Tinker, R. (2000). *Facilitating online learning: Effective strategies for moderators.* Madison, WI: Atwood.

Gilbert, S. D. (2001). *How to be a successful online student.* New York: McGraw-Hill.
Ko, S., & Rossen, S. (2001). *Teaching online: A practical guide.* Boston: Houghton Mifflin.
Palloff, R. M., & Pratt, K. (2003). *The virtual student: A profile and guide to working with online learners.* San Francisco: Jossey-Bass/John Wiley & Sons.
Salmon, G. (2000). E-moderating: The key to teaching and learning online. London: Kogan Page
Wood, A. F., & Smith, M. J. (2001). *Online communication: Linking technology, identity, & culture.* Mahwah, NJ: Lawrence Erlbaum Associates.

웹기반 학습에 대한 많은 책이 출간되었다. 이 책에서 이 자료들을 열거할 필요는 없을 것이다. 이 책에서 웹기반 학습의 설계, 개발, 운영을 논의할 때 제시한 몇몇 문헌을 참고하길 바란다.

마무리하기

WBI를 설계할 때 고려해야 하는 사항을 내비게이션, 학습자 통제, 메시지 설계, 플로차트, 스토리보딩, 스타일 가이드로 간략하게 다루었다. 독자들이 온라인 학습활동 설계 및 운영뿐만 아니라 웹페이지 개발에 대해서 더 많은 자료를 추가적으로 접하기를 기대한다. 이 책의 참고문헌에 관련 문헌들이 많이 소개되어 있다.

용어설명

간결한 스토리보드(Streamlined Storyboard) 웹페이지 개발에 사용되는 텍스트, 그래픽, 애니메이션, URL의 제시 방식을 보여줌. 설계자는 표 형식을 사용하여, 그 안에 개발될 웹페이지별로 레슨의 교수 목표, 학습 내용, 미디어(그래픽, 애니메이션, 비디오 등)가 일관되게 제시되도록 할 수 있음

강화(Reinforcement) 정적 또는 부적 강화물을 통해 행동 혹은 반응을 강화하거나 약화시킴

개방 체제(Open System) 체제 외부 환경뿐만 아니라 그 체제 내부의 제반 프로세스, 입·출력에 영향을 받는 체제

개방형 질문(Open-Ended Question) 어떤 제한 없이 자신의 언어로 응답할 수 있도록 구성된 질문

갠트 차트(Gantt Chart) 프로젝트 과제의 순서와 과제를 완료하는 데 소요되는 예상 시간과 실제 시간을 시각적으로 나타냄

거시 수준 설계(Micro-Level Design) 코스 혹은 레슨 단위 설계보다는 전체 교육 프로그램 단위를 기획하고 개발하는 데 초점을 둠

검색 엔진(Search Engine) 사용자가 URL 주소를 가진 데이터베이스에 접속하여, 웹과 인터넷에 있는 정보를 찾을 수 있도록 도와주는 소프트웨어 프로그램

격차(Gap) 조직에서 일어나야만 하는 현재 상태와 최적 상태 간의 차이

격차 분석(Gap Analysis) 바람직한 최적 상태와 현재 상태의 수행 격차를 판단하기 위한 환경 분석

관리(Management) 운영의 한 측면으로, 학습환경을 관리함

광역통신망(WAN: Wide Area Network) 컴퓨터와 소규모 네트워크들이 지리적으로 규모가 큰 지역 즉, 도시, 국가 또는 전 세계로 연결되도록 하는 통신망

교수설계자(Instructional Designer) WBI와 웹기반 학습 환경을 위한 전략을 분석 및 개발하는데 있어서 중심인물

교수자(Instructor) 학습자에게 있어서 주요한 컨택 포인트이며, WBI 운영에 있어서 우선적 책임을 가진 사람

구두 보고(Verbal Reports) 구성원들 간에 비공식적으로 정보를 공유하기 위한 커뮤니케이션 메카니즘

구성주의 학습이론(Cognitive Theories of Learning) 학습자는 자신의 경험에 기반을 두어 의미를 만들어내고, 그 의미를 사회적으로 절충하는 과정을 통해 학습한다고 보는 이론

근거리통신망(Local Area Network) 단일 지역 내에서 상호 연결된 컴퓨터 또는 기기들 간에 통신이 가능하도록 하는 통신망

기초 자료(Baseline Data) 새로운 혁신 혹은 의도적 개입에 대한 데이터와 비교하기 위하여 현재 학습 상황과 프로그램에 대해 수집한 자료

내부평가자(Internal Evaluator) WBI 개발 혹은 운영하는 과정을 맡은 사람들. 내부평가자에는 교수설계자, 코스의 학습 촉진자, 행정 지원팀이 있음

내비게이션(Navigation) 학습자가 교육용 웹사이트를 돌아다니는 경로. 내비게이션 경로는 다양한 활동을 어떻게 해야 하는지를 정하는 등의 추가 활동에 대한 부담을 주지 않기 위하여 학습자가 무엇을 해야 하는지, 어디에 위치해 있는지를 쉽게 알 수 있어야 함

대안평가(Alternative Assessment) 포트폴리오, 프로젝트, 페이퍼, 저널과 같은 산출물로 수행 평가를 하는 비전통적인 방법

동기(Motivation) 학습자들이 행동하게 하고, 특정 방향으로 이끌고, 어떤 행동에 계속 참여하게끔 하는 내적 상태(Ormrod, 2004). 동기의 유형은 내재적 동기와 외재적 동기로 구분됨

매력성(Appeal) 학습자로 하여금 어떤 학습 과제에 관심과 흥미를 갖고, 유지하게 하는 것. 사용성이 이에 속함

멘토(Mentor) 학습 환경에서 교수자, 교육담당자, 학습촉진자를 지원하는 사람. 때론

튜터로 불리기도 하는데, 교수자와 학습자의 요구에 따라 다양한 역할을 수행. 학습자가 겪는 기술적 어려움과 학습 내용에 대한 질문을 해결하기도 함

미시 수준 설계(Micro-Level Design) 레슨, 유닛, 코스수준에서 수업을 기획하고 개발하는 데 초점을 둠

벤치마크(Benchmark) 평가 과정을 이끄는 질 또는 성공의 준거. 질문지나 다른 도구에서 나온 응답의 통계적 분석을 위한 기초 자료를 제공

부가 가치(Value Added) 교육 프로그램이 적용되지 않고는 얻을 수 없었던 긍정적인 어떤 것

분산 학습(Distributed Learning) 분산 교육은 전통 교실에서의 시공간 제한을 뛰어넘는 학습 기회를 제공하기 위하여 컴퓨터와 커뮤니케이션 기술을 사용하는 것(Center for Distributed Learning, 2004, n.p.). 이 용어는 원격 교육과 혼용되어 사용됨. 분산 학습의 예로, 학습자와 교수자가 원격에 있고, 컴퓨터 매개 학습을 하고, 비동시적 또는 동시적 커뮤니케이션을 하는 학습 상황이 있음

브라우저(Browser) 인터넷 연결과 접속이 가능한 컴퓨터에 설치된 소프트웨어 프로그램. 브라우저에는 Internet Explorer, Navigator, Safari, Amaya, Internet in a Box, Emissary, Lynx, OmniWeb, Firefox, Mosaic, Mozilla, NeoPlanet, Opera, I-View, I-Comm, UdiWWW, SlipKnot 등이 있음

비실시간(Asynchronous) 이메일, 게시판 등과 같이 참여자 간에 동시적으로 일어나지 않는 온라인 상호작용

사용성(Usability) 교수자와 학습자가 WBI를 얼마나 손쉽게 사용하고, 접근하는지에 관한 것

사정(Assessment) 학습자가 학습목표를 달성하였는지를 평가하기 위해 정보를 수집하는 과정. 설계자와 교수자는 학습자의 학습목표 달성 여부를 판단하여 궁극적으로 WBI 성공 여부를 파악함. 사정을 통해 학습자의 어려움을 진단할 수 있고 그들의 학습과정을 관찰할 수 있음

삼각측정(Triangulation) 다양한 자료나 혹은 자료수집의 다양한 방법을 통해 정보를 검증하는 것

상세한 스토리보드(Detailed Storyboard) 그래픽, 폰트 스타일, 색깔, 크기, 바탕화면 색깔, 이미지파일명, 내비게이션 버튼을 포함하여 웹페이지의 상세한 부분을 모두 포괄하는 스토리보드. 이것은 최종 웹페이지와 유사해야만 함

상호작용(Interaction) WBI와 학습공동체에서 일어나는 참여자들 간의 교호작용. 상

호작용의 구조와 초점에 따라 상호작용 연속선을 그려볼 때, 한 극단에서 학습자 활동은 매우 협력적이며, 다른 한 극단에서 학습자의 활동은 개별적임

서면 보고(Written Reports) WBI의 설계 및 개발과 관련된 의사결정 내용을 기록한 공식 문서

설계 문서(Design Document) 분석 단계 초기에 WBID 과정을 문서화한 서면 보고서. 설계 절차에 대한 설명, 의사결정 내용의 진술, 그리고 그 결과의 기록 등의 목적을 위해 작성함. 이 설계 문서에는 일련의 교수설계적 의사결정이 내려진 근거가 무엇이며 의사결정과정에 참여한 사람이 누구인지 등의 정보를 포함

소집단 평가(Small-group Tryout) 대상학습자로부터 4~10명 정도를 표집한 소집단의 학습자를 대상으로 실행하는 형성평가방법. 이들은 실제와는 다소간 거리가 있는 상황에서 프로토타입 형태의 프로그램을 사용해봄

수행(Performance) 목표를 구성하고 있는 요소(조건, 수행, 준거) 중 하나로, 학습 과제 항목과 학습 결과 수준에서 나옴. 이는 행동 동사로 진술되고, 학습자가 달성해야 하는 것이 무엇인지를 규명한다. 수행은 측정가능하고, 관찰 가능해야 함

스토리보드(Storyboard) WBI설계자가 모든 웹사이트 요소들을 의미있게 조직화시키는데 시각적으로 도움을 주는 도구. 각각의 웹페이지가 어떻게 구성되는 지와 각각의 교수활동 요소가 어떻게 서로 기능하는지를 보여줌. 상세한 스토리보드와 간결한 스토리보드 참고

실시간(Synchronous) 대화창, 이메일, 넷 콘퍼런싱 등을 사용하여 동시에 학습자간 일어나는 온라인 상호작용

온라인 학습(Online Learning) 학습자들이 교수자와 떨어져 있으나 인터넷과 웹을 통하여 연결되어있는 원격에서 일어나는 학습 과정. 이 책에서는 WBI와 동일한 의미로 사용됨

외부평가자(External Evaluator) WBI 설계와 운영에 참여하지 않으면서 조직에 소속된 직원이 아닌 사람들이다. 이들은 이 조직에서 독립된 직원들

원격 교육(Distance Education) 시공간적으로 교수자와 학습자가 분리되어 일어나는 교수활동

원인(Causes) 문제가 존재하는 이유

월드와이드웹(WWW 또는 Web: World Wide Web) 인터넷을 통해 데이터 검색, 커뮤니케이션, 소프트웨어 사용을 가능하게 하는 웹 환경

웹강화 학습(WEI: Web-Enhanced Instruction) 어떤 수업은 면대면으로, 어떤 수업

은 웹에서 행해지는 형태. WEI가 WBI와 주요하게 다른 점은 어떤 교수는 학습자와 교수자가 실제로 만나야 하고, 또 어떤 수업은 그렇지 않다는 것에 있음

웹기반 학습(WBI: Web-Based Instruction) 교육이 전적으로 온라인으로 진행되는 원격 교육의 형태. 이 책에서는 WBI와 온라인 학습을 혼용하고 있음

웹기반 학습공동체(Web-Based Learning Community) 공동의 목표, 관심, 경험을 공유하는 개인들이 웹을 기반으로 한 집단. 학습자와 교수자는 커뮤니케이션과 상호작용을 통하여 공동의 목표를 성취하고, 관심사와 경험을 공유하고, 개념을 통합하고, 심층 학습을 하고, 자신의 잠재력을 개발할 수 있는 기회를 제공받음. 공동체는 학습자와 교수자간의 상호작용이 최소한으로 일어나는 공동체부터 매우 협력적인 공동체까지 다양할 수 있음

웹지원 학습(WSI: Web-Supported Instruction) 학습자가 정기적으로 면대면 수업에 출석하지만 교실 활동을 지원하는 웹 과제와 활동을 부여받음

이러닝(e-learning) 컴퓨터기반훈련(CBT), WBI, CD 등과 같이 교육을 위하여 전기장치와 과정을 사용하는 것

이정표(Milestones) 프로젝트가 일정대로 진행되고, 시간프레임이 조정될 필요가 있는지 결정하기 위하여 언제 중요 과제가 완료되어야하는지를 데드라인으로 나타냄. 이정표는 납기와 정해진 예산 내에서 프로젝트의 성공을 측정하는 데 사용됨

이해당사자(Stakeholder) WBI 설계 및 운영에 직, 간접적으로 관여하는 사람. 일차 이해당사자(직접적인 의사결정권을 가진 사람)와 이차 이해당사자(간접적 또는 제한된 의사결정권을 가진 사람 또는 의사결정에 영향을 받는 사람)로 구분됨

인지주의 학습이론(Cognitive Theories of Learning) 학습은 인지 구조의 변화. 학습자의 마음속에서 일어나는 정보 처리 활동을 강조. 여기에서 정보처리란 학습자가 지식, 기능과 능력을 적용하는 과정에서 이루어지는 정신적 조작활동. 이러한 학습 활동을 외현화된 행동에 대한 관찰 가능한 측정 도구를 통해 연구

인터넷(Internet) 상호연계된 컴퓨터 네트워크를 통하여 데이터를 전송하고, 제시하는 컴퓨터 하드웨어와 소프트웨어의 집합

인터페이스(Interface) 학습자가 웹페이지를 볼 때 바라보는 화면을 말하며, 제시되는 단편적 정보들과 이러한 정보의 배열로 구성됨. WBI에서 보여지는 부분이며, 웹사이트의 내비게이션 및 구조적 특성을 포함함. 텍스트, 그래픽 요소, 기타 다른 미디어로 이루어짐.

일관성(Congruence) 목표, 내용, 교수 활동, 평가 등이 서로 일관되게 어울리고 조화

를 이루고 있는 정도

일대일 평가(One-to-One Tryout) 평가자와 학습자가 함께 교수 프로그램을 검토하는 평가. Dick 등(2005)에 따르면, 교수 프로그램에 대한 학습자의 다양한 반응을 받아보기 위하여 세 명 정도의 학습자를 이용하여 일대일 평가를 해보도록 권장

잡음(Noise) 발신자가 수신자에게 메시지를 보낼 때와 수신자가 메시지를 받을 때 메시지가 정확하게 전달되지 않게 만드는 요소

전달 시스템(Delivery System) 학습자와 상호작용하는 수단으로, 전달 미디어라고도 함

조건(Condition) 목표를 구성하고 있는 요소(조건, 수행, 준거) 중 하나. 목표를 위한 프레임워크를 설정하고, 학습이 일어나는 또는 평가되는 상황

준거(Criteria) 목표를 구성하고 있는 요소(조건, 수행, 준거) 중 하나. 수행을 판단하는 기준으로, 이것 없이는, 학습자의 숙달 또는 수행 수준을 명확하게 정할 수 없음

증상(Symptom) 문제의 결과

진단 평가(Diagnostic Assessment) 새로운 교수 활동에 참여하는 학습자의 준비도를 정함. 이 평가는 학습 결과에 가치를 부여하는데(등급을 매기는) 사용되지 않음. 이러한 유형의 평가는 교수 전이나 초기에 일어남

집단 사고(Group Think) 응답자 중 한 사람이 어떠한 의견을 제시하였을 때 다른 응답자가 그에 동의할 경우 다른 질문 혹은 의견을 제시하지 않고 그냥 수용하는 것

체계적(Systematic) 수업에서 기존 수업 방식을 개선하는 일종의 혁신으로서 수업을 개발하는데 적용하는 조직화된 접근방식

체제적(Systemic) 산출물, 정책, 또는 절차 등 혁신이 조직 전반에 전파되고 침투되게 하는 이념과 관련됨. 달리 말하면, 체제적이라 함은 혁신의 영향력 정도와 조직 전체에 걸쳐 경험되는 방식

총괄평가(Summative Assessment) 교수자가 학습자의 과제를 검토하여 학습자가 교수목표를 달성하였는지를 판단하는 평가. 학습자의 수행 수준의 가치를 부여하는데, 이는 성적 산출에 사용됨

총괄평가(Summative Evaluation) 프로그램 운영 이후 WBI가 전체적으로 어떤 가치가 부가 되었는지를 판단하기 위해 WBI의 효과를 알아보기 위한 활동. 평가자는 이해당사자가 의사결정 내릴 수 있도록 총괄평가 결과를 보고하고 아이디어를 제안함. 총괄평가는 형성평가 이후에 WBI을 더 이상 수정할 필요가 없는 경우나 많은 학습자들이 WBI에 참여하였을 때 실행함

최적 상태(Optimals) 격차 분석에서 확인된 조직 내에서 일어나야만 하는 바람직한 조건

튜터(Tutor) 멘토 참고

평가(Evaluation) 교육 프로그램의 가치를 결정하는 수단. 또한 WBI를 수정할 필요가 있는지, 아니면 어떤 수정도 하지 않고 그대로 유지해도 되는지를 결정하는데 필요한 정보를 수집하는 과정

폐쇄 체제(Closed System) 자기의존적이며, 환경을 포함한 외부 요소를 배제하는 총체

폐쇄형 질문(Close-Ended Question) 응답할 항목을 사전에 제시하여, 그 중에서 선택하게 하는 질문

포탈(Portal) 사용자의 편리한 접근을 위하여 정보와 자원을 조직한 특화된 웹사이트. 포탈은 검색 엔진처럼 서로 다른 웹 서비스에 용이하게 접근할 수 있도록 할 뿐만 아니라 확장된 검색 능력과 다른 형태의 정보와 같은 여러 서비스를 제공함

피드백(Feedback) 학습자가 자신에게 할당된 WBI 활동을 하면서 생긴 질문이나 코멘트를 하고, 그에 대한 응답을 받는 과정

하이게인 질문(High-Gain Question) 개방형 질문에서 학습자가 초기에 응답한 것으로부터 보다 상세한 내용을 얻기 위한 방법

학습공동체(Learning Community) 공통 언어, 가치시스템이나 관심을 공유하는 집단. 학습공동체는 자신의 구성원에게 각 개별 구성원들의 잠재력을 개발하는데 필요한 도구와 과정을 제공

학습 촉진(Facilitation) 운영의 한 측면으로, WBI를 실행하고 학습공동체를 구축하는데 목적을 둠

학습 환경(Learning Environment) 하나의 시스템 또는 조직 내에서 서로 상호작용하고, 개개의 요구를 충족하는데 초점이 맞추어진 상호 연계되고 통합된 구성 요소들

학습에 관한 통합적, 복합이론적 접근(Multitheoretical Approach to Learning) 행동주의, 인지주의, 구성주의 학습이론으로부터 필요한 요소들을 찾아내어 통합한 접근. 학습을 개인의 인지 과정, 기술, 행동 등 다양한 국면상의 항구적 변화로 정의함

학습자 통제(Learner Control) 개인이 학습 환경에 쏟는 조절의 양. 순서, 속도, 디스플레이모드, 내용, 교수전략, 종료 시점, 연습량, 난이도 수준과 같은 변인들에 의하여 정의됨

행동주의 학습이론(Behavioral Theories of Learning) 성숙, 피로, 배고픔 등 생리적 현상이 아닌, 경험에 의하여 일어난 외현적 행동의 변화. 외현화된 행동에 대한 관찰 가능한 측정 도구를 통해 학습 현상을 연구

현장 평가(Field Trial) 프로토타입에 주요한 수정이 일어난 뒤에 행해지는 형성평가 활동. 평가자는 현장 적용과정을 잘 관찰하고, 평가도구를 배포하고 (또는 교수자에게 평가 도구를 배포하도록 하고), WBI에 최소한의 수정이 일어나야 하는 것이 무엇인지를 발견해야한다. 일단 이러한 수정이 끝나면, WBI는 개발이 완료되고, 실제로 활용할 단계가 됨

현재 상태(Actuals) 격차분석에서 파악되는 조직 내 현 상황 또는 사건

형성평가(Formative Assessment) 학습목표에 부합하는지 학습자의 진행사항을 평가하고, 피드백을 제공하는 활동. 피드백은 학습자가 학습목표를 성취할 수 있는 가능성을 높여줌. 이 유형의 평가는 최종 평가 때까지 WBI 전반에 걸쳐 일어남

형성평가(Formative Evaluation) 학습 프로그램을 설계 및 개발하는 중에 해당 프로그램에 대하여 평가하는 과정. 학습 프로그램에 약점이 있는지를 검토하고, 필요한 경우 수정하여 해당 오류를 바로 잡고, 실제 교수 상황에 운영되기 전에 그 프로그램의 효과를 높이는 데 그 목적이 있음

효과성(Effectiveness) 학습자의 학습 목표 달성 여부를 판단

효율성(Efficiency) 시의 적절하게 또는 비용 절감되는 방법으로 코스가 제공되었는지를 판단

WEI 웹강화 학습(Web-Enhanced Instruction)을 참조

WSI 웹지원 학습(Web-Supported Instruction)을 참조

참고문헌

Abbey, B. (2000). *Instructional and cognitive impacts of Web-based education.* Hershey, PA: Idea Group.

Aggarwal, A. (2000). *Web-based learning and teaching technologies: Opportunities and challenges.* Hershey, PA: Idea Group.

Airasian, P.W., & Walsh, M.E. (2000). 8 constructivist cautions. In D. Podell (Ed.), *Stand! Contending ideas and opinions.* Madison, WI: Coursewise.

Alagumalai, S., Toh, K. A., & Wong, J. Y. Y. (2000). Web-based assessment: Techniques and issues. In A. Aggarwal (Ed.), *Web-based learning and teaching technologies: Opportunities and challenges* (pp. 246-256). Hershey, PA: Idea Group.

Albion.com. (1999). *Netiquette.* Retrieved August 24, 2003, from http://www.albion.com/netiquette/

Alderman, M. K. (1999). *Motivation for achievement: Possibilities for teaching and learning.* New Jersey: Lawrence Erlbaum Associates.

Alexander, J. E., & Tate, M. A. (1999). *Web wisdom.* Mahwah, NJ: Lawrence Erlbaum Associates.

Amazon.com. (2004). *Financial reports.* Retrieved March 8, 2005, from http://amazon.com

American Association of Retired Persons. (2002). *Home page.* Retrieved December 10, 2002, from http://www.aarp.com

American Educational Research Association. (2005). *Special interest group directory.* Retrieved March 8, 2005, from http://www.acra/net/Default.aspx?id=274

Andrews. D. H., & Goodson, L. A. (1980), A comparative analysis of models of instructional design, *Journal of Instructional Development, 3*(4), 2-16

Andrews. D. H., F. L., & Duke, D. (2002). Current trends in military instructional design and technology. In R. A. Reiser & J. V. Dempsey (Eds.), *Trends and issues in instructional design and technology* (pp. 211-224). Upper Saddle River, NJ: Merrill/Prentice

Hall.

Banathy, B. B. (1987). Instructional systems design. In R. M. Gagné(Ed.), *Educational technology foundations* (pp. 85-112). Hillsdale, NJ: Lawrence Erlbaum Associates.

Barker, P. (1999). Electronic course delivery, virtual universities, and lifelong learning. *Educational Technology Review*, 10(Spring/Summer), 14-18.

Barrington, M., & Kimani, L. (2003). ID in the military. Class presentation in ISD 610, Trends and Issues in Instructional Design and Development. Unpublished manuscript. Mobile, AL: University of South Alabama, Spring term.

Barron, A. E., & Lyskawa, C. (2001). Course management tools. In B. H. Kahn (Ed.), *Web-based training* (pp. 303-310). Englewood Cliffs, NJ: Educational Technology Publications.

Becker, D. A., & Dwyer, M. M. (1994). Using hypermedia to provide learning control. *Journal of Educational Multimedia and Hypermedia, 3*(2), 155-172.

Beer, V. (2000). *The Web learning fieldbook: Using the World Wide Web to build workplace learning environments*. San Francisco: Jossey-Bass/Pfeiffer.

Berge, Z. L., Collins, M., & Dougherty, K. (2000). Design guidelines for Web-based courses. In B. Abbey (Ed.), *Instructional and cognitive impacts of Web-based education* (pp. 32-40). Hershey, PA: Idea Group.

Berge, Z. L., Collins, M., & Fitzsimmons, T. (2001). Web-based training: Benefits and obstacles to success. In B. H. Khan (Ed.), *Web-based training* (pp. 21-16). Englewood Cliffs, NJ: Educational Technology Publications.

Berry, L. H. (2000). Cognitive effects of Web page design. In B. Abbey (Ed.), *Instructional and cognitive impacts of Web-based education* (pp. 41-55). Hershey, PA: Idea Group.

Bigge, M. L. & Shermis, S. S. (2000). *Learning theories for teachers* (6th ed.). New York: Longman.

Blackboard, Inc. (2000). *Home page*. Retrieved December 5, 2000, from http://www.blackboard.com

Bloom, B. S., Engelhart, M. D., Furst, F. J., Hill, W. H., & Krathwohl, D. R. (1956). *Taxonomy of educational objectives: Cognitive domain*. New York: McKay.

Boling, E., & Frick, T. W. (1997). Holistic rapid prototyping for Web design: Early usability testing is essential. In B. H. Khan (Ed.), *Web-based instruction* (pp. 319-328). Englewood Cliffs, NJ: Educational Technology Publications.

Bonk, C. J. (2004). Navigating the myths and monsoons of online learning strategies and technologies. In P. Formica & T. Kamali (Eds.), *e-ducation without borders: Building transnational learning communities*. (n.p.). Tartu, Estonia: Tartu University Press.

Bonk, C. J., Daytner, K., Daytner, G., Dennen, V., & Malikowski, S. (2001). Using Web-based cases to enhance, extend, and transform pre-service teacher training: Two years in review. In C. D. Maddux & D. L. Johnson (Eds.), *The Web in higher education: Assessing the impact and fulfilling the potential* (pp. 189-212). New York:

Haworth.

Bork, A. (2000). Highly interactive tutorial distance learning. *Information, Communication and Society, 3*(4), 639-644.

Boulmetis, J., & Dutwin, P. (2000). *The ABCs of evaluation: Timeless techniques for program and project managers.* San Francisco: Jossey-Bass

Bourdeau, J., & Bates, A. (1997). Instructional design for distance learning. *Journal of Science Education and Technology, 5*(4), 267-283.

Bowman, M. (1999). What is distributed learning? *Tech Sheet,* 2(1). Retrieved August 24, 2004, from http://techcollab.csumb.edu/techsheet2.1/distributed.html

Brennan, M., Funke, S., & Anderson, C. (2001). *The learning content management system: A new elearning market segment emerges.* IDC White Paper: Framingham, MA. Retrieved April 22, 2004, from http://www.lcmscouncil.org/idcwhitepaper.pdf

Brooks, D. W. (1997). *Web-teaching: A guide to designing interactive teaching for the World Wide Web.* New York: Plenum.

Brooks, J. G., & Brooks, M. G. (1999). *In search of understanding: The case for constructivist classrooms.* Upper Saddle River, NJ: Merrill/Prentice Hall.

Bunker, E. L. (2003). The history of distance education through the eyes of the International Council for Distance Education. In M. G. Moor & W. G. Anderson (Eds.), *Handbook of distance education* (pp. 49-66). Mahwah, NJ: Lawrence Erlbaum Associates.

Burgess, J. V. (2002, March). *Once you have them, how do you keep them?* Paper presented at the annual meeting of the Florida Educational Technology Conference.

Burgstahler, S. (2002). *Distance learning: Universal design, universal Access.* Retrieved June 11, 2002, from http://www.aace.org/pubs/etr/burgstahler.efm

Cable in the Classroom. (2002). *About CIC.* Retrieved December 10, 2002, from http://www.ciconline.com/

Candiotti, A., & Clarke, N. (1998). Combining universal access with faculty development and academic facilities. *Communications of the ACM, 41*(1), 36-41.

Carr-Chellman, A. A. (2001). Long distance collaborative authentic learning (CAL): Recommendations for problem-based training on the web. In B. H. Khan (Ed.), *Web-based training* (pp. 435-444). Englewood Cliffs, NJ: Educational Technology Publications.

Cecez-Kecmanovic, D., & Webb, C. (2000). A critical inquiry into Web-mediated collaborative learning. In A. Aggarwal (Ed.), *Web-based learning and teaching technologies: Opportunities and challenges* (pp. 327-346). Hershey, PA: Idea Group.

Center for Technology in Education at Johns Hopkins University. (2003). *CTE home page.* Retrieved April 10, 2004, from http://www.cte.jhu.edu/

Chapman, B., & the staff of Brandon-Hall.com. (2003). *LCMS report: Comparative analysis of enterprise learning content management systems.* Retrieved May 5, 2004, from http://www.brandon-hall.com/public/execsums/execsum_LCMS2003.pdf

Cheney, C. O., Warner, M. M., & Laing, D. N. (2001). Developing a Web-enhanced, televised distance education course: Practices, problems, and potential. In C. D. Maddux & D. L. Johnson (Eds.), *The Web in higher education: Assessing the impact and fulfilling the potential* (pp. 171-188). New York: Haworth.

Chi-Yung, L., & Shing-Chi, C. (2000). Modeling and analysis of Web-based courseware systems. In A. Aggarwal (Ed.), *Web-based learning and teaching technologies: Opportunities and challenges* (pp. 155-173). Hershey, PA: Idea Group.

Ciavarelli, A. P. (2003). Assessing the quality of online instruction: Integrating instructional quality and Web usability assessments. In J. E. Wall & G. R. Walz (Eds.), *Measuring up: Assessment issues for teachers, counselors and administrators (n.p.).* Washington, DC: ERIC.

Clark, R. C., & Mayer, R. E. (2003). *E-learning and the science of instruction: Proven guidelines for consumers and designers of multimedia learning.* San Francisco: Jossey-Bass/Pfeiffer.

CNN News (2004). *Cheating.* Retrieved December 10, 2004, from http://www.turnitin.com/static/resource_files/cnn1.wmv

Cognitivity Intelligent Learning Systems. (2003). *Reusable learning objects (RLOs).* Retrieved March 24, 2003, from http://www.cognitivity.com/resources/rlos.html

Collins, M., & Berge, Z. (1996). Components of the on-line classroom. In R. E. Weiss, D. S. Knowlton, & B. W. Speak (Eds.), *Principles of effective teaching in online classrooms.* San Francisco: Jossey-Bass.

Collis, B. (2001). Web-based rapid prototyping as a strategy of training university faculty to teach Web-based courses. In B. H. Khan (Ed.), *Web-based training* (pp. 459-468). Englewood Cliffs, NJ: Educational Technology Publications.

Collison, G., Elbaum, B., Haavind, S., & Tinker, R. (2000). *Facilitating online learning: Effective strategies for moderators.* Madison, WI: Atwood.

ComputerUser.com, Inc. (2000). *ComputerUser high-tech dictionary! Emoticons.* Retrieved August 31, 2003, from http://www.computeruser.com/resources/dictionary/emoticons.html

Connor, D. (2000). *Server farm focus.* Retrieved May 9, 2004, from http://www.nwfusion.com/newsletter/servers/2000/0619serv1.html

Cornell, R., & Martin, B. L. (1997). The role of motivation in Web-based instruction. In B. H. Khan (Ed.), *Web-based instruction* (pp. 93-100). Englewood Cliffs, NJ: Educational Technology Publications.

Correspondence Courses and Schools (2003), *Home page.* Retrieved April 1, 2003, from http://www.correspondence-courses-schools.com/

Creswell, J. W. (1994). *Research design: Qualitative and quantitative approaches.* Thousand Oaks, CA: Sage.

Creswell, J. W. (2005). *Educational research: Planning, conducting, and evaluating quantitative and qualitative research* (2nd ed.). Upper Saddle River, NJ:

Merrill/Prentice Hall.

Cross, K. P. (1981). *Adults as learners.* San Francisco: Sage.

Crumlish, C. (1998). *The Internet,* San Francisco: Sybex.

CSU Center for Distributed Learning. (2004). *Home page.* Retrieved August 24, 2004, from http://www.cdl.edu/index.html

Cucchiarelli, A., Panti, M., & Vanenti, S. (2000). Web-based assessment in student learning. In A. Aggarwal (Ed.), *Web-based learning and teaching technologies: Opportunities and challenges* (pp. 175-197). Hershey, PA: Idea Group.

Cyrs, T. (1997). *Teaching and learning at a distance: What it takes to effectively design, deliver, and evaluate programs.* San Francisco: Jossey-Bass

Dabbagh, N. H. (2000). Multiple assessment in an online graduate course: An effectiveness evaluation. In B. L. Mann (Ed.), *Perspectives in Web course management* (pp. 179-197). Toronto: Canadian Scholars Press.

Dabbagh, N. H., Bannan-Ritland, B., & Silc, K. F. (2001). Current and ideal practices in designing, developing, and delivering Web-based training. In B. H. Kahn (Ed.), *Web-based training.* (pp. 343-354). Englewood Cliffs, NJ: Educational Technology Publications.

Danielson, J., Lockee, B., & Burton, J. (2000). ID and HCI: A marriage of necessity. In B. Abbey (Ed.), *Instructional and cognitive impacts of Web-based education* (pp. 118-128). Hershey, PA: Idea Group.

Darbyshire, P. (2000). Distributed Web-based assignment management. In A. Aggarwal (Ed.), *Web-based learning and teaching technologies: Opportunities and challenges* (pp. 198-215). Hershey, PA: Idea Group.

Dashti, A., Kim, S. H., Shahabi, C., & Zimmerman, R. (2003). *Streaming media server design.* New York: Prentice Hall PTR.

Davidove, E. (2002). Maximizing training investments by measuring human performance. In R. A. Reiser & J. V. Dempsey (Eds.), *Trends and issues in instructional design and technology* (pp. 154-167). Upper Saddle River, NJ: Merrill-Prentice Hall.

Davidson, G. V. (1988, October). The role of educational theory in computer mediated instruction. *The CTISS File, 7,* 33-38.

Davidson, G. V. (1990). Matching learning styles with teaching styles: Is it a useful concept in instruction? *Performance and Instruction, 29*(4), 36-38.

Davidson, G. V. (1992). EDC 384P, CAI Design and Languages. Unpublished course materials. Austin, TX: University of Texas at Austin, Spring 1990-Summer 1992.

Davidson-Shivers, G. V. (1998). ISD 622, Advanced Instructional Design. Unpublished course materials. Mobile, AL: University of South Alabama, Spring, 1998 & ongoing.

Davidson-Shivers, G. V. (2001). IDE 640, Instructional Development. Unpublished course materials. Mobile, AL: University of South Alabama, Fall, 2001 & ongoing.

Davidson-Shivers, G. V. (2002). Instructional technology in higher education. In R. A. Reiser & J. V. Dempsey (Eds.), *Trends and issues in instructional design and technol-*

ogy (pp. 239-255). Upper Saddle River, NJ: Merrill-Prentice Hall.

Davidson-Shivers, G. V., Morris, S. B., & Sriwongkol, T. (2003). Gender differences: Are they diminished in online discussions? *International Journal on E-Learning,* 2(1), 29-36.

Davidson-Shivers, G. V., Muilenburg, L. Y., & Tanner, E. J. (2001). How do students participate in synchronous and asynchronous online discussions? *Journal of Educational Computing Research,* 25(4), 351-366.

Davidson-Shivers, G. V., & Rasmussen, K. L. (1998, November). *Collaborative instruction on the Web: Students learning together.* Paper presented at the meeting of Webnet '98, Orlando, FL.

Davidson-Shivers, G. V., & Rasmussen, K. L. (1999, June). *Designing instruction for the WWW: A model.* Paper presented at the meeting of Ed-Media '99, Seattle, WA.

Davidson-Shivers, G. V., & Rasmussen, K. L. (in press). Competencies for instructional design and technology professionals. In R. A. Reiser & J. V. Dempsey (Eds.). *Trends and issues in instructional design and technology* (2nd ed.) (n.p.). Upper Saddle River, NJ: Merrill/Prentice Hall.

Davidson-Shivers, G. V. Salazar, J., & Hamilton, K (2002) *Design of faculty development workshops: Attempting to practice what we preach.* Proceedings of Selected Research and Development Paper Presentations for the 2002 National Convention for the Association for Educational Communications and Technology, Dallas, TX.

Davidson-Shivers, G. V., Salazar, J., & Hamilton, K. (2002). Design of faculty development workshops: Attempting to practice what we preach. *College Student Journal.*

de Boer, W., & Collis, B. (2001). Implementation and adaptation experiences with a WWW-based course management system. In C. D. Maddux & D. L. Johnson (Eds.), *The Web in higher education: Assessing the impact and fulfilling the potential* (pp. 127-146). New York: Haworth.

Dean, P. J. (1999). Designing better organizations with human performance technology and organization development. In H. D. Stolovitch & J. Keeps (Eds.), *Handbook of human performance technology: Improving individual and organizational performance worldwide* (2nd ed., pp. 321-334). San Francisco: Jossey-Bass/Pfeiffer.

Dede, C. J. (1990). The evolution of distance learning: Technology-mediated interactive learning. *Journal of Research on Computing in Education, 22*(3), 247-264.

Dempsey, J. V. (2002, January). *Integrating instructional technology into training.* Presentation at the Mobile Area Training and Education Symposium, Mobile, AL.

Denzin, N. K., & Lincoln, Y.S. (Eds.). (1994). *Handbook of qualitative research.* Thousand Oaks, CA: Sage.

Department for Education and Skills (2002). *Home page.* Retrieved December 15, 2004, from http://www.dfes.gov.uk/

Dick, W., Carey, L., & Carey, J. O. (2005). *The systematic design of instruction* (6th ed.). New York: Addison-Wesley/Longman.

Dodge, B. (1997). *Some thoughts about WebQuests.* Retrieved April 20, 2000, from http://www.edweb.sdsu.edu/courses/edtec596/about_webquests.html

Driscoll, M. P. (2005). *Psychology of learning for instruction* (3rd ed.). Boston: Pearson/Allyn & Bacon.

Duffy, T. M., & Jonassen, D. H. (1992). Constructivism: New implications for instructional technology. In T. M. Duffy & D. H. Jonassen (Eds.), *Constructivism and the technology of instruction* (pp. 1-16). Hillsdale. NJ: Lawrence Erlbaum Associates.

eBay Inc. (2005). *Company overview.* Retrieved March 8, 2005, from http//pages.ebay.com/community/aboutebay/overview/index.html

eCollege.com. (1999). *How to design, develop, and teach an online course.* Denver, CO: Author.

Eggen, P. D., & Kauchak. D. (2003). *Educational psychology: Windows on classrooms* (6th ed.). Upper Saddle River, New Jersey: Merrill/Prentice Hall.

Ertmer, P. A., & Newby, T. J. (1993). Behaviorism, cognitivism, constructivism: Comparing critical features from a design perspective. *Performance Improvement Quarterly, 6*(4), 50-72.

Esque, T. J. (2001). *Making an impact: Building a top-performing organization from the bottom up.* Silver Spring, MD: ISPI.

Esser, J. K. (1998). Alive and well after 25 years: A review of groupthink research. *Organizational Behavior and Human Decision Processes, 73,* 116-141.

Fisher, M. M. (2000). Implementation considerations for instructional design of Web-based learning environments. In B. Abbey (Ed.), *Instructional and cognitive impacts of Web-based education* (pp. 78-101). Hershey, PA: Idea Group.

Fisher, S. G., & Peratino, W. S. (2001). Designing Web-based learning environments at the Department of Defense: New solutions. In B. H. Khan (Ed.), *Web-based training* (pp 405-414). Englewood Cliffs, NJ: Educational Technology Publications.

Fitzpatrick, J. L. Sanders, J. R., & Worthen, B. R. (2004). *Program evaluation* (3rd ed.). New York: Pearson.

Fleming, M. L. (1987). Displays and communication. In R. M. Gagné (Ed.), *Instructional technology: Foundations* (pp. 233-260). Hillsdale, NJ: Lawrence Erlbaum Associates.

Florida Information Resource Network. (2003). *Welcome.* Retrieved May 8, 2004, from http://www.firn.edu/

Flynn, E. (2003). *NKO gives sailors single point access to the future.* Retrieved May 12, 2004, from www.news.navy.mil

4Teachers.org. (2004). *QuizStar.* Retireved December 1, 2004, from http://www.4teachers.org

Fox News. (2004). *Turnitin.* Retrieved December 10, 2004, from http://turnitin.com/static/resource_files/foxNews.wmv

French, D., & Valdes, L. (2002) Electronic accessiblity practices: United States and international perspectives. *Educational Technology Review, 10*(1), Retrieved April 1,

2004, from http://www.aace.org/pubs/etr/issue2/french-a.cfm

Frick, T. W., Corry, M., & Bray, M. (1997). Preparing and managing a course Web site: Understanding systemin change in education. In B. H. Khan (Ed.), *Web-based instruction* (pp. 431-436). Englewood Cliffs, NJ: Educational Technology Publications.

Fullan, M. (1990). Staff development, innovation, and institutional development. In B. Joyce (Ed.), *Changing school culture through staff development: The 1990 ASCD Yearbook* (pp. 3-25). Alexandria, VA: ASCD.

Fullan, M., & Pomfret, A. (1977). Research on curriculum and instruction implementation. *Review of Educational Research, 47*(2), 335-397.

Gagné, R. M. (1985) *The conditions of learning and theory of instruction.* New York: Holt, Rinehart & Winston.

Gagné, R. M. (Ed.). (1987). *Instructional technology: Foundations.* Hillsdale, NJ:Lawrence Erlbaum Associates.

Gagné, R. M., Briggs, L. J., & Wager, W. W. (1992). *Principles of instructional design* (4th ed.). Orlando, FL: Harcourt, Brace, Jovanovich.

Gagné, R. M., & Medsker, K. L. (1996). *The conditions of learning: Training applications.* Fort Worth, TX: Harcourt Brace & Co.

Gagné, R. M., Wager, W., Goals, K. C., & Keller, J. M. (2005). *Principles of instructional design* (5th ed). Belmont, CA: Wadsworth/Thomson.

Gall, M. D., Gall, J. P., & Borg, W. R. (2003). *Educational research: An introduction* (7th ed.). New York: Allyn & Bacon.

Gibbons, A. S., Lawless, K. A., Anderson, T. A., & Duffin, J. (2001) The Web and model-centered instruction. In B. H. Khan (Ed.), *Web-based training* (pp. 137-146). Englewood Cliffs, NJ: Educational Technology Publications.

Gilbert, S. D. (2001). *How to be a successful online student.* New York: McGraw-Hill.

Goto, K., & Cotler, E. (2004). *Web redesign 2.0: Workflow that works* (2nd ed.). Indianapolis, IN: New Riders.

Grabowski, B. L. (1995). Message design: Issues and trends. In G. J. Anglin (Ed.), *Instructional technology: Past, present and future* (2nd ed., pp. 222-232). Englewood, CO: Libraries Unlimited.

Greer, M. (1992). *ID project management: Tools and techniques for instructional designers and developers.* Englewood Cliffs, NJ: Educational Technology Publications.

Greer, M. (1999). Planning and managing human performance technology projects. In H. D. Stolovitch & E. J. Keeps (Eds.), *Handbook of human performance technology: Improving individual and organizational performance worldwide* (2nd ed., pp. 96-121). San Francisco: Jossey-Bass/Pfeiffer.

Gronlund, N. E. (2003). *Assessment of student achievement* (7th ed.). Boston: Pearson/Allyn & Bacon.

Gronlund, N. E. (2004). *Writing instructional objectives for teaching and assessment* (7th ed.). Upper Saddle River, NJ: Merrill/Prentice Hall.

Guba, E. G., & Lincoln, Y. S. (1989). *Fourth generation evaluation*. Newbury Park, CA: Sage.

Gunawardena, C., Plass, J., & Salisbury, M. (2001). Do we really need an online discussion group? In D. Murphy, R. Walker, & G. Webb (Eds.), *Online learning and teaching with teaching with technology: Case studies, experience and practice* (pp. 36-43). London: Kogan Page.

Gustafson, K. L. (2002). The future of instructional design. In R. A. Reser & J. V. Dempsey (Eds.), *Trends and issues in instructional design and technology* (n.p.). Upper Saddle River, NJ: Merrill/Prentice Hall.

Gustafson, K. L., & Branch, R. M. (2003). *Survey of instructional development models* (4th ed.). Syracuse, NY: Syracuse University, ERIC Clearinghouse on Information & Technology.

Hale, J. (2002). *Performance-based evaluation*. San Francisco: Gossey-Bass/Pfeiffer.

Hall, B. (2002). *Learning management systems and learning content management systems demystified*. Retrieved March 15, 2004, from http://www.brandonhall.com/public/resources/lms_lcms/

Hall, J. P., & Gottfredson, C. A. (2001). Evaluating Web-based training: The quest for the information-age employee. In B. H. Khan (Ed.), *Web-based training* (pp. 507-514). Englewood cliffs, NJ: Educational Technology Publications.

Hall, R. H. (2001). Web-based training site design principles: A literature review and synthesis. In B. H. Khan (Ed.), *Web-based training* (pp. 165-172). Englewood Cliffs, NJ: Educational Technology Publications.

Hall, R. H., Watkins, S. E., & Ercal, F. (2000, April). *The horse and the cart in Web-based instruction: Prevalence and efficacy*. Presentation at the annual meeting of the American Educational Research Association, New Orleans, LA.

Hallet, K., & Essex, C. (2002, June). *Evaluating online instruction: Adapting a training model to e-learning in higher education*. Paper presented at the EdMedia 2002 World conference on Educational Multimedia, Hypermedia & Telecommunications, Denver, CO. (ERIC Document Reproduction Service No. ED477023)

Hamel, C. J., Ryan-Jones, D, L., & Joint Advanced Distributed Co-Laboratory. (2001). *We're not designing courses anymore*. Retrieved March 29, 2003, from http://www.fcfu.ck/articel/hamel.htm

Hannafin, M. J., & Pech, K, L. (1998). *The design, development, and evaluation of instructional software*. New York: Macmillan.

Hannum, W. H. (2001). Design and development issues in Web-based training. In B. H. Khan (Ed.), *Web-based training* (pp. 155-164). Englewood Cliffs, NJ: Educational Technology Publications.

Hannum, W. H., & Hansen, C. (1989). *Instructional systems development in large organizations*. Englewood Cliffs, NJ: Educational Technology Publications.

Harvard Business School. (2003). *Global 2000 companies rely on Harvard Business*

School publishing for online leadership and management training. Retrieved April 19, 2004, from http://www.elearning.hbsp.org/news/may19.html

Haugen, B. (2003). *Learning management systems: LMS integrates with human resources*. Retrieved March 20, 2002, from http://www.entrepreneurstrategies.com/ILT_MD/LMS/Imstour2.htm

Hawkins, B. L. (1999). Distributed elearning and institutional restructuring. *Educom Review*, 4(34), n.p. Retrieved August 24, 2004, from http://www.educase.edu/ir/ library/html/erm9943.html

Hawkridge, D. (2002). Distance learning and instructional design in international settings. In R. A. Reiser & J. V. Dempsey (Eds). *Trends and issues in instructional design and technology* (pp. 269-278). Upper Saddle River, NJ: Merrill/Prentice Hall.

Hazari, S. (2001). Online testing methods in Web-based training courses. In B. H. Khan (Ed.), *Web-based training* (pp. 297-302). Englewood Cliffs, NJ: Educational Technology Publications.

Hedberg, J. C., Brown, C., Larkin, J. L., & Agostinho, S. (2001). Designing practical websites for interactive training. In B. H. Khan (Ed.), *Web-based training* (pp. 257-270). Englewood Cliffs, NJ: Educational Technology Publications.

Henke, H. (2001). *Electronic books and epublishing: A practical guide for authors*. NY: Springer.

Hill, T., & Chidambaram, L. (2000). Web-based collateral support for traditional learning: A field experience. In A. Aggarwal (Ed.), *Web-based learning and teaching technologies: Opportunities and challenges* (pp. 282-291). Hershey, PA: Idea Group.

Hilman, D. (1998). *Multimedia technology and applications*. Albany, NY: Delmar.

Hittleman, D. R., & Simon, A. J. (2002). *Interpreting educational research: An introduction for consumers of research* (3rd ed.). Upper Saddle River, NJ: Merrill/Prentice Hall.

Horgan, B. (1998). *Faculty, instruction and information technology*. Retrieved January 18, 2001, form http://www.asia.microsoft.com/education/hed/articles/facsep98.htm

Horton, S. (2000). *Web teaching guide*. New Haven, CT: Yale University Press.

Hughes. M., & Burke, L. (2000). Usability testing of Web-based training. In B. H. Khan (Ed.), *Web-based training* (pp. 531-536). Englewood Cliffs, NJ:Educational Technology Publications.

Inspiration Software, Inc. (2005). *Inspiration® v.7.6*. Retrieved March 4, 2005, from http://www.inspiraion.com/index.cfm

Institute for Higher Education Policy. (2000). *Quality on the line: Benchmarks for success in internet-based distance education*. Washington, DC: Author.

Instructional Technology Research Center. (2004). Story-boarding. Morgantown, WV: West Virginia University. Retrieved November 10, 2004, from http://www.itrc.wvu.edu/coursedev/production/chapter06.html

International Webmasters Association/HTML Writers Guid. (2004). *WWW Development Resources*. Retrieved May 5, 2005, from http://www.hwg.org/resources

iParadigms, LLC. (2005a). *iThenticate*. Retrieved March 19, 2005, from http://ithenticate.com/

iParadigms, LLC. (2005b). *Turnitin*. Retrieved March 19, 2005, from http://t urnitin.com/

Janis, R. (1973). *Victims of groupthink: A psychological study of foreign policy decisions and fiascos*. Boston: Houghton Mifflin.

Johnson, B., & Christenson, L. B. (2003). *Educational research quantitative, qualitative, and mixed approaches, research edition* (2nd de.). Boston: Pearson Allyn & Bacon.

Johnson, D. W., & Johnson, R. T. (2002). *Meaningful assessment: A manageable and co-operative process*. Boston: Allyn & Bacon.

Johnson, R. B. (1997). Examining the validity structure of qualitative research. *Education, 118*(2), 282-292.

Joint ADL Co-Laboratory. (2001). *Guidelines for design and evaluation of Web-based instruction*. Orlando, FL: Institute for Simulation and Training. Retrieved January 23, 2002, from http://www.adlnet.org/adldocs/Document/guidelines.doc

Joint Committee on Standards for Educational Evaluation. (1994). *The program evaluation standards* (2nd ed.). Thousand Oaks, CA: Sage.

Joint Information Systems Committee. (2003). *E-learning and pedagogy programme*. Retrieved December 22, 2003, from http://www.jisc.ac.uk/index.cfm?name=elearning_pedagogy

Jonassen, D. H. (1992). Evaluating constructivist learning. In T. M. Duffy & D. H. Jonassen (Eds.), *Constructivism and the technology of instruction* (pp. 137-148). Mahwah, NJ: Lawrence Erlbaum Associates.

Jonassen, D. H. (1999). Designing constructivist learning environments. In C. Reigeluth (Ed.). *Instructional design theories and models: A new paradigm of insturctional theory*. (Vol. 2, pp. 215-239). Mahwah, NJ: Lawrence Erlbaum Associates.

Jonassen, D. H., & Grabinger, R. S (1992). Applications of hypertext: Technologies for higher education. *Journal of Computing in Higher Education, 4*(2), 12-42.

Jonassen, D. H., & Grabowski, B. L. (1993). *Handbook of individual differences, learning, and instruction*, Hillsdale, NJ: Lawrence Erlbaum Associates.

Jonassen, D H., & Hannum, W. H. (1995). Analysis of task analysis procedures. In G. J. Anglin (Ed.), *Instructional technology: Past, present, and future* (2nd de., pp. 197-209). Englewood, CO: Libraries Unlimited.

Jonassen, D. H., Hannum, W. H., &Tessmer, M. (1989). *Handbook of task analysis procedures*. New York: Praeger.

Jones, M. G., & Farquhar, J. D. (1997). User interface design for Web-based instruction. In B. H. Khan (Ed.), *Web-based instruction* (pp. 239-244). Englewood Cliffs, NJ: Educational Technology Publications.

Jones, T. S., & Richey, R. C. (2000). Rapid prototyping methodology in action: A developmental study. *ETR&D, 48*(2), 63-80.

Jung, I. (2003). Cost-effectiveness of online education. In M. G. Moore & W. G.

Anderson (Eds.), *Handbook of distance education* (pp. 717-7400). Mahwah, NJ: Lawrence Erlbaum Associates.

Jupitermedia Corp. (2003). *Browser evolution.* Retrieved May 1, 2004, form http://www.jupiterresearch.com

Keller, J. M. (1987). The systematic process of motivational design. *Performance and Instruction, 26*(9-10), 1-8.

Keller, J. M. (1999).Motivational systems. In H. D. Stolovitch & E. J. Keeps (Eds.), *Handbook of human performance technology : Improving individual and organizational performance worldwide* (2nd ed., pp. 373-394). San Francisco: Jossey-Bass.

Khan, B. H. (1997). Web-based instruction: What is it and why is it? In B. H. Khan (Ed.), *Web-based instruction* (pp. 5-18). Englewood Cliffs, NJ: Educatonal Technology Publications.

Khan, B. H. (2001). A framework for Web-based learning. In B. H. Khan (Ed.), *Web-based training* (pp. 75-98). Englewood Cliffs, NJ: Educational Technology Publications.

Khan, B. H., & Vega, R. (1997). Factors to consider when evaluating & a Web-based instruction course: A survey. In B. H. Khan (Ed.), *Web-based instruction* (pp. 375-380). Englewood Cliffs, NJ: Educational Technology Publications.

Kinshunk, & Patel, A. (2001). Implementation issues in Web-based training, In B. H. Khan(Ed.), *Web-based training* (pp. 375-380). Englewood Cliffs, NJ: Educational Technology Publications.

Kinizie, M. B., & Berdel, R. L. (1990). Effective design and utilization of hypermedia. *Educational Technology Research & Development, 38*(3), 61-68.

Kirkpatrick, D. L. (1998). *Evaluating training programs: The four levels* (2nd ed.). San francisco: BerrettKoehler.

Knowles, M. S., Holton, E. F., & Swanson, R. A. (1998). *The adult learner* (5th ed.). Woburn, MA: Butterworth-Heinmann.

Ko, S., & Rossen, S. (2001). *Teaching online: A practical guide*. Boston: Houghton Mifflin.

Kozulin, A. (2003). Psychological tools and mediated learning. In A. Kozulin, B. Gindis, V. Ageyev, & S. M. Miller (Eds.), *Vygotsky' s educational theory in cultural context* (pp. 15-38). New York: Cambridge University Press.

Krathwohl, D. R. (2002). A revision of Bloom' s taxonomy: An overview. *Theory into Practice, 41*(4), 213-218.

Krathwohl, D. R., Bloom, B. S., & Masia, B. B. (1964). *Taxonomy of educational objectives: Book 2-Affective domain*. New York: Longman.

Kraushaar, J. M., & Shirland, L. E. (1985). A prototyping method for application development by end users and information systems specialists. *MIS Quaterly,* (November), 189-197.

Kubin, L. (2002, April). *Understanding faculty productivity*. Paper presented at the

Special Interest Group-Instructional Technology meeting at the Annual Meeting of the American Educational Research Association, New Orleans, LA.

Kubiszyn, T., & Borich, G. (1987). *Educational testing and measurement: Classroom application and practice* (2nd ed.). Glenview, IL: Scott, Foresman.

Lefrnaçois, G. R. (2000). *Theories of human learning: Kro' s report* (4th ed.). Pacific Grove, CA: Brooks/Cole.

Lee, J. R., & Johnson, C. (1998). Helping higher education faculty clear instructional technology hurdles. *Educational Technology Review, 10*(Autumn/Winter), 15-17.

Leedy, P. D., & Ormrod, J. E. (2005). *Practical research: Planning and design* (8th ed.). Upper Saddle River, NJ: Merrill/Prentice Hall.

Lewis, C. (2000). Taming the lions and tigers and bears: The WRITE WAY to communicate online. In K. W. White & B.H. Weight (Eds.), *The online teaching guide: A handbook of attitudes, strategies, and techniques for the virtual classroom* (pp. 13-23). Needham Heights, MA: Allyn & Bacon.

Lin, C. H., & Davidson, G. V. (1996). Effects of linking structure and cognitive style on students' performance and attitude in a computer-based hypertext environment. *Journal of Educatioanal Computing Reseach, 15*(4), 317-29.

Linn, R. O., & Gronlund, N. E. (2002). *Measurement and assessment in teaching* (8th ed.) Englewood Cliffs, NJ: Merrill/Prentice Hall.

Lohr, L. L. (2003). *Creating graphics for learning and performance: Lessons in visual literacy.* Upper Saddle River, NJ: Merrill/Prentice Hall.

Lynch, P. J., & Horton, S. (1999). *Web style guide: Basic design principles for creating Web sites.* New Haven, CT: Yale University Press.

MacKnight, C. B. (2001). Supporting critical thinking in interactive learning environments. In C. D. Maddux & D. L. Johnson (Eds.), *The Web in higher education: Assessing the impact and fulfilling the potential* (pp. 17-32). New York: Haworth.

Maddux, C. D., & Cummings, R. C. (2000). Developing Web pages as supplements to traditional course. In B. Abbey (Ed.), *Instructional and cognitive impacts of Web-based instruction* (pp. 147-155). Hershey, PA: Idea Group.

Mager, R. F. (1997). *Preparing objectives for effective instruction* (3rd ed.). Atlanta, GA: CEP.

Malaga, R. A. (2000). Using a course Web site to enhnace traditional lecture style course: A case study and approach for site development. In A. Aggarwal(Ed.), *Web-based learning and teaching technologies: Opportunities and challenges* (pp. 293-306). Hershey, PA: Idea Group.

Marable, T. D. (1999). The role of student mentors in a precollege engineering program. In M. J. Haring & K. Freeman(Eds.), Mentoring underrepresented students in higher education [Special issue]. *Peabody Journal of Education,* 74(2), 44-54.

Maslow, A. H. (1987). *Motivation and personality* (3rd ed.). New York: Harper & Row.

Maxwell, W. E.,& Kazlauskas, E. J. (1992). Which faculty development methods really work in community colleges? A review of the research. *Community/Junior College Quarterly, 16*(1), 351-360.

Mayer, R. E. (2003). *Learning and instruction.* Upper Saddle River, NJ: Merrill/Prentice Hall.

McClelland, D., Eisman, K., & Stone, T.(2000). *Web design studio secrets.* New York: John Wiley & Sons.

McLagan, P. (2002). *Change is everybody' s business.* San Francisco: Berrett-Koehler.

McLellan, H. (1997). Creating virtual communities via the Web. In B. H. Khan (Ed.), *Web-based instruction* (pp. 185-212). Englewood Cliffs, NJ: Educational Technology Publications.

McMillan, J. H., & Schumacher, S. (1997). *Research in education: A conceptual introduction* (4th ed.). New York: Addison-Wesley.

Merriam, S. B., & Caffarella, R. S. (1999). *Learning in adulthood: A comprehensive guide* (2nd ed.).San Francisco: Jossey-Bass.

Merrill, M. D., Tennyson, R. D., & Posey, L. O. (1992). *Teaching concepts: An instructional design guide* (2nd ed.). Englewood Cliffs, NJ: Educational Technology Publications.

Merrill, P. F. (1987). Job and task analysis. In R. M. Gagné (Ed.), *Instructional technology:* Foundations (pp. 143-173). Hillsdale, NJ: Lawrence Erlbaum Associates.

Microsoft Corporation. (1999). *Building and using intranets and the Internet for your college or university.* Retrieved January 3, 2003, from http://www.asia.microsoft.com/education/hed/admin/solutions.intranet/

Microsoft Corporation. (2001). *Small business server 2000 getting started guide.* Retrieved May 9, 2004, form http://www.microsoft.com/technet/prodtechnol/sbs/2000/plan/guide/sbspni5k.mspx

Milheim, W. D., & Bannan-Ritland, B. (2001). Web-based training: current status of this instructional tool. In B. H. Khan (Ed.), *Web-based training* (pp. 279-286). Englewood Cliffs, NJ: Educational Technology Publications.

Miller, G. A. (1956). The magical number seven, plus or minus two: Some limits on our capacity for processing information. *Psychological Review, 63*, 81-97.

Miller, S. M., & Miller, K. L. (2000). Theoretical and practical considerations in the design of Web-based instruction. In B. Abbey (Ed.), *Instructional and cognitive impacts of web-based instruction* (pp. 156-177). Hershey, PA: Idea Group.

Mills, G. E. (2003). *Action research: A guide for the teacher researcher* (2nd ed.). Upper Saddle River, NJ: Merrill/Prentice Hall.

Ministry of Education. (2003). *Digital horizons: Learning through ICT* (rev. ed.). Retrieved May 1, 2004, from http://www.minedu.govt.nz/index.cfm?layout=document& documentid=9359&indexid=9320&indexparentid=1024

Moore, M. G. (1989). Three types of transaction In M. G. Moore & C. G. Clark (Eds.), *Readings in principles of distance education* (pp. 100-105). University Park, PA: Pennsylvania State University.

Moore, M. G., & Kearsley, G. (1996). *Distance education: A system view.* New York: Wadsworth.

Morrison, G. R., Ross, S. M., & Kemp, J. E. (2004). *Designing effective instruction* (4th ed.). Hoboken, Nj: John Wiley & Sons.

Morrison, J. L. (1996). Anticipating the futhre. *On the Horizon, 4*(3), 2-3.

Mosley, D. C., Pietri, P. H., & Megginson, L. C. (1996). *Management: Leadership in action.* New York: Harper Collins.

Mourier, P., & Smith, M. (2001). *Conquering organizational change.* Atlanta, CA: CEP.

Neely, M. (2000). *Writing objectives for precision teaching.* Retrieved Deceber 4, 2004, from http://www.cerleration.org/articles/writing_objectives.htm

Nicenet. (2003). Home page. Retrieved March 23, 2005, from http://nicenet.org/

Nichols, G. W. (1997). Formative evaluation of Web-based instruction. In B. H. Khan (Ed.), *Web-based instruction* (pp. 369-374). Englewood Cliffs, NJ: Educational Technology Publications.

Nielsen, J. (2000). *Designing Web usability.* Indianapolis, IN: New Riders.

Nike, Inc. (2004). *Nike time line.* Retrieved May 9, 2004, from http://nike.com/nikebiz/media/nike_timeline/nike_timeline.pdf

Nix, B. (2003, September). *Using technology to get more bang for your training buck!* Paper presented at the meeting of the Mobile Area for Training and Education Symposium. Summerdale, AL.

Nixon, E. K., & Lee, D. (2001). Rapid prototyping in the instructional design process. *Performance Improvement Quarterly, 14*(3), 95-116.

Norman, K. L. (2000). Desktop distance education: Personal hosting of Web courses. In A. Aggarwal (Ed.), *Web-based learning and teaching technologies: Opportunities and challenges* (pp. 117-134). Hershey, PA: Idea Group.

Northrup, P. T. (2001). A framework for designing interactivity into Web-based instruction. *Educational Technology, 41*(2), 31-39

Northrup, P. T. (2002). Online learners' preferences for interaction. *Quarterly Review of Distance Education, 3*(2), 219-226.

Northrup, P. T., & Rasmussen, K. L. (2001). considerations for designing Web-based programs. *Computers in the Schools, 17*(3-4), 33-46.

Northrup, P. T., Rasmussen, K. L., & Burgess, V.(2001, October). *Online learning : A survivor' s guide.* Paper presented at the CNET CISO conference, Pensacola, FL.

Northrup, P. T., Rasmussen, K. L., & Dawson, D. B. (2004). Designing and reusing learning objects to streamline Web-based instructional development. In A-M. Armstrong (Ed.), *Instructional design in the real world: A view form the trenches* (n.p.). Hershey, PA: Idea Group.

Oblinger, D. G., Barone, C. A., & Hawkins, B. L. (2001). *Distributed education and its challenges: an overview.* Retrieved September 30, 2004, from http://www.acenet.edu/bookstore/pdf/distributed-learning/distributed-learning-01.pdf

Opera Software. (2003). *Home page.* Retrieved May 4, 2004, from http://www.opera.com/

Ormrod, J. E. (2004). *Human learning* (4th ed.). Upper Saddle River, NJ:Merrill/prentice Hall

OTT/HPC Spider. (2003). *Office of training technology.* Retrieved March 24, 2003, from http://ott.navy. mil (currently http://www.spider.hpc.navy.mil/)

Palloff, R. M., & Pratt, K. (1999). *Building learning communities in cyberspace.* San Francisco: Jossey-bass.

Palloff, R. M., & Pratt, K. (2003). *The virtual student: A profile and guide to working with online learners.* San Francisco: Jossey-Bass/John Wiley & Sons.

Parks, E. (2001). *E-tales of instructional design: Principles of effective elearning design.* Retrieved February 28, 2002, from http://www.linezine.com/3.1/features/epetid.htm

Patton, M. Q. (1990). *How to use qualitative methods in evaluation.* Newbury Park, CA: Sage.

Patton, M. Q. (2002). *Qualitative research and evaluation methods.* Thousand Oaks, CA: Sage.

Peal, D., & Wilson, B. G. (2001). Activity theory and Web-based training. In B. H. Khan (Ed.), *Web-based training* (pp. 147-154). Englewood Cliffs, NJ: Educational Technology Publications.

Persichitte, K. A. (2000). A case study of lessons learned for the Web-based educator. In B. Abbey (Ed.), *Instructional and cognitive impacts of Web-based instruction* (pp. 192-199). Hershey, PA: Idea Group.

Peters, O. (2003). Learning with new media in distance education. In M. G. Moore & W. G. Anderson (Eds.), *Handbook of distance education* (pp. 87-112). Mahwah, NJ: Lawrence Erlbaum Associates.

Phillips, P. P. (2002). *The bottomline on ROI.* Atlanta, GA: CEP.

Pintrich, P. R., & Schunk, D. H. (2002). *Motivation in education: Theory, research, and applications* (2nd ed.). Upper Saddle River, NJ: Merrill/prentice Hall.

Pittman, V. V. (2003). Correspondence study in the American University: A second historiographic perspective. In M. G. Moore & W. G. Anderson (Eds.), *Handbook of distance education* (pp. 27-35). Mahwah, NJ: Lawrence Erlbaum Associates.

Popham, W. J. (2002). *Classroom assessment: What teachers need to know* (3rd ed.). Boston: Allyn & Bacon.

Powers, S. M., & Guan, S. (2000). Examining the range of student needs in the design and development of a Web-based course. In B. Abbey (Ed.), *Instructional and cognitive impacts of Web-based education* (pp. 200-226). Hershey, PA: Idea Group.

Ragan, T. J., & Smith, P. L. (2004). Conditions theory and models for designing instruction. In D. H. Jonasser, (ed.). *Handbook of research on educational communications and technology.* (pp. 623-649). Mahwah, NJ: Lawrence Erlbaum Associates.

Rasmussen, K. L. (2002, June). *Online mentoring: a model for supporting distant learners.*

Paper presented at the annual meeting of Ed-Media 2002, Denver, CO.

Rasmussen, K. L., Davidson, G. V. (1996, June). *Dimensions of learning styles and their influence on performance in hypermedia lessons*. Paper presented at the meetings of Ed-Media & Ed-Telecom, '96, Boston, MA.

Rasmussen, K. L., & Northrup, P. T. (2000, February). Interaction on the Web: *A framework for building learning communities*. Paper presented at the annual meeting of Association for Educational and communications Technology, Long Beach, CA.

Rasmussen, K. L., & Northrup, P. T., & Lee, R. (1997). Issues in implementation of Web-based instruction course. In B. H. Khan (Ed.), *Web-based instruction: Development, application, and evaluation* (pp. 341-346). Englewood Cliffs, NJ: Educational Technology Publications.

Rasmussen, K. L., & Northrup, P. T., & Lombardo, C. (2002, December). *Seven years of online learning*. Paper presented at the annual meeting of IITSEC, Orlando, FL.

Ravitz, J, (1997). Evaluating learning networks: A special challenge in Web-based instruction. In B. H. Khan (Ed.), *Web-based instruction* (pp. 361-368). Englewood Cliffs, NJ: Educational Technology Publications.

Real Media. (2004). Meeting your unique streaming needs. Retrieved April 15, 2004, from http://www.realnetworks.com/industries/index.html

Reddick, R., & King, E. (1996). *The online student: making the grade on the Internet*. Orlando, FL Harcourt Brace.

Reigeluth, C. M. (1987). *Instructional theories in action: Lessons illustrating selected theories and models*. Hillsdale, NJ: Lawrence Erlbaum Associates.

Reigeluth, C. M. (Ed.). (1999). *Instructional-design theories and models: A new paradigm of instructional theory* (Vol. 2). Mahwah, NJ: Lawrence Erlbaum Associates.

Reigeluth, C. M., & Garfinkle, R. J. (Eds.). (1994). *Systemic change in education*. Englewood Cliffs, NJ: Educational Technology Publications.

Riesbeck, C. K. (1996). Case-based teaching and constructivism: Carpenters and tools. In B. G. Wilson (Ed.). *Constructivist learning environments: Case studies in instructional design* (pp. 49-64). Englewood Cliffs, NJ: Educational technology Publications.

Reiser, R. A. (2002). A history of instructional design and technology. In R. A. Reiser & J. V. Dempsey (Eds.), *Trends and issues in instructional design and technology* (pp. 26-54). Upper Saddle River, NJ: Merill/Prentice Hall.

Reiser, R. A., & Dempsey, J. V. (Eds.). (2002) *Trends and issues in instructional design and technology*. Upper Saddle River, NJ: Merill/Prentice Hall.

Reiser, R. A., & Dick, W. (1996). *Instructional planning: A guide for teachers* (2nd ed.), Boston: Allyn & Bacon.

Rice, J. C., Coleman, M. D., Shrader, V. E., Hall, J. P., Gibb, S. A., & Mcbride, R. H. (2001). developing Web-based training for a global corporate community. In B. H. Khan (Ed.), *Web-based training* (pp. 191-202). Englewood Cliffs, NJ: Educational Technology Publications.

Richey, R. (1986). *The theoretical and conceptual bases of instructional design*. New York: Nichols.

Richey, R., Morrison, G. (2002). Instructional design in business and industry. In R. A. Reiser & J. V. Dempsey (Eds.), *Trends and issues in instructional design and technology* (pp. 197-210). Upper Saddle River, NJ: Merrill/Prentice Hall.

Ritchie, D. C., & Hoffman, B. (1997). *Using instructional design principles to amplify learning on the World Wide Web*. Syracuse, NY: ERIC. (ERIC Document Reproduction Service No. Ed415835)

Robinson, M. T. (2000). *The career planning process explained in 60 seconds*. Retrieved May 1, 2004, from http://www.careerplanner.com/Career-Articles/Career_Planning_Process.htm

Robinson, P., & Borkowski, E. Y. (2000). Faculty development for Web-based teaching: Weaving pedagogy with skills training. In A. Aggarwal (Ed.), *Web-based learning and teaching technologies: Opportunities and challenges* (pp. 216-226). Hershey, PA: Idea Group.

Romiszowski, A. J. (1981). *Designing instructional systems: Decision making in course planning and curriculum design*. London: Kogan Page.

Romiszowski, A. J. & Chang, E. (2001). A practical model for conversational web-based training: A response from the past to the needs of the future. In B. H. khan (Ed.), *Web-based training* (pp. 107-128). Englewood Cliffs, NJ: Educational Technology Publications.

Rosenberg, M. (2001). *E-learning: Strategies for delivering knowledge in the digital age*. New York: McGraw-Hill

Rossett, A. (1987). *Training needs assessment*. Englewood cliffs, NJ: Educational Technology Publications.

Rossett, A. (1999). Analysis for human performance technology. In H. K. Stolovitch &E. J. Keeps (Eds.), *Handbook of human performance technology: Improving individual and organizational performance worldwide* (2nd ed., pp. 139-162). San Francisco: Jossey-Bass/Pfeiffer.

Rossett, A. (Ed.). (2002a). *The ASTD e-learning handbook*. New York: McGraw-Hill.

Rossett, A. (2002b). From training to training and performance. In R. A. Reiser & J. V. Dempsey (Eds.), *Trends and issues in instructional design and technology* (pp.123-132). Upper Saddle River, NJ: Merrill/Prentice Hall.

Rossi, P. H., Freeman, H. E., & Lipsey, M. W. (1999). *Evaluation: a systematic approach*. Newbury Park, CA: Sage.

Rothwell, W. J., & Kazanas, H. C. (1998). *Mastering the instructional design process: A systematic approach*. San Francisco, CA: Jossey-Bass.

Rothwell, W. J., & Kazanas, H. C. (2004). *Mastering the instructional design process: A systematic approach* (3rd ed.). San Francisco: John Wiley & Sons/Pfeiffer.

Rudd, J., Stern, K. R., & Isensee, S. (1996, January). Low vs. high fidelity prototyping debate. *Interactions,* 76-85.

Rumble, G. (2003). Modeling the costs and economics of distance education. In M. G. Moore & W. G. Anderson (Eds.), *Handbook of distance education* (pp. 703-716). Mahwah, NJ: Lawrence Erlbaum Associates.

Ryder, R. J., & Hughes, T. (1986). *Internet for educators* (2nd ed.) Upper Saddle River, NJ: Merrill.

Saettler, P. (1990). *The evolution of American educational technology.* Englewood, CO: Libraries Unlimited.

Salmon, G. (2000). *E-moderating: the key to teaching and learning online.* London: Kogan Page.

Salomon, G., & Gardner, H. (1986). The computer as educator: Lessons from television research. *Educational Researcher, 15*(10), 13-19.

Santrock, J. W. (2001). *Educational psychology.* Boston: Mcgraw-Hill.

Saunders, L. (1997) The multimedia learning curve can be steep. *Internet Librarian* (April), 43

Savenye, W. C. (2004). Evaluating Web-based learning systems and software. In N. M Seel & S. Dijkstra (Edsl), *Curriculum, plans, and processes in instructional design: International perspectives* (pp. 309-330). Mahwah, NJ: Lawrence Erlbaum Associates.

Savenye, W. C., Smith, P. L., & Davidson, G. V. (1989, October). *Teaching with technology.* Paper presented at the Conference for Experienced Faculty. Austin, TX: University of texas at Austin.

Secretaty' s Commission on Achieving Necessary Skills. (1999). *Learning a living: A blueprint fot high performance: A SCANS report for America 2000.* United States Department of Labor. Retrieved July 12, 2000, from http://www.ttrc.doleta.gov/SCANS/lal/LAL.HTM

Schank, R. (2002). *Designing world-class e-learning.* New York: McGraw-Hill.

Schermerhorn, J. R. (1999). *Management* (6th ed). New York: John Wiley & Sons.

Scheurman, G. (2000). From behaviorist to constructivist teaching. In D. Podell (Ed.), *Stand! Contending ideas and opinions.* Madison, WI: Coursewise.

Schouten, F. (2004). *Webcams keep suspended students on track.* Retrieved December 10, 2004, from http://www.usatoday.com/tech/webguide/internetlife/2004-01-05-class-webcams_x.htm

Schwier, R. A., & Misanchuk, E. R. (1993). *Interactive multimedia instruction.* Englewood Cliffs, NJ: Educational Technology Pblications.

Seels, B. B., & Glasgow, Z. (1990). *Exercises in instructional design. Columbus,* OH: Merrill.

Seels, B. B., & Glasgow, Z. (1998). *Making instructional design decisions* (2nd ed.). Upper Saddle River, NJ: Merrill/Prentice Hall.

Seels, B. B., & Richey, R. C. (1994). *Instructional technology: The definitions and domains of the field.* Washington, DC: Association for Educational and Communications

Technology.

Seufert, S., Lechner, U., & Stanoevska, K. (2002). a refence model for online learning communities. *International Journal on E-Leaning, 1*(1), 43-54.

Shapiro, N. S., & Levine, J, (1999). *Creating learning communities*. San Francisco: Jossey-Bass.

Shepard, C. (2000). *Objects of interest*. Retrieved January 16, 2004, from http://www.fastract-consulting.uk/tactix/features/objects/objects.htm

Sherry, L. (1996). Issues in distance learning. *International Journal of Educational Telecommunications, 1*(4), 337-365.

Sherry, L. (1996). From literacy to mediacy: If it' s on the Internet, it must be true. *Texas Study fo Secondary Education, 12*(2), 19-22.

Shrock, S. A., & Coscarelli, W. (2000). *Criterion-referenced test development*. Washington, DC: ISPI.

Shrock, S. A., & Geis, L. (1999). Evaluation. In H. D. Stolovitch & E. J. Keeps (Eds.). *Handbook of human performance technology: Improving individual and organizational performance worldwide* (2nd ed., pp. 185-209). San Francisco: Jossey-Bass/Pfeiffer.

Simonson, M., Smaldino, S., Albright, M., & Zvaek, S. (2003). *Teaching and learning at a distance: Foundations of distance education* (2nd ed.). Upper Saddle River, NJ: Merrill/Prentice Hall.

Simpson, E. (1972). *The classification of educational objectives in the psychomotor domain: The psychomotor domain* (Vol. 3). Washington, DC: Gryphon House.

Singer, R. N. (1982). *The learning of motor skills*. New York: Macmillan.

Skinner, B. F. (1986). Programmed instruction revisited. *Phi Delta Kappan, 68*(2), 103-110.

Slavin, R. (1991). *Educational psychology: Theory into practice* (3rd ed.). Englewood Cliffs, NJ: Prentice Hall.

Smaldino, S., Russell, J. D., Heinich, R., & Molenda, M. (2005). *Instructional technology and media for learning* (8th ed.). Upper Saddle River, NJ: Merrill/Prentice Hall.

Smith, P. L. (1990). Beginning instructional design. Packet for course hadouts, unpublished manuscript. Austin, TX: University of Texas at Austin, Fall, 1900 & Fall, 1991.

Smith, P. L., & Ragan, T. J. (1999). *Instructional design* (2nd ed.). New York: Merrill.

Smith, P. L., & Ragan, T. J. (2005). *Instructional design* (3rd ed.) Hoboken, NJ: John Wkley & Sons.

Southard, A. (2001). *Student satisfaction with the assessment of online collaborative work*. Unpublished doctoral dissertation. Pensacol, FL: University of West Florida.

Spector, J. M., & Davidsen, P. I. (2000). Designing technology enhanced learning environments. In B. Abbey (Ed.), *Instructional and cognitive impacts of Web-based instruction* (pp. 241-261). Hershey, PA: Idea Group.

Spector, J. M., & de la Teja, I. (2001). *Competencies for online teaching*. ERIC Digest, ED-

99-CO-0005. Syracuse, NY: ERIC Clearinghouse on Information & Technology. Retrieved March 18, 2004, from http://www.ibstpi.org

Spitzer, D. R. (2001). Don' t forget the high-touch with the high-tech in distance learning. *Educational Technology, 51*(2), 51-55.

Sprinthall, N. A., Sprinthall, R. C., & Oja, S. N. (1994). *Educational psychology: A development approach* (6th ed.). New York: McGraw Hill.

Sriwongkol, T. (2002). *Online learning: A model of factors predictive of course completion rate as viewed by online instructors*. Unpublished dissertation, University of South Alabama, Mobile, AL.

Stiggins, R. J. (2005). *Student-involved assessment FOR learning,* 4th ed. Upper Saddle River, NJ: Merrill/Prentice Hall.

Stockley, D. (2003). *E-learning definition and explanation (E-learning, online training, online learning)*. Retrieved December 22, 2003, from http://derekstockley.com.au/elearning-definition.html

Stolovitch, H. D., & Keeps, E. J. (1999). What is human performance technology? In H. D. Stolovitch & E. J. Keeps, (Eds.), *Handbook of human performance technology: Improving individual and organizational performance worldwide* (2nd ed., pp. 3-24). San Francisco: Jossey-Bass/Pfeiffer.

Stringer, E. (2004). *Action research in education*. Upper Saddle River, NJ: Merrill/Prentice Hall.

Teaching and Learning in an Information Environment. (2004). *Distributed learning*. Retrieved August 24, 2004, from http://www.educ.sfu.ca/fp/title/pte/appluits/dist_learning.html

Technology, Education, and Copyright Harmonization Act. (2002). Retrieved May 8, 2004, from http://www.lib.ncsu.edu/scc/legislative/teachkit/act_text.html

Throne, D. (2001). Copyright issues in *Web-based training*. In H. H. (Ed.), Web-based training (pp. 381-390). Englewood Cliffs, NJ: Educational Technology Publications.

Trentin, G. (2001). Designing online education courses. In c. D. Maddux & D. L. Johnson (Eds.), *The Web in higher education: Assessing the impact and fulfilling the potential* (pp. 47-66). New York: Haworth.

Tripp, S., & Bicklemyer, B. (1990). Rapid prototyping: An alternative instructional design strategy. *ETR&D, 38*(1), 31-44.

Tsunoda, J. S. (1992). Expertise and values: How relevant is preservice training? *New Directions for Community Colleges, 79*(Fall), 11-20.

Tweedle, S., Avis, P., Wright, J., & Waller, T. (1998). Towards criteria for evaluating Web sites. *British journal of Educational Technology, 29*(3), 267-270.

20/20. (2004, November 19). *Plagiarism*. New York: American Broadcasting Corporation.

U. S. Army. (2003). *e.Army.U.* Retrieved March 23, 2003, from http://eArmyU.com

U. S. Coast Guard Insititute. (2003). *Home page*. Retrieved December 20, 2004, from http://www.uscg.mil/q/cgi/

U. S. Department of commerce. (2003). *Measuring the electronic economy: 2001 E-commerce multi-sector report.* Retrieved May 8, 2004, from http://www.census.gov/eos/www/archives.html

U. S. Department of Justice. (1990). *Americans with Disabilities Act home page.* Retrieved April 10, 2004, from http://www.usdoj.gov/crt/ada/adahom1.htm

U. S. Navy. (2003). *The U.S. Navy' s reusable learning objects strategy.* Retrieved March 23, 2003, from http://www.cnet.navy.mil

University of Florida. (2002). *UF computer and software requirement.* Retrieved May 8, 2004, from http://www.circa.ufl,edu/computers/

University of Illinois. (n. d.) Teaching at the Internet distance: The pedagogy of online teaching and learning. Report of a 1998-1999 Universit of Illinois faculty seminar. Retrieved December 18, 2003, from http://www.vpaa.uillinois.edu/reports_retreats/tid_ report.asp

Van Tiem, D. M., Moseley, J. L., & Dessinger, J. C. (2001). *Performance improvement interventions: Enhancing people, processes, and organizations through performance technology.* Washington, DC: International Society for Performance Improvement.

Verduin, J. R. (1991). *Distance education: The foundations of effective practice.* San Francisco: Jossey-Bass.

Villalba, C., & Romiszowski, A. J. (20010. Current and ideal practices in designing, developing, and delivering Web-based training. In B. H. Khan (Ed.), *Web-based training* (pp. 325-342). Englewood Cliffs, NJ; Educational Technology.

Wager, W., & McKay, J. (2002). EPSS: Visions and viewpoint. In R. A. Reiser & J. V. Dempsey (Eds.), *Trends and issues in instructional design and technology* (pp. 133-144). Upper Saddle River, NJ: Merrill/Prentice Hall.

Wagner, E. D. (2001). Emerging technology trends in elearning. Retrieved February 28, 2002, from http://www.linezine.com/2.1/features/ewette.htm

Wakefield, M. A., Frasciello, M., Tatnall, L. & Conover, V. (2001). *Concurrent instructional design: How to produce online courses using a lean team approach.* ITFORUM Pager No 56. Posted on the ITFORUM on December 1, 2001, http://it.coe.uga.edu/itforum/paper56/paper56.htm

Weiner, B. (1992). *Human motivation: Metaphors, theories, and research.* Newbury Park, CA: Sage.

Weinstein, c. E., & Mayer, R. (1986). The teaching of learning strategies. In C. Wittrock (Ed.). *Handbook of research on teaching* (3rd ed., pp. 315-327). New York: Macmillan.

Weiss, A. (2001). *The truth about servers.* Retrieved May 9, 2004, from http://www.serverwatch.com/tutorials/article.php/1354991

Welsh, T. M., & Anderson, B. L. (2001). Managing the development and evolution of web-based training: A service bureau concept. In B. H. Khan (Ed.), *Web-based training* (pp. 251-256). Englewood Cliffs, NJ: Educational Technology Publications.

Weston, T. J., & Barker, L. (2001). Designing, implementing, and evaluating Web-based learning modules for university students. *Educational Technology, 41*(4), 15-22.

Whatis?com. (2001). *Definitions.* Retrieved April 10, 2002, from http://whatis.techtarget.com/

Whatis?com. (2005). *Definitions.* Retrieved February-April 2005, from http://whatis.techtarget.com/

Wheeler, P., Haertel, G. D., & Scriven, M. (1992). *Teacher evaluation glossary.* Kalamazoo, MI: Western Michigan University, CREATE Project, the Evaluation Center. Retrieved May 18, 2004, from http://ec.wmich.edu/glossary/glossaryList.htm

White, K. W., & Weight, B. H. (Eds.), (2000) *The online teaching guide.* Boston: Allyn & Bacon.

Willis, B. (1994). *Distance education: Strategies and tools.* Englewood Cliffs, NJ: Educational Technology Publications.

Wlodkowski, R. J. (1997). Motivation with a mission: Understanding motivation and culture in workshop design. *New Directions for Adult and Continuing Education, 76*(Winter), 19-31.

Wlodkowski, R. J. (1999). *Enhancing adult motivation to learn: A comprehensive guide for teaching all adults.* San Francisco: Jossey-Bass/John Wiley & Sons.

Wlodkowski, R. J., & Ginsberg, M. B. (1995). *Diversity & motivation: Culturally responsive teaching.* San Francisco: Jossey-Bass/john Wiley & Sons.

Wood, A. F., & Smith, M. J. (2001). *Online communication: Linking technology, identify, & culture.* Mahwah, NJ: Lawrence Erlbaum Associates.

World Wide Web Consortium. (1999). *Recommendations.* Retrieved January 23, 2002, from http://www.w3.org/TR/WCAG10/

World Wide Web Consortium. (2000). *Techniques for Web content accessibility guidelines W3C note, 6 November 2000.* Retrieved January 23, 2002, from http://www.w3.org/TR/WCAG10-TECHS/

World Wide Web Consortium. (2001). *Web Accessibility Initiative (WAI).* Retrieved March 25, 2001, from http://www.w3.org/WAI/

Yoon, G. S. (1993-1994). The effects of instructional control, cognitive style, and prior knowledge on learning of computer-assisted instruction. *Journal of Educational Technology Systems, 22*(4), 357-370.

Young, J. (1997). Rethinking the role of the professor in an age of high-tech tools. *Chronicle of Higher Education* (october 3), A26-A28.

Zacbary, L. J. (2000). *The mentor's guide: Facilitating learning relationships.* San Francisco: Jossey-Bass/John Wiley & Sons.

Zastrow, J. (1997). Going the distance: Academic librarians in the virtual university. *Proceeding of the twelfth Computers in Libraries Conference.* Arlington, VA. March 10-12, n.p. Retrieved from http://library.kcc.hawaii.edu/~illdoc/de/DEpaper.htm

Zemke, R., & Kraminger, T. (1982). *Figuring things out: A trainer's guide to needs and task analysis*. Reading, MA: Addison-Wesley.

Zhang, J., Khan, B. H., Gibbons, A. S., & Ni. Y. (2001). Review of Web-based assessment tools. In V. H. Khan (Ed.), Web-based assessment tools. In B. H. Khan (Ed.), *Web-based training* (pp.287-296). Englewood, NJ: Educational Technology Publications.

Zillman, M. P. (2003). *Searching the Internet using brains and bots*. Retrieved May 4, 2004, from http://internet-101.com/Zillman-Internet-Columns/february2003_newsletter. htm

Zobel, S. (1997). Legal implications of intellectual property and the World Wide Web. In B. H. Khan (Ed.), *Web-based instruction* (pp. 337-340). Englewood Cliffs, NJ: Educational Technology Publications.

Zwaga, H. J. G., Boersema, T., & Hoonhout, H. C. M. (1999). *Visual information for everyday use*. London: Taylor & Francis.

찾아보기

김동식 • 부산대학교 교육학과 졸업
미국 플로리다주립대 교육공학 석사 및 박사
전) 한국교육개발원 책임연구원
전) 한양대학교 교육공학연구소장, 미국 플로리다주립대 Visiting Professor
현) 한양대학교 교육공학과 교수 및 학과장
현) 한양대학교 BK21 차세대 이러닝 연구개발팀장

조일현 • 서울대학교 농경제학과 졸업
연세대학교 산업교육학 석사
미국 플로리다주립대 교육공학 박사
전) 삼성인력개발원 기획팀 과장, (주)크레듀 이사 및 춘천교육대학교 컴퓨터교육과 교수
현) 이화여자대학교 교육공학과 교수

권숙진 • 한양대학교 교육공학과 졸업
한양대학교 대학원 교육공학과 석사 및 박사 수료
전) LG CNS 대리, 공주대, 동덕여대, 서원대 강사
현) 한양대 강사, 한양대 BK21 차세대 이러닝 연구개발팀 선임연구원

손소영 • 홍익대학교 영어영문과 졸업
한양대학교 대학원 교육공학과 석사 및 박사 수료
현) 한양대 강사, 한양대 BK21 차세대 이러닝 연구개발팀 선임연구원

사례중심

웹기반학습 설계개발론

Web-Based Learning: Design, Implementation, and Evaluation

초판 인쇄	2008년 3월 10일
초판 발행	2008년 3월 15일
저　　자	Gayle V. Davidson-Shivers · Karen L. Rasmussen
역　　자	김동식 · 조일현 · 권숙진 · 손소영
발 행 인	홍진기
발 행 처	아카데미프레스
주　　소	122-900 서울시 은평구 역촌2동 58-9 부호아파트 102동 상가 3호
전　　화	(02)2694-2563
팩　　스	(02)2694-2564
웹사이트	www.academypress.co.kr
등 록 일	2003. 6. 18, 제313-2003-220호
가　　격	23,000원
I S B N	978-89-91517-50-9

* 역자와의 합의하에 인지첩부는 생략합니다.
* 잘못된 책은 바꾸어 드립니다.